EL BANDOLERISMO EN CUBA
(1800-1933)
Presencia canaria y protesta rural

(TOMO I)

Manuel de Paz Sánchez
José Fernández Fernández
Nelson López Novegil

EL BANDOLERISMO EN CUBA
(1800-1933)
Presencia canaria y protesta rural

(TOMO I)

Prólogo: María Poumier

Taller de Historia
Director: Manuel de Paz

© Manuel de Paz-Sánchez, José Fernández-Fernández y Nelson López-Novegil.

© CENTRO DE LA CULTURA POPULAR CANARIA

© Del Prólogo: María Poumier

Primera edición: Diciembre 1993

Cuidado de la edición: C. Otero Alonso

Asesor literario de "Taller de Historia": Pablo Quintana.

Corrección de pruebas: Margarita Oliver

Fotografía de Cubierta: Manuel García Ponce. Gentileza de M. Poumier

Diseño de Cubierta: CCPC

Fotocomposición: *Taller Relax*
      Urbanización Guajara nº 83
      La Laguna Tenerife

Impresión: LITOGRAFÍA ROMERO, S.A.
      C/Ángel Guimerá, 1
      Santa Cruz de Tenerife

ISBN: 84-7926-073-4

Depósito Legal: TF. 351-1994

Esta investigación se realizó con cargo al proyecto AME-89/322, subvencionado por la Comisión Interministerial de Ciencia y Tecnología (CICYT).

ÍNDICE DEL TOMO I

El hombre debe llevar consigo el honor de hombre hasta la muerte.

José Plasencia, bandolero cubano.

Para conocer a un pueblo, se ha de estudiar en todos sus aspectos y expresiones, en sus elementos, en sus tendencias, en sus apóstoles y en sus bandidos.

José Martí Pérez.

Yo no soy bandolero. Habré tenido mis tropiezos... pero esos, ¿quién en la vida no los tuvo?

Ramón Arroyo Suárez, *Arroyito* o *Delirio*.

PRÓLOGO

I. LOS CANARIOS EN CUBA

"Cristóbal Colón, en su primer viaje en busca del continente que su ciencia le había revelado, hizo escala en estas islas y embarcó en sus bajeles algunos canarios. *Desde entonces, desde el descubrimiento y sumisión de América, no se ha interrumpido en momento alguno, esa corriente de inmigración, que lleva año tras año* millares de isleños *a fecundizar con su sudor la tierra del nuevo mundo, y a presentar en contraste con los hábitos de abandono que engendra el clima americano la infatigable laboriosidad, la vigorosa resistencia en las rudas faenas del trabajo, y la poderosa iniciativa que son el patrimonio de los pueblos del viejo mundo: esa emigración es la causa de que en todas las repúblicas Sud-Americanas, lo mismo que en Brasil y en las Antillas, se cuenten por millares* las familias isleñas y el nombre canario *tenga muy alta reputación..." Así justificaba en 1878 el Gobernador de Canarias sus gestiones para que Cuba acogiera una población canaria más importante* [1].

En Cuba, el primer "nombre canario de muy alta reputación" podría ser el de Silvestre de Balboa, primer poeta y primer poeta épico de Cuba, por los años 1608, autor de un largo poema narrativo misteriosamente titulado Espejo de paciencia. *Curiosamente este escribano escritor que vivió unos cincuenta años en Cuba no escribió el relato de la conquista española, y en cierta medida canaria, de Cuba, ni lo hizo nadie más tampoco; este vacío es comparable al que existe en las letras canarias, que no cuentan con un romancero de la conquista de Canarias por España.*

---

1. "Solicitud del Gobernador de la provincia de Canarias al Capitán General de Cuba para el fomento de la inmigración canaria", Santa Cruz de Tenerife, 4 de abril de 1878 (Archivo Nacional de Cuba, Gobierno General, Miscelánea de expedientes, legajo 411, nº 19454), cit. en Manuel de Paz y Manuel Hernández: *La esclavitud blanca. Contribución a la historia del inmigrante canario en América. Siglo XIX*, "Taller de Historia", Cabildo Insular de Fuerteventura-Centro de la Cultura Popular Canaria, Santa Cruz de Tenerife, 1992, p. 171.

Bien es verdad que el relato de la conquista de Cuba ya existía, y era tal que no dejaba espacio para una leyenda idealizante: son los múltiples apuntes acusadores de Las Casas, especialmente concentrados en la Brevísima relación de la destrucción de Indias, de 1542.

Con dos siglos de atraso aproximadamente, fue cómo las letras canarias crearon la epopeya de la conquista del archipiélago por los peninsulares; concretamente, en 1604 se publicaba el Poema... de Antonio de Viana, que constituye el primer texto de contenido estrictamente canario, muy influido por La Araucana de Ercilla, y cuyos aciertos en la sugestión del paisaje se han señalado repetidas veces [2]. No era Viana el único canario poeta entonces, sino que le precedía en pocos años Cairasco de Figueroa, con varias obras entre las que descuella la más salpicada de mar canario, su Templo militante..., de 1602. Resulta pues curioso que Balboa, que completa el trío, que recibió las mismas influencias por los mismos años antes de instalarse en Cuba, no se sintiera atraído por el tema de la conquista de Cuba como prolongación de las gestas isleñas, sino por el de la defensa de una porción del territorio cubano contra un invasor, el pirata francés Girón. Es como si para Balboa el arribo de los canarios, entre otros descubridores, conquistadores y colonizadores, no fuera acontecimiento para relatar. Como si se situara en tanto que criollo de la Gran Antilla desde siempre. Silvestre de Balboa se casó, en Cuba, con una criolla cuyo padre, Francisco de la Coba, había nacido en Gran Canaria [3]. Esta unión se convertirá en el patrón típico de los Canarios en Cuba: se van "aplatanando" en sus elecciones familiares, pero manteniendo una raíz isleña a medias durante dos o tres generaciones. Precede el relato, el Espejo de paciencia propiamente dicho, una colección de sonetos laudatorios. Entre éstos el de Antonio Hernández "el viejo", natural de Canarias, dirigido a las ninfas, "aquí donde el amor pesca sin boya", concluye:

> Ceñiréis de Silvestre ambas las sienes;
> pues con sus versos honra y engrandece
> de vuestra amenidad la patria amada.

---

2. V. Joaquín Artiles e Ignacio Quintana: Historia de la literatura canaria, Cabildo Insular de Gran Canaria, Las Palmas, 1978, 389 p.
3. El padre de Silvestre de Balboa procedía de Baeza, y su madre, Ursula de Rosales era de Gran Canaria. V. Silvestre de Balboa: Espejo de paciencia, edición facsímil a cargo de Cintio Vitier, Comisión Nacional Cubana de la Unesco, La Habana, 1962, nota 7, p. 25.

Otro sonetista, el Alférez Cristóbal de la Coba Machicao (¿cuñado de Silvestre?) iniciaba el suyo en las cumbres del sentimiento patrio y con hipérbole desenvuelta:

> *Tan alto vuelas, pájaro Canario...*

Otro, por fin, no concibe para Silvestre mayor consagración que la de

> *Las siete fortunadas islas bellas*
> *donde Marte y Amor tienen su asiento.*

Se siente en estos homenajes la complicidad en la picardía y el buen humor de una barra de amigos de distintos orígenes. Y el poema es como la devolución del homenaje, cuidadoso en repartir alabanzas a todas las "naciones" que participaron en el combate contra el pirata francés. Catálogo de frutas y apellidos, el poema es democrático: véase la única estrofa donde aparecen las islas maternas del autor:

> *De Canaria Palacios y Medina*
> *pasan armados de machete y nardo;*
> *Juan Gómez natural, con punta fina,*
> *y Rodrigo Martín, indio gallardo:*
> *cuatro etíopes de color de endrina;*
> *y por la retaguardia, aunque no tardo,*
> *va Melchor Pérez con aguda punta,*
> *que con su amago hiere y descoyunta.*

Lo que más ha llamado la atención de los cubanos es la relevancia extraordinaria dada en las estrofas siguientes y decisivas a un negro esclavo, Salvador Golomón; fue éste "Salvador criollo, negro honrado", el que dio muerte personalmente al pirata y en limpia pelea frontal; al final del combate tan glorioso para el negro interviene Don Silvestre tomando la palabra, entrometiéndose en el relato, para desmentir un posible prejuicio en favor de los negros, una culpable simpatía. Sin embargo, en los mismos versos en que reniega de cualquier negrofilia, protesta contra la esclavitud, advirtiendo:

> *ningún mordaz entienda ni presuma*
> *que es afición que tengo en lo que escribo*
> *a un negro esclavo, y sin razón cautivo.*

13

El primer texto canario de Cuba no contiene pues el menor chovinismo canario, y se adelanta en dos siglos al humanismo militante que se manifiesta por primera vez en Cuba como abolicionismo a partir de los años 1820, con la figura del padre Varela. El poeta vuelve al hilo del relato después de reclamar como premio al valor del negro su liberación; la toma de partido es tan inesperada, que en Cuba surgió la sospecha de que el texto fuera apócrifo, y broma de José Antonio Echevarría, su descubridor, en 1838, pues éste pertenecía al grupo de los intelectuales antiesclavistas. Pero, si bien subsiste el malestar entre los cubanos para interpretar la obra, porque sus aciertos burlescos son más convincentes que su pretensión al didactismo, la autoría de Balboa ya no es cuestionada, ni en Cuba ni en Canarias.

Recordaremos además, entre los encantadores, delirantes y festivos hallazgos de Don Silvestre, el uso de una palabra insulanos, *para designar a los habitantes de Cuba. En Cuba, se conoce al canario como* isleño; *pero este término aparece en el* Espejo *como sinónimo de habitante de Cuba; señal de una indistinción, en la que entran a formar parte con su valentía personal los mencionados canarios Medina y Palacios.* Insulano *aparece para rematar esta unificación, con la máxima carga épica:*

> *veinte y cuatro valientes insulanos,*
> *digo, de aquellos que en fértil prado*
> *acometen al toro más picado.*

En el ámbito de la fraternización de grupos distintos sobre el territorio cubano frente al francés, enemigo de todos, se puede recordar para concluir que el término criollo *aparece cuatro veces en el texto, con connotación afectiva, como significando: que pertenece a nuestro grupo, que es de los nuestros.*

José Lezama Lima, que apreciaba el Espejo de Paciencia *en cuanto título, que le sabía a profundo enigma oriental, le adscribía como contenido adecuado la obra total de José Martí, obra excepcional, que termina con la muerte en combate de su autor, y que carece precisamente de título significativo* [4]. *Partiendo de los brillantes inicios de la fusión canario-cubana, se pudiera enfocar la labor del historiador Manuel de Paz como el contenido al fin explayado de aquel* Templo *militar* fundador de las

---

4. José Lezama Lima: "Introducción a un sistema poético", en *Tratados en La Habana*, La Habana, 1958.

letras canarias, título tan ambicioso como el que eligiera Don Silvestre.
Manuel de Paz no pretende —que yo sepa— ser poeta, pero su amplia obra
de historiador y publicista de las relaciones cubano-canarias lo convierte
en el máximo exponente actual de una militancia por el acercamiento, la
religiosa vinculación, la mutua curiosidad, entre insulanos e isleños.

De lo que trata este libro de Manuel de Paz es de delincuentes,
asesinatos y patíbulos, y parecía que esta introducción se remonta a "la
historia del tabaco", como dicen los cubanos, es decir que elabora acro-
bacias temporales descabelladas que nunca terminarán de vincularse al
tema en discusión; pero da la casualidad de que la historia del tabaco
empieza con los indios, en seguida se convierte en historia de africanos,
por cuanto los esclavos fueron los primeros consumidores capaces de va-
lorar sus funciones sacramentales, ¡y de canarios, pues éstos fueron los
cultivadores de la planta con fines de comercialización, los vegueros, y los
manufactureros subsiguientes!

¿Presencia de los canarios en cada aspecto nuclear de la historia
cubana? Esta es la idea, asentada en las investigaciones más extensas y
rigurosas, de Manuel de Paz, quien descubre una extraordinaria oculta-
ción del aporte canario en la historia de Cuba, donde el adjetivo "isleño"
viene a ser sinónimo de bestia o bruto: "El isleño por antonomasia, pues,
ignorado e, incluso, vilipendiado por la sociedad que ayudó a construir,
fue desplazado, más tarde, del lugar a que tenía derecho en la gran historia
de América, no la de las individualidades señeras y de las instituciones,
sino la de las grandes masas de trabajadores, de oscuros protagonistas de
la historia" [5]. *Con la amplia lista de publicaciones promovidas por Manuel*
de Paz ha avanzado notablemente la rehabilitación de los canarios, por
una parte como "esclavos blancos", atraídos hacia el campo cubano por
la miseria en sus islas natales, pero luego estafados y supeditados a la
economía de plantación; es la tesis del libro La esclavitud blanca, *firmado*
conjuntamente por Manuel de Paz y Manuel Hernández; nos recuerda que
"en el mundo caribeño el isleño fue el poblador blanco que evitó la ocupa-
ción definitiva de Santo Domingo o Puerto Rico por otras potencias, que
trajo consigo la colonización hispana de Luisiana y Florida, y que se
insertó en el mundo rural de Cuba y Venezuela. De forma institucional o
por su propia iniciativa, ligada al privilegio de poder comerciar directa-
mente con algunos enclaves caribeños, el isleño emigró a América en ele-
vado número, en proporción a la población del Archipiélago. El canario

---

5. Manuel de Paz y Manuel Hernández: *La esclavitud blanca*, cit., p. 109.

fundó numerosos pueblos y comunidades rurales y dio origen al campesinado blanco, un rasgo diferenciador que caracteriza a las regiones en las que los isleños desempeñaron un papel esencial, por medio de una emigración con un elevado componente familiar, una fuerte endogamia interna y una proporción de mujeres muy superior a la del resto de la emigración española" [6].

Es además un rasgo original del aporte canario a la historia de Cuba lo que descubrimos: el canario se sintió criollo en Cuba, como lo era en sus islas, es decir hijo vejado y despreciado de colonizadores peninsulares, e hijo de la tierra, de la cual sacó directamente sus medios de vida. Y como tal, con el sentimiento de descubrir una isla más en su archipiélago atlántico, igualmente mal explotada por la metrópoli; tal vez le llamara la atención la similitud de la vecindad africana, vecindad en los puertos, y después en los campos; este criollo se encontró en condiciones de dejar una fuerte huella en la sociedad, por su número de familias, su constante incremento, y el sector profesional en el cual era mayoritario; bien entrado el siglo XIX, tuvo motivos específicos para dar salida a una rebeldía que ya tenía su asentamiento en la historia caribeña: este es el sentido general que se le puede dar al bandolerismo rural cubano, que se desarrolla continuamente a lo largo del siglo XIX, y que no decae hasta los años 1930, los mismos años en que cesa la emigración de todas las provincias de España a Cuba.

El gran aporte de Manuel de Paz, José Fernández y Nelson López está en mostrar que la agitación rural está unificada por la continua aparición de figuras descollantes, nacidas en familias de sitieros, es decir de campesinos dedicados a los cultivos para el consumo local, los cuales eran hijos o a lo sumo nietos de Canarios. En un primer nivel sociológico, los llamados bandidos interpretan los intereses de los labradores independientes frente a la agresión del ingenio azucarero, que pretende esclavizar a toda la fuerza de trabajo disponible; esto vale desde principios del siglo XIX, con el boom azucarero inducido por la ruina de las plantaciones en otras islas; la Corona española procura frenar la instalación de canarios en Cuba para no alimentar el autonomismo y el separatismo criollos; los canarios, cuyos recursos de exportación, el vino y la barrilla, están en crisis en estos mismos años, y cuyas tierras natales están agotadas, tienen una gran necesidad de buscar otras tierras de asentamiento; el proyecto de los que emigran es mantener su independencia económica; pero al

---

6. Id., p. 17.

ingenio no le conviene la competencia de un sector agrícola libre; sólo quiere jornaleros, y colonos que produzcan exclusivamente caña.

Estamos en una época, los años 1830, en que el ingenio produce, con mano de obra esclava, las carnes, frutas y viandas necesarias al consumo local; los esclavos las crían y cultivan en sus conucos, y gozan de cierta libertad para comercializar el excedente y abastecer de esta forma a los poblados. En esta medida, sigue siendo el ingenio, como unidad de producción, el que tiene el control de los precios. La nueva colonización canaria pretende agruparse en torno a los poblados, para abastecerlos a diario, en particular con carnes de ave, mientras que antes era propia de la "Vuelta Abajo", las zonas de economía tabacalera, esclavista también, pero no en grandes concentraciones de cautivos. Se evidencia el carácter peligroso para el sistema colonial de un arribo masivo de canarios: son los liberales cubanos los que los llaman a inmigrar, como Gaspar Betancourt y Cisneros, "el Lugareño", para reforzar a la población blanca contra la negra, y para contrarrestar el modo de producción esclavista; de manera que el canario, al llegar a Cuba, tiene varias razones para volverse subversivo: estafado en las condiciones de su traslado a Cuba, endeudado con el "arranchador" que le pagó el viaje y pretende cobrárselo en trabajo forzado; sospechoso y marginalizado por las autoridades coloniales, que ponen trabas a su implantación en Cuba; sometido a todo tipo de presiones para que acepte las condiciones de vida del esclavo negro, que sea estrictamente capaz de reemplazar a éste en las labores que por definición ningún ser humano libre escogería. Esto al tiempo en que descubre que en el Caribe, por el simple hecho de ser blanco y de hablar en castellano, podría pretender al Don, y a la consideración, como lo hacen todos los demás "gallegos".

Más adelante, una vez desaparecida la esclavitud, hay menos obstáculos políticos a su arribo a Cuba, llegan en la segunda mitad del siglo de 50 a 60.000 isleños, a la par que otros tantos chinos, pero la presión devoradora del ingenio es mayor. Hay una verdadera persecución de toda la mano de obra virtual, y una resistencia general a aceptar los salarios que ofrece el ingenio. El efecto subversivo temido desde un siglo atrás ya está en condiciones de darse: masivamente, abiertamente; los isleños —sitieros, jornaleros acosados por el ingenio o pequeños comerciantes de cualquier cosa, buhoneros, galleros, satélites poco productivos de todos los centros locales de lucro mayor, adictos a la vagancia de los cuales se quejan los propietarios— se vuelven separatistas, y se encuentran solidarios de hecho con el resto del pueblo humilde de Cuba: ex-esclavos o libres de color ya con asentamiento autónomo en la economía cubana, como artesanos y en menor medida labradores.

II. ¿UN BANDOLERISMO ÉTNICO?

Así es cómo en los años de las luchas abiertas por la independencia, de 1868 en adelante, se percibe menos la reivindicación económica, clasista, del bandolerismo rural y en gran medida étnico, y descuella la militancia política, el esfuerzo de los bandoleros por dinamizar el separatismo y dinamitar las estructuras coloniales. Enfocado en cuanto fenómeno canario, el bandolerismo cubano se convierte en prueba de una capacidad de iniciativa extraordinariamente permanente de una comunidad entre las que integran la socidad cubana, con sus tensiones, negociaciones y confraternidades.

El bandolero de familia criollo-canaria acumula varias funciones útiles a su comunidad, y tiene un compañero imprescindible criado en la familia, que le permite una superioridad funcional frente a los otros grupos: el caballo. La guardia civil sigue andando muchas veces a pie como el esclavo y el cimarrón andaban a pie; el hacendado, aún escoltado, es inerme en cuanto intenta desplazarse, por lo que se le secuestra sin mayores tropiezos. La gente de la ciudad, desconociendo el terreno, no se atreve fuera de los poblados. Gracias al caballo, el bandolero se abre paso, y ofrece con su nomadismo incesante un fermento de mercado negro vital para el pobre sitiero, que no posee una buena red de comercialización de sus productos: el bandolero paga a sobreprecio y al contado; está en todos los centros donde circula el numerario, las gallerías, las mesas de juego y las loterías; negocia y traslada armas, compra alimento y amparo. Estando así en el centro de la actividad comercial, arruinando a los hacendados si se niegan a pagarle las contribuciones solicitadas, el bandolero se cartea con todos, está en posición de negociar con el gobierno, se marcha al extranjero con protección legal cuando le conviene, y se hace imprescindible como fuerza logística para los insurrectos.

¿De dónde aprendió el isleño cubano tanta técnica de resistencia agresiva a las normas aplastantes de una sociedad dominada por los intereses azucareros? Tengo entendido que no hubo bandolerismo significativo en el agro canario. En España se destacan dos grandes etapas y localizaciones del bandolerismo: Cataluña en el siglo de oro, época de gran auge demográfico y económico, de reajustes y oportunidades, y Andalucía,

siglo XVIII y primera mitad del siglo XIX, movimiento vinculado al problema de la tierra. Los dos tipos de factores intervienen evidentemente en Cuba desde que el boom azucarero revoluciona la sociedad. El eslabón canario pudo forjarse en la práctica peninsular de desterrar a los jefes de la oposición liberal a las islas: darían lecciones de historia ejemplar... Las autoridades se quejaban de que los deportados difundían su laborantismo entre la población... Si este es el origen principal de la turbulencia canaria en Cuba, se puede observar que produjo sus frutos, contagiando a otros sectores de la población: en las cuadrillas del tiempo colonial se señala la presencia de pardos y mulatos; algunos llegaron a capitanes de partida, aunque excepcionalmente, y la mayoría adquirió rango de mambises formales después de pasar por la escuela del bandolerismo; en el siglo XX, en que el bandolerismo rural se hace oriental y marcadamente antiimperialista, deja de ser blanco e isleño; pero la rebeldía negra oriental no es hija de los palenques del tiempo de la esclavitud, sino que tiene la calculada agresividad del bandolerismo al estilo de Manuel García: nada de asesinatos inmediatos, en la perspectiva limitada de una imposible suplantación del rico propietario, sino la extorsión gradual, negociada, y articulada con los planes nacionales de levantamientos contra los gobiernos títeres, en 1906, en 1912 y en 1917.

III. HISTORIA Y MITOGRAFÍA

Además el bandolerismo según el patrón canario en Cuba cuenta con protagonistas sumamente atractivos, como Carlos Agüero, Manuel García o Arroyito; *procuraremos no caer en una demagogia canariófila ni en la mitología universal del que "le robaba a los ricos para darles a los pobres": esos campeones de leyenda no fraguaron una ética de clase o de nación frente a las clases dominantes y a las potencias extranjeras, ni tenían un proyecto de redistribución de la riqueza ni desarrollaron una pedagogía para suscitar la imitación de su ejemplo. Pero se les puede rendir homenaje en cuanto artistas, creadores de imágenes espectaculares; en esta medida, participaron en la elaboración de una sensibilidad cubana concretamente unida en su recuerdo nostálgico; intérpretes iniciales de su leyenda, con rasgos de generosidad, de acrobacia y de terca dignidad, consiguen la adhesión de cubanos sin vinculación alguna con ellos, ni local, ni regional, ni étnica, ni clasista. Como otras estrellas del deporte o de la farándula, contribuyeron a congregar, a concretar afinidades entre grupos distantes.*

La leyenda positiva de los bandoleros cunde tanto por la ciudad como por el campo, entre negros y entre blancos, criollos de raíz, y gallegos aún sonrosados (mientras que la música de los isleños, el punto guajiro, sigue siendo la música que gusta en el campo y a los abuelos, pero no afianzó como música nacional), ¡hasta estos mismos años, que han visto aparecer una novela rimada de 1.340 versos sobre Manuel García, y publicarse en la muy seria editorial Letras Cubanas! [7]

Se ha podido observar que la leyenda de un bandolero, en cualquier lugar del mundo, se modifica a medida que pasa el tiempo como una materia elástica en que cada generación procura encarnar la utopía del momento, y agregar la validez de un supuesto precedente histórico a la militancia concreta que la ocupa [8]. *Así poco faltó para que Manuel García se transformara en el más noble líder independentista traicionado y asesinado, más íntegro que cualquier figura oficial, alrededor de 1913, o en militante socialista y antiimperialista por los años 1920. En los años en que pude personalmente recopilar información sobre el personaje, me fascinaba observar cómo, según los datos más auténticos, por ejemplo su correspondencia privada, se había alejado del modelo clásico del machismo: en los momentos de la derrota, la amistad y la lealtad lo hacían blando; no me aparecían datos sobre sus posibles enamoramientos fuera de la pareja legal y estéril que había formado con Charo, su isleña y virtuosa esposa. Me parecía forjador de una nueva ética sexual además de mil virtudes más.*

El renovado interés de Manuel de Paz, José Fernández y Nelson López por estos campeones canarios de la supervivencia mediante el asalto riesgoso a los ricos vecinos y a sus aliados, coincide con un nuevo acercamiento de canarios y cubanos en los intereses del comercio cultural y turístico, con un redescubrimiento de parentesco, y se siente el entusiasmo de los autores al demostrar que cada figura descollante del bandolerismo cubano tenía parientes canarios. Sin embargo no dan a conocer ningún gesto en que los bandoleros, o los sitieros que los ayudaban, se manifestaran como representantes de una comunidad canaria. Sorprende al contrario que no pro-

---

7. Chanito Isidrón: *Manuel García, Rey de los Campos de Cuba,* Prólogo de Virgilio López Lemus, Ed. Letras Cubanas, La Habana, 1989.
8. V. por ejemplo: Jean-François Botrel: "Diego Corrientes ou le bandit généreux: fonction et fonctionnement d'un mythe", en *Culturas populares, diferencias, divergencias, conflictos,* Casa de Velázquez-Universidad Complutense, Madrid, 1986, pp. 241-266.

tejan específicamente a sus supuestos paisanos, sino que actúen como criollos que no discriminan ni privilegian a ningún grupo entre los que atacan. La criollización observable desde los versos de Silvestre de Balboa se desarrolló en el campo, en contraste con lo que ocurre en la Habana, donde un periodista como Wangüemert (1862-1942) mantuvo una identidad isleña y defendió los intereses de su comunidad después de otros intelectuales [9].

Este libro es el resultado de las investigaciones más detalladas que se hayan hecho sobre el tema; los autores explotaron además de las fuentes archivísticas ya explotadas y reflejadas en las muy serias publicaciones norteamericanas y cubanas de estos últimos años, las fuentes provinciales, las que atañen a las causas íntimas de la historia, a los intereses privados cuyas conjunciones imprevisibles dan su rostro peculiar a la historia política y social. Los autores mantienen el romanticismo de todos los que sienten curiosidad por el bandolerismo sin ser policías; así leemos que el bandolerismo en Cuba es "la respuesta del blanco, o mejor, del hombre libre y desposeído a la desigualdad social [...], es la agresión contra la sociedad, el delito, especialmente contra los poseedores de bienes materiales que, a sus ojos y a los de muchos desposeídos como él, aparecen como culpables de su situación de miseria". Se acepta en el libro el concepto sesentayochesco del "bandolerismo social" introducido por Eric J. Hobsbawm. Es preciso señalar que los años ochenta han sido de asaltos vehementes al concepto de bandolerismo social [10].

Todos los que investigan historias regionales descubren que el bandolero que descuella es el que tiene una red de aliados poderosos, que lo utilizan a él para reforzar un cacicazgo local; de modo que la defensa de los desposeídos se da en oportunidades singulares, no como línea de acción concertada. El bandolero ya no es un rebelde primitivo, sino una persona marginalizada en un contexto que le permite desenvolver una actividad

---

9. V. Manuel de Paz: *Wangüemert y Cuba*, "Taller de Historia", CCPC, Santa Cruz de Tenerife, 1991-1992, 2 t.
10. Ver A. Block: "The peasant and the brigand; social banditry reconsidered", Comparative studies in society and history, XIV, n° 4, 1972; *Bande armate, banditi, banditismo e repressione di giustizia negli stati europei di antico regime*, Roma, Ed. Jouvence, 1986 (encuentro de especialistas presidido por el propio Hobsbawm); *Le bandit et son image au siècle d'or*, Travaux du Centre de Recherches sur l'Espagne des XVI et XVIIème siècles VI, Casa de Velázquez, Publications de la Sorbonne, 1991.

de resonancias colectivas suficientes para que muchos procuren su protección o su colaboración.

Tal vez sea prudente recordar que el bandolero novato es un individuo desvalido que se encuentra abocado a la ilegalidad a raíz de un primer delito común o de un acto de tipo terrorista por encargo de un partido político en una fase determinada, sin trascendencia social; su innata energía para rechazar la persecución es la que lo lleva a cometer nuevos delitos, y a buscar sus medios de subsistencia entre los que tienen recursos y se prestan a la amenaza o a la agresión; su enemigo no es el rico, o el capitalista, sino el policía, y el poder que sostiene a éste. Sus actos toman un cariz social a partir del momento en que ha logrado aplazar la captura, y se constituye una red de aliados, a base de amenazas combinadas con la lealtad y la generosidad, para seguir a salvo; el bandolero que pasa a la historia como justiciero, o social en la lengua de nuestro siglo, es el individuo que consigue ampliar su radio de acción y desplegar con las cartas del triunfo la riqueza de su personalidad. No existe en el fondo el bandolerismo social, sino algunos campeones con prestigio en un determinado sector social. En Cuba se descubre una sociedad de pequeños cultivadores, generalmente de origen canario, que defendían su existencia dándole la espalda a las autoridades, cualesquiera que fueran éstas, pero éstos no cometían más delito auténtico, más acto subversivo, que el de amparar en secreto a las "partidas"; no pretendían la toma del poder, eran simples resistentes a las presiones administrativas y de los hacendados; salvo en vísperas de levantamientos políticos solían dejar a los profesionales del asalto realizar los espectáculos públicos, es decir ejecutar los delitos abiertos.

Este libro tiene entre otros méritos el de dibujar cuidadosamente las áreas y modalidades de la resistencia del pequeño campesinado sin caer en simplificaciones abusivas; surge la visión del otro destino posible de Cuba, autónoma productora de su alimento, con una sociedad de intereses coherentes, integrada en la cooperación para la defensa de proyectos propiamente nacionales..., pero los cultivadores canarios no tuvieron los ideólogos capaces de elaborar semejante modelo económico contrario a la expansión del monocultivo para la exportación del azúcar a granel; el sindicalismo rural que se desarrolló después de la extinción del bandolerismo nace entre los proletarios del azúcar, nace de la plantación, no al margen de ella.

En los años de la guerrilla, de 1953 en adelante, se volverá a expresar el interés del campesinado libre. Ahora bien, en el período que abarca este libro, el estilo de vida de los bandoleros propiamente dichos, grupo ínfimo entre los pacíficos descendientes de canarios, no vale más que como un vestigio crepuscular del sistema de vida nómada y predatorio que la misma prosperidad de los dueños sedentarios del agro genera cuando no han terminado de edificar el sistema represivo adecuado; esto es lo que los gobernadores españoles no consiguieron implantar nunca, mientras que los norteamericanos crearon la Guardia Rural, perfectamente adaptada para proteger a los terratenientes de toda agresión clasista o marginal; y vemos cómo el bandolerismo en la Cuba del siglo XX pierde ineludiblemente su carácter épico para volverse juguetón o cómico. Arroyito no asusta sino que distrae: pierde el tiempo entre guitarras y mujeres, es un artista de la evasión, pero al final se dejó capturar como un principiante. Quizás el bandolerismo desinteresadamente social no exista, como tampoco los partidos políticos al servicio estricto de los humildes. No cabe duda sin embargo que ambos tipos de agrupaciones se suman en momentos puntuales a intereses ideales de nación integrada; y vierten la sangre suficiente para que los poetas les atribuyan la voz más generosa. Así según Chanito Isidrón cantaba Manuel García inspirado:

> Libre nací, libre soy,
> libre como el mar y el viento,
> libre vuela el pensamiento
> con las alas que le doy.
> Si existen esclavos hoy,
> que esclavos no se les deje,
> ¿quién lucha?, ¿quién los protege?:
> ¡la hoja de acero afilada
> si es patriótica y honrada
> la mano que la maneje!

"A mí hay que matarme matando", dicen también que decía Manuel García: a falta de poder hacer otra cosa, de poder demostrar su hombría creando y produciendo libremente, lo que les está vedado a los proletarios y en vías de proletarización, esto aprendieron a soñar los cubanos aplastados por la historia. Según los casos, el sueño y la pasión por algunos ídolos capaces de morir matando fue el oxígeno espiritual para soportar doblar el lomo; en otros casos, los campesinos renacieron a la fe en sí, fueron capaces a su vez de morir matando, y de allí el nuevo amanecer del insurreccionalismo rural a partir de 1956.

Los autores resuelven brillante y magistralmente, mediante la exhaustiva explotación del Archivo de Polavieja, los enigmas complejos que rodearon al personaje, con un talento detectivesco no alcanzado por ningún otro estudioso del tema. Alegra comprobar que el espíritu de defensa de los intereses insulano-isleños también produce, apenas después de un siglo de la muerte de Manuel García en la gesta independentista, frutos intelectuales brillantes, respetuosos de las investigaciones anteriores, verídicos y seguramente útiles, por el contexto de redescubrimiento mutuo del que forman parte, para desvirtuar nuevas violencias desesperadas en Cuba y para abrir campos de prosperidad y mayor justicia social.

María Poumier
Universidad de París VIII
Grupo de Investigaciones: Historia de las Antillas Hispánicas

INTRODUCCIÓN

Este libro es el fruto de la colaboración sincera entre los miembros de un equipo de historiadores canario-cubano. Aunque la andadura comenzó por caminos diferentes, en un momento dado, anterior al verano de 1990, los autores decidieron unir sus esfuerzos para sacar a la luz una historia del bandolerismo en Cuba. Descubrimos, poco a poco, que las fuentes, como no podía ser de otra manera, se completaban perfectamente y que nuestros criterios, tras algunas discusiones, encontraban un cauce común. En el fondo, si tiene algún mérito, es que habla de solidaridad, de amistad y de mutuo afecto cubano-canario.

Elegimos, a la hora de planificar el trabajo, un marco cronológico amplio, coincidente con el desarrollo de la economía de plantaciones en Cuba, porque entendíamos, y entendemos, que la evolución y la intensidad del bandolerismo cubano estaban ligadas a las transformaciones económicas, más o menos traumáticas, producidas en el mundo rural a lo largo de la etapa objeto de análisis. Y no tardamos en darnos cuenta, como canarios y como cubanos, que no era una simple casualidad que las principales figuras del bandolerismo fueran isleños o descendientes próximos de isleños. Al fin y al cabo Manuel García Ponce formaba parte, con todos los honores, de la cultura tradicional canaria, y sus décimas, muchas de sus décimas guajiras, seguían en la mente de nuestros abuelos y de nuestros padres, como estos versos recitados, no ha mucho, por un vecino de La Orotava [1]:

> Le sucedió a Manuel
> por ser tan justo y tan fuerte
> que hirió al contrario de muerte
> y lo apellidaron cruel...

---

1. Gentileza de Manuel Fariña, quien nos constata la existencia de otras muchas décimas, reproducidas, aún, por isleños que jamás visitaron Cuba.

Ese sentido de la justicia, de la libertad, de la independencia personal del isleño y del cubano tan presente en las raíces profundas de ambos pueblos, esa mentalidad agraria tan particular, socarrona y a la vez franca, esa alma común, en fin, poseen la suficiente carga de romanticismo para que los autores se dejaran atrapar, entre otros motivos más profesionales, por lo que el maestro G. Duby llama, sin ambages, la seducción del placer. Pero, en estos tiempos de incertidumbre posmodernista, nosotros observamos cómo el modelo del bandolero social parecía tomar forma ante nuestros ojos, incluso en aquellos elementos más accesorios como los escapularios o las oraciones del "Justo Juez" que todos los insumisos llevaban siempre consigo, y, naturalmente, en esa sólida evolución hacia el bandolero de liberación nacional, ni simple delincuente ni soldado, bandolero-insurrecto, como definición más precisa.

Ninguna obra puede ser definitiva, pero, pensamos que toda obra sí puede ser útil y, tal vez, necesaria, por eso la publicamos hoy, jubilosos pero insatisfechos, como en todo trabajo de investigación histórica. Quisiéramos que fuera un homenaje en el tiempo a todos los isleños y a todos los cubanos, a los guajiros que antes y, por supuesto, después de la independencia de Cuba, cuyo primer centenario está a punto de cumplirse, creyeron siempre en las bondades del futuro, a pesar de todos los fracasos y de todas las incertidumbres del porvenir.

Hemos recogido diverso material archivístico en los principales archivos españoles y cubanos, y expresamos aquí nuestro agradecimiento a los responsables de todos los centros en los que trabajamos, sin cuya colaboración y paciencia se hace imposible la labor del historiador. Recorrimos numerosos enclaves en pos de visualizar lo que nos decía el relato. Hablamos con varios testigos de la última época, en busca de matices íntimos y sutíles. Y, al fin, sólo nos queda, para ser fieles al rito y a la tradición, dar las gracias a todos, cuya lista sería interminable, y asumir, con total convicción, las lagunas y los errores que, sin duda, encontrará el lector especializado en el tema.

Agradecemos, por último, la colaboración de las instituciones para la presente edición y, de manera particular, las páginas preliminares –hermosas y ponderadas– de la profesora María Poumier, pionera en el estudio científico del fenómeno en Cuba.

Estas palabras previas sólo tienen por objeto invitar al lector a sumergirse en un mundo bello y apasionante, creador, en efecto, de grandes y pequeñas epopeyas, un mundo donde, en numerosas ocasiones, la realidad supera con creces a la fantasía. Nosotros hemos crecido en el asombro a medida que lo íbamos descubriendo, sin premeditación, casi improvisando, como en el punto cubano.

Los autores

CAPÍTULO I

BANDIDOS Y MALHECHORES DURANTE LA PRIMERA MITAD DEL SIGLO XIX

Ya entonces ve el asesino
todo negro su horizonte:
hállase en medio del monte
y un pensamiento le vino.
Pensamiento repugnante,
triste, y de infernal ralea,
pero la angustia lo crea
en toda frente ignorante,
cuando en la pública grey
no vierte el saber sus lumbres,
cuando marchan las costumbres
encontradas con la Ley.
Ya su amor roto y perdido
como una flor de verano,
¿qué le quedaba en la mano
sino el puñal del bandido?
Y si su infelicidad
a la sociedad debía,
¿por qué razón no podía
pagar a la sociedad?
Tal piensa; y sin que más siembre
quejas que al aire sonaron,
así que por él pasaron
un enero y un diciembre,
corrió su daga y su nombre
por corazones y oídos,
cual dos azotes unidos
que descargan sobre un hombre.
Después el ejecutor

colgóle en horca severa.
Ved: porque oyó en su carrera
la voz santa del honor.

José Jacinto Milanés: *El bandolero* (1837).

LA TRADICIÓN erudita atribuye al bastardo de un segundón de la Casa de Feria [1], Vasco Porcallo de Figueroa, quien había llegado a Cuba con el teniente gobernador Diego Velázquez, el dudoso honor, en el presente caso, de haber inaugurado la historia del bandolerismo en Cuba. Porcallo de Figueroa, debido a ciertas diferencias surgidas con su jefe, se ausentó de la capital, a la sazón Santiago de Cuba, con el objeto de ubicarse entre Camagüey y Sancti Spíritus, junto con su mesnada de colonizadores sin escrúpulos. Sus desmanes y atropellos, en especial con relación a los indios, le llevaron ante los tribunales de La Española el 13 de marzo de 1522, pero su caso no debía ser muy especial en el enrarecido ambiente de agrias disputas casi familiares de la recién nacida colonia y, al cabo, Porcallo de Figueroa pudo seguir disfrutando de su poder y de su harén de nativas en la Fernandina [2].

Vasco Porcallo de Figueroa, sin embargo, no fue un bandolero, aunque sus actos entran en la esfera del delito [3], pues, como apuntábamos, no

---

1. Como afirma J.M. Ots Capdequí, "fueron los *segundones fijosdalgo* los que en gran parte nutrieron las expediciones descubridoras. La institución de los *mayorazgos*, vigente en España, había motivado que los hijos no primogénitos de las familias nobiliarias quedasen en una situación económica difícil, notoriamente desproporcionada con su posición social". Además, por reales cédulas de 1492 y 1497 se autorizó la recluta de delincuentes para formar parte de las expediciones, aunque estas disposiciones quedaron abolidas por otra real cédula del 11 de abril de 1505 (*El Estado español en las Indias*, Ed. Ciencias Sociales, La Habana, 1975, pp. 17-18).
2. F. López Leiva: *El bandolerismo en Cuba*, Imprenta "El Siglo XX", La Habana, 1930, pp. 7-8.
3. Como señala E.S. Santovenia, Vasco Porcallo de Figueroa "dedicó sus mejores empeños al enriquecimiento propio, hasta convertirse en ostentoso potentado. Recorrió toda la escala de abusos, inmoralidades y crímenes [...] Porcallo echó raíces de diversa índole y murió en la Isla rodeado de numerosa descendencia, legítima e ilegítima y en posición muy principal". Este historiador rechaza, asimismo, la calificación de bandolero que le atribuye López Leiva, "realmente —afirma— este personaje fue sólo un detestable conquista-

es raro que en los primeros tiempos de la empresa conquistadora participaran segundones y, también, delincuentes, amnistiados estos últimos por los reyes para servir en las huestes que habrían de someter a los infieles, "acatando quanto nuestro señor Dios sería servido que los dichos infieles sean convertidos a la dicha nuestra santa fee", como rezaba una Carta de perdón concedida, ya en 1481, por Isabel de Castilla a los malhechores gallegos que se alistasen para ultimar la conquista de las islas Canarias [4], aunque esta práctica colonial no fue únicamente española, sino todo lo contrario [5]. Los excesos cometidos en esos tiempos primeros se sitúan, pues,

dor que nunca llegó a estar fuera de la ley" (*Historia de Cuba*, Ed. Trópico, La Habana, 1942, t. I, pp. 194-195).

Según J. Le Riverend (*Problemas de la formación agraria de Cuba. Siglos XVI-XVII*, Ed. Ciencias Sociales, La Habana, 1992, p. 9, nota 4), "se ha sospechado que el colonizador Vasco Porcayo de Figueroa tuvo un señorío en la zona central de Cuba. Hasta hoy, todo es pura conjetura basada en las noticias que sobre la brutal omnipotencia de ese personaje se han podido recoger en los documentos anteriores a 1540".

4. A. Rumeu de Armas: *La conquista de Tenerife, 1494-1496*, Aula de Cultura de Tenerife, 1975, pp. 414-415.

   En otra Carta al Conde de Cifuente, Alférez y Asistente Mayor de Sevilla, del 22 de junio de 1497, los Reyes Católicos le instruían para la recepción de los delincuentes hasta que fueran reexpedidos "para la Isla Española" (A. Lipschütz: *Marx y Lénin y los problemas indigenistas*, Casa de las Américas, La Habana, 1974, p. 159).

5. En relación con Inglaterra, según E. Williams, se propuso, en 1664, que fueran deportados a las colonias todos los vagabundos, pícaros, vagos, rateros, gitanos y personas libertinas que frecuentaban burdeles no autorizados. El propio Benjamín Franklin se opuso a este "vuelco de los desechos del Viejo Mundo sobre el Nuevo", y lo consideró "el insulto más cruel que jamás hiciera una nación a otra, y preguntó si Inglaterra tenía justificación para enviar sus convictos a las colonias, y si éstas estaban justificadas para enviar a Inglaterra, a su vez, sus serpientes de cascabel". E. Williams afirma no comprender esta especial sensibilidad de Franklin con relación al problema de la inmigración indeseable, en su opinión hacía falta mano de obra y el trabajo de los delincuentes, como señalaban otros contemporáneos, sería más beneficioso que los perjuicios que pudieran ocasionar sus vicios. "Sin los convictos –subraya– hubiera sido imposible el desarrollo precoz de las colonias australianas en el siglo XIX" (cfr. su obra: *Capitalismo y esclavitud*, Ed. de Ciencias Sociales, La Habana, 1975, pp. 10-11).

en la dinámica propia de la conquista y subsiguiente colonización de la Gran Antilla.

Además, el fomento de la economía en las zonas interiores de la isla apenas era perceptible en estos momentos, escaseaban la población rural, los caminos y hasta los denominados pueblos de campo. La explotación a gran escala de la industria azucarera no comenzaría, como es sabido, hasta finales del siglo XVIII, con lo que, durante la primera época de la colonia, pocos bandoleros podían practicar su oficio en la selva virgen e, inmediatamente después, en el marco de una economía de subsistencia y, socialmente, en una comunidad casi familiar [6]. Los bandidos sociales –no los simples delincuentes o marginales fuera de la ley, comunes a todas las sociedades y a todos los tiempos–, parecen "presentarse en todas aquellas sociedades que se hallan entre la fase de evolución de la organización tribal y familiar y la sociedad capitalista e industrial moderna, pero incluyendo aquí *las fases de desintegración de la sociedad familiar y la transición al capitalismo agrario*" [7].

En Cuba, antes del inicio del gran despegue azucarero, la principal preocupación de las autoridades y de los pobladores parece estar vinculada más bien al problema del contrabando con su secuela de delitos y, asimismo, a la piratería y el corso, dada la importancia estratégica de la isla en el Caribe. No sucedía así en un enclave próximo, pues, el 18 de junio de

---

6. En 1586 se pidió al Rey que ordenara que se presentaran a las autoridades los individuos que se mantenían fuera de la ley, con objeto de defender a La Habana de los ataques de los piratas: "Avia muchas personas por pendenzias libianas e por deudas de mercales e andavan ausentes al monte e en este tiempo an destar a pique todo el mundo: mande por auto que todas las personas questuvieren ausentes por las dhas. pendensias a deudas bengan luego a la ora a ponerse en la lista e alarde que por el poder que tengo de Vuestra Magestad respeto la grande necesidad les aseguro que no seran presos e que libremente puedan acudir al servizio de Vuestra magestad..." (G. Eguren: *La fidelísima Habana*, Ed. Letras Cubanas, La Habana, 1986, p. 88).

Por otro lado, en una relación de "los esclavos y forçados que quedaron de la galera San Agustín de La Havana", de comienzos de 1596, aparecen, entre otros muchos, estos dos condenados: "Marcos Perdomo de Canaria" y "Fabian de Soto de Garachico" (C. García del Pino y A. Melis Cappa: *Documentos para la historia colonial de Cuba*, Ed. Ciencias Sociales, La Habana, 1988, p. 64).

7. E.J. Hobsbawm: *Bandidos*, Ed. Ariel, Barcelona, 1976, p. 11. Subrayado por nosotros.

1799, se dictaba, en Aranjuez, una real orden con el fin de arbitrar medidas contra los bandoleros que sí amenazaban las comarcas orientales de Luisiana, en América del Norte [8]. En 1766, sin embargo, existen algunas referencias sobre "desertores, guachinangos, ladrones y gente vagante y mal entretenidos" en las "cuatro Villas" –zona central de Cuba–, aunque no constituían bandas organizadas. Y, en 1771, se habla también de "ladrones de haciendas y salteadores de caminos" en Puerto Príncipe, apuntándose los nombres de tres delincuentes, un tal Gregorio Soto, un negro conocido por *El Poblano* y un mulato llamado Venancio, pero, al parecer, tales hechos no fueron relevantes [9].

A fines del siglo XVIII Cuba inicia, como dijimos, su despegue económico a raíz del vacío dejado por Haití en el mercado azucarero internacional, entre otros factores. Más tarde, el uso de nuevas técnicas, la introducción del vapor, del ferrocarril y de otros avances tecnológicos, harían del campo cubano un lugar factible para el delito y para la rebeldía primitiva. La gran época del bandolerismo cubano se retrasaría, pues, algunas décadas.

---

8. Archivo Nacional de Cuba (ANC), Floridas, Leg. 10, n° 129.
9. M. Poumier: *Contribution à l'étude du banditisme social à Cuba. L'histoire et le mythe de Manuel García "Rey de los Campos de Cuba" (1851-1895)*, Ed. L'Harmattan, París, 1986, p. 43.
   El texto que hace referencia a los delincuentes de Puerto Príncipe –conservado en el Archivo General de Indias, Cuba, Legajo 1085–, del 4 de enero de 1771, ha sido recogido por César García del Pino y Alicia Melis Cappa (Op. cit., p. 260). Se trata de una denuncia de Francisco Jesús de Nebriga redactada en los siguientes términos: "...nos bemos en terminos de quedar apereser con un ladronisio que en esta Villa se a introdusido quese botan los ladrones a nuestras hasiendas y nos roban los animales que quieren y contanto estremo que ha avido hasienda quela han dejado sin una bestia y pocas bacas testigo desto puede ser el mesmo correo y asta el presente aunque sean prendido algunos de los dichos ladrones, luego que sobornan los Jueses con nuestros mesmos caudales incontinenti le dan libertad para que nos agan mayor estrago y si Vex^a. no manda que esto severamente se castigue susedera el que hombres de ningunas sustansia vagamundos nos maten porque presisamte. viendo que haqui estos latrosinios son castigados por los Sres. Jueses senos hase presiso el defender nuestras hasiendas y hasi Sr. estos besinos piden suplican y ruegan a Vex^a. que severamente hombres que se ocupan en tales infamias como un gregorio Soto un negro nombrado el poblano un mulato benansio todos sehan castigados".

1. LOS "INDIOS MALHECHORES"

Al principio les llamaron "indios malhechores". Apenas alboreaba el siglo XIX cuando la isla, desde Occidente hasta Oriente, se vio agitada por las acciones delictivas de los bandidos y salteadores de caminos, simples delincuentes y auténticos bandoleros.

"En aquellos instantes de resurgimiento trabajoso, aunque seguro, la campiña mantuana fue hollada por el bandolerismo, integrado, al impropio decir de los coetáneos, por los indios malhechores, alternando así la felicidad y el infortunio". Se trataba, en palabras de Emeterio S. Santovenia, del recuerdo, aún vigente, del "desorden engendrado en los tiempos de abandono y orfandad". El 12 de diciembre de 1801, se inició en Pinar del Río diligencia de querella por Pablo de la Torre contra Lázaro González y sus hermanos, vecinos todos de Mantua, por haber éstos atribuido a aquel "comunicación con los indios malhechores". Estamos, pues, ante uno de los elementos que, de ser cierta la acusación, caracterizan al bandolero más o menos típico, la conexión con el medio, el apoyo del campesino con el que ha de contar en todo momento, pues, como insistiremos más adelante, el bandido delinque ante el Estado o el señor que lo oprime, pero no ante su entorno social, víctima como él de la situación de opresión y garantía, además, de su invulnerabilidad. El Gobierno General organizó una expedición punitiva, comandada por el teniente Francisco Ramos, "que todavía en 1802 trabajaba en persecución de tal banda de criminales, autora, [...] de innumerables asesinatos, no sólo en Mantua, sino también en el resto de la jurisdicción de Filipina o Nueva Filipina" [10].

También en 1802 un *indio*, "provisto de flechas, a la usanza precolombina, hizo su aparición en la jurisdicción villaclareña sembrando la intranquilidad en el vecindario, hasta ese momento bastante confiado". Según el historiador local Manuel Dionisio González, el bandido destacó por su extraordinaria movilidad, pues se desplazaba con rapidez por toda la región, incluyendo Puerto Príncipe (Camagüey). Sus depredaciones, además, perjudicaban especialmente al ganado de la comarca, uno de los renglones productivos fundamentales. El "bandido siboney", señala J.A. Carreras, "era un hombre como de 40 años, que usaba pantalones, pero

---

10. Cfr. E.S. Santovenia: "Historia de Mantua (Pinar del Río)", en Academia de la Historia de Cuba: *Emeterio S. Santovenia, su labor académica*, Homenaje al cumplir cincuenta años de trabajar en las letras cubanas. 1907-1957, Imprenta "El Siglo XX", La Habana, 1957, p. 23, nota 3.

sin camisa. Tampoco llevaba sombrero" [11]. Muy pronto, sus acciones le ganaron fama, y para muchos el Indio "era mitad hombre y mitad demonio". Entre sus hechos delictivos destacaron algunos hurtos de niños y asesinatos de mujeres indefensas, como los de la hacienda de Pedro Barba y del enclave de la Torre. La Audiencia publicó bandos, ofreció premios y excitó a los vecinos para su captura. Además, se procuró reunir fondos para costear cuadrillas de hombres armados. Una de ellas, comandada por Juan Gregorio, Norberto y Juan Manuel Cárdenas, estuvo a punto de capturarlo en Palomalo, pero fracasó al internarse el bandido en los bosques. Unos meses más tarde, "en la jurisdicción de Puerto Príncipe, el indio pereció a manos de una de las partidas que le perseguían y volvió la tranquilidad a las comarcas del centro" [12].

Calcagno refiere, igualmente, las aventuras del "Indio bravo", seguramente el mismo personaje llamado así en Puerto Príncipe, "un famoso bandolero de raza primitiva, que por algún tiempo, desde 1800, tuvo en consternación aquellas cercanías; fue al fin muerto en 1803 por los valientes Agustín de Arias y Serapio Céspedes, quienes así lograron salvar a un niño del primero, que se había robado la noche anterior, según opinión común, para comérselo, como otros precedentes, y según creemos, pues no había antropófagos en Cuba, para exigir un rescate. Su muerte causó tanto regocijo en la capital del Camagüey, que a la media noche del 11 de Junio, en que fue traído el cadáver a la ciudad, se repicaron las campanas de las iglesias, ordenándose una función en acción de gracias, así como antes se habían dispuesto rogativas y partidas de gente armada, a las que siempre había logrado escapar, afrontándolas algunas veces y exponiendo, solo, contra ellas, su cabeza puesta a precio" [13].

Por su lado, Emilio Bacardí también recoge un acuerdo de las autoridades de Santiago de Cuba sobre un tal "Indio Martín", aunque según este testimonio el bandido no estaba solo. El 7 de febrero de 1803, se decidió "premiar con 200 pesos del fondo de Propios y con recomendación eficaz a S.M. a los que logren acabar con el bandido llamado *El Indio*, con cuyos destrozos tiene aterrorizados a los labradores que se abstienen de

11. Cfr. J.A. Carreras: "El bandolerismo en Las Villas (1831-1853)", *Revista Islas*, nº 52-53, Universidad Central de Las Villas, Santa Clara, 1975-1976, pp. 103-104.
12. Art. cit., pp. 104-105.
13. F. Calcagno: *Diccionario biográfico cubano*, Imprenta y Librería de N. Ponce de León, New-York, 1878, p. 125.

salir de sus casas para no ser víctimas de aquel asesino. *El Indio* está agregado a fugitivos y malhechores, siendo perseguido por la Santa Hermandad y don Miguel Ferrera voluntariamente, y se recomienda especialmente la persecución como interesante en la conservación de estos fieles vasallos e importante parte de esta Isla de la Corona" [14].

Si tenemos en cuenta las enormes distancias que tendría que recorrer el delincuente en cuestión para llevar a cabo sus fechorías, surge la duda sobre la existencia de más de un bandido con nombre similar. Gerardo Castellanos apunta, sin embargo, que el Indio Martín operó, en 1803, "en la zona de Santa Clara, Camagüey y llegando hasta Santiago de Cuba", se decía, añade, "que cometió crímenes atroces y que iba armado de flechas y lanzas, y sin sombrero, cubierto con un lienzo. Recorría grandes distancias a pie" [15].

Desde finales del siglo XVIII existieron, en efecto, "indios apalencados cuya procedencia era yucateca", y parece segura la evidencia de "cimarrones indios" [16]. Es natural, pues, que la voz popular viera, en los ejemplos que acabamos de reseñar, a "indios malhechores", no ya cimarrones más o menos agresivos, lo que podría servir para reforzar nuestro criterio acerca de los auténticos orígenes del bandidismo cubano.

Pero, en cualquier caso, la historia del bandolerismo cubano decimonónico no hacía más que empezar. En Santiago de las Vegas salió al campo, al comenzar 1808, el comisionado don Ramón Machín para tratar de dar alcance a una partida de salteadores. Según su informe consiguió dar el alto a tres de ellos, que se defendieron sacando cada uno un trabuco y se dieron a la fuga. Se abrió el correspondiente proceso judicial y declararon varios testigos, pero la partida no pudo ser capturada, aunque se le tomaron cuatro caballos [17].

Menos fortuna tuvo, empero, para tranquilidad de la jurisdicción occidental, el "terrible bandido" José Ibarra, natural de Cádiz, de donde se había fugado "después de haber cometido más de veinte homicidios

14. E. Bacardí y Moreau: *Crónicas de Santiago de Cuba*, Tipografía Arroyo Hermanos, Santiago de Cuba, 1925, t. II, p. 45.

15. Cfr. G. Castellanos: *Panorama histórico. Ensayo de cronología cubana desde 1492 hasta 1933*, La Habana, 1934, p. 251.

16. Cfr. G. La Rosa Corzo: *Los cimarrones de Cuba*, Ed. Ciencias Sociales, La Habana, 1988, p. 25.

17. Informe del Alcalde de la Santa Hermandad don Ramón Machín, Archivo Nacional de Cuba (ANC), Intendencia General de Hacienda, Leg. 96, nº 20.

alevosos, entre otros el del general Solano, gobernador de Cádiz en 1808" [18]. Se le capturó en la época del Capitán General Juan Ruiz de Apodaca (1812-1816) y fue ahorcado en La Habana.

Asimismo, el 31 de agosto de 1818, el miliciano matancero Esteban Junco consiguió detener a dos malhechores que actuaban en el camino real de Ceiba Mocha. Estos dos salteadores pasaron a la custodia del capitán Ignacio de Rueda, por lo que Junco, en oficio a la superioridad, dejaba constancia de que lo que pudiera ocurrir era responsabilidad del ayudante mayor Rueda [19]. Y es que, ciertamente, la persecución de este tipo de delincuentes se estaba convirtiendo, por aquellas fechas, en una necesidad para las autoridades dada la mayor frecuencia del fenómeno, de ello son buena prueba los intentos de articular un sistema represivo mínimamente eficaz.

2. BANDOLERISMO Y CIMARRONAJE

Pero se trataba de una persecución cuya eficacia dependía, en gran medida, tanto de la buena disposición del Gobernador General, como de la propensión de los hacendados para realizar donaciones con las que financiar la represión, en cuanto principales beneficiarios de la tranquilidad rural. El contraste entre el sistema de coerción del cimarronaje, como forma de protesta esclava, y la persecución del bandolerismo durante estas décadas iniciales del siglo XIX, puede ser ilustrativo.

En lo tocante al bandolerismo buena parte del protagonismo represivo de la fase que se extiende entre 1820 y 1838 recayó en la célebre "Partida de Armona", especialmente bajo los gobiernos de Vives, Ricafort y Tacón [20], como luego se verá. Pero, mientras tanto, el bandidismo parecía

---

18. F. Calcagno: Op. cit., p. 350.
19. Comunicación de Esteban Junco, 1° de septiembre de 1818, en Archivo Histórico Provincial de Matanzas (AHPM), Gobierno Provincial, Orden Público, Bandoleros, Leg. 1, n° 1.
20. La lista de Gobernadores y Capitanes Generales de Cuba durante esta etapa fue la siguiente:

Años	Capitanes Generales
1819	Juan María Echeverry (interino)
1819	Juan Manuel Cagigal (2ª vez)
1820	Juan María Echeverry (interino)
1822	Nicolás de Mahy y Romo

incrementarse de forma continua. J.A. Carreras relaciona este auge del bandolerismo a partir de la década de 1820 con la promulgación de la real resolución del 16 de julio de 1819, que legalizó la propiedad de la tierra y sentó las bases de la fase acumulativa del capital criollo. "Los terrenos que hasta ese momento disfrutaban con carácter de usufructuarios los oligarcas cubanos pasaron a ser propiedad legítima de éstos. El trámite legal dio trabajo a escribanos y abogados; *permitió el desalojo de los campesinos pobres y en la mayoría de los casos obligó a éstos con respecto a los nuevos amos*" [21], cuando no los sumió en la vagancia y en la práctica de actividades delictivas como forma de ganarse la vida. Veamos, pues, algunas informaciones relativas al desarrollo del bandolerismo y a su persecución durante esta época, para analizar el sistema represivo y poder comparar su eficacia en relación con la dinámica y los éxitos en la captura de cimarrones.

En efecto, ante el fomento de la propiedad agraria y los hechos contrarios al orden que afectaban a los propietarios, la Junta de Gobierno del Real Consulado, en sesión del 11 de febrero de 1818, planteó la posibilidad de crear una especie de policía rural. Al respecto el marqués de Cárdenas, "al oír el relato que hizo en la última sesión el señor don Antonio Bustamante acerca de los robos y delitos que se han renovado últimamente en nuestros campos, dijo que la raíz del mal de que nos quejamos consistía, como lo había calificado con mucho acierto S.E., en la impunidad de los delitos". Además, el propio marqués de Cárdenas propuso "crear el cargo de Ministro únicamente destinado a ejercer la fiscalía en todas las causas criminales", y se discutió la posibilidad de nombrar tenientes gobernadores en los puntos más importantes de la jurisdicción, acordándose, en definitiva, "extender estas ideas" [22].

Estos proyectos no eran nuevos. En marzo de 1813 se inició un expediente sobre el cese de las actividades de las cuadrillas perseguidoras de malhechores en los campos, a raíz de una solicitud de sueldos atrasados hecha por José Ricardo Núñez, jefe de una de estas partidas. El Ayuntamiento de La Habana acordó dirigirse al Gobernador General "participán-

1823	Sebastián Kindelán y O'Regan (interino)
1823	Francisco Dionisio Vives
1832	Mariano Ricafort
1834	Miguel Tacón y Rosiche
1838	Joaquín Ezpeleta y Enrile

21. J.A. Carreras: art. cit., p. 102. Subrayado por nosotros.
22. ANC. Junta de Fomento, Leg. 201, nº 8924, fols. 1-2.

dole que teniéndose presente, por una parte, el estado de tranquilidad que afortunadamente reina en los campos, cuya tranquilidad se ha aumentado con las compañías voluntarias de caballería ligera de Fernando VII últimamente creadas y organizadas y, por otro, la falta de fondos con qué subvenir a los gastos que causan las cuadrillas que se mantienen para la aprehensión de malhechores [...], se ha juzgado conveniente suspender por ahora el abono que [se] hacía a dichas cuadrillas" [23].

En años posteriores, sin embargo, se realizaron trámites con el objeto de establecer un plan de policía rural [24], y, en 1816, se abrió otro expediente para obtener arbitrios con qué poder costear cuatro cuadrillas destinadas a perseguir, en las zonas rurales, a salteadores y malentretenidos [25]. El Real Consulado, sin embargo, desde su creación por real cédula del 4 de abril de 1794, había contado con una serie de exacciones: "avería", derecho de atraque, "portazgo", etc., que le garantizaba la entrada de importantes recursos económicos, mediante los que costeaba diversas obras públicas y hacía frente a los gastos del "aparato represivo contra los cimarrones" [26]. Sucedía, no obstante, que los cimarrones constituían, por sí mismos, un lucrativo negocio, por cuanto podían ser utilizados en las tareas propias de la institución y, además, sus verdaderos propietarios tenían que abonar los gastos de su captura y, en fin, todo contribuía a generar beneficios en torno al esclavo recuperado contra su voluntad. ¿Qué pasaba con los bandidos?

Si el cimarronaje, ya sea simple o complejo, es la respuesta del esclavo a sus condiciones de explotación, el bandolerismo es, en muchos casos, la respuesta del blanco, o mejor, del hombre libre pero desposeído a la desigualdad social. La protesta del esclavo es la huida y, en el mejor de los casos, el apalencamiento, la búsqueda de un espacio propio de subsistencia, lejos de las cadenas de la esclavitud. La actitud del hombre libre y desplazado, es la agresión contra la sociedad, el delito, especialmente contra los poseedores de bienes materiales que, a sus ojos y a los de muchos desposeídos como él, aparecen como culpables de su situación de miseria. Parece lógico, por tanto, ese carácter un tanto endeble del aparato represivo contra los bandidos, aunque no debe omitirse la menor envergadura social del bandolerismo con relación al cimarronaje durante esta época.

---

23. ANC. Real Consulado de Agricultura, Industria y Comercio y Junta de Fomento. Leg. 77, n° 3034.
24. ANC. Loc. cit., Leg. 201, n° 8924, años 1817-1822.
25. ANC. Loc. cit., Leg. 77, n° 3040.
26. G. La Rosa Corzo: Op. cit., pp. 37-38.

El 20 de enero de 1820, la Diputación provincial de La Habana destinó la suma de 360 pesos para costear los gastos de dos cuadrillas de hombres que perseguían a los insumisos en Matanzas [27]. Esta comarca vivía, a la sazón, un proceso acelerado de crecimiento económico y algunos enclaves como el de Nueva Florida (Ceiba Mocha) fueron testigos, durante todo el siglo XIX, de la existencia de bandidos, cimarrones y, más tarde, insurrectos, dada la especial orografía del territorio y las posibilidades de subsistencia por la proximidad relativa de núcleos de población. Sus vecinos estaban atemorizados. Manuel Hernández, en representación de los mismos, escribía al gobernador de Matanzas, a comienzos de 1820, expresándole su preocupación ante el aumento del bandolerismo en el término, "pues es innegable que toda la Isla a una voz se halla infestada de tan generales y detestables incidencias" [28]. Unos meses más tarde, el propio Ayuntamiento de Ceiba Mocha informaba al gobernador de Matanzas sobre el acuerdo de crear dos compañías, de a pie y a caballo, para defenderse de los bandidos, "por la localidad en que se halla situado su pueblo, y por donde cruza precisamente la mayor parte de forajidos y malhechores de todos los puntos de la Isla; y por otra parte rodeado de ingenios y otras fincas con dotaciones de negros numerosos" [29].

Mas, la violencia rural no se circunscribía de forma exclusiva a la porción occidental de la Isla, sino que también en Oriente, en Santiago de Cuba, se tomaron medidas contra los malhechores. Como indica Ernesto Buch, "durante el año 1822 se intensificaron tanto la riqueza agrícola y la cría de ganados, que surgieron en los campos numerosos malhechores. Llegóse a tal estado de alarma, que el Ayuntamiento se vio en la necesidad de poner remedios drásticos". A tal efecto se celebró una reunión entre las autoridades municipales y numerosos hacendados de la región, de la que "salieron cuantiosos fondos y la designación de un cuerpo de perseguidores de 'cimarrones y malhechores'" [30].

Los ejemplos que acabamos de exponer son ilustrativos de cierto grado de improvisación y de las carencias de los poderes públicos en relación a la persecución eficaz del bandolerismo. Son, como hemos visto, los ayuntamientos, en colaboración con los hacendados criollos, los que hacen

---

27. AHPM. Gobierno Provincial. Orden Público. Bandoleros, Leg. 1, n° 4.
28. AHPM, Loc. cit., Leg. 1, n° 3.
29. AHPM. Loc. cit., Leg. 1, n° 5.
30. E. Buch López: *Historia de Santiago de Cuba o Santiago de Cuba, ciudad de heroísmo y de leyenda*, Ed. Lex, La Habana, 1947.

frente al problema. El 21 de enero de 1824, la Junta de Gobierno del Real Consulado, presidida por el propio Francisco Dionisio Vives, nombró una comisión encabezada por José María Peñalver para "formar el plan general de policía del campo" [31]. También, en la reunión del 30 de junio de 1825, el Síndico llamó la atención de la Junta de Gobierno sobre la "necesidad de ocuparse de la formación de unas ordenanzas de policía rural" [32], y, el 13 de octubre, se decidió que la comisión creada para redactar dichas ordenanzas se aumentara con un nuevo miembro, don José Pizarro, "en atención a haberse ya su señoría ocupado de este negocio, formando el Reglamento provisional que rige en la jurisdicción de Matanzas" [33].

Los matanceros habían adquirido, a no dudarlo, cierta experiencia al respecto, pues, en oficio al señor Prior y cónsules de la Junta, del 7 de noviembre, el gobernador de Matanzas informaba de la reunión, celebrada por los hacendados de la zona, a causa de "los deseos del Gobierno en la formación de un Reglamento de policía rural capaz de afianzar la seguridad de los campos", para lo que pedía el auxilio del Real Consulado y, además, señalaba la existencia de una comisión de seis miembros dispuesta a colaborar con la institución en la creación de la policía rural [34].

El 2 de septiembre de 1826, no obstante, varios propietarios de Vuelta Abajo solicitaron a la Junta de Gobierno del Real Consulado la creación de una cuadrilla para perseguir malhechores en aquella comarca, mas la Junta declinó la solicitud y acordó recomendar al Gobernador General "se sirva encargar otra comisión al mismo don José Pérez Sánchez, que lo está de la aprehensión de cimarrones y apalencados" [35].

Por fin, el 26 de noviembre de 1827, se presentó un proyecto que, en realidad, "no era más que algunas reglas generales", y se reconoció la "dilación que ha sufrido el despacho de este informe mas que de cierta irresolución y timidez que constantemente ha paralizado sus ideas" [36]. Parecía que el proyecto legal iba a llevarse a efecto, pero no fue así.

Todavía en 1835, en la para entonces Real Junta de Fomento, volvió a figurar el tema. A principios de noviembre, Evaristo Carrillo, director de caminos, insistió sobre la creación del cuerpo policial: "desde que me en-

---

31. ANC, Junta de Fomento, Leg. 201, n° 8924, fol. 11.
32. Loc. cit., fol. 26.
33. Loc. cit., fol. 40.
34. Loc. cit., fol. 41.
35. ANC. Junta de Fomento, Leg. 77, n° 3085.
36. Loc. cit., fol. 50.

cargué de la Dirección de Caminos conocía la necesidad de establecer las leyes de la policía de que absolutamente carecemos" [37].

Los proyectos legales de caminos y de policía rural fueron elevados al Capitán General en la sesión de la Junta de Fomento del 25 de noviembre de 1838, pero, al fin y al cabo, los años pasaron sin que se tomaran medidas contundentes. Bien es verdad que, más tarde, se crearon los "guardas de campo" y, sobre todo, llegaría la Guardia Civil, un instituto fundado en España a partir de 1844 –uno de cuyos objetivos era, precisamente, perseguir el bandolerismo andaluz–, y que se contaba con el ejército, pero, durante toda la época que estudiamos, la represión del bandolerismo en Cuba estuvo, más bien, a cargo de partidas de auténticos bandidos "oficiales". Como señaló el general Vives al hacer entrega de su mando a su sucesor: "los alcaldes ordinarios mantenían un número considerable de alguaciles y *comisionados* comúnmente peligrosos, que diseminados por los campos a título de comisión, cometían toda clase de vejaciones a su arbitrio. Las circunstancias de tales esbirros no solían ser muy análogas al cargo que ejercían, porque a excepción de algunos, todos los demás eran conocidos por pésimos antecedentes, por haber estado en la cárcel o en el presidio" [38]. Según López Leiva, Tacón había puesto fin, efectivamente, al "reprobado sistema de comisiones y comisionados para la persecución del bandolerismo" [39].

Ahora bien, la evolución social y económica presentaba unas condiciones favorables a la violencia rural. El 8 de abril de 1824, la taberna de la encrucijada de San Juan fue asaltada por siete individuos, al tiempo que en la zona del Yumurí ocurría algo parecido. Las autoridades de Matanzas activaron las rondas y pusieron su celo en el examen de las personas desconocidas que aparecían por los alrededores, aunque sin resultados favorables [40].

En ese mismo año, un informe fechado en el ingenio "La Trinidad" de Matanzas, el 24 de abril, avisaba del encuentro de un esclavo doméstico, que trabajaba en la recolección de viandas, con tres bandoleros, quienes le

37. ANC. Junta de Fomento, Leg. 78, n° 9134.
38. M. Tacón: *Relación del Gobierno Superior y Capitanía General de la Isla de Cuba*, extendida por el Teniente General Don —, Marqués de la Unión de Cuba, al hacer entrega de dichos mandos a su sucesor el Excmo. Sr. D. Joaquín de Ezpeleta, Imp. del Gobierno y Cap. Gral., Habana, 1838, pp. 6-7.
39. F. López Leiva: Op. cit., p. 22.
40. AHPM. Gobierno Provincial. Orden Público. Bandoleros, Leg. 1, n° 7.

interrogaron sobre el paradero del amo, y como respondiera que se encontraba en La Habana, uno de los bandidos dijo: "ya vez como hemos perdido el tiempo". El negro describió a dos de los malhechores "con pañuelos en la cabeza, sin sombreros y con capotes, descubierto sólo el brazo derecho". Según este mismo documento, la descripción coincidía con la de dos hombres que, unos días antes, habían sido perseguidos por fuerza de dragones hasta los montes de Don Domingo, donde desaparecieron [41].

En abril de 1826, el testimonio de un bandolero preso nos da idea de las dimensiones del problema en la comarca yumurina, al indicar al celador José López que no podía declarar todo lo que sabía porque comprometería a muchas personas, "así como otras que se hallan en la cárcel y teme que estos lo maltraten" [42].

Durante esta época las principales acciones de los bandidos iban dirigidas contra las propiedades, incluyendo los asaltos en despoblado. Los secuestros, muy frecuentes en etapas posteriores, no son comunes en estos momentos. Lo que sí resulta más perceptible, aunque con los datos disponibles esta observación es muy arriesgada, es la existencia de una tendencia estacional. El comportamiento mensual del bandolerismo, imposible de acreditar debidamente por la carencia de datos estadísticos, sí parece coincidir, a primera vista, con una realidad evidente en el caso del cimarronaje [43], aunque esta tendencia no puede generalizarse, ni mucho menos a épocas posteriores, podemos indicar que los meses de primavera parecen inspirar a los bandidos, sobre todo si se sentían impelidos por la miseria engendrada por la escasez de trabajo del "tiempo muerto" [44].

---

41. AHPM. Loc. cit., Leg. 1, n° 8.
42. AHPM. Loc. cit., Leg. 1, n° 10.
43. G. La Rosa Corzo: Op. cit., pp. 48 y 53. En "los meses de diciembre y enero, en los que se concentraba el período de zafra, las cifras de cimarrones capturados eran menores".
44. El concepto de "tiempo muerto" en esta época, sin embargo, no tiene el significado de etapas posteriores. En Cuba se distinguen dos grandes estaciones, el invierno o "la seca", que correspondería aproximadamente a los meses de noviembre a abril, y la estación tórrida que coincidiría con las lluvias (meses de mayo a octubre). La zafra se lleva a cabo en la época de seca o invernal, pues el refrescamiento de las temperaturas contribuye a la cristalización de la sacarosa con la subsiguiente mejora del rendimiento y, además, hace más fáciles las labores del campo y el transporte. El denominado "tiempo muerto" coincidiría, pues, con el verano o estación lluviosa, pero durante la época que estamos analizando caracterizada por el gran fomento

Los bandidos y salteadores de la época, además, se movilizaban tanto individualmente como en cuadrillas. En 1826 fue capturado por el capitán Manuel García, de Los Quemados, F. Javier Laz, "facineroso que cometió 19 asesinatos en la época de Vives". Durante su estancia en prisión escribió "una impudente y cínica relación de sus atrocidades, y luego tomó un veneno del que se le logró salvar, para que satisficiera en un cadalso a la vindicta pública, siendo ahorcado en 6 de diciembre de dicho año" [45].

Algún tiempo después, el 20 de abril de 1828, una comunicación dirigida desde Cimarrones (hoy Carlos Rojas) al gobernador de Matanzas, informaba de un asalto protagonizado por una partida muy numerosa para la época: "El 17 del corriente he recibido dos partes del Cabo de ronda del cuartón del Caimito, en este partido, anunciándome que una Cuadrilla de Veinte Salteadores ha asaltado y saqueado la casa tienda de D. Ramón Buigas, en aquel punto: en cuyo concepto he tomado las medidas necesarias a su persecución" [46].

El día 22, José Quijano de Ceiba Mocha, en respuesta a una solicitud de refuerzos, envió a Alacranes un cabo de ronda con ocho hombres, pues existía un número considerable de ladrones que acababa de matar a un esclavo y a su dueño [47]. Tres días después, el capitán de partido de Guamutas informaba de otros excesos cometidos por partidas de bandoleros y daba cuenta de la captura de uno de ellos, que resultó gravemente herido. El gobernador de Matanzas, en consecuencia, impulsó la persecución en toda la zona [48].

La dinamización de la represión arrojó un resultado positivo en mayo, cuando se consiguió aprehender en Palmillas a una partida integrada por ocho malhechores. Un vecino, que acababa de llegar de Guamutas, informó que la partida estaba constituida por Pedro Borges (cabecilla), Juan Díaz, Manuel Aguilar, Manuel Troya, Francisco Ibarra, José María Fernández, José Agustín Rivero (a) *Navarro* y Toribio Oliva, "todos tenidos

---

y la expansión interior del cultivo cañero, basados en la utilización de la fuerza de trabajo esclava, este "tiempo muerto" no tiene la magnitud que más tarde adquirirá, sobre todo a partir de la década de 1880.

El trabajador blanco sí sufre las consecuencias de la merma de trabajo durante el verano tropical, y es evidente, sobre todo en esta época, que los blancos son mayoritarios en relación con el bandolerismo.

45. F. Calcagno: Op. cit., pp. 367-368.
46. AHPM. Gobierno Provincial. Orden Público. Bandoleros, Leg. 1, nº 12.
47. AHPM. Loc. cit., Leg. 1, nº 14.
48. AHPM. Loc. cit., Leg. 1, nº 15.

por blancos". El tal Toribio Oliva, sin embargo, había sido visto por Santa Ana, pero aún no había sido capturado [49]. En agosto, según otro oficio dirigido al gobernador de la comarca yumurina, fueron apresados unos bandoleros que, curiosamente, estaban vestidos con uniformes de "marineros de los buques del Rey" [50].

El 17 de enero de 1829, fueron citados a declarar, a través de las páginas de *La Aurora de Matanzas*, don Francisco de León, don Manuel y don Juan Pérez, don Juan Sardiñas y el pardo N. Pinto para que aclarasen ciertas acusaciones vertidas contra el cabo español "José Gómez y otros, por robos y salteamientos ocurridos en Playa de Judíos" (Matanzas), el día 13 [51]. A pesar de que se seguía juicio contra el militar español, los robos continuaron, en febrero, en la Playa de los Judíos, siendo procesados y convocados a declarar los blancos José Rodríguez y José Morales [52].

Empero, el fomento de la vida económica, con la apertura de numerosas tiendas y bodegas en las encrucijadas de los caminos de las áreas rurales, con objeto de abastecer a los viajeros y al mercado local, tentaba la avidez de los malhechores y servía para cubrir las necesidades de los pobres convertidos en bandoleros. El 10 de abril se informaba al gobernador, desde Camarioca, de un asalto y robo cometido en la encrucijada de San Pedro [53]. Muchos de estos delitos quedaban impunes, por ello las autoridades perfeccionaron los castigos, cuya crueldad pretendía moralizar las costumbres mediante el escarmiento.

El 10 de julio, el gobernador matancero Cecilio Ayllón anunció, en parte oficial, la ejecución de la sentencia recaída contra un grupo de bandidos acusados de homicidios y hurtos. Inés Arteaga fue condenada a ocho años de reclusión en La Habana. A dos años de trabajos forzados en obras públicas fueron sentenciados Francisco Morejón, Felipe Núñez, Ramón López y Ramón Gil. Este último se encontraba ausente, por lo que fueron cursadas órdenes de arresto contra él y, además, contra Andrés y Marcos Pereira, José María Urquiza y Ramón o Gregorio "de tierra adentro". Diez años de prisión con grilletes, pero fuera de la isla y con prohibición perpetua de regresar a Cuba, recayeron sobre Juan Prado, Andrés Pereira, Marcos Prado, José Pío Urquiza y Ramón o Gregorio "de tierra adentro". A ocho

---

49. AHPM. Loc. cit., Leg. 1, n° 13.
50. AHPM. Loc. cit., Leg. 1, n° 16.
51. V. *La Aurora de Matanzas*, n° 60, del 17 de enero de 1829, pp. 3-4.
52. V. *La Aurora de Matanzas* del 3 de marzo de 1829.
53. AHPM. Gobierno Provincial. Orden Público. Bandoleros. Leg. 1, n° 19.

años, con las mismas agravantes anteriores, fueron condenados Juan Borges y Juan y José María Urquiza. Las penas más graves, de muerte, fueron dictadas contra José María Maldonado, Manuel Ferrer y Francisco Gil (a) *Jusununga*. Estos y algunos otros apelaron la sentencia el 23 de abril, pero la condena se ratificó contra Maldonado y Ferrer, siéndole condonada a Francisco Gil por la de diez años de prisión cerrada en Puerto Rico, con grilletes y ramal al pie, y con prohibición expresa de retornar a Cuba. Todos los condenados presentes fueron obligados a presenciar la ejecución que tuvo lugar, en Matanzas, el 9 de julio. Los cadáveres de José María Maldonado y Manuel Ferrer fueron divididos en cuartos y expuestos, de acuerdo con la sentencia, clavados en palmas y almácigos, en las encrucijadas próximas a la capital del Yumurí [54].

Aparte de la brutalidad del castigo, conviene reseñar aquí la existencia de vínculos de parentesco entre los condenados, realidad que en absoluto es privativa de este grupo de bandidos y colaboradores, tal como refleja la reiteración de algunos apellidos. Es probable que, en numerosas ocasiones, la integración a una partida en la que actuaba un pariente se llevase a cabo de forma espontánea y por mero afán de lucro. Otras veces, en cambio, la presión de las autoridades sobre los familiares de los insumisos, pudo contribuir a cohesionar y a incrementar el grupo de los que estaban fuera de la ley con sus colaboradores más próximos.

Por otra parte, no siempre los representantes de la autoridad estaban libres de culpa. La corrupción y aun la implicación directa en el delito de determinados elementos del aparato administrativo se traduce en hechos concretos. Ya hemos expuesto la acusación contra el cabo José Gómez, en Matanzas. También en La Habana, en junio de 1829, el fiscal de la Comisión Militar, don Tomás de Salazar, redujo a prisión al escribiente de la Aduana de Tierra don Joaquín Arnaldo. Al respecto se indica, en el expediente, que "desde Alquízar el fiscal don Cristóbal Zurita, encargado de investigar los autores de dos asesinatos con robo cometidos en despoblado en el paraje titulado Guanimar, que era de la mayor importancia se aprehendiesen inmediatamente varias personas en esta Ciudad –La Habana–, entre las cuales estaba la de don Joaquín Arnaldo, de quien sólo se daba la noticia era escribiente de la Aduana de Tierra" [55]. En cualquier caso, el expediente instruido no aclara la culpabilidad del detenido, sino que se

---

54. V. *La Aurora de Matanzas* del 10 de julio de 1829.
55. ANC. Intendencia General de Hacienda. Leg. 1069, nº 26.

limita a demostrar que don Tomás de Salazar actuó correctamente y no ofendió a la Real Aduana de Tierra, ni al Intendente de Hacienda al llevar preso a uno de sus empleados.

Todavía en 1829 pueden detectarse, además, otros actos de bandolerismo. El 5 de noviembre, al anochecer, se produjo un asalto en despoblado, protagonizado por una cuadrilla de seis bandoleros armados con trabucos, según un informe de Francisco Pig Masó referido a la zona de Sabanilla, Santa Ana y Ceiba Mocha [56]. Era ésta una comarca puntera en el fomento económico en razón de su proximidad a Matanzas, como ya se apuntó.

También el 26 de diciembre, diez hombres con los rostros tiznados asaltaron la casa de don Santiago García en la hacienda Ciego de Guacarás (Sancti-Spíritus), a quien robaron seis mil pesos en plata y oro, fruto de sus negocios en la compra-venta de ganado. Es posible, no obstante, que en este caso, los asaltantes fueran vecinos de la zona, de ahí que se disfrazaran para no ser reconocidos. "No eran delincuentes profesionales, alzados contra la ley, sino pacíficos con jornadas criminales esporádicas" [57].

El bandolerismo cubano durante esta década, en fin, se concentra, especialmente, en el Occidente insular. Podría afirmarse que, de alguna manera, los bandidos siguen el camino del azúcar [58]. El proceso de crecimiento económico fue paulatino, primero las comarcas habaneras y luego Matanzas, donde su "destrucción creadora" –talas de bosques, ingenios, caminos de hierro–, dejaba sentir su impacto allí donde la plantación imponía su marca indeleble. A la desintegración del mundo rural tradicional respondían los desposeídos con la violencia, como forma de protesta del que sólo tiene la libertad de vender su propio esfuerzo en el mercado libre de mano de obra.

El Oriente insular era distinto. Siempre hubo diferencias en el desarrollo económico entre el este y el oeste cubanos, tanto por las magnitudes de la producción, como por la productividad del trabajo y por los capitales disponibles para la inversión en el proceso agroindustrial azucarero.

Con la gran producción azucarera surgió la población que proporcionaría las víctimas del bandolerismo. Por lo común el bandolero asaltaba

---

56. AHPM. Gobierno Provincial. Orden Público. Bandoleros. Leg. 1, nº 20.
57. J.A. Carreras: art. cit., pp. 105-106.
58. Cfr. M. Moreno Fraginals: *El ingenio. Complejo económico social cubano del azúcar*, Ed. de Ciencias Sociales, La Habana, 1978, 3 vols., t. I, capítulo VI, pp. 137 y ss., especialmente.

al rico, y aparte de las razones obvias de esta actitud, pues poco beneficio podía obtenerse de robar al pobre, no faltarían los casos de bandidos generosos, de bandidos sociales. Porque, en definitiva, en torno a la partida organizada también se teje una red de intereses que abarca desde los parientes y amigos hasta los encubridores del delito y los campesinos solidarios.

La labor del bandolero, además, se hace más lucrativa en la misma medida en que en los campos cubanos se erigen nuevas fortunas, especialmente a costa del trabajo esclavo en los ingenios azucareros y en los cafetales. Es difícil deslindar, durante esta agitada época de despegue económico, el bandolerismo de la mera delincuencia rural. En ella no sólo estarían implicados los desposeídos, como iremos viendo, sino también algunos criollos más o menos ricos y sin escrúpulos, así como otros elementos de la administración colonial.

La menor eficacia en la represión del bandolerismo, en cualquier caso, contrasta vivamente con respecto al cimarronaje. Tanto desde el punto de vista legal –existencia de un temprano y perfilado reglamento que permitía estructurar la persecución de los esclavos prófugos–, como desde el punto de vista económico, pues cualquier persona que capturase a un esclavo obtenía una compensación económica inmediata. Bien es verdad que ambas realidades, cimarronaje y bandolerismo, presentan numerosas diferencias, no sólo sociales, sino cuantitativas y, desde luego, económicas; pero tienen algo en común, ambos grupos son víctimas del sistema que los oprime, los persigue y los castiga.

Las partidas de rancheadores y las de los comisionados de policía rural también se parecen unas a otras, tienen mucho de bandidos oficiales.

3. LA "PARTIDA DE ARMONA"

Las actividades de los bandidos y maleantes rurales continuaron con intensidad durante la década de 1830. También las acciones represivas, en las que destacó la famosa "partida de Armona".

Domingo Armona y Lisundía, nacido en La Habana, hijo del mariscal de campo don Matías Armona, siguió la carrera de las armas y llegó a alcanzar la graduación de coronel. Armona se hizo célebre principalmente, al decir de Calcagno, como perseguidor de malhechores. La frecuencia de los delitos en La Habana, Guanabacoa y otros lugares, decidió al general Mahy (1822) a fundar una partida con "sesenta hombres de conocido valor, por ser insuficientes las cuadrillas creadas por Cienfuegos" (1816).

Los resultados fueron inmediatos en la jurisdicción: "los hacendados y pobladores de caseríos rurales dejaron de abandonar sus fincas e intereses por la multitud de bandoleros que las saqueaban, y la partida de tal modo se granjeó la voluntad del público honrado, que una vez purgada la capital y sus inmediaciones, decidió el comercio continuar costeándola por suscripción voluntaria y para que la impunidad no alentara nuevamente a los criminales" [59].

El 13 de abril de 1822, Domingo Armona, que poseía un carácter violento, protagonizó un escándalo en la capital, al tomarse la justicia por su mano, castigando, en compañía de algunos de los suyos, a los redactores del periódico *El Esquife Arranchador*, quienes habían vertido duras críticas contra la partida. Se levantó sumaria y, en medio de una viva polémica de carácter político, Armona fue suspendido de sus funciones por algún tiempo, hasta que logró justificar su conducta [60].

La partida de Armona continuó, pues, "prestando servicios al país en esta época tumultuosa y en los años siguientes, siendo de sentirse que tales servicios, buenos en el fondo, quedaron oscurecidos por lo soldadesco de la forma". En 1823, "por atenciones de su cargo", Armona pasó a Camagüey y, al año siguiente, retornó a La Habana y Matanzas "para impedir un desembarco de sediciosos, adictos a don Gaspar Rodríguez que se había alzado en la última de aquellas ciudades y amenazaba con nuevas tentativas; mas el desembarco no se efectuó" [61].

En relación con el alzamiento, en Matanzas, del alférez de dragones Gaspar Antonio Rodríguez debemos realizar algunos comentarios, pues ayudan a comprender las características de la partida de Armona y de su jefe. Sobre la intentona liberal-independentista de 1824 existe, entre otras referencias históricas, una obra monográfica de J.M. Pérez Cabrera [62].

---

59. F. Calcagno: Op. cit., p. 72. Existen algunas inexactitudes cronológicas en el texto de Calcagno, que hemos contrastado en lo relacionado con los Capitanes Generales.

60. Op. cit., pp. 72-73.
   En julio de 1824 se produjeron algunas dificultades para ubicar a la partida, tras la petición por las autoridades eclesiásticas del convento de San Francisco donde se hospedaba, y de los Almacenes del Muelle de Contaduría que pertenecían al Ayuntamiento, parece que, en el fondo, nadie quería tener relaciones con Armona y sus hombres (ANC. Junta de Fomento, Leg. 77, n° 3076).

61. Op. cit., p. 73.

62. Cfr. J.M. Pérez Cabrera: *La conspiración de 1824 y el pronunciamiento del*

En la noche del 23 de agosto de 1824, el gobernador, Cecilio Ayllón, informaba al Capitán General Vives que, habiendo impuesto un arresto al alférez de dragones don Gaspar Rodríguez, a consecuencia de su empeño en "desbaratar este Batallón Realista, no obstante de la dulzura con que le traté, en lugar de cumplir mi orden, entró en su Cuartel, mandó ensillar y montar y salió con ocho o diez dragones, gritando *Viva la Constitución, el Rey está prisionero* y pasó por la plaza disparando sus pistoletazos en la de la Vigía sobre la gente que vio a su izquierda" [63].

El gobernador Ayllón puso en marcha sus escasas fuerzas, obtuvo, según dijo, el apoyo de muchas personas y, aparte de solicitar ayuda a su superior, "aseguró" también a "don Vicente Muzquiz por la misma causa, el cual me insultó a su salida de mi casa de un modo escandaloso". Vives, como primera respuesta, publicó una alocución, el día 25, para tranquilidad de la Isla, en la que denostó la actitud de Rodríguez y elogió el comportamiento del gobernador y de los pacíficos habitantes del país, "cuya riqueza y comercio consiste en la tranquilidad" [64]. Ese mismo día, don Manuel Almirall, establecido en el cafetal "Soledad", informó que "el rebelde Rodríguez con sus compañeros el sargento Arias, cinco dragones y tres o cuatro paisanos" habían entrado en Lagunillas al amanecer [65].

En días sucesivos la persecución se realizó con refuerzos militares, agentes de la Santa Hermandad y, también, con la partida del teniente coronel Domingo Armona, que llegó a Matanzas al día siguiente, 26, por la tarde [66]. A partir de estos instantes la denominada "partida montada de

---

alférez de dragones Gaspar Antonio Rodríguez, Academia de la Historia de Cuba, Imprenta "El Siglo XX", La Habana, 1936, especialmente pp. 49 y ss. Gaspar A. Rodríguez, hombre de "carácter fogoso y batallador", aunque imprudente y temerario, había nacido en Asturias; tras participar en la Guerra de Independencia española, llegó a Cuba, donde fue un destacado conspirador del bando *piñerista* (liberales exaltados).

63. Comunicación al Capitán General, Matanzas, 23 de agosto de 1824, Servicio Histórico Militar (SHM) de Madrid, Sección III, Ultramar, Leg. 41, "Cuba. 31 de agosto de 1824. Conspiración contra el Estado descubierta en Cuba y atentado de un Alférez. Matanzas".

64. Alocuciones del Capitán General Vives del 25 de agosto de 1824, en SHM de Madrid, loc. cit.

65. Comunicación del gobernador al Capitán General, Matanzas, 25 de agosto de 1825, SHM de Madrid, loc. cit.

66. Comunicación del gobernador al Capitán General, Matanzas, 26 de agosto de 1824, SHM de Madrid, loc. cit.

policía" de Domingo Armona desarrolló una intensa persecución, y su jefe prometió capturar a Rodríguez y a los suyos, "aunque fuese necesario andar la Isla entera hasta conseguirlo" [67]. Pero fue inútil, pues, aunque en alguna ocasión llegó a pisarle los talones, Rodríguez pudo escapar a México, a la "vecina península de Yucatán, donde el bravo y esforzado paladín continuará concibiendo y fraguando nuevas y no menos atrevidas empresas en pro de la emancipación" [68].

Vives confió, sin embargo, según la comunicación que remitió a Madrid el día 31, en detener rápidamente a Rodríguez y a sus seguidores, así como también en el definitivo esclarecimiento de la trama urdida en torno al pronunciamiento del alférez de dragones, con cuyo objeto había ordenado una investigación "de un modo que con un escarmiento ejemplar consolide, o mejor dicho generalice la obediencia y sumisión a nuestro amado Soberano, y les haga despreciar y mirar con horror a los agentes del Genio fatal a fin de que desaparezca de este País el espíritu del siglo" [69].

Pero, este espíritu del siglo no desapareció y Domingo de Armona volvería a desempeñar sus "tristes oficios durante la conspiración de *El Águila Negra*" [70]. Sin embargo, su fama como martillo de malhechores la ganó persiguiendo bandidos en Vuelta Abajo, en 1827, y, más tarde, capturando a algunos de los más famosos de la época, como luego se dirá. La partida desapareció bajo el gobierno de Ezpeleta (1838-1840) y el discutido Armona falleció en 1844 [71].

Ahora bien, como señalábamos más arriba, la década de 1830 está jalonada de numerosos hechos de bandolerismo. A la incesante actividad de los alzados, que no cambió sustancialmente con relación al decenio anterior, respondían los poderes públicos con la acción represiva y ejemplarizadora, y se generó de esta forma una inacabable espiral de violencia rural.

El 11 de agosto de 1832 se dio sepultura, en Camarioca, al cadáver del bandolero Juan Sardiñas. Había sido acorralado y herido por soldados

---

67. Comunicación de Domingo Armona al Capitán General, Matanzas, 26 de agosto de 1826, SHM de Madrid, loc. cit.
68. J.M. Pérez Cabrera: Op. cit., pp. 87-88.
69. Comunicación de Vives al Secretario de Estado y del Despacho de la Guerra, La Habana, 31 de agosto de 1824, SHM de Madrid, loc. cit.
70. F. Calcagno: Op. cit., p. 73.
71. Op. cit., p. 73, y Óscar M. Rojas: *Para los Anales y Necrología de la Ciudad de San Juan de Dios de Cárdenas*, ms., Cárdenas, p. 257.

dirigidos por el comandante de la partida de policía de Matanzas y, al tratar de resistirse, le mataron de un tiro en el corazón. En el informe del juez pedáneo, Fulgencio García, se indica que "queda identificada la persona de aquel famoso bandolero a quien se le estaba siguiendo causa en rebeldía en este juzgado por los salteamientos, y resistencia a la justicia" [72].

Al mismo tiempo, desde el gobierno de La Habana se tomaban medidas contra el bandolerismo que se desarrollaba, igualmente, en Las Villas. Según una orden impresa del día 23: "Podrá V.E. mandar se circule oficio a los jueces pedáneos de los pueblos que los tienen, en la jurisdicción de Villa Clara, para que redoblen su vigilancia y celo con el fin de impedir los asaltos y robos inferidos en los caminos de sus partidos y con perjuicio del que transita, y que cada ocho días participen lo que ocurra a la Justicia ordinaria de la referida Villa" [73].

En estos inmensos y despoblados territorios centro-orientales tuvo lugar, el 6 de noviembre de 1832, un crimen que quedó impune. En Cumanayagua (actual provincia de Cienfuegos), fue asesinado, con nocturnidad y alevosía y en su propia casa, don Tomás Oliva por negarse a encubrir los oscuros intereses del hacendado y ladrón don Rudecindo Méndez, quien, en compañía de otros enmascarados, asaltó su morada para robar unos documentos comprometedores. La viuda, doña Lutgarda Cepero, siguió el consejo que le dio su esposo antes de expirar: "Cuando venga el capitán pedáneo no descubras a nadie, para que no hagan lo mismo con ustedes". Y llevaba razón, uno de los individuos que acompañó, al día siguiente del asesinato, al capitán pedáneo José Emeterio Morejón, que dirigía las investigaciones, era don Pablo Morejón, que había participado directamente en el crimen [74]. En este caso observamos, con claridad, la fragilidad de la justicia durante esta etapa colonial, especialmente en estas comarcas donde el aislamiento, la corrupción, la carencia de un cuerpo policial idóneo y las irregularidades administrativas creaban condiciones adecuadas para el delito injustificado y abyecto.

Por estas mismas fechas operaba también, en la jurisdicción de Santa Clara, la banda de Rafael Sarduy, a quien secundaban Vicente Morales (a) *Patas*, José Elías González, Juan Rodríguez, José Inocencio de Edía, José de la Luz Lisama, José María Serapio y Felipe Bermúdez, ejecutores de

---

72. AHPM. Gobierno Provincial. Orden Público. Bandoleros. Leg. 1, nº 20 (a).
73. AHPM. Loc. cit., Leg. 1, nº 21.
74. J.A. Carreras: art. cit., pp. 106-107.

numerosos asaltos y robos. El cabo de ronda Juan Pérez de Alejo detuvo a Vicente Morales en la hacienda "María Rodrigo" [75].

Pero la lista de bandoleros célebres es bastante más amplia. Rafaelín, "bandido de mar y tierra", era un práctico excelente del archipiélago de Sabana, desde la isla de Guajaba en el litoral de Nuevitas, hasta Cayo Piedras del Norte en el de Cárdenas. Obtuvo del gobierno el indulto de sus fechorías y, además, una "comisión especial" contra los barcos implicados en el contrabando negrero, pero fue desleal y, al decir de López Leiva, cometió "todo género de tropelías con los infelices pescadores, carboneros y leñadores que vivían en 'la cayería'". Volvió a ser perseguido y continuó en tierra sus maldades, hasta que fue muerto por la partida de Armona [76].

Otra "víctima" de la temible partida de Domingo Armona fue *Caniquí*, "negro natural de Trinidad o inmediaciones, cuyo nombre ignoramos y cuyo apellido parece haber sido Cirú; atrevido bandolero que en la época de Tacón fue terror de aquella jurisdicción y de Villaclara". Su fama se convirtió en leyenda y su invulnerabilidad, otra de las características definitorias del bandolero –como sabemos–, corrió de boca en boca, "la credulidad del vulgo ignorante le atribuía el poder de milagros; decíase que volaba, que se metía por las paredes, que a la vez aparecía en dos puntos distantes con otros absurdos a este tenor; gozó algún tiempo de la impunidad, quizá porque muchos le creían invulnerable" [77].

El cronista Manuel Dionisio González, empero, nos ofrece una versión diferente. En primer lugar destaca la existencia de numerosos malhechores en la comarca de Villa Clara en torno a 1834, lo que obligó a crear una partida de policía al mando de don José Hernández Visiedo. "Contribuyó también a dar más fama a esa época, la circunstancia de hallarse en esta Villa, receptado y favorecido por sus amigos, el pardo José Filomeno Vicunia, conocido por *Caniquí*, famoso criminal, que burlando la acción de la justicia, había llegado a adquirir cierta especie de celebridad, así por sus hechos, como por su carácter arrojado, a que unía una serenidad y astucia admirables. Todavía sin haber entrado Visiedo a comandar la partida, acometió su persecución, y a pique estuvo de perecer en el primer lance,

---

75. Art. cit., p. 107.
76. F. López Leiva: Op. cit., pp. 19-20.
77. F. Calcagno: Op. cit., p. 153. "Fue muerto al fin por la partida de Armona, cerca del río Ay, jurisdicción de Trinidad, según actas de la Comisión Militar". V. la novela de José Antonio Ramos (1855-1946): *Caniquí. Trinidad, 1830*, Ed. de Arte y Literatura, La Habana, 1975.

herido por los disparos de *Caniquí*; pero al fin viose éste en la necesidad de abandonar el territorio, perseguido activamente por Visiedo". La partida en cuestión, organizada con autorización del Capitán General y costeada por los vecinos empezó a funcionar a partir de junio de 1834 y, en opinión de M.D. González, la jurisdicción quedó libre de "tantos hombres perjudiciales como la infestaban" [78].

No suele ser frecuente, a juzgar por los datos disponibles, la existencia de bandoleros negros de renombre durante esta etapa, aunque en lo tocante a *Caniquí*, como afirma González, se trataba de un pardo y, además, pueden existir otras circunstancias específicas. En cualquier caso, como subraya J.A. Carreras, "el delincuente-malhechor-bandolero es blanco, labrador, empleado alguna vez como mayoral de esclavos, instrumento pues de la clase dominante, o vago, con vicios reconocidos, de vida trashumante, dado al juego, la bebida o la visita diaria a las tabernas [...] El bandolero actúa en algunas ocasiones solo, pero esto es una excepción [...] Le es indispensable la ayuda del pacífico, al que en esta época se le llama receptador. Entre éstos encontramos rancheros, arrendatarios y hasta dueños de hacienda, que comparten las ventajas de la operación" [79]. Claro está que toda generalización, a partir de datos más o menos aislados, entraña un riesgo simplificador, pero, también es verdad que, en el seno del mundo rural, el guajiro, tantas veces de origen canario [80], es el personaje que simboliza la conquista laboriosa de la campiña cubana y el desposeído de toda esta época turbulenta.

Bandolero nacido en Canarias fue José María *el Isabelano*, que campeó por estos años en Las Villas, "asesino profesional, parricida y habilísimo lanzador de cuchillo. Cuéntase de él que aprovechando la oscuridad de la noche mató a un regidor de Villaclara que lo denunciaba y perseguía sin descanso, arrojándole una faca desde la esquina en que estaba apostado a la opuesta y clavándole el arma en la parte anterior del cuello" [81].

78. M.D. González: *Memoria histórica de la Villa de Santa Clara*, Imp. El Siglo, Villa Clara, 1858, p. 264.
79. J.A. Carreras: art. cit., pp. 101-102. V., también, la obra de Fernando Ortiz: *Los negros curros*, Ed. Ciencias Sociales, La Habana, 1986, p. 188.
80. V. sobre este tema M. de Paz Sánchez y M. Hernández González: *La esclavitud blanca. Contribución a la historia del inmigrante canario en América (siglo XIX)*, CCPC-Cabildo Insular de Fuerteventura, "Taller de Historia", Santa Cruz de Tenerife, 1992.
81. F. López Leiva: Op. cit., p. 22.

Mas, no fue *El Isabelano* el único isleño buscado por la ley en estos momentos, como se dirá a continuación. En la sesión de la Junta de Fomento del 9 de octubre de 1833, presidida por el brigadier don Juan Montalvo, se llamó la atención sobre el "estado de inseguridad de los caminos, en donde se repetían con frecuencia los casos de ser asaltados los pasajeros con grave peligro de la vida, según lo manifestaban algunos hechos acaecidos recientemente" [82]. A raíz de esta reunión, se decidió crear tres partidas de "Lanceros del Rey", dirigidas a la persecución de "salteadores de caminos, desertores y principalmente a la aprehensión de los reos prófugos" [83].

El Capitán General Mariano Ricafort (1832-1834) señaló entonces que siempre había "considerado como el primero de sus deberes, el asegurar a estos leales y honrados habitantes la protección que las leyes les dispensan para la seguridad de sus vidas y bienes", y mencionó particularmente a "don Domingo de Armona que logró aprehender reos de mucha consideración, extendiendo sus operaciones hasta la Ciudad de Santa María de Puerto Príncipe para capturar al capitán de salteadores de caminos Fernández (a) el Rubio, que estaba sentenciado a la pena capital" [84].

Ricafort remitió, asimismo, a los alcaldes de toda la jurisdicción occidental, una circular impresa con la relación de los "prófugos, acusados y sentenciados en rebeldía que deben ser aprehendidos". En la lista de prófugos de la justicia, acusados de diferentes delitos, incluido el de bandidismo, figuraban los siguientes canarios [85]:

– Don Alonso de la Vega y Torres, de Canarias, traficante. Comprendido en la causa por conspiración del "Aguila Negra", junto a otros destacados revolucionarios cubanos, sentenciado a que se le vigilara su conducta.

– Don Luis Ramos. Natural de Canarias, de 36 años, estatura regular,

---

82. ANC. Junta de Fomento, Leg. 78, n° 9125.

83. *Ibídem*. La segunda de las partidas citadas llegaría en su recorrido hasta las comarcas, hoy matanceras, de Guamutas y Hanábana, por lo que se deduce que la Jurisdicción de La Habana englobaría toda la zona occidental de la Isla. La jurisdicción de Matanzas comprendía, a la sazón, un espacio mucho más reducido del que tuvo después, mientras que las de Cárdenas y Colón sólo adquirieron tal estatus en virtud del florecimiento azucarero. Además, la jurisdicción de Güines llegaba hasta el enclave de Navajas, abarcando las zonas de Alacranes, Unión de Reyes, Güira de Macuriges y Bolondrón (v., también, G. Faget y Torres: "Plano geotopográfico de la jurisdicción de Colón", Jabaco, 1876).

84. Comunicación de Ricafort del 22 de octubre de 1833, en ANC, loc. cit.

85. ANC. Loc. cit.

cerrado de barba. Juzgado en el quinto cuaderno de la misma conspiración, fugado del castillo de la Cabaña, sentenciado a pena de muerte y confiscación de bienes en 20 de enero de 1831 [86].

– Don José Francisco Rodríguez. Natural de Canarias, del comercio. Comprendido en el mismo proceso por conspiración.

– Don Bernardo Gil. Natural de Canarias, de 16 años de edad, herrero. Sentenciado en rebeldía a consecuencia del sumario por la muerte de don Antonio Hernández, junto al cubano Santiago Facenda.

– Juan Morales, conocido por *el Canario*, voluntario real de Fernando VII, vecino de Bejucal [87].

– Don Manuel, conocido por *el Isleño*, "sin poder dar noticias de su persona".

– Juan Antonio Estévez y Antonio González. "Hombres blancos, el primero de Tenerife en Canarias, vecino de esta Villa –Guanabacoa–, soltero, vendedor de agua, de 27 años de edad; y el segundo del Guayabal, vecino de esta Villa, soltero y negociante; por indicios de salteamientos de caminos y cursa la causa en rebeldía de los reos por haber fugado de la cárcel en estado de prueba".

– Don Joaquín Meneses y don José de Jesús Rosado. "Por reyerta tenida con don Juan Antonio Delgado y otros, el primero de Islas Canarias, vecino del pueblo del Quivicán, de estado casado, ejercicio labrador..."

– Luis García. "Hombre blanco, natural de Islas Canarias, vecino de

---

86. Este Luis Ramos es, con seguridad, Luis Ramírez, el cuñado de José Teurbe Tolón, creador de la bandera cubana. Carlos M. Trelles y Govín indica en su obra *Matanzas en la independencia de Cuba* (Academia de la Historia de Cuba, Imp. "Avisador Comercial", La Habana, 1928, pp. 15-16): "En 1828, comenzó sus labores revolucionarias en esta Isla la *Gran Legión del Aguila Negra*. Limitándome a la parte que tomaron en ella los vecinos de Matanzas, consignaré que a Luis Ramírez, natural de Canarias y cuñado de José Teurbe Tolón, le encontraron cartas relativas a los preparativos que se hacían en México para invadir a Cuba en 1826 o 1827 [...] La Comisión Militar condenó a muerte en rebeldía el 20 de enero de 1831 a Luis Ramírez, al Ldo. José Teurbe Tolón, Ldo. José María Heredia, José de la Flor (dominicano, que fue después General de la República de México) y Mariano Tarrero, por correspondencia criminal con la causa del Aguila Negra. A Francisco de la O. García y Manuel Madruga y Roque se les condenó a diez años de presidio en Ceuta. A éstos [últimos] procesados se les indultó el 5 de octubre de 1832".

87. Se deduce que es isleño por su apodo, pero este dato no está confirmado.

esta villa –San Antonio–, estado soltero, ejercicio carpintero, por reyerta que tuvo con don Cristóbal González y haberlo acometido con una carabina, fugó de la cárcel..."

– Don Antonio López. Natural de Canarias, casado, labrador, "por robo de una bestia y sentenciado a dos años de obras públicas", en Bejucal.

El 31 de octubre, además, fue condenado a seis años de cárcel el isleño Francisco Hernández, quien con posterioridad escapó y, en compañía de un soldado desertor, se dedicó al robo de bestias y efectos cerca del Cano y Guanajay [88].

Mientras tanto, José Domínguez, capitán pedáneo de la jurisdicción de Matanzas, pedía recursos desde Corral Nuevo, el 22 de noviembre de 1833, para combatir a los bandidos. Expuso que, desde 1824, había obtenido el encargo de perseguir y exterminar a los bandoleros logrando prender a algunos, pero que no podía proseguir por los muchos que existían en su partido. Alegó que, en 1827, pretendió que se le proporcionaran seis u ocho hombres montados para formar una cuadrilla, pero no lo logró por no existir fondos para los sueldos y, en fin, recomendó que los salarios se pagasen como en La Habana "por suscripciones" [89].

En 1834 fue ejecutado en La Habana Juan Fernández (a) *El Rubio*. Este bandido merodeaba, según López Leiva, desde la capital "a Camagüey, cambiando con frecuencia de traje y de aspecto, presentándose unas veces ataviado como un caballero y otras con indumentaria guajira, armado de punta en blanco siempre" [90]. Este famoso bandolero se autonombraba, según Calcagno, Francisco Pérez, Antonio Rodríguez y Pedro Ravelo. Fue capturado por el hijo de Puerto Príncipe José Rafael Parrado, a quien se había encomendado la persecución, en enero de 1833, "en ocasión de hallarse allí persiguiéndole la partida de Armona –como ya se apuntó–. Ejecutado en La Habana, en 1834, época de Tacón, su cabeza fue expuesta, en una jaula, en el Puente de Chávez, para escarmiento de bandoleros" [91]. En concreto se le aplicó el garrote vil en el campo de la Punta, tras ser conducido al cadalso atado a la cola de un caballo. Al cadáver se le retiró,

88. Comunicación del juez pedáneo del partido de Cano, Potrero San Juan de Dios, 13 de febrero de 1834, y diligencias de la Comisión Militar, ANC. Miscelánea de Expedientes, Leg. 221, nº A, fols. 4-9.

89. AHPM. Gobierno Provincial. Orden Público. Bandoleros. Leg. 1, nº 22.

90. F. López Leiva: Op. cit., p. 23.

91. F. Calcagno: Op. cit., pp. 273 y 486.

en efecto, la cabeza que se colocó en una jaula de lata con un letrero "Juan Hernández (a) *el Rubio* por vandido"(sic) [92].

Juan Fernández es uno de los protagonistas de la novela de José Ramón Betancourt *Una feria de la caridad en 183...; cuento camagüeyano* (1841), que gozó de varias ediciones y fue ampliada notablemente en 1885 [93]. Otro de sus personajes es el prócer Gaspar Betancourt Cisneros, El Lugareño (1803-1866), intelectual y reformador camagüeyano, y, también, el propio Domingo Armona. El relato es, además, un nítido testimonio de las fracasadas experiencias de transformación agraria de Camagüey, de su economía ganadera, de los proyectos innovadores, del fomento del trabajo libre –a base, por cierto, de la importación de familias pobladoras blancas, que en gran medida llegaron de Canarias–, de la búsqueda, en fin, de nuevas formas de explotación de los recursos económicos, que reflejan "tanto la maduración de la conciencia en Camagüey respecto a la necesidad del cambio, como la de que el mismo supere las dramáticas circunstancias porque pasó el campesino occidental, asentado en haciendas comuneras ya mercantilizadas y convertidas en cafetales, ingenios, potreros y vegas..." [94].

Otros bandidos de fama en occidente fueron Juan Cabeza, "que extendió sus correrías por Bemba –Jovellanos– y la Güira –de Macuriges– poco antes y en los primeros días del gobierno de Tacón" [95], y, sobre todo, Juan Rivero, en quien parecen reunirse algunos de los rasgos de nobleza que definen al bandolero social. Este célebre bandido "asoló la comarca occidental durante los gobiernos de Vives y Ricafort. Era hijo de familia honrada, pero pobre; cuéntase que en un baile se le dio una bofetada y desafió al agresor, quien admitió el duelo, y quedó en el puesto; para sustraerse a la justicia huyó Rivero a los montes y comenzó su carrera criminal, en la cual, la tradición, y con ella los poetas Tolón, Blanchié y algún otro, que han escrito sobre él algunos romances, quieren concederle

92. Manuel B. López: *El garrote en Cuba*, Imp. "América Arias", La Habana, 1927, pp. 22-23. Este autor cambia su apellido Fernández por el de Hernández.

93. Instituto de Literatura y Lingüística de la Academia de Ciencias de Cuba: *Diccionario de la Literatura cubana*, Ed. Letras Cubanas, La Habana, 1980, 2 vols., t. I, pp. 115-116.

94. Cfr. E. Sosa: *La economía en la novela cubana del siglo XIX*, Ed. Letras Cubanas, La Habana, 1978, pp. 108 y ss., la cita en p. 109. V., también, la obra citada de M. de Paz Sánchez y M. Hernández González: *La esclavitud blanca...*, sobre la atracción de inmigrantes canarios a la zona.

95. F. Calcagno: Op. cit., p. 138. Inspiró un poema de Miguel T. Tolón.

cierta nobleza, pintándole como mancebo valiente, que atacaba siempre de frente, y jamás se ensañaba contra el débil". Huyó, en 1835, a Nueva Orleans, por la persecución del general Tacón, pero, tras cometer un homicidio, regresó a Cuba donde fue muerto, en 1836, por la partida de Armona [96].

4. TACÓN CONTRA LOS BANDIDOS

Se atribuye, no sin cierta razón, un destacado papel al gobierno de don Miguel Tacón (1834-1838) en la represión del bandolerismo y, en general, en la puesta en práctica de un conjunto de medidas de orden público y de mejora de las condiciones de habitabilidad de la capital de Cuba. Según Richard R. Madden [97], los objetivos principales del gobierno del general Tacón fueron los siguientes [98]:
– Prevención y castigo del robo y el asesinato.
– Descubrimiento y prisión de los fomentadores de pleitos.
– Persecución de los vagabundos.
– Prohibición de portar armas.
– Extinción de perros callejeros.
– Limpieza y empedrado de las calles principales.
– Construcción de alcantarillas, mataderos, etc.
– Formación de un cuerpo de bomberos.
– Construcción de mercados (de pescado, vegetales y carnes), prisión, teatro, paseo militar y plaza pública: "El Campo de Marte".
– "Sofocar todo movimiento que tendiera hacia el liberalismo en cualquier forma, y –según él entendía el liberalismo– hacia la independencia".
Madden dibujó un "cuadro pavoroso de desorden social en las calles y caminos a la llegada del general Tacón", donde el robo y el asesinato eran moneda corriente. "Los bien intencionados lo recibieron como a un reformador, cuando vieron la firmeza con que restringió a los malhechores

---

96. Op. cit., p. 544.
97. Este cónsul británico vivió en Cuba, en 1836-1840, como superintendente de los africanos liberados y juez árbitro de la Comisión Mixta de La Habana.
98. R.R. Madden: *La Isla de Cuba*, Consejo Nacional de Cultura, La Habana, 1964, pp. 98-99.

públicos". Para el diplomático inglés, "el mantenimiento del orden requería el ejercicio de un poder fuerte para remediar males tan grandes. La opinión política de la masa propietaria en la isla, que es omnipotente, tenía pocos deseos de innovaciones. Temía las variadas fases que presentaba la revolución de la madre patria; y es altamente probable que la firmeza de Tacón, ejercida con prudencia y sobriedad, hubiera preparado el país para otras reformas, sin ultrajar las opiniones sensatas" [99].

Otros historiadores también resaltan ese "estado vergonzoso de las costumbres" cuando, el 1º de junio de 1834, el general Tacón tomó posesión de su mando [100]. Y, el propio general, en el informe a su sucesor, describió con vivos colores el malestar de la Isla: las acciones, a pleno día, de los rateros, asesinos y ladrones en las mismas calles de la capital, donde "los dependientes de las casas de comercio no podían salir a hacer cobros sin ir escoltados por gente armada"; la existencia de auténticas "mafias" de criminales "dispuestos a quitar la vida bajo precio convencional a cualquiera persona que se les designase"; la gran cantidad de casas de juego, de vagos y de estafadores, "hasta en el mismo foro" [101], etc. Y, asimismo,

---

99. *Ibídem.* "Cuba produce –afirma en el mismo texto– una renta de diez a quince millones de dólares; de esta cantidad, hasta tres millones se remiten a Madrid, y estos tres millones de impuestos son pagados por una clase, que no excede de cuatrocientos mil habitantes, de personas libres de todos los matices raciales. La exigencia de contribución sólo puede efectuarla un gobernador despótico. Ahora bien, es solamente desde el año 1825, que este dinero empezó a remitirse a Madrid, cuando fueron conferidos poderes extraordinarios al gobernador y a los intendentes, uno con vista a incrementar el poder de protección de la isla, el otro con la de fomentar la productividad, cansado el gobierno de oír pomposos informes sobre la opulencia de Cuba y no derivar beneficios de ella; y desde aquel tiempo la conducta de los gobernadores hacia el pueblo de Cuba ha tomado por completo una nueva dirección".

100. Francisco J. de Moya: *Consideraciones militares sobre la Guerra de Cuba,* Imp. del Cuerpo de Artillería, Madrid, 1901, p. 73. Con anterioridad, en 1872, J.J. Ribó ya había destacado la labor de Tacón al hacerse cargo de su gobierno, encaminada a "convencer" al criminal de que no podría sustraerse a la acción de la autoridad. "Así dio el General Tacón confianza a las personas, a la propiedad y al trabajo; así desterró de los tribunales de justicia gravísimos abusos" (cfr. J.J. Ribó: *Historia de los Voluntarios cubanos,* Imp. y Litografía de Nicolás González, Madrid, 1872, pp. 14-15).

101. M. Tacón: *Relación del Gobierno...,* cit., pp. 5-6.

Alvaro de la Iglesia, en su relato "Bandoleros de levita", recoge un testi-

la corrupción de sectores del aparato político-administrativo que podía percibirse, entre otros casos, en la administración de las cárceles, donde los presos eran sometidos, en contra de la ordenanza, a un régimen alimenticio de auténtica miseria [102].

Las medidas arbitradas por Tacón "produjeron una mudanza tan rápida, que tuvo mucho de sorprendente. Los extranjeros que consideraban y tenían esta isla como un punto donde los salteadores y bandidos imponían su ley al propietario y retraían a muchos de visitarla, formaron del país un concepto enteramente contrario" [103]. Pérez de la Riva, sin embargo, opina que los éxitos obtenidos por el Capitán General lo fueron, sobre todo, en la capital y no así en "tierra adentro", donde las condiciones eran diferentes [104], aunque, como hemos visto más arriba, durante estos años fueron detenidos y ejecutados algunos destacados bandoleros.

A partir de 1834, en efecto, aumentan los niveles represivos contra toda clase de delincuentes. "Si hasta esos momentos cualquier cimarrón podía sobrevivir refugiado en algunos de los barrios de La Habana, a partir de 1834 la cuestión se hizo más difícil" debido al establecimiento permanente del cuerpo de serenos, que elevó el control sobre la población, y resultó, para la época, una medida muy eficaz contra la delincuencia [105].

En términos generales, no obstante, la estructura administrativa e institucional para la represión del bandidismo, allende la capital de Cuba y sus aledaños, no parece que sufriera grandes modificaciones, tal como

---

monio oral sobre la estratagema utilizada por un "respetable hacendado habanero", a indicación del propio general, para descubrir a los autores de un robo. Marcó sus monedas de oro y, tras ser asaltado y, más tarde, reunirse para jugar con sus contertulios, descubrió que uno de ellos era el poseedor de una de las monedas marcadas. Se trataba de un joven elegante, "conocido por su prodigalidad en verter el oro y, por cierto, uno de los mejores compañeros de nuestro hacendado en el tapete verde", que fue detenido al día siguiente y se comprobó que era el director de la gavilla (A. de la Iglesia: *Tradiciones completas*, Prólogo de Salvador Bueno, Ed. Letras Cubanas, La Habana, 1983, pp. 392-395).

102. Según carta de Tacón a Madrid del 31 de mayo de 1835, en: *Correspondencia reservada del Capitán General Don Miguel Tacón con el Gobierno de Madrid. 1834-1836*, Prólogo de J. Pérez de la Riva, Biblioteca Nacional "José Martí", Consejo Nacional de Cultura, La Habana, 1963, p. 161.

103. *Relación del Gobierno...*, pp. 7-8.

104. J. Pérez de la Riva en "Prólogo" a *Correspondencia reservada...*, p. 27.

105. G. La Rosa Corzo: Op. cit., p. 75.

señalábamos en páginas anteriores, aunque es posible que la intensidad del fenómeno decreciera, pero establecer una relación causa-efecto por el ejercicio de una autoridad fuerte desde el poder colonial, nos parece un tanto arriesgado.

A principios de julio de 1835, José Verdeja, vecino de Limonar (Matanzas), se quejaba de la presencia en el pueblo, con dos compinches, del famoso ladrón Antonio Díaz y, por ello, de la falta de juez pedáneo [106]. Y, en enero de 1836, fue trasladado preso a la Cabaña, desde Palmillas, el pardo libre Francisco Arteaga, convicto de robar cerdos y de resistencia a la autoridad. En abril enfermó, quizá por la brutalidad del interrogatorio, y, aquejado de unas fiebres, falleció poco después.

Ese mismo año de 1836, la gavilla de Ramón Iltom (a) *el Cotorrero*, robaba numerosos animales en San Juan de los Remedios. Actividades similares, combinadas con el juego de azar, realizaba también la partida de don Joaquín Yera, "listo, atrevido y dichoso en el juego de *monte*". En 1837, además, "los bandoleros y piratas, Vicente Ruiz, José Livio Viciedo, Domingo el Isleño, Rafael Quirós, el Curro y el Limeño", llevaron a cabo múltiples asaltos en las proximidades de Villa Clara [107].

En 1837 el gran poeta romántico de Matanzas José Jacinto Milanés (1814-1863), compuso el poema cuya última parte reproducimos en el proemio de este capítulo. En él se narran las desgracias de un pobre al que un rico, merced a la seducción del dinero, engañó con su mujer. El protagonista asesina al que le privó de la honra y huye al monte. Milanés también compuso, en 1841, un drama en verso inspirado en Farfán de Liria (Valencia), "La promesa del bandido" [108].

Empero, no todos los que delinquen en el campo se acercan al modelo del bandido social. En la primavera de 1838 fue delatada una partida de ladrones de ganado que operaba en Guanabacoa y San José de las Lajas, entre otros lugares [109]. Igualmente, entre 1838 y 1839, se detectan grupos de delincuentes rurales en Trinidad, donde los hermanos Jesús M. y José J. Entenza, junto a Fernando de los Santos y otros "robaron varias casas de morenos libres" en enero de 1838, hasta que fueron capturados y con-

106. AHPM. Gobierno Provincial. Orden Público. Bandoleros. Leg. 1, n° 23.

107. J.A. Carreras: art. cit., pp. 108-109.

108. J.J. Milanés: *Obras completas*, t. I, Poesías. Edición nacional del centenario, Int. de José A. Escoto, Imp. El Siglo XX, La Habana, 1920, pp. 57-61 y 288-316.

109. ANC. Intendencia. Leg. 1039, n° 3.

denados a cuatro años de obras públicas. Mientras que, en San Juan de los Remedios, la gavilla de Juan Bello se dedicaba, especialmente, al robo de animales, hasta que cayó en manos de la ley y fue condenada a doce años de presidio en Ceuta. Les siguió el grupo de los Mena, cuyos merodeos se extendían más allá de Villa Clara. Uno de éstos delincuentes, Eusebio Hurtado, formaba parte de la sexta compañía del batallón que protegía las Cuatro Villas, por ello, y por los escasos testimonios aportados en su contra, quedaron en libertad tras el correspondiente proceso incoado por la Comisión Militar [110].

En 1839 fueron sorprendidos unos bandidos a orillas del río Tuinicú, en la jurisdicción de Sancti-Spíritus, uno de ellos fue mortalmente herido por una comisión policial. En esta zona campeó por algún tiempo Juan de Torres (a) *Bayamo*, mayoral infiel y líder de una partida de contrabandistas y cuatreros; e igualmente, en el mismo año, existían otros bandidos en la comarca de Cienfuegos, que saqueaban "los conucos de viandas, destruyen las crías de aves y dan candela a las casas de los que no cumplimentan sus exigencias de dinero". Viven "amparados por los dueños de haciendas, que les dan comida a cambio de su trabajo" [111].

Se trata, según hemos podido constatar, de casos que se aproximan más al mero delincuente, al bandidismo "antisocial" que al prototipo que nos interesa. En determinadas épocas del año y, también, en ciertas zonas, tal como hemos venido exponiendo, la situación se hace francamente difícil para los desarraigados de todo tipo. Por lo general, el auténtico bandolero ha de ampararse en su medio social, de lo contrario su supervivencia se hace casi imposible y, sin embargo, en la mayoría de las ocasiones, estos delincuentes de Las Villas cayeron con rapidez en manos de la justicia, que no siempre hizo honor a su cometido.

5. LOS BANDOLEROS DE LOS AÑOS CUARENTA

El aparato de represión del bandolerismo tampoco sufrió cambios importantes durante los años cuarenta. El 1° de julio de 1841, el Capitán General Jerónimo Valdés (1841-1843) remitió, a petición del gobernador de Matanzas, "título que he expedido al capitán de Yumurí, don Mariano

---

110. J.A. Carreras: art. cit., pp. 109-112.
111. Art. cit., pp. 113-115.

de Castro y Fonseca, para la aprehensión de malhechores de la jurisdicción de esa ciudad" [112].

También, en 1842, José Viciedo, capitán del partido de Sabanilla del Encomendador (hoy Juan Gualberto Gómez), otorgó una comisión al capitán don Antonio Paniagua para perseguir bandoleros [113].

Asimismo, algún tiempo después, el vecino de Cciba Mocha, Ignacio Justo Díaz, solicitó la renovación de su antigua comisión. Díaz, analfabeto, se valió de Francisco Gómez para realizar la petición, poniendo de relieve el incremento del bandolerismo en la comarca, ahora que se sabía que no poseía el encargo oficial para perseguir malhechores. "Hace el dilatado espacio de más de 26 años –se indica en el documento– que el Sr. Alcalde provincial, que lo era entonces don José de Fuentes, tuvo a bien darme una amplia comisión para perseguir y aprehender todo género de malhechores *y negros cimarrones* que se ocupasen en los campos de esta jurisdicción; y otros tantos años hace que he desempeñado esta comisión sin haber dado el más pequeño motivo para ser reprendido..." [114]. Es posible que Ignacio J. Díaz encontrara, en su encomienda, una forma interesante de ganarse la vida, tanto en la captura de malhechores como en la de cimarrones; un negocio, el de la caza de esclavos prófugos, "practicado por muchísimas y variadas personas de diferentes rangos y condiciones sociales" [115]. Aún en esta época las figuras del *rancheador* y del comisionado mantienen, pues, muchos rasgos comunes y concomitantes.

También don León Martínez-Fortún, hermano del primer marqués de Placetas, se destacó en la región matancera, durante estos años, por su activa persecución contra los bandidos [116], y, por su parte, el médico estadounidense John G. Wurdemann, que visitó la Isla a comienzos de esta década, recogió diversas impresiones sobre el fenómeno. Así, por ejemplo, al referirse al partido de Limonar (Guamacaro), en la comarca matancera, indicó que, debido a una depresión agrícola coyuntural, "muchos de los órdenes más bajos de trabajadores blancos habían quedado sin empleo. En

112. AHPM. Gobierno Provincial. Orden Público. Bandoleros, Leg. 1, n° 28.
113. AHPM. Loc. cit., Leg. 1, n° 31.
114. AHPM. Loc. cit., Leg. 1, n° 33. Subrayado por nosotros.
115. G. La Rosa Corzo: Op. cit., p. 43.
116. J. García del Barco y Alonso: *Camajuaní y la Revolución del 95*, Imp. El Siglo XX, La Habana, 1928, p. 13.

consecuencia, unos pocos recurrieron a una profesión de la que se dice que no es del todo antipática para el criollo: el bandolerismo..." [117].

En octubre de 1845, el Capitán General Leopoldo O'Donnell (1843-1848) remitió una circular al gobernador de Matanzas, sobre una partida de malhechores que se desplazaba desde La Habana a la región yumurina, "a fin de que sean exterminados". Además, se envió una orden a los capitanes de partido para que afinaran las acciones contra el bandolerismo: estado de alerta, protección de los vecinos, movilización de todos los subordinados, partes diarios de las rondas nocturnas, etc. Se les anunció que les serían entregados refuerzos en hombres y en armamentos, y se les hizo responsables de las faltas que pudieran cometer en el cumplimiento de sus obligaciones [118].

Durante estos años, además, se hizo famosa en Las Villas doña Leonor Morejón, mujer de posición social, dueña de una hacienda en la costa norte, al este de la bahía de Matanzas, conocida popularmente como Tina Morejón. Su supuesta dirección de una partida de facinerosos que asesinó a don Francisco Arencibia [119], regidor y rico hacendado de Villa Clara, y sus apasionados romances amorosos [120], han colocado su nombre entre las celebridades del bandolerismo cubano decimonónico. Pero su caso, en realidad, se acerca más a la delincuencia y a la ambiciosa intriga de una época de relaciones sociales asentadas sobre la barbarie de ciertos sectores del mundo rural, en tierras escasamente pobladas donde la impunidad y la corrupción facilitaban este tipo de delitos, que a las típicas acciones del bandidismo campesino.

Parece que, en efecto, Leonor Morejón estaba casada con José Emeterio Morejón, su primo hermano, quien había sido capitán pedáneo en Cumanayagua, donde, como ya apuntamos, investigó el crimen de don Tomás Oliva y, luego, chantajeó a don Rudecindo Méndez para dar carpetazo al asunto. También parece verdadero que Tina Morejón tuvo relaciones con José Joaquín Clavel, asesino catalán que se vio obligado a alzarse después de contribuir al homicidio de Arencibia, y que ambos, para desviar la atención de la Comisión Militar, urdieron una supuesta trama insurreccional de carácter racial, con objetivos abolicionistas. Al fin se demostró,

117. J.G. Wurdemann: *Notas sobre Cuba*, Ed. de Ciencias Sociales, La Habana, 1989, p. 151.
118. AHPM. Loc. cit., Leg. 1, nº 41.
119. F. López Leiva: Op. cit., p. 23.
120. A. de la Iglesia: Op. cit., pp. 262-267.

tras algunas detenciones como la del poeta Gabriel Concepción Valdés, "Plácido", que pasaba casualmente por la zona [121], que la intriga tenía visos de montaje escénico. La causa contra los asesinos del regidor Arencibia terminó, el 14 de noviembre de 1843, con los fusilamientos en La Habana de José Joaquín Clavel, Manuel Cabrera, Juan Jubiel, José del Carmen Rodríguez y Muñoz, Antonio Sáez, José Hernández, José del Carmen Vélez, Félix Quintana, José Miguel Reinoso, Luis Herva Ceballos y el pardo Matías Cordero. La Morejón fue condenada a cumplir prisión en Ceuta. Regresó a Cuba y murió en Guamutas en 1858 [122].

Por otra parte, en octubre de 1845, se supo que, entre Madruga y Güines, actuaban cinco malhechores, "ladrones de profesión", y se previno a las autoridades por si pasaban a Matanzas [123].

En junio de 1846, Manuel Castillo Orizondo, bandolero que tenía atemorizado a todo el pueblo de Cárdenas, mató a tres vecinos en el camino real, a un kilómetro de la población. La indignación general hizo que don Inocencio Casanova, hacendado canario y tío de una de las víctimas, consiguiera del Capitán General una autorización para perseguir al asesino. Una vez capturado lo remitió preso a La Habana, donde fue ejecutado.

---

121. "Placido" sería fusilado el 28 de junio de 1844 como presunto dirigente de la famosa conspiración de *La Escalera*. Según L. Marrero, el análisis del origen social de las víctimas de la cruel represión contra la gente de color, revelaría el propósito de destruir toda esperanza entre los esclavos, eliminar el prestigio alcanzado por una minoría de libertos esforzados e involucrar a algunos de los miembros más distinguidos de la *inteligencia cubana*, como posibles conspiradores. La ejecución del poeta pardo perseguía un objetivo ejemplarizador (cfr. L. Marrero: *Cuba: Economía y sociedad. Azúcar, Ilustración y conciencia (1763-1868)*, (I), Ed. Playor-Madrid, Barcelona, 1983, t. IX, pp. 92-93).

122. J.A. Carreras: art. cit., pp. 116-121. Las indagaciones que permitieron estas condenas corrieron a cargo del teniente Pedro González Abreu. Este oficial casó, muy pronto, con la hija del hacendado Arencibia, Rosalía Arencibia y Planas, de cuyo matrimonio nacieron tres hijas: Rosa, Marta de los Angeles y Rosalía. Marta de los Angeles Abreu Arencibia –su progenitor suprimió el apellido González–, fue nada menos que "la gran patriota y filantrópica dama" más conocida por Marta Abreu (Carta del historiador villaclareño Dr. Luis A. García González a José Fernández Fernández, Santa Clara, 16 de enero de 1993).

123. AHPM. Gobierno Provincial. Orden Público. Bandoleros. Leg. 1, nº 45.

Casanova trajo su cabeza y la colocó en el lugar donde el delincuente había cometido el crimen [124].

Por su lado, la "sencilla y patriarcal sociedad mantuana" también se vio perturbada, en 1848, por "los desmanes y saqueos de una cuadrilla de forajidos comandada por Pedro de la Nuez". Ante las alarmantes proporciones de sus correrías, afirma E.S. Santovenia, el teniente gobernador de la Nueva Filipina, Román Sánchez, se consideró obligado a trasladarse a Mantua, "a fin de dirigir personalmente la persecución de los malhechores y el acecho de los cómplices y encubridores". Su intervención fue coronada por el éxito, pues en agosto "muerto el temible Pedro de la Nuez y destrozada la partida de los que le secundaban en sus desafueros, tornó por el momento a reinar la tranquilidad". Con tal motivo, el día 19, se llevó a cabo, en Pinar del Río, una "serenata" en honor del teniente gobernador, organizada por "abogados, procuradores y jóvenes del foro y del comercio", para celebrar la paz de la región [125]. Es interesante, en este caso, la posible existencia de una red de apoyo a Pedro de la Nuez, porque las condiciones socio-económicas de Pinar del Río eran diferentes a las de La Habana y de Matanzas e, incluso, a las de la región villaclareña. En cualquier caso, la información disponible es muy escasa, y nos impide llegar a conclusiones definitivas sobre el carácter de esta partida de bandoleros.

Ahora bien, tampoco deja de ser cierta la capacidad de desplazamiento de algunos rebeldes agrarios, como el bandido Juan Consuegra, quien fue por "algún tiempo terror de la comarca entre La Habana y Matanzas, extendiendo a veces sus correrías a la zona entre ese punto y Villaclara", de donde era natural. Se le apodaba *El Gallito* y fue muerto, según Calcagno, por la partida policial de Lazo de la Vega en 1853 [126].

Según nuestros datos, Juan Consuegra se llamaba, en realidad, Juan J. Pérez de Morales. En mayo de 1848 estaba abierta una causa contra él, por salteador de caminos, en la que declaró José María Pérez Betancourt,

---

124. Óscar M. Rojas: *Notas biográficas para la historia de Cárdenas*, ms., Museo Óscar M. Rojas. Cárdenas. Este Inocencio Casanova y Facundo, natural de Canarias, residió por algún tiempo en Matanzas. Fue el padre de la "patriota Emilia Casanova... Donó para la Escuela una hermosa casa tasada en más de diez mil pesos" (*Magazine de la Lucha. Matanzas*, La Habana, 1923, p. 178). Su hija casó con Cirilo Villaverde, el gran literato y patriota, autor de la famosísima novela *Cecilia Valdés*.
125. E.S. Santovenia: "Historia de Mantua...", cit., p. 32, notas 5 y 6.
126. F. Calcagno: Op. cit., p. 205.

vecino del Naranjal (Matanzas) [127]. Al parecer, el bandido contaba con el apoyo de muchos vecinos y con la protección de algunos hacendados, pero sus perseguidores el teniente gobernador de Corral Falso, Ramón Jiménez Romero y el cabo de ronda Pedro González, sobornaron con treinta onzas de oro a una mujer, confidente de Consuegra, quien le entregó, por lo que lograron darle muerte hacia mediados de agosto de 1848. Sus captores recibieron veinte onzas de oro cada uno como gratificación, y fueron multadas, con distintas cantidades, varias personas que protegían al bandolero, incluido un cura [128].

Es cierto, también, que por estos años operaba en la zona, como perseguidor de malhechores, don Jorge Lazo de la Vega. En mayo de 1848 detuvo a Francisco Herrera para remitirlo a Alacranes, donde se le seguía causa por hurto de un caballo y se le consideraba un bandolero [129].

Al año siguiente, el 26 de octubre, fueron aprehendidos, en fin, los bandidos Antonio Cuello y Celestino Brito en el ingenio "San Juan Bautista", del partido de Guanábana. En esta ocasión ocho vecinos ayudaron en la captura [130].

El campo cubano seguía siendo, a la sazón, tal como lo había pintado José Antonio Saco a comienzos de la década de 1830. "Causa lástima recorrer los campos de Cuba, y observar el cuadro que en lo interior de ella presenta nuestra población rústica. Parajes hay donde el viajero entra en la casa de una familia, y no encuentra en ella ni un jarro en que apagar la sed, ni una silla donde sentarse a reposar de la fatiga, ni puede volver la vista a ninguna parte, sin que le atormenten la inmundicia y la miseria. ¿Y para tener delante este espectáculo, es que se alega la fertilidad de nuestro suelo?" [131].

Además, en opinión del ilustre reformista, "la tendencia de toda buena legislación debe ser prevenir los males, antes que castigarlos, porque tal es el corazón humano, que llega a familiarizarse aun con las penas más

---

127. AHPM. Gobierno Provincial. Orden Público. Bandoleros. Leg. 1, n° 59.
128. AHPM. Loc. cit., Leg. 1, n° 50. Existió también un tal Joaquín Mariano Consuegra, quien escapó de la cárcel y pasó a formar parte de una cuadrilla de bandoleros en la zona de Cienfuegos, aunque era oriundo de San Juan de los Remedios. Fue capturado en diciembre de 1851, pero se fugó con facilidad del presidio de la Punta (J.A. Carreras: art. cit., p. 122).
129. AHPM. Loc. cit., Leg. 1, n° 51.
130. AHPM. Loc. cit., Leg. 1, n° 53.
131. J.A. Saco López: *Memoria sobre la vagancia en la Isla de Cuba*, Instituto Cubano del Libro, Santiago de Cuba, 1974, p. 68.

severas, y si bien el temor de ellas retrae a algunos de la perpetración de ciertos actos, todavía no es un freno suficiente para reprimir los malos hábitos, ni dominar las circunstancias peligrosas en que suele el hombre encontrarse". Para purgar a la sociedad de muchos delitos era preciso combatir la vagancia, "porque hombres sin oficio, ni ocupaciones, ni bienes con qué mantenerse, necesariamente han de jugar, robar o cometer otros delitos, que ya por falta de pruebas, ya por otros motivos, muchas veces quedarán impunes" [132].

Ahora bien, para desterrar la vagancia no bastaba saber quiénes eran los vagos, ni el solo empeño de reformarlos o castigarlos; era necesario impedir que aumentase su número, "y tanto bien no puede lograrse sin remover las causas que existen con mengua y deshonra nuestra". Así, pues, "mientras no se cierren de una vez todas las casas de juego, y se corrijan los abusos de las loterías y billares, [...]; mientras no se supriman tantas festividades...; mientras no se abran caminos, se construyan casas de pobres y de huérfanos, las cárceles sufran una reforma radical, y los desórdenes del foro queden desterrados; mientras la educación pública no se mejore...; mientras no se ensanche el estrecho círculo de ocupaciones en que hoy se ve condenada a girar la población cubana, y las artes envilecidas se levanten a gozar de las consideraciones a que tan dignamente son acreedoras: mientras en fin, los males que proceden de estas causas, se quieran cohonestar con la fertilidad y abundancia del suelo y con la influencia del clima, Cuba jamás podrá subir al rango a que la llaman los destinos" [133].

La década de los cuarenta, además, estuvo jalonada por grandes dificultades del sistema esclavista en Cuba. Un conjunto de factores como la actuación abolicionista de los cónsules ingleses en La Habana; la intensa persecución del contrabando negrero por los buques ingleses y varias insurrecciones de esclavos en el Occidente insular, entre otros, culminan, en 1845, con una crisis del mercado mundial azucarero que produjo la primera caída de precios del dulce cubano y que, asimismo, se unió a una recesión de la producción cafetalera occidental, que constituía el segundo renglón exportable de Cuba. La trata descendió bruscamente y, en Europa, la remolacha "comenzaba a desalojar al azúcar de caña de sus mercados tradicionales". Se planteó, entonces, la urgente necesidad de modernizar las unidades productivas. En fin, era preciso reunir más capitales y resolver el problema de la fuerza de trabajo "por otra vía que no fuese la esclava

---

132. Op. cit., pp. 76-77.
133. Op. cit., pp. 79-80.

africana". Esta situación, subraya Torres Cuevas, "hizo que muchos hacendados recordaran lo que Saco había planteado doce años atrás. La terrible realidad de una crisis total de la esclavitud y de todo el sistema productivo sembró la alarma entre numerosos esclavistas cubanos". Saco comenzó a ser considerado un "profeta" [134].

El incontenible ascenso del capitalismo agroindustrial cubano generaba violencia en el mundo rural y, paralelamente, las contradicciones entre los intereses criollos y el gobierno metropolitano se hicieron más profundas. A lo largo de la segunda mitad del siglo XIX, la historia de la Gran Antilla estará marcada por intensas transformaciones socio-económicas, por ajustes políticos y, especialmente, por dos grandes acontecimientos bélicos. Estos hechos, que configuran una densa y apasionante trama histórica, están profundamente vinculados entre sí. Algunos bandoleros canalizarán su rebeldía primitiva en pos del ideal emancipador, otros, los menos tal vez, continuarán sus depredaciones sin adscripción política, o mejor, indiferentes al enfrentamiento. El panorama, pues, es diverso y complejo, pero, en cualquier caso, se corresponde con la edad de oro del bandidismo social cubano.

---

134. E. Torres-Cuevas: *La polémica de la esclavitud: José Antonio Saco*, Ed. de Ciencias Sociales, La Habana, 1984, pp. 132-133.

CAPÍTULO II

EL BANDOLERISMO EN TORNO A LA GUERRA GRANDE

Y escúchase en las noches solitarias
un sollozo de décimas guajiras
en el débil rasguear de las guitarras.
Espérase el milagro. En el presente
no existen paralelas en España,
y allá se espera que el trabajo nuestro
colme de oro las exiguas arcas.
Así serán más fuertes las cadenas...
(¡Pero a la Libertad le nacen alas!)

Agustín Acosta: *Las cuadrillas.*

FRENTE A los planteamientos de Saco en relación con la promoción de la fuerza de trabajo blanca, el Capitán General Valdés (1841-1843) se hizo eco de los criterios de los hacendados más conservadores, e insistió en que la única forma rentable de producir azúcar era mediante el trabajo esclavo. Para Valdés, subraya L. Marrero, la dependencia del régimen esclavista, basado en la trata ilícita, era irremediable desde el punto de vista económico y muy útil desde el político. "Frente a la colonización blanca que por razones de *seguridad* y garantía ante la presión abolicionista inglesa, entonces en su momento de mayor fuerza, alentaban los criollos ilustrados, Valdés plantearía la tesis del equilibrio de razas como instrumento de sujeción política" [1].

---

1. L. Marrero: Op. cit. (I), Barcelona, 1983, t. IX, pp. 158-159.

La conspiración de *La Escalera* renovó, no obstante, el interés de la Junta de Fomento en relación con la inmigración blanca, si bien O'Donnell (1843-1848) prefería, en lugar de familias pobladoras que originaran pequeños propietarios rurales, "braceros y proletarios, capaces de insertarse en la nueva economía azucarera en constante crecimiento", y, lo mismo que su antecesor Valdés, mostró su pesimismo sobre la posibilidad de atraer inmigrantes libres útiles por "las causas que pueden contribuir a suprimir y desarrollar los gérmenes de sedición e independencia que existen" [2].

Sólo algunos proyectos de los varios surgidos tras la iniciativa pobladora de la Junta de Fomento se llevaron a la práctica. O'Donnell prefería a los emigrantes vascos, pero en Cuba se inclinaron por la inmigración gallega [3], y canaria. En la llegada de canarios, afirma L. Marrero, hay que diferenciar entre lo que era una emigración espontánea y constante y la del siglo XIX, mediante contratas, a través de las cuales millares de isleños llegaron a Cuba "en condiciones de servidumbre similares a las de los colonos asiáticos, si bien con la ventaja teórica del idioma y de su condición de españoles" [4].

La vocación del inmigrante canario por el cultivo de la tierra, añade el citado autor, llevó desde tempranas fechas a identificar al *isleño* con el campesino criollo, "al punto de que las costumbres, el habla y los hábitos del *guajiro* cubano evidencian un denso sedimento canario". Valdés, quizá prejuiciado contra la independencia económica de los agricultores canarios, quienes rehuían emplearse como asalariados, describía, en 1841, el conjunto de sus actividades: revendedores, buhoneros, estancieros, *malojeros...*, "sin que sea posible inclinarlos a otro género de ocupación. En la que ejercen han adquirido frecuentemente gruesos capitales, sirviéndose también de los negros para las labores del campo y aún para la conducción de lo que venden en las ciudades y estas ganancias excitan la concurrencia de sus paisanos, sin necesidad de que el Gobierno les presente nuevos estímulos; y aún en más número que el necesario, *porque a falta de ocupación lucrativa se entregan no pocos al robo y al pillaje por los campos*" [5].

En su vindicación del guajiro, este mismo autor pondera la incuestionable importancia del isleño en la configuración del personaje rural cubano por antonomasia. Entre otras manifestaciones reproduce un texto

2. Op. cit., pp. 160-161.
3. Op. cit., p. 162.
4. Op. cit., pp. 165-166.
5. Op. cit., p. 166. Subrayado por nosotros.

de Enrique José Varona, tomado de un magistral ensayo sociológico sobre el bandolerismo cubano, que analizaremos más adelante. En la región occidental, había escrito Varona, "la población atraída por las aglomeraciones urbanas se ha hecho más densa, las razas y las clases han pasado sin contraste unas sobre otras, confundiendo en igual servidumbre a cuantos estaban debajo. El guajiro y el isleño han sido tan esclavos como el negro. El veguero es un siervo adscrito a la gleba. Trabaja sin remisión ni esperanza para el bodeguero que lo estafa y para el marquista que lo explota" [6].

Así, pues, ¿cómo no han de rebelarse contra el sistema los desarraigados rurales? La rebeldía primitiva o, mejor dicho, *primaria* sería, insistimos, una forma de protesta social del guajiro frente a las condiciones de miseria generadas por el capitalismo mercantil. "El guajiro cubano amaba su independencia, como amaba la libertad, en un país abrumado por la esclavitud. Pronto tendría la oportunidad de probarlo" [7].

Ahora bien, los diversos factores que influyen en el postrer estallido de la Guerra de los Diez Años deben tenerse presentes, por cuanto nos permiten analizar las características de la primera fase del desarrollo social y económico durante el gran ciclo prebélico cubano de la segunda mitad del ochocientos y, en consecuencia, nos facilitan el conocimiento del contexto en el que emerge el bandolerismo cubano, así como sus propios rasgos y peculiaridades a lo largo de estas décadas cruciales.

M. Moreno Fraginals –basándose en el renglón fundamental de la economía cubana, el azúcar–, divide la historia económica de Cuba entre finales del siglo XVIII y primer tercio del XX, en dos grandes ciclos económicos. El "ciclo del predominio manufacturero" (1788-1792 a 1869-1873) y el "ciclo de desarrollo industrial y dependencia de Estados Unidos" (1869-1873 a 1929-1933). En lo tocante al primer ciclo largo, que es el que nos interesa en primer lugar, el autor mencionado distingue tres fases, que se corresponderían con el crecimiento, el agotamiento y la crisis del régimen de plantaciones, a saber [8]:

– 1788-1792 a 1815-1819. Expansión productiva, institucionalización de la trata de negros, autonomía económica que refuerza la libertad de acción política e institucional de la sacarocracia criolla y permite crear la infraestructura de la nueva base económica.

---

6. Op. cit. (V), Barcelona, 1987, t. XIII, p. 127.
7. *Ibídem.*
8. M. Moreno Fraginals: Op. cit., t. II, pp. 94-97.

– 1815-1819 a 1838-1842. Los avances tecnológicos (máquina de vapor) dan origen a la gran manufactura semimecanizada, "con la que el sistema de producción azucarero esclavista agota sus posibilidades". Así, aunque la producción se expande "los años de depresión en los precios predominan sobre los años de precios altos". El ferrocarril reduce los gastos del transporte. El mercado exterior es diverso y hay libertad en las relaciones mercantiles, pero España "procura frenar la autonomía política de la sacarocracia criolla" y trata de afianzar los vínculos coloniales. "En las posiciones decisivas hay una rápida sustitución de los cuadros criollos por cuadros peninsulares de confianza".

– 1838-1842 a 1869-1873. La gran manufactura semimecanizada agota sus posibilidades en el marco de la plantación esclavista y entra en crisis. La producción crece pero no se desarrolla, el producto es cada vez más primario, "cada vez menos apto para el consumo directo". La manufactura agrícola-fabril refuerza su carácter agrario. Se produce la ruina cafetalera y un gran crecimiento tabacalero. Comienza la importación masiva de chinos. El mercado exterior se restringe: Gran Bretaña y Estados Unidos, especialmente el segundo. Se trata de combinar, como solución intermedia, la esclavitud con la mano de obra asalariada, pero la fórmula fracasa. "La antigua sacarocracia criolla pasa a un segundo plano económico, arruinada por la continua transferencia de plusvalía al comerciante español. Estalla la primera gran guerra por la independencia iniciada por terratenientes sin capital a la que sigue una creciente incorporación de estratos populares".

Este esquema, basado en un dominio excelente de los métodos de la historia económica por parte de su autor, no debe ocultarnos la existencia de profundas diferencias regionales, porque éstas son claves en relación con nuestro tema de estudio, tal como iremos viendo en otros epígrafes. En Oriente, asevera J. Le Riverend, "la industria azucarera casi no se altera entre 1820 y 1868. Es la industria más retrasada del país, constituida en gran medida por *cachimbos*, de muy escasos cañaverales y pocos esclavos, que se agrupan en las mismas zonas donde se inicia la industria en el XVI, o sea, Bayamo y Santiago de Cuba" [9].

---

9. J. Le Riverend: *Historia económica de Cuba*, Ed. Ariel, Barcelona, 1972, p. 151.
   El contraste entre Oriente y Occidente puede ponerse de relieve, aún más, con algún caso ilustrativo. Por ejemplo, para Jacobo de la Pezuela, el partido judicial de Alacranes (Matanzas), que pertenecía en 1862 a la jurisdicción de Güines, era la zona más azucarera de la comarca. Según este autor (*Diccionario Geográfico, Estadístico, Histórico de la Isla de Cuba*, Madrid, Imprenta

Otros autores aseguran, en este sentido, que las provincias de Oriente, Camagüey y Las Villas, a diferencia de las occidentales, se caracterizaban por el "lento desarrollo de la agricultura mercantil y por la existencia de

del Establecimiento de Mellado, 1863, t. II, p. 537), la producción total de la Jurisdicción de Güines en 1860 era la siguiente:

PARTIDOS	INGENIOS	CABALLERÍAS DE CAÑA	PRODUCCIÓN	
			Cajas	Bocoyes
Alacranes	41	973	91.654	9.830
Catalina	5	147	9.414	—
Guara	4	44	4.160	—
Güines	5	131	6.390	1.246
Madruga	8	207	11.362	2.380
Melena	4	98	11.352	—
Nueva Paz o Los Palos	11	261	22.596	1.410
San Nicolás	11	196	15.539	4.173

El partido judicial de Alacranes pasó a Matanzas, el 1° de enero de 1879, a partir de la creación de las provincias y términos municipales en Cuba, y a él pertenecían los poblados de Bolondrón y Güira de Macuriges. Su población –14.595 habitantes en total–, se distribuía de la siguiente manera:

BLANCOS		YUCATECOS		ASIÁTICOS		NEGROS Y MULATOS			
H.	V.	H.	V.	H.	V.	Libres		Esclavos	
						H.	V.	H.	V.
1.988	2.522	2	23	-	772	270	368	3.007	5.643

Se observa, pues, que la población esclava era de 8.650 personas, o sea, un 59,26 por ciento del total de población de la jurisdicción, lo que indica una fuerte adscripción de esclavos a la industria azucarera. Si a esto unimos el número de ingenios y los niveles de producción, se concluye la relevancia de Alacranes como emporio azucarero.

Por su lado, J.J. Ribó (*Historia de los Voluntarios Cubanos*, Imprenta de T. Fortanet, Madrid, 1876, t. I, p. 251), subrayó, más tarde, que "el partido de Alacranes es la frontera de la parte leal con la insurreccionada por la Ciénaga. Dicho partido cuenta 45 ingenios, con una producción anual aproximada de 215.000 cajas de azúcar, aparte de su riqueza pecuaria. Cuenta, además, los pueblos de la Unión de Reyes, Alacranes, Bolondrón y la Güira de Macuriges, distantes uno de otro una legua poco más o menos./. La parte más importante del partido es el camino costanero que conduce desde Manjuaríes o Macuriges al Cuzco, pasando por Cocodrilo".

75

relaciones de producción que aún conservaban rasgos marcadamente patriarcales", si bien la producción de azúcar y café de los terratenientes de la zona del Cauto estaba orientada, lo mismo que la del resto de la Isla, hacia el mercado mundial. En torno a 1868, "a estos terratenientes que mantenían un régimen de producción con reminiscencias patriarcales, y que habían marchado a la zaga de los grandes movimientos políticos reformistas, la necesidad de suprimir el trabajo esclavo y de librarse de las barreras fiscales y del capital comercial español, se les presenta en una forma mucho más imperiosa y apremiante, que a los grandes hacendados de las provincias occidentales, precursores en los adelantos técnicos y en la organización, con un sentido capitalista de la producción y al mismo tiempo gestores del pensamiento burgués en Cuba. Al producirse la crisis general del régimen esclavista, se romperá el eslabón más débil del sistema" [10].

No obstante, como subraya Le Riverend, el movimiento de innovaciones tecnológicas también se detuvo hacia 1860. Entre las causas de esta paralización destacarían la imposibilidad de aplicar nuevas mejoras, "pues el régimen esclavista impedía que el esclavo se transformara en un trabajador calificado"; el aumento de los costos de producción, que reducía las posibilidades de acumulación del capital constante y la escasa disponibilidad de créditos. "La crisis de 1857, con la depresión de 1866, inició el proceso acelerado de liquidación de la industria esclavista, arruinando a numerosos pequeños hacendados y obligándolos a hipotecar sus bienes" [11].

Por su parte, la estructura y las características generales de la población de Cuba durante esta época, nos ayudan a dibujar un panorama más completo. La población total censada en 1862 ascendía a 1.359.238 personas, donde la mayoría (53,7 %) correspondía a la raza blanca, en tanto que los esclavos quedaban reducidos a un 27,2 % y los libres de color a un

---

10. Dirección Política de las F.A.R.: *Historia de Cuba*, La Habana, 1971, pp. 151-152. También se matiza, entre otras cuestiones, lo siguiente (p. 155): "El desarrollo mercantil del azúcar, indudablemente, impulsa el desarrollo mercantil de la cuenca ganadera de Cuba. Pero a diferencia de los hacendados, a los cuales se encontraban atados por las relaciones de producción esclavistas, los terratenientes ganaderos no necesitaban del trabajo esclavo para explotar el ganado. La abusiva política fiscal había convertido a la provincia en un hervidero de protestas contra la dominación española. Por cada res vendida en el matadero, se deberá pagar un promedio aproximado de un 25 % de impuestos".

11. J. Le Riverend: Op. cit., pp. 153-154.

16,3. L. Marrero ha calculado los sectores integrantes de la población blanca, sobre los censos de 1846 y 1862, de acuerdo con las siguientes proporciones [12]:

	1846		1862	
	(En miles)	%	(En miles)	%
Cubanos	370,3	87,0	601,2	78,7
Peninsulares	27,2	6,4	67,6	8,8
Canarios	19,8	4,6	48,6	6,3
Extranjeros	8,5	2,0	47,4	6,2
	425,8	100,0	764,8	100,0

En 1862, la población urbana constituía el 37,2 por ciento del total demográfico de la Isla, en ingenios se albergaba el 16,6, en haciendas el 2,6 y el resto se distribuía de la siguiente manera: sitios de labor (16,5), vegas de tabaco (9,0), potreros (6,7), estancias (6,6), cafetales (2,4), otros establecimientos rurales (1,5) y otras fincas (0,9) [13], naturalmente el mayor porcentaje demográfico (el 62,8 %) correspondía al mundo rural, pese a sus diferencias internas de todo tipo y a que se agrupa como población urbana a pequeñas aldeas de campo.

Podríamos extendernos en el análisis de otros parámetros de la realidad social y económica cubana del siglo XIX, mas la metodología elegida nos permitirá acercarnos a dicha realidad a medida que profundicemos en el estudio del bandolerismo cubano. Baste indicar, por ahora, que este fenómeno social seguirá presente en la historia de Cuba durante todo el largo período objeto de estudio, aunque, como veremos, evolucionará hacia formas más elaboradas durante la Tregua y, en muchos casos, se reconvertirá en insurgencia revolucionaria, sobre todo durante la Guerra de Independencia de 1895-1898. Luego, durante el siglo XX, bajo la república "mediatizada", se desplazará hacia Oriente y adquirirá manifestaciones peculiares, tal como veremos en su momento.

El bandolerismo, en tanto forma de protesta social en el ámbito rural cubano, especialmente en las comarcas occidentales y del centro, continuará, pues, durante los años cincuenta y durante la década de 1860. De hecho, el bandolerismo nunca dejó de estar presente a lo largo de la que, con cierto abuso de lenguaje, podríamos definir como la historia contemporánea de

12. L. Marrero: Op. cit. (I), Barcelona, 1983, t. IX, pp. 198-199.
13. Op. cit., p. 204.

Cuba, o sea, desde los inicios del despegue económico capitalista hasta muy entrado el siglo XX. Lo que sucede es que cambia, evoluciona, se adapta y se transforma de acuerdo con la realidad social a la que pertenece, pero sus rasgos decisivos, definitorios, perviven. Esta es, también, una de nuestras hipótesis de partida.

1. LA PERVIVENCIA DEL BANDOLERISMO (1850-1868)

Es cierto que la historiografía tradicional parece guardar un discreto silencio sobre los bandidos y, aun, sobre la mera delincuencia rural de las décadas de 1850 y 1860, incluso R. Schwartz, en uno de sus trabajos, destacó que diferentes viajeros que recorrieron la Isla durante estos años, se mostraban muy poco preocupados por el fenómeno. En su opinión, el bandolerismo se veía como una actividad aislada, fácilmente reprimible por la autoridad y no algo "que el viajero tenía que dar por hecho", como sucedía, v.g., en México. En este sentido, adujo los testimonios de R.H. Dana, que visitó Cuba en 1859, L. Allen y J. Abbott, quien "en sus apuntes sobre la vida en Cuba –en 1860– nunca hizo alusión alguna al miedo a los ladrones o salteadores" [14].

Otros viajeros, como la danesa F. Bremer, que se paseó por Matanzas en 1853, tampoco fue "perturbada por bandoleros". Dana, en 1859, comprobó que los dueños de haciendas tenían perros amaestrados para vigilar las fincas, cuya paz podía ser perturbada por intrusos, a menudo esclavos fugitivos o "visitantes" de otras plantaciones, quienes violaban el toque de queda para reunirse con amigos o miembros de su misma tribu. "No puede considerarse bandolerismo actos de este tipo. Ninguna organización los dirigía ni tampoco existía una conciencia social que los originara". Sin embargo, "los hacendados se sentían amenazados: pocos viajaban sin armas", pese a que estaban prohibidas desde los tiempos del general Tacón. Según Schwartz, "Dana atribuía el apego de los plantadores por las armas de fuego al miedo que le tenían a sus esclavos". También Julia Ward Howe, feminista y abolicionista que visitó la Isla en 1860, "jamás nombró a los

---

14. R. Schwartz: "Bandits and Rebels in Cuban Independence: Predators, Patriots, and Pariahs", *Bibliotheca Americana*, Coral Gables (Florida), noviembre de 1982, I: 2, pp. 112-115.

bandoleros", y, en 1870, S. Hazard tampoco "hizo mención al papel de los bandidos en las batallas(sic)" [15] de la Guerra de los Diez Años.

Pero el bandolerismo existió, y no sólo bajo su forma más burda, sino que, como veremos a continuación, puede hablarse de ejemplos que se acercan de modo nítido al prototipo del bandido social.

En efecto, en la primavera de 1851 se detectó, en el partido de Santa Isabel de las Lajas, una cuadrilla formada por tres blancos y un negro, quienes atacaron la casa de campo de don Casiano Rumbaut, al que hirieron gravemente; y en Malezas otra cuadrilla asaltó la tienda de don Salvador Gali [16].

Por estas mismas fechas se informó de la presencia, entre Rancho Veloz y San Rafael, del bandolero José de la O Gutiérrez, blanco rosado de 28 años, acompañado de un mulato y de un joven. El 11 de mayo apareció el cadáver de don Pedro Gilbert, "sin dinero y cruelmente macheteado". Y, asimismo, los "bandoleros remedianos" Antonio Rivera, Rafael Angel y Francisco Roquet, robaron mulos a Isaac Stone y otros vecinos, pero fueron capturados tras asaltar la tienda de Juan Bautista Dullaonca, si bien, aunque fueron procesados, quedaron en libertad por falta de pruebas [17].

En 1854, las autoridades de Matanzas indicaban que diferentes partidas de vagabundos infestaban la jurisdicción y que eran "varios los casos de bandolerismo que se han cometido". En septiembre, por ejemplo, fue asesinado Juan Bagaños en Corral Nuevo por José Cuétara y Tomás Pérez Prieto (a) *José López*. El 28 de octubre fue capturado el primero en Cajutal. Se siguió causa criminal contra Tomás Pérez, pues, además, era presidiario desertor y había asaltado a Laureano y Miguel González [18].

A finales de abril de 1856, el capitán pedáneo de Corral Nuevo detuvo al bandolero Francisco Valdés Heredia y le envió a la cárcel de Matanzas. Valdés Heredia había sido presidiario en La Habana y el capitán pedáneo fue felicitado por su captura. Además, redujo a prisión a José López y a Francisco Ortega por haber ocultado en su casa al bandido. Ortega era sospechoso de tener relaciones con negros apalencados en El Espinal [19].

En diciembre, José Caballero, desde Corral Falso, solicitaba ayuda

---

15. Art. cit., pp. 115-117. "...when Hazard visited the island in 1870, he related no involvement of bandits in the battles".
16. J.A. Carreras: art. cit., p. 121.
17. Art. cit., pp. 121-122.
18. AHPM. Gobierno Provincial. Orden Público. Bandoleros, Leg. 1, n° 65.
19. AHPM. Loc. cit., Leg. 1, n° 80.

al gobierno provincial para proceder a la captura de una partida de bandoleros que operaba por la zona [20].

En octubre de 1857, Teodoro Agostini comunicó al gobernador de Matanzas que se habían efectuado robos de poco valor en el Naranjal, que existía una banda de cinco hombres que había asaltado a don Antonio González y que habían sido aprehendidos Domingo Suárez, Serafín Rodríguez y el pardo esclavo Bonifacio Suárez [21].

En este mismo año, además, se tomaron determinadas medidas de carácter represivo por parte del gobierno general. Así, especialmente en relación con la población esclava, se establecieron mediante las ordenanzas rurales de 1857 los "guardas de campo", quienes sustituyeron a los escuadrones rurales de Fernando VII. Estos guardas "recorrían a pie o a caballo y armados con carabinas todos los términos municipales a los que pertenecían y reportaban y atendían todo lo relacionado con el orden, inclusive hasta las epidemias de las dotaciones" [22].

La normativa contra el bandolerismo, sin embargo, siguió presentando importantes deficiencias y lagunas. El 5 de diciembre de 1857, Manuel García Arévalo, teniente gobernador de Bahía Honda, tramitó la documentación de una pesquisa que había abierto para indagar la comisión de actos de bandolerismo en Vuelta Abajo, y que dio origen a la detención de cuatro individuos acusados de "abrigadores de malhechores, vagos y picapleitos". La respuesta del alcalde mayor de Guanajay es muy significativa, pues afirma estar convencido "de la ineficacia, a veces, de los medios ordinarios de persecución y averiguación; pero las leyes primera y segunda, título treinta y cuatro, libro doce de la N.R. [*Novísima Recopilación*], prohíben expresa y terminantemente las pesquisas generales, ya de delitos, ya de delincuentes, y ante la disposición indubitada de la ley, ni aun nos queda el derecho de discutir, sino cumplirla ciegamente. La averiguación que V. decretó y llevó a cabo no es otra cosa que una pesquisa general, y así no puede sostenerse; no puede conducirse a que dé los buenos resultados que fueran de desear..." Y añadía, finalmente, "será preciso que la policía, la fuerza armada, los Jueces locales de partido, sus Tenientes y Cabos de ronda, cumplan más rígidamente con su deber" [23].

García Arévalo se había visto obligado a tomar cartas en el asunto a

---

20. AHPM. Loc. cit., Leg. 1, n° 83.
21. AHPM. Loc. cit., Leg. 1, n° 89.
22. G. La Rosa Corzo: Op. cit., p. 143.
23. ANC. Intendencia General de Hacienda. Leg. 971, n° 49.

raíz de la aparición, a finales de noviembre, de una gavilla sospechosa en Consolación del Norte. Según su testimonio, era frecuente la comisión de tropelías, asaltos y robos en las jurisdicciones próximas "por partidas de malhechores que, armados en cuadrillas, andan recorriendo los campos [...] a pesar de los esfuerzos de la Guardia Civil, y de las batidas que los tenientes gobernadores usando de las fuerzas armadas han hecho" [24].

Según J. Zaragoza, hacia el final del segundo mandato de Gutiérrez de la Concha (1854-1859) el bandolerismo creció de forma desmesurada, pues las autoridades estaban ocupadas en cuestiones más vitales y el Capitán General estaba dedicado a sus "funestas reformas". La inseguridad en los campos hacía que los propietarios abandonaran sus fincas y se refugiaran en los poblados. La situación, añade este autor, era aliviada por el paso de las columnas militares que, sin embargo, no encontraban sino las "monturas". Este hecho se hizo famoso, pues los bandidos eran asesinados y arrojados al fondo de los ríos [25].

Igualmente, se procedió a la creación de "somatenes", un cuerpo vecinal de autodefensa a imitación de los históricos somatenes de la metrópoli, mediante un bando de junio de 1858, pero, según J. Zaragoza, fueron ineficaces y sólo lograron trastornar las costumbres de los campos. A veces los bandidos, añade, daban la voz de alarma y, cuando los vecinos se reunían, saqueaban sus casas. Esta disposición legal, en fin, fue tan ineficaz que el Senado español la sometió a examen y Concha suspendió su aplicación [26].

Por estas fechas numerosos bandoleros asolaban la comarca de Cárdenas. Riverón, por ejemplo, logró organizar una partida, y demostró una gran destreza para burlar las emboscadas de sus perseguidores. Se escondía en subterráneos y tenía varias cuevas habilitadas como refugios. Los campesinos le ayudaban, "por miedo o porque él compartía". Otro bandido famoso en la misma zona fue el negro Gervasio, quien fue muerto por la Guardia Civil [27].

La Guardia Civil fue introducida en Cuba, el 27 de enero de 1851,

24. ANC. Loc. cit.
25. J. Zaragoza: *Las insurrecciones en Cuba. Apuntes para la historia política de esta isla en el presente siglo*, Imp. de Manuel G. Hernández, Madrid, 1872-1873, t. II, pp. 60-61.
26. *Ibídem.*
27. L. García Chávez: *Historia de la Jurisdicción de Cárdenas*, Habana, 1930, pp. 426-427.

por el citado José Gutiérrez de la Concha durante su primer mandato (1850-1852), mediante la creación de un Tercio con la idea de "ensayar en esta Isla el servicio del Instituto". Más tarde, el Capitán General don Juan de la Pezuela (1853-1854) dispuso, en vista de los buenos resultados, una primera reorganización en marzo de 1854, "formando un batallón que principió a prestar sus servicios en las principales poblaciones de la Isla en mayo del mismo año". Posteriormente, en abril de 1858, se procedió a dar al Cuerpo su organización definitiva, en cumplimiento de una Real Orden del 1° de julio de 1857 [28].

Entre las obligaciones y facultades de la Guardia Civil, según el artículo 32 (capítulo V) del Reglamento del Cuerpo, estaban las siguientes [29]:

1°. Tomar noticias de la perpetración de cualquier delito o hecho contrario a las leyes, decretos y órdenes del Gobierno, bandos de las autoridades y ordenanzas municipales.

2°. Recoger los vagabundos que anden por los caminos y despoblados, y los fugados de las cárceles o presidios, entregándolos a la inmediata autoridad civil, para lo cual será obligación de los Alcaldes de los pueblos y Jueces de primera instancia facilitar a los Jefes de los puestos y patrullas una lista de las personas que se hallen comprendidas en estos casos, con expresión muy determinada y explícita de las señas personales, con todas las circunstancias necesarias para evitar equivocaciones.

3°. Recoger los prófugos de los sorteos y desertores del ejército, entregando los primeros a la autoridad civil y los segundos a la autoridad militar del pueblo más inmediato.

4°. Perseguir y detener a los delincuentes e infractores de las disposiciones a que se refiere el párrafo 1° de este artículo, entregándolos a la autoridad o tribunal competente.

5°. Acudir al punto necesario para la persecución de los ladrones o malhechores, siempre que tengan noticia de haber ocurrido un robo, o de la aparición de gente sospechosa en la demarcación del distrito que le estuviese confiado.

En octubre de 1859 se informó, por otro lado, del asalto cometido por unos bandoleros contra Romualdo González Carvajal, vendedor ambulante que paraba por el ingenio "Nueva Cecilia" de la zona de Cabezas.

---

28. Cfr. *Guardia Civil. Cartilla para la instrucción del servicio de este Instituto en la Isla de Cuba*, Habana, 1880, p. 1.
29. Op. cit., pp. 56-57.

Los ladrones le robaron once onzas y media de oro que llevaba para pagar a los asiáticos del ingenio [30].

La jurisdicción de Cárdenas fue asolada por *El Asturiano* en 1860-1862, bandido español de renombre sobre el que, no obstante, es poca la información disponible. Era audaz y decidido, según López Leiva, y murió en una celada que le tendió el capitán del partido de Bemba y del ejército, don Julián Bardají [31].

Ahora bien, sin duda uno de los bandidos más relevantes de estos años fue Carlos García. El testimonio de López Leiva sobre este personaje es elocuente y subraya, desde entonces, un perfil muy próximo al del bandolero social: "En la zona de San Julián de Güines apareció por aquella misma época un tal Carlos García, quien, desde el punto y hora en que cambió su apacible vida de campesino por la accidentada y peligrosa de salteador de caminos, cobró fama de audaz y decidido. Por otra parte, su juventud, la gentileza de su persona y su innegable coraje, le valieron muchas simpatías y le hicieron objeto de diversas leyendas. Tenía aquel mozo gran facilidad para improvisar décimas guajiras y era tal su atrevimiento que en más de una ocasión hubo de desvalijar a sus víctimas a la vista de los pueblos y de los fuertes de la Guardia Civil. Su crimen de mayor resonancia fue el de haber sacado de un ómnibus, en la carretera, a cierto compadre suyo, depositario de sus robos, que le había traicionado y darle muerte a presencia de los viajeros horrorizados. Llamósele 'el bandido caballero' *porque a imitación del famoso andaluz José María*, 'a los ricos robaba y a los pobres socorría'" [32].

Estaríamos, pues, ante un caso evidente de bandidismo social, de bandido generoso y justiciero que sólo mata en legítima defensa o, como prescribe la costumbre, para castigar la traición. Su valentía, su identificación con el medio rural, su simpatía y su leyenda marcan la pauta del auténtico bandolero social cubano y universal. Pero la leyenda, en tanto que hermana mayor de la fantasía, también se presta a la confusión, válida desde el punto de vista estético y literario, aunque peligrosa desde la perspectiva histórica. Calcagno, erudito honesto aunque impreciso a veces, dirá, junto al nombre de Carlos García, "que campeó en Cinco-Villas, y a quien no debe confundirse con el bandido que después de burlar mucho

---

30. AHPM. Gobierno Provincial. Orden Público. Bandoleros. Leg. 1, nº 102.

31. F. López Leiva: Op. cit., p. 23.

32. *Ibídem*, p. 23. Subrayado por nosotros.

tiempo la persecución judicial, fue muerto en Guanamón de los Palos, en noviembre 21 de 1875" [33].

Carlos García Sosa fue el mismo que se alzó en "La Salud" contra España, en febrero de 1869, y cuya campaña duró hasta el 21 de noviembre de 1875. Operó en la provincia de Pinar del Río y en la zona oeste de la de La Habana. A finales de 1870, se encontraba cerca de Jagüey Grande (Matanzas), donde había ido a entrevistarse con Jesús del Sol. García protagonizó diversas acciones bélicas anticoloniales [34].

Ramiro Guerra también nos ha dejado su testimonio sobre "el bandido" Carlos García durante la Guerra Grande, quien, al frente de su partida, recorría la zona próxima al cafetal "Jesús Nazareno" que poseía la familia del historiador en la provincia habanera. Se refiere, igualmente, a la prisión y fusilamiento, en la finca "Rabo de Zorra" (término de Batabanó) de Luis de la Maza Arredondo, general insurrecto que intentó la primera invasión de Occidente partiendo de Cienfuegos. R. Guerra señala que estos hechos ahondaban las diferencias entre los campesinos hijos del país y minimamente conscientes, por un lado, y los peninsulares: autoridades civiles y militares, voluntarios, dueños o dependientes de los comercios y españoles en general, por otro, salvo algunas excepciones. Además, "aun cuando se deseaba vivamente la persecución y el castigo de cuatreros y bandidos, los abusivos e ilegales procedimientos de los guardias repugnaban al hombre de campo, tranquilo y trabajador, y eran mal vistos por éste". De hecho, los métodos utilizados por la Benemérita, bajo el pretexto de reprimir el bandolerismo, generaban una situación de desamparo en la gente de campo, que veía "en la Guardia Civil un permanente y serio peligro potencial, cuando no un enemigo actual" [35].

En un trabajo reciente, el citado historiador César García del Pino aporta datos relevantes sobre la vida de nuestro discutido personaje, aunque realiza, como es tradicional en otros historiadores y eruditos cubanos, una defensa a ultranza de cierto "puritanismo revolucionario" que se contrapone al supuesto estigma del bandolerismo. El análisis de este autor indica que la leyenda "infamante" del Carlos García bandolero "fue un tejido de calumnias, con el propósito de difamar a un posible caudillo popular. No hemos encontrado, hasta el momento, un solo documento, de

---

33. F. Calcagno: Op. cit., p. 298.
34. C. García del Pino: "Carlos García: Jefe mambí de Occidente", *Verde Olivo*, nº 41, La Habana, 14 de octubre de 1979, pp. 26-29.
35. R. Guerra: *Mudos testigos*, Ed. Ciencias Sociales, La Habana, 1974, p. 151.

fecha anterior a los sucesos que relatamos, que lo mencione en relación con ningún hecho delictivo, ni tampoco se le nombra en la prensa" [36].

Acerca de las acciones poco ortodoxas de nuestro personaje existen, en primer lugar, algunos indicios. Así, según una denuncia de José García contra el policía José Trujillo Monagas, éste habría salido de Cuba por orden del Conde de Valmaseda –Capitán General en 1867 y en 1870-1872–, "por haber tenido conocimiento de que estaba en relaciones con el bandido Carlos García y su partida" [37]. Otro documento posterior lo vincula con Federico Fundora, quien, con otros muchos, había estado confinado en Isla de Pinos "por complicidad con el bandido, ya muerto, Carlos García" [38].

A su vez, R. Schwartz subraya que Carlos García, el único bandido que, en su opinión, se arropó con la bandera de la independencia durante la Guerra Grande –aunque omite, entre otros, el caso de José Alvarez Arteaga, *Matagás*, como luego se verá–, "se había unido a la cuadrilla de extorsionadores y secuestradores encabezada por los hermanos Fuentes Prieto en 1856, cuando apenas tenía 21 años". Esta autora, que se basa en fuentes inéditas, asegura que "en los siguientes doce años la partida tuvo en vilo parte del Oeste de La Habana", los hermanos Fuentes e Hilario Fundora salieron de Cuba tras una década de fechorías, pero fueron arrestados en Honduras, donde murieron. Carlos García se hizo, entonces, con el control de la gavilla, "imponiendo un canon a propietarios y comerciantes a cambio de protección. García, enérgico y astuto, y con el apoyo de la población, dirigió con éxito una operación contra los agentes de la autoridad españoles". En febrero de 1869 García se sumó a la revolución. "En esta nueva fase de sus actividades García promovió la insurrección en su territorio, la zona circundante de La Habana. Como resultado de su participación en un levantamiento en San Antonio de los Baños, el gobierno lo condenó a muerte. Muchos de sus cómplices fueron arrestados, juzgados y enviados a prisión. García, con la ayuda de sus simpatizantes, escapó a

---

36. C. García del Pino: *Carlos García. Comandante General de Vuelta Abajo*, Ed. de Ciencias Sociales, La Habana, 1990, p. 58.
37. Comunicación de José García al Capitán General Polavieja, La Habana, 14 de setiembre de 1890, Archivo General de Indias [AGI]. Fondo Polavieja. Diversos 19, fols. 905-906.
38. Nota sobre Federico Fundora de la Celaduría de Isla de Pinos, 11 de enero de 1892, AGI. Diversos-16, fol. 903.

Cayo Hueso, volviendo a Cuba en 1872 como comandante del ejército alzado" [39].

Al margen de las acciones que como bandido efectuó Carlos García, el hecho de su alzamiento revolucionario lo convirtió, junto al mejicano José Inclán –jefe militar que se pronunció en Jagüey Grande en el propio febrero de 1869–, en protagonista de este primer intento emancipador en el Occidente de Cuba. En este sentido, García quedó al frente de los hombres alzados en armas con el general venezolano José María Aurrecoechea y el coronel Mariano Loño –ante la enfermedad de éste–, en el citado mes de febrero de 1869, fecha en la que "sostuvo un encuentro con las tropas enemigas en las proximidades de San Cristóbal" [40].

Otras acciones del ya entonces declarado jefe revolucionario fueron llevadas a cabo el día 24 del mismo mes, cuando aplicó la tea incendiaria a los cañaverales del ingenio "Fajardo" –Güira de Melena–, así como en fincas de Ceiba del Agua y Govea [41].

A pesar de la persecución de que era objeto y del medio difícil en que operaba, a lo que se sumaba la lejanía de los núcleos principales de la revolución, Carlos García desarrolló su campaña independentista. Su valor personal le ayudó en la empresa, así como su movilidad que le permitía realizar acciones por sorpresa, mediante las que logró la eficacia necesaria para sobrevivir. "Estuvo en la ciudad de La Habana, en la que siempre se movieron él y sus hombres, que mantuvieron a las autoridades españolas en continuo sobresalto" [42].

Parece ser que hubo núcleos de revolucionarios ligados a Carlos García en las actuales provincias de La Habana y Pinar del Río. Sin embargo, los combatientes de Occidente, mal pertrechados y escasos en número, tuvieron que ceder ante el empuje español, muy interesado en mantener incólume la parte más productiva y rica de la Isla. De este modo, José Inclán marchó hacia el Este desde Jagüey Grande, los generales Antonio de Armas y Luis de la Maza murieron en combate, mientras que el general cienfueguero Jesús del Sol y Carlos García se presentaron a las autoridades coloniales. Estos jefes insurrectos aprovecharon el indulto para salir al exterior y organizar hombres con armamento y recursos suficientes para retornar al combate.

39. R. Schwartz: *Lawless Liberators. Political Banditry and Cuban Independence*, Duke University Press, Durham, 1989, pp. 38-39.
40. C. García del Pino: Op. cit., p. 49.
41. *Ibídem*.
42. Op. cit., p. 63.

Carlos García estuvo en Cayo Hueso y Nueva York, lugar éste último donde contactó con Francisco Vicente Aguilera en enero de 1872, y se ofreció para combatir en la zona de Vuelta Abajo. Al mes siguiente ya estaba lista la expedición que saldría rumbo a Cuba y Aguilera impartió instrucciones cuando afirmó que "todos iban bajo las órdenes de Carlos García, a quien confería el grado de Comandante de Caballería y a su segundo, Castillo, el de Capitán; su misión era formar varias partidas en Vuelta Abajo, capitaneando cada uno la suya con objeto de entretener allí a las fuerzas españolas y que no marchasen todas para Oriente" [43].

El insurgente comenzó su campaña en Vuelta Abajo, en marzo de 1872, al mando de veinte hombres. Desde los primeros momentos recibió una gran presión de las fuerzas coloniales, lo que no impidió que realizara operaciones temerarias. Se le veía por Batabanó y Lomas del Cuzco, o bien cruzando en ambos sentidos la actual división de las provincias habanera y pinareña. En 1874 saqueó los pueblos de Managua y San José de las Lajas cercanos a la capital, pero el desgaste sufrido por la fuerza, dadas las condiciones de la campaña occidental y el fracaso de las acciones de los revolucionarios orientales para extender la insurrección, influyeron en el estancamiento del conflicto.

Después de mucho pelear por la independencia de Cuba en un medio poco propicio, Carlos García perdió la vida en una emboscada preparada por las tropas españolas en el Carril de la Caoba, entre Guanamón y las Angustias, el 21 de noviembre de 1875. Este revolucionario, que había nacido en Corralillo (Bauta), el 23 de enero de 1836 [44], fue, pese a lo discutida que pudiera parecer su figura, uno de los más altos exponentes de la resistencia anticolonial en el Occidente de Cuba durante la Guerra de los Diez Años.

A la partida de Carlos García perteneció, también, el famoso bandolero Antonio Díaz. En un pequeño artículo sobre éste, Vicente del Olmo destaca la asociación de "bandolerismo y política" en la figura de Carlos García. "La cuadrilla de Carlos García, alternativamente, desde 1857 a 1875, asolaba la campiña de la provincia habanera. Ora, con incomprensible movilidad y enarbolando el pabellón revolucionario, en la sierra de Bejucal, donde la tropa bandolera acampaba impunemente para llevar a cabo sus terribles asaltos, ora en la Escalera de Jaruco, moviéndose con rapidez para no ser alcanzada por la fuerza pública, la gente caballista de

---

43. Op. cit., p. 88.
44. Op. cit., p. 117.

Carlos García atracaba a los hacendados ricos, a los bodegueros acomodados de la carretera real, y hasta a los que, por asuntos de negocios o conflictos familiares, transitaban por los distintos caminos de la provincia" [45].

Antonio Díaz, en particular, antes de incorporarse al grupo de García, poseía diversos antecedentes penales. Se encontraba reclamado, en 1867, por el gobernador político de La Habana. En abril de 1868 fue azotado públicamente por otro delito y condenado a un año de presidio. En 1870 fue sumariado por robo en cuadrilla, a la que él mismo capitaneaba y condenado a diez años de cárcel, pero se fugó en junio de 1871 de las canteras de San Lázaro. Vagó por algún tiempo, huyó de la justicia y se ocultó bajo el falso nombre de Narciso Merlo, pero fue capturado nuevamente en noviembre y conducido a trabajar en las canteras de San Miguel, desde donde se fugó una vez más y se dirigió a la sierra de Bejucal, "en busca de la cuadrilla de Carlos García". Perteneció a esta partida hasta que fue muerto, a finales de 1874, por la fuerza pública (guardias, voluntarios y policías) al mando del inspector José Trujillo Monagas, quien había conseguido detectar sus correrías amorosas por Pueblo Nuevo [46].

En opinión del citado autor muchos de estos "audaces caballeros" del siglo XIX se disfrazaban de revolucionarios, mientras que otros, "más nobles quizá, sin manchar las ideas sobre la independencia de Cuba", eran "abiertamente forajidos. Supersticiosos, en ocasiones, y siempre sin conciencia" [47]. Expresiones que, al margen de los prejuicios personales del

---

45. V. del Olmo: "Los misterios de La Habana. Antonio Díaz, salteador de caminos", *Carteles*, n° 48, La Habana, 26 de noviembre de 1950, p. 44.

46. Art. cit., pp. 44 y 103.

47. Art. cit., p. 44. Este autor describe, también, la muerte de Carlos García junto a algunos de los suyos: "En las alturas de Güines, cuando menos aguardaba a la fuerza pública el capitán de la cuadrilla, en el mes de noviembre de 1875, fue atacada la gente de Carlos García. Empeñado el combate, a los pocos minutos mordían el polvo siete buenos mozos de la banda de salteadores y su propio capitán. La muerte de Carlos García puso en desbandada a la *buena gente* que, a lomos de caballos, pudieron conservar el pellejo. Entre estos intrépidos, que pudieron escurrir el bulto a la aprehensión de la Guardia Civil de Güines, algunas fuerzas de Voluntarios y los municipales de aquel partido –ciento dos individuos– encontrábanse las hermanas Teresa y Rosalía Delgado y Arias... En el fragor del combate, cada una de ellas, era una lobezna rabiosa. Por cierto que, en el ataque de las lomas de Güines –en el sitio denominado Carril de la Caoba– resultaron muertos el inspector de policía de Güines y uno de los números de la Guardia Civil".

ensayista, indican la pervivencia de una línea de pensamiento conservadora, admitida comúnmente por numerosos sectores sociales e intelectuales cubanos respecto al fenómeno del bandolerismo, especialmente en relación con la conexión entre el bandolerismo y la insurrección anticolonial, tal como se verá con más detalle al tratar del papel de los bandidos en los conflictos emancipadores.

En 1867, no obstante, fue particularmente intensa, en la zona camagüeyana de Ciego de Avila, la actividad de la denominada partida de los Pérez, "tildada de bandoleros por las autoridades coloniales, pero que pueden considerarse entre las primeras manifestaciones de descontento de los criollos del territorio", como subrayan los autores del *Indice histórico* de la comarca avileña [48].

2. EL BANDOLERISMO DURANTE LA GUERRA DE LOS DIEZ AÑOS

Las corrientes anexionista y reformista como formas de expresión política de las clases dominantes criollas, representaban la búsqueda de soluciones a las trabas impuestas por España a su quehacer económico. El 10 de octubre de 1868, Carlos Manuel de Céspedes y sus hombres expresaron, mediante el grito de Yara, el climax de radicalización de la burguesía antillana.

España, desde la pérdida de la América continental, había tratado de preservar los restos de su otrora vasto imperio, pero las contradicciones acabaron haciéndose evidentes en el caso cubano; contradicciones entre fuerzas productivas y relaciones de producción, entre el sistema esclavista y el desarrollo capitalista y desigualdad cubano-peninsular, entre otros factores, inciden de forma singular. El anexionismo fue, más bien, un deslumbramiento pasajero de los hacendados cubanos ante la pujanza del gigante norteño, pero, al cabo, tras la guerra de secesión norteamericana, fueron pocos los dueños de plantaciones cubanos que añoraron la integración de Cuba como una nueva estrella en la constelación de los Estados Unidos.

El reformismo, mientras tanto, continuaba su evolución. En pocas ocasiones obtuvo concesiones de la Metrópoli, pero éstas no acabaron de

---

48. Colectivo de Autores: *Indice histórico. Provincia Ciego de Avila. (Siglo XV-1989)*, Ciego de Avila, 1989, p. 9.

garantizar un desarrollo socioeconómico constante de la burguesía insular. De hecho, la fundación del Partido Reformista, en 1865, fue, según Hortensia Pichardo, "el último esfuerzo de la burguesía cubana antes de lanzarse a la insurrección independentista, por lograr de España cambios que colocaran a los insulares en igualdad de derechos políticos con los peninsulares, así como medidas económicas y sociales que evitaran el cierre del mercado de consumo norteamericano a los productos cubanos y un desenlace violento de la cuestión de la esclavitud" [49].

Según L. Marrero, "la profunda grieta de la nacionalidad" que dividía a los dos sectores de la burguesía insular, hacendados criollos y grandes comerciantes españoles, "se profundizaría por el antagonismo económico nacido del lento pero abrumador desplazamiento del hacendado patricio por el comerciante peninsular, cuya riqueza le permitía incursionar con fuerza en el campo de la producción azucarera" [50].

O. Pino Santos afirma, por su lado, que la contradicción entre el modo de producción esclavista en crisis y el capitalismo emergente, sólo podía resolverse suprimiendo a la Metrópoli española, liquidando el colonialismo. El antagonismo entre terratenientes y esclavos perdió entidad histórica y, en su lugar, la fue ganando la contradicción entre los terratenientes y la Metrópoli [51].

La burguesía oriental, asimismo, tenía menos que perder al iniciar la lucha por la independencia. La parte occidental de la Isla, como subrayó R. Guerra, era la más densamente poblada en los años inmediatos al comienzo de la contienda. "Habitábala la mayoría de los habitantes de Cuba, con un exceso de más de 150.000 sobre las de Las Villas, Camagüey y Oriente. Era también la parte que había alcanzado mayor desarrollo económico, en particular respecto a azúcar y a tabaco, los dos principales productos de exportación de la Isla, y en cuanto a comercio" [52].

El territorio yumurino, por ejemplo, producía, por sí solo, más de la mitad del azúcar cubano en sus 370 ingenios de vapor y sus 31 trapiches. Las jurisdicciones de Matanzas, Cárdenas y Colón, que constituyen la actual provincia de Matanzas, poseían en la década de 1860 el 62,32 por

49. H. Pichardo: *Documentos para la historia de Cuba*, Ed. de Ciencias Sociales, La Habana, 1973, t. I, p. 350.
50. L. Marrero: Op. cit. (V), Barcelona, 1987, t. XIII, pp. 79-80.
51. O. Pino Santos: *Cuba: historia y economía. Ensayos*, Ed. Ciencias Sociales, La Habana, 1983, pp. 202-203.
52. R. Guerra: *Guerra de los Diez Años*, Ed. de Ciencias Sociales, La Habana, 1972, t. I, p. 145.

ciento de todos los ingenios mecanizados del país. El ingenio "Álava" –actualmente central "México"– superaba en más de medio millón de libras de azúcar la producción total de los 41 ingenios de las jurisdicciones de Bayamo y Manzanillo. Este ingenio no era ni tan siquiera uno de los tres mayores de la provincia matancera [53]. Esta región también destacaba por una alta proporción de peninsulares y canarios en la sociedad blanca.

En Occidente se dudaba de la potencialidad revolucionaria de la burguesía que, como clase social, anteponía sus propios intereses económicos inmediatos a la posible participación en el conflicto bélico. La burguesía occidental, sin embargo, se vinculó a la lucha a través de la Junta Revolucionaria de La Habana, en cuyo seno se producía un virtual debate entre reformismo e independentismo.

Esta Junta promovió, principalmente, los alzamientos de Jagüey Grande, San Antonio de los Baños, Jaruco y Güines. En Matanzas, el primero, y único que se verificó bajo sus designios, fue dirigido por Gabriel García Menocal, administrador del ingenio "Australia", auxiliado por el coronel mejicano José Inclán. Tuvo lugar a partir del 10 de febrero de 1869 y contó con las gestiones previas del procurador de Colón José Elías Guerra, de Juan Arnao, prestigioso revolucionario matancero y del anciano jagüeyense, conspirador desde los tiempos de Narciso López, Aurelio Rodríguez, entre otros. En Jagüey Grande, un pequeño pueblo por esta época, situado en la periferia de la Llanura de Colón, se produjo, en efecto, un compromiso con la independencia de Cuba. Este hecho es, por otro lado, sintomático de la actitud claudicante de los promotores de la revolución en el Occidente de Cuba, pues en Jagüey Grande no existían propiedades de los miembros de la Junta Revolucionaria habanera [54].

Los rebeldes consiguieron tomar el poblado y fue izada la bandera de Cuba, luego se retiraron en dirección a la finca "Cayo Bejuco", nacía de este modo la columna de operaciones de Jagüey Grande, que estuvo bajo el mando del coronel José Inclán. Sin embargo, ante las dificultades, algunos de los insurrectos decidieron presentarse a las autoridades, pero otros se mantuvieron firmes y, más tarde, pasaron a Las Villas. La respuesta

---

53. D. Abad: "La estructura socioeconómica y demográfica colonial al iniciarse la década de 1860", en: Colectivo de Autores: *Temas acerca de la esclavitud*, Ed. de Ciencias Sociales, La Habana, 1988, pp. 122 y ss.

54. J. Fernández Fernández: *La Guerra de los Diez Años en Jagüey Grande*, Ed. "La Comandancia", Museo Municipal de Jagüey Grande, 1990, pp. 14 y ss.

española no se hizo esperar, en tal sentido fueron designados los "Chapel-gorris" de Guamutas a las órdenes de Claudio Herrera, para abortar la insurrección. Esta fuerza de voluntarios, auténticos bandidos oficiales, reprimió cruelmente al campesinado de la comarca y cometió numerosos asesinatos, entre otros el de José Elías Guerra [55].

En conclusión puede afirmarse que el desarrollo de la guerra en el Occidente de Cuba se verificó, principalmente, en las jurisdicciones de Colón, Cárdenas y Matanzas, aunque hubo esfuerzos libertadores como el de Carlos García en la provincia habanera. Además, aparte de la acción revolucionaria de Jagüey Grande, debe mencionarse la conspiración de Alacranes y la frustrada sublevación de Cárdenas, entre otras actividades de escasa importancia, pero indudablemente significativas. En síntesis pueden distinguirse dos fases en el proceso bélico occidental [56]:

– Una primera etapa (1869-1872) caracterizada por los intentos de secundar la insurrección en la zona: alzamiento de Jagüey Grande, acciones más o menos aisladas de numerosos revolucionarios en Matanzas, Cárdenas y Colón, con la creación del distrito militar de Colón bajo el mando del general Antonio de Armas y los esfuerzos para establecer una base de operaciones estable a partir del territorio villareño, donde destacaron los generales cienfuegueros Luis de la Maza Arredondo y José de Jesús del Sol, y el polaco Carlos Roloff.

– Una segunda época (1875-1876) donde descuellan las acciones desarrolladas por el coronel Cecilio González, la campaña de Henry Reeve, que contaba con el propio coronel González y con los oficiales Carlos Agüero y Rosendo García, y el declive de las operaciones tras la muerte del

---

55. Op. cit., p. 24.

No opina lo mismo, pese a las evidencias existentes sobre estos hechos protagonizados por los voluntarios, Eduardo L. Moyano Bazzani, para quien "en marzo de 1869 la Revolución estaba en su máximo apogeo; el levantamiento en las Villas era un hecho, y sus cabecillas amenazaban las jurisdicciones de Colón, Matanzas, Cárdenas y Güines. Fueron momentos cruciales, en los que *demostraron su valía los cuerpos de voluntarios, quienes, armados y pertrechados, se transformaron en verdaderos soldados* de infantería, caballería y artillería, entrando en plena actividad e impidiendo, de esta forma, la penetración de la guerra hacia el oeste de la isla" (cfr. E.L. Moyano Bazzani: *La nueva frontera del azúcar: el ferrocarril y la economía cubana del siglo XIX*, Preámbulo de Francisco de Solano, CSIC, Madrid, 1991, p. 368, subrayado por nosotros).

56. J. Fernández Fernández: Op. cit., pp. 38-41.

brigadier H. Reeve (4 de agosto de 1876) y su sustitución por Ricardo Céspedes, aunque Cecilio González asaltó Calimete en septiembre y se mantuvo hasta el fin de la guerra.

La Invasión a Occidente dirigida por Máximo Gómez fue el intento final de destruir el poderío español, especialmente tratando de propiciar la ruina del principal sostén económico colonial. El fracaso de este esfuerzo estuvo condicionado por la desunión y el regionalismo que minó a la revolución e influyó en el ocaso definitivo de las armas cubanas en la Guerra Grande.

La relación de los insurrectos de la jurisdicción de Colón, elaborada por el teniente gobernador de esta localidad, puede resultar indicativa, por otra parte, del origen y de la procedencia social de los rebeldes occidentales. La naturaleza de los sublevados fue la siguiente, sobre un total de 195 personas [57]:

Cubanos:	173
Peninsulares:	6
Canarios:	6
Extranjeros	1
Desconocida:	12

Asimismo, la estructura socio-profesional de los alzados se reparte, principalmente, de esta forma [58]:

Campesinos:	71
Hacendados:	10
Propietarios:	8
Carpinteros:	8
Administradores de ingenio:	5
Comerciantes:	4
Mayorales:	4
Carreteros:	4
Escribanos:	3

---

57. "Listado de individuos participantes en la insurrección en la Jurisdicción de Colón", 29 de mayo de 1869. ANC, Asuntos Políticos, Leg. 60, nº 10.

58. *Ibídem*. Las *otras profesiones*, a razón de un miembro por cada una, son las siguientes: preceptor, procurador, teniente pedáneo, zapatero, panadero, "fondero", albañil, estudiante, médico, empleado, sastre, alfarero, "colector de impuestos", tabaquero, "ordeñador" y cochero.

Maestros de azúcar:	3
Maquinistas:	3
Farmacéuticos:	3
Mayordomos:	2
Boyeros:	2
Herreros:	2
Administradores de fincas:	2
Otras profesiones:	16
Desconocidas:	45

Como puede observarse, la presencia de los sectores populares en la insurrección occidental fue mayoritaria. Para Céspedes, como indicó Ramiro Guerra, "fue empresa fácil sublevar el oeste de Oriente y propagar con su ejemplo de manera indirecta, si bien incontenible y efectiva, la insurrección en Camagüey y Las Villas. A Morales Lemus, persona ya madura y a sus compañeros de Junta, habituados a la vida urbana, no les era dable sublevar en igual forma a matanceros, habaneros y pinareños entre los cuales no se había difundido la propaganda revolucionaria. En el fondo el temor a la destrucción de la riqueza cubana juntamente con el de la abolición brusca de la esclavitud y el posible desbordamiento del cuarto de millón de esclavos o más de Matanzas, Habana y Pinar del Río, levantábase ante ellos como un terrible fantasma" [59].

Este breve bosquejo que acabamos de reseñar nos permite diferenciar el desarrollo de la contienda entre las dos mitades de la Isla. El bandolerismo, lógicamente, está influido por este acontecimiento trascendental. En Oriente, salvo raras excepciones, los pocos bandoleros que pudieran existir ven imposibilitada su actividad habitual, mientras que, por el contrario, en Occidente, donde apenas se desarrolla la contienda los bandidos siguen actuando, aunque, si tenemos presente casos como el de Carlos García, la evolución hacia un nivel protorrevolucionario de conciencia política, hacia el "bandolero-insurrecto", es bastante obvia. Allí donde la revolución democrática y anticolonial extendió su mensaje regenerador, el bandolero social, como se verá con más claridad en relación con la Guerra de Independencia, tiene la oportunidad de *rehacer* su vida, de congratularse definitivamente con el conjunto de la nueva sociedad.

No debe omitirse, por otra parte, que las autoridades coloniales motejaron con frecuencia como bandolerismo a las fuerzas revolucionarias,

---

59. R. Guerra: Op. cit., p. 154.

pero esa será una práctica común a lo largo de toda esta época, y entra de plano en el deseo de desprestigiar al contrario y de evitar, coyunturalmente, el reconocimiento de la beligerancia insurrecta por parte de otras naciones, particularmente por los Estados Unidos.

Así, pues, entre 1870 y 1872 existieron algunos bandidos en la provincia de Matanzas, pero eran pocos y carecían de una mínima estructura organizativa. Esto se explica, entre otros factores, por la gran represión llevada a cabo por las fuerzas coloniales en relación con los primeros tiempos de la contienda [60]. En alguna ocasión, al ser hecho prisionero un individuo prefería declararse bandolero antes que insurrecto, pues los fusilamientos y asesinatos de revolucionarios constituían hechos cotidianos [61].

Ahora bien, en los inicios de la Guerra de los Diez Años se levantó en armas uno de los bandoleros que más tiempo estuvo alzado en Cuba, se trataba del pardo matancero José Álvarez Arteaga, más conocido por *Matagás* o *Matagatos*. Este personaje fue indultado, tras caer prisionero o presentarse a las autoridades españolas, en la temprana fecha de 30 de octubre de 1870 [62].

---

60. J.J. Ribó (*Historia de los Voluntarios...*, 1876, pp. 259-260), refiriéndose a la compañía de voluntarios de infantería de Calabazar, indica que "cuando sólo tenían armamento antiguo y constituían sólo una sección, el día 7 de diciembre de 1870, el teniente comandante que entonces la mandaba, don Rafael A. Martínez Martín, recibió una comunicación del comandante de armas don Juan Aguirre y Albarrán, para que inmediatamente, y al frente de la fuerza que mandaba, se pusiese en marcha en dirección al potrero Ferro, al punto denominado Vento, para perseguir a unos bandoleros, entre ellos el célebre bandido Vigoa, que merodeaban por aquellas inmediaciones [...] Allí permanecieron toda la noche y parte del día siguiente, sin resultado favorable por entonces, cabiéndole la suerte a la Guardia Civil, tres días después, de dar muerte al bandido Vigoa".

61. J. Fernández Fernández y N. López Novegil: *Bandoleros-insurrectos*, ms. mecanografiado, Matanzas, 1990, p. 77.

62. AHPM. Gobierno Provincial. Orden Público. Guerra de los Diez Años, Leg. 1, n° 84.
La partida de bautismo de José de Santa Rosa Alvarez Arteaga, conservada en el Archivo Parroquial de Nª Sª de la Altagracia de la Hanábana –trasladado en la década de 1870 a Jagüey Grande–, Libro III de bautizos de pardos y morenos, fol. 101, n° 346, establece que nació el 4 de diciembre de 1848. El matrimonio formado por Benigno Álvarez y María Altagracia Arteaga tuvo once hijos, José Álvarez Arteaga fue el último.

Más tarde volvió a echarse al campo y estuvo casi dos años en compañía de sus primos José [Álvarez], (a) *Malula* y de Nazario Álvarez, así como del moreno Fernando o *Bibí* Castellanos, quienes estaban vinculados a las fuerzas revolucionarias que operaban en la comarca de Yaguaramas (Las Villas). En 1874, el coronel de Voluntarios Claudio Herrera, ya mencionado, sorprendió a *Matagás* con una escarapela de mambí y, según un informe policial, el bandido se ofreció a servirle como práctico en contra de los propios cubanos [63].

José Alvarez había trabajado como mozo del propietario José Pradera, aunque su "vocación" delictiva, a base de robos menores, fue bastante temprana. En varias ocasiones estuvo preso en la cárcel de Colón e, incluso, fue deportado a Isla de Pinos por el delito de vagancia. El 14 de septiembre de 1874 fue autorizado el capitán del partido de Hanábana para que le expidiera la cédula de indulto, junto a Fernando Castellanos y, además, se ordenó que ambos fueran trasladados a Colón [64]. Esta supuesta connivencia con las autoridades coloniales puede explicar el duro juicio de López Leiva sobre *Matagás*: "el más cobarde de los ladrones" [65]. Sin embargo, el pardo volvería a alzarse nuevamente, tras la comisión de otros actos delictivos, y, al cabo, después de una larga carrera insurgente durante la Tregua, llegaría a coronel del Ejército Libertador, antes de su muerte en 1896, como veremos, con más detalle, en su momento.

Paralelamente, las actividades de la Guardia Civil y de otras fuerzas de seguridad en las zonas rurales de Matanzas, producían diversos resultados contra el bandolerismo y la delincuencia. En alguna ocasión, las prácticas represivas de la Guardia Civil suscitaron la protesta de las propias autoridades locales, como el juez de Madruga que, en septiembre de 1875, se quejaba al gobernador del "atropello" contra los hermanos Romero, llevado a cabo por el Jefe de la Benemérita de Bejucal, Martínez, puesto

---

63. AHPM. Gobierno Provincial. Orden Público. Bandoleros-Insurrectos, Leg. 1, nº 28, fols., 8-9.
64. *Ibídem* y Loc. cit., Leg. 1, nº 3. La comunicación, dirigida al capitán del partido de la Hanábana y relativa a este segundo indulto dice textualmente: "Puede V. expedir las cédulas correspondientes a los pardos José Alvarez Arteaga y Fernando Castellanos y Pino, indultados por el Excmo. Sr. Capitán General, dándoles domicilio para esta Villa y haciendo constar en los documentos la gracia que han merecido a la Autoridad Superior, avisándome la fecha en que salen para esta cabecera".
65. F. López Leiva: Op. cit., p. 23.

que "estaban enfermos" y fueron arrestados y trasladados fuera de la jurisdicción [66].

En octubre se informó de la captura, por fuerzas de la Guardia Civil, de los "bandidos Rojas y Antonio Delgado", en Bemba [67]. Y, en diciembre, fue hecho prisionero Miguel Cepero y Fernández, quien había pertenecido a la banda de Carlos García. Según el informe del capitán de Madruga, se tuvo noticia de que Cepero, asesino de Genaro Sánchez que luego había ingresado en la mencionada partida de García, estaba en las inmediaciones de San Blas (Madruga), y, en consecuencia, se le tendió una emboscada en los alrededores de la casa de su padre. Miguel Cepero repelió el ataque y consiguió fugarse en un primer momento, pero fue aprehendido más tarde en una cerca de piedra. Se le ocuparon armas y municiones y fue remitido al juzgado de Güines [68].

En julio de 1877 se tomaron medidas, en Alacranes y Cabezas, con objeto de erradicar el bandolerismo en la comarca. En este sentido, se circularon las señas personales de nuevos bandoleros de la jurisdicción de Matanzas: Juan Vera, José Gómez (a) *Pepe Montes*, José Rosas, José Castillo (a) *Lazo de Cuero*, moreno libre que fue capturado, y otros [69].

La Guardia Civil puso en práctica, en este caso, una de sus estrategias típicas para conseguir la captura o la muerte de los bandidos, el recurso a la delación a través, entre otros medios, de la presión sobre personas vinculadas de alguna forma a los insumisos. El pardo Antonio Colón accedió así, entre fines de diciembre y enero de 1878, a atraer a su casa de Cabezas a Juan Vera y a Luciano Cruz, pero llegado el día desapareció y fue a reunirse con los dos bandidos. Posteriormente, Colón fue detenido y sometido a un proceso judicial [70], pero no traicionó a sus amigos.

En 1879 el bandolerismo reforzó su presencia en los campos matanceros, como respondiendo a la presumible menor vigilancia rural tras la firma de la Paz del Zanjón. El 3 de febrero del citado año 1879, el bandido Amado Peraza firmaba una misiva intimidatoria, en Limonar, dirigida al hacendado don Antonio Angulo [71]:

---

66. AHPM. Gobierno Provincial. Orden Público. Bandoleros, Leg. 2, n° 47.
67. AHPM. Loc. cit., Leg. 2, n° 47 (a).
68. *Ibídem.*
69. AHPM. Loc. cit., Leg. 2, n° 53.
70. AHPM. Loc. cit., Leg. 2, n° 56.
71. AHPM. Loc. cit., Leg. 2, n° 63. El administrador del ingenio al que se hace referencia se llamaba José Cabrera.

Distinguido señor, espero que en el plazo presiso de ocho días ponga en poder de su administrador la cantidad de cuatro mil pesos; vien entendido, que si no lo hase le quemo el Yngenio.
El administrador de que le ablo a V. es el del Yngenio "Amoro".

Esta práctica, desconocida entre los bandidos hasta estas fechas, será bastante común durante la Tregua. El hecho de que se encabece la carta con la datación indeterminada "Campos de Cuba", pese a que al final se señala el paraje en que fue redactada, Limonar, nos acerca, en cierto modo, a otras prácticas similares propias de los insurrectos, aunque, en este caso, la amenaza parece responder a móviles propios del bandolerismo.

En el término municipal de Colón, por otra parte, fue particularmente intensa la actividad de los bandidos. El Alcalde, Guillermo Fuentes Romero, solicitó y obtuvo, en marzo, la aprobación de una partida volante de policía rural, de cuyo mando se encargó a Florencio Hoyos [72]. En junio, el citado edil mandó imprimir un bando con diversas disposiciones contra los malhechores, debido a "las frecuentes depredaciones que una partida de bandidos ha venido cometiendo en este término municipal, especialmente en el distrito del Hanábana" [73].

Otros bandoleros desplegaban sus depredaciones por las comarcas yumurinas y utilizaban, como refugios naturales, las ciénagas del Sur y del Norte, las eminencias centrales y los tupidos bosques que aún perduraban. Las jornadas a caballo entre los refugios y los centros productivos eran pocas y esto hacía que el medio geográfico apoyara al bandolerismo. En el citado mes de junio, por ejemplo, una partida de siete hombres fue perseguida infructuosamente por la Guardia Civil en las zonas de Abreu, ingenio "Niágara", Puercos, Jabaco y Claudio [74].

Por otra parte, un Real Decreto del 17 de octubre de 1879 hizo extensiva a Cuba la Ley española del 8 de enero de 1877 sobre represión del bandolerismo. Esta Ley otorgaba competencias a los Tribunales de Guerra y comprendía a los violadores del artículo octavo de la Ley de 1821. La Ley de 1877 sólo contemplaba el secuestro como delito de bandolerismo y, como fin, el robo, y el Real Decreto de 1879 era demasiado amplio por lo que rebasaba los marcos del fenómeno [75].

---

72. AHPM. Loc. cit., Leg. 2, nº 70.
73. AHPM. Loc. cit., Leg. 2, nº 78.
74. AHPM. Loc. cit., Leg. 2, nº 83.
75. Cfr. Elizondo, Gómez Núñez y Schmid: *El bandolerismo en Cuba*, Imprenta de O'Reilly, 9, La Habana, 1889-1890, p. 7.

La legislación española contra el bandolerismo durante el siglo XIX, a la que debemos hacer mención aquí, puede sintetizarse de la siguiente manera [76]:

– Pragmática del 22 de agosto de 1817 por la que se encargó al ejército la lucha contra el bandolerismo.

– Decreto de 30 de marzo de 1818, mediante el que se ofrecía el premio de "una onza de oro al que entregase a un bandido o malhechor aprehendido".

– Decreto de las Cortes del 17 de abril de 1821, estableciendo diversas sanciones contra los delitos de robo en despoblado y en cuadrilla. Su artículo octavo disponía: "Los salteadores de caminos, los ladrones en despoblado y aun en poblado, siendo en cuadrilla de cuatro o más, si fueren aprehendidos por la tropa del ejército permanente o de la milicia provincial o local en alguno de los casos de que hablan los artículos 2º y 3º, serán también juzgados militarmente, como en ellos se previene". Y, el artículo 34, rezaba: "Los cómplices de los delitos de que trata esta ley, serán juzgados como los reos principales, con arreglo a ella". Una real orden del 12 de marzo de 1875, declaró en vigor este Decreto de 1821.

– Real orden del 31 de marzo de 1830 que dispuso que fuera publicada nuevamente la famosa Ley 1ª, Título XVII del Libro XII de la Novísima, en vista de "los frecuentes robos, asesinatos y otros crímenes" que se cometían por cuadrillas de "bandidos y salteadores" en diferentes partes del Reino, especialmente en las provincias de Andalucía.

– El Código penal de 30 de agosto de 1870, estableció para el delito de robo con secuestro "pena de cadena temporal en su grado medio a cadena perpetua, cuando el robado fuere detenido bajo rescate o por más de un día". Si el robo hubiere sido ejecutado en despoblado y en cuadrilla, "se impondrá a los culpables la pena en el grado máximo. Al jefe de la cuadrilla, si estuviere total o parcialmente armada, se le impondrá, en los mismos casos, la pena superior inmediata". Además, "los malhechores presentes a la ejecución de un robo en despoblado y en cuadrilla serán castigados como autores de cualquiera de los atentados cometidos por ella, si no constare que procuraron impedirlos".

– La Real orden de 13 de mayo de 1875 dispuso que a los reos del delito de secuestro debía considerárseles comprendidos en el artículo octavo de la Ley de 17 de abril de 1821.

---

76. J. Masaveu: "Tono jurídico y defensa social contra el bandolerismo", *Anuario de Derecho Penal y Ciencias Penales*, Madrid, 1963, pp. 589-592.

– Ley de Secuestros de 8 de enero de 1877. Su artículo 4º establecía: "Toda persona se considerará investida de autoridad pública para proceder a la captura de los reos a quienes por el Consejo de guerra se hubiere impuesto la última pena, empleando al efecto medios prudentes y racionales". Además, se disponía una compensación por la delación que, de seguro, pudo interesar, al menos en la Península, a determinados sectores populares compelidos a la realización del servicio militar obligatorio: "Las autoridades civiles y militares (art. 6º) podrán proponer al Gobierno la exención del servicio de las armas de la persona que hubiere denunciado a cualquier procesado por estos delitos, contribuyendo eficazmente a su captura".

– Real Orden de 27 de agosto de 1883, "que asimilaba, en tales delitos, el grado de frustración al de consumación", y Real Orden de 4 de abril de 1887 que suprimía los Consejos de Guerra permanentes para secuestros.

– El Código de Justicia Militar de 27 de septiembre de 1890, finalmente, equiparaba el "robo en cuadrilla" y el "secuestro de personas" a otros graves delitos, entre ellos los de rebelión y sedición, quedando sometidos a la jurisdicción general de guerra.

Al trasladar parte de esta legislación a las condiciones coloniales de Cuba, donde existía el factor político de carácter independentista, se le aplicaba con frecuencia el concepto de bandolero a los propios separatistas, lo que ampliaba la posibilidad de castigar cualquier tipo de enfrentamiento a la ley española, pudiendo aplicárseles condenas de cadena perpetua o de muerte a los reos, aun cuando no fueran bandoleros.

Llegados a este punto podríamos intentar una tipificación del fenómeno a lo largo de la época objeto de estudio. El carácter de muestreo de los datos obtenidos, la carencia de información estadística y otras dificultades hacen imprecisa, sin embargo, la caracterización del bandolerismo cubano entre los inicios del siglo XIX y la Guerra de los Diez Años. Con todo, parecen adivinarse, al menos, tres modalidades de bandolerismo, en el seno de una tendencia a la complejidad protorrevolucionaria, a saber:

– Una primera fase donde el bandolero parece actuar preferiblemente en solitario y se dedica, en especial, a robos menores, asaltos en descampado y ataques a lugares con escasa protección.

– Un segundo momento marcado por la integración de los bandidos en partidas más bien poco numerosas, aunque con cierta capacidad organizativa, que permiten la realización de asaltos a lugares mejor protegidos, aunque persisten los hurtos en descampado. Se trataría de una fase de transición hacia formas más complejas de bandolerismo, incluido el secuestro, que conllevan el establecimiento de redes de colaboradores y de elementos solidarios.

– Una tercera etapa donde se aprecian esas formas más elaboradas de la acción depredadora: secuestros, amenazas contra individuos o propiedades, etc., que, junto a las condiciones indicadas anteriormente, requerirían un indudable "prestigio" por parte de los bandidos para hacer cumplir, por la vía de la intimidación, sus pretensiones.

La Guerra de los Diez Años hizo que, por un lado, mermaran, durante el conflicto, las acciones de los bandoleros, y, por otro, aceleró la mutación del rebelde primario en rebelde consciente, en protorrevolucionario, como parecen demostrar los casos de Carlos García y de José Alvarez Arteaga, *Matagás*. Terminada la contienda, las causas del enfrentamiento colonia-metrópoli seguirán vigentes, y, con la consolidación de la nacionalidad cubana y los cambios socio-económicos que se realizan durante la Tregua Fecunda (1878-1895), se crearán las bases para otra guerra en diferentes condiciones, más favorables para los cubanos. Estas nuevas condiciones originaron, definitivamente, un nuevo tipo de rebelde agrario, el bandolero-insurrecto, el bandido social convertido en revolucionario gracias al mensaje idealista y regenerador del proceso emancipador democrático y anticolonial, aunque no siempre la revolución pudiera o quisiera integrarle del todo.

CAPÍTULO III

LOS BANDIDOS DE LA TREGUA (I):
1878-1886

Cuba, palmar vendido,
sueño descuartizado,
duro mapa de azúcar y de olvido...
¿Dónde, fino venado,
de bosque en bosque y bosque perseguido,
bosque hallarás en que lamer la sangre
de tu abierto costado?

Nicolás Guillén: *Elegía cubana.*

LA FRUSTRACIÓN de los objetivos independentistas de los cubanos tras diez años de guerra fue, indudablemente, un triunfo español. La pacificación, llevada a cabo bajo los designios del general Martínez Campos, constituyó un éxito político que produjo un notable desconcierto en el bando cubano que tardaría años en superarse. Las fuerzas revolucionarias necesitarían cambios estructurales, ideológicos y estratégicos durante la denominada Tregua Fecunda, para afrontar una nueva guerra en pos de la emancipación democrática de la Gran Antilla, y aquí es donde radicó gran parte del protagonismo histórico de José Martí.

El poder colonial, sin embargo, no extrajo conclusiones provechosas de la experiencia bélica y mantuvo su intransigencia con relación al movimiento independentista. Al finalizar la contienda, España trató de garantizar la paz eliminando toda posibilidad de resurgimiento insurrecto, de aquí las persecuciones de que fueron objeto algunos antiguos jefes cubanos que no viajaron al exilio.

Por su lado, la frustrada intentona bélica conocida como la Guerra

Chiquita (1879-1880), para diferenciarla de la anterior, muestra la disconformidad de numerosos miembros del Ejército libertador con los acuerdos del Pacto del Zanjón, signado en 1878. Disconformidad que había simbolizado de manera indiscutible el general Antonio Maceo mediante la Protesta de Baraguá, al negarse a suscribir los términos del tratado que puso fin a la Guerra de los Diez Años.

Como se ha subrayado, la Cámara de Representantes, que detentaba la dirección política y la representación oficial de la República en Armas, era ante los ojos de los revolucionarios el poder supremo de la revolución. Al disolverse, la mayoría de los jefes militares regionales imitaron el ejemplo de los hombres en que habían depositado su confianza para representarlos y se presentaron al enemigo. Los esfuerzos de Maceo para contrarrestar este proceso fueron inútiles. Para algunos historiadores, además, el Zanjón fue una especie de tregua necesaria. "En el 78 hubo también quienes se consolaron con el hecho de que España se viera obligada a suprimir el régimen de 'facultades omnímodas', el sistema de represiones y arbitrariedades sin límites, pero esto sirvió para adormecer la voluntad de lucha del pueblo con ilusiones de un progresivo mejoramiento bajo el poder colonial. La capitulación creó las condiciones para que España prolongara su dominio en Cuba, concediendo algunas reformas y sembrando ilusiones sobre una posible evolución pacífica hacia la independencia" [1].

Con todo, las autoridades españolas hicieron lo posible por neutralizar las acciones de los disconformes, y aumentaron la vigilancia sobre los antiguos cuadros de mando que se mostraban inquietos al término de un año de paz. Muchos de ellos cambiaron de domicilio, se ocultaron y protagonizaron un juego conspirativo para tratar de revitalizar a las armas cubanas. Así, cuando el 24 de agosto de 1879 se alzaron casi quinientos hombres entre Gibara y Holguín, no pensaron en la fragilidad de su esfuerzo. Prácticamente se conspiraba en todo el país, y a numerosos cubanos les parecía imposible que la herencia de diez años de lucha no sirviera para encender de nuevo el fuego de la guerra nacionalista.

Pero, en definitiva, el país no estaba preparado para una nueva contienda. En Oriente, donde residía la mayor parte de los firmantes de la Protesta de Baraguá, se formaron diversos clubes revolucionarios. En Las Villas y Colón dirigían la conspiración Angel Mestre, Francisco Carrillo y Cecilio González, mientras que, en la ciudad de La Habana, trabajaban Juan Gualberto Gómez y José Martí. El coronel Martínez Freire, un pres-

---

1. Dirección Política de las F.A.R.: Op. cit., pp. 296-297.

tigioso veterano de la Guerra Grande, era el coordinador general y el enlace entre los revolucionarios de la Isla. Bajo los auspicios de Angel Mestre, además, se estableció en La Habana un Club Central para que actuase de correa de transmisión de los acuerdos superiores del Comité Revolucionario de Nueva York. Ignacio Zarragoitía fue nombrado presidente y José Martí ocupó la vicepresidencia del nuevo organismo habanero, pero el Comité neoyorquino no aprobó su creación y separó de sus trabajos a los clubes disidentes que lo habían constituido. Por fin, Martínez Freire fue detenido y encerrado en el Morro de Santiago, "donde ya le aguardaban el brigadier Flor Crombet y los coroneles Mayía Rodríguez y Pablo Beola, presos el mismo día" [2].

Las detenciones mencionadas dieron al traste con el plan de Oriente, sancionado por Calixto García antes de que surgieran las discrepancias entre los revolucionarios del interior y el mando en el exilio. La estrecha vigilancia de las autoridades españolas abortó la insurrección, pues, el día 26, grupos de insurrectos a las órdenes de José Maceo, Guillermón Moncada y Quintín Banderas se enfrentaron, de forma prematura, con la guardia civil en las calles de Santiago de Cuba. Un mes más tarde desembarcó en la costa sur de Oriente, con una pequeña fuerza, el brigadier Gregorio Benítez, nombrado por Calixto García jefe de la primera expedición a la provincia, en sustitución de Antonio Maceo. Más tarde se alzaron Limbano Sánchez en Baracoa, Varona en Tunas, los hermanos Rabí en Santa Rita y Mariano Torres en Baire. Mientras tanto, "el 17 de septiembre era detenido en la ciudad de La Habana José Martí, que tenía en sus manos todos los contactos para el alzamiento en Güines", por ello Eusebio Hernández y José Antonio Aguilera se vieron obligados a "paralizar sus actividades" [3], y se frustraron los planes para un alzamiento en la capital.

Acto seguido fueron arrestados, también en La Habana, José A. Aguilera y Juan Gualberto Gómez, aunque en Las Villas continuaron las actividades revolucionarias. En noviembre de 1879 se alzaron Francisco Jiménez en Arroyo Blanco (Sancti Spíritus) y Angel Mestre y Francisco Carrillo en Remedios. Poco después, les seguían Emilio Núñez en Sagua –quien sería el último insurrecto en deponer las armas, a finales de 1880–, y Cecilio González en la Ciénaga de Zapata.

Los conspiradores matanceros, vinculados al último de los citados, coronel Cecilio González, fueron detectados con rapidez y este voluntarioso

---

2. Op. cit., pp. 303-306.
3. Op. cit., pp. 306-307.

revolucionario que, no obstante, se levantó de nuevo después de conspirar desde Puerto Plata (República Dominicana), murió en el Sao de San Vicente (zona de Las Villas) el 27 de mayo de 1880. También estuvo implicado en este esfuerzo revolucionario, el espirituano Serafín Sánchez [4], entre otros.

Durante 1879 y 1880 fueron ocupadas armas en Cuevitas y Colón, se produjeron nuevas detenciones de insurgentes y algunos fueron asesinados, como por ejemplo Francisco Capote en Jagüey Grande. Desde el abortado comienzo de la insurrección, los jefes alzados en armas habían esperado con vehemencia el arribo de Calixto García y de Antonio Maceo a las costas de Cuba, para que asumieran la dirección de la revolución. El auténtico protagonista de Baraguá sería, por acuerdo del comité neoyorquino, el segundo jefe de la insurrección y mandaría la vanguardia de las fuerzas libertadoras. Pero, "las infames acusaciones que le hacía la prensa española a Maceo, de pretender erigirse en jefe de una república negra, y al movimiento insurreccional, en general, de estar dominado por elementos racistas, habían logrado minar considerables sectores del campo revolucionario" [5].

Pese a todo, todavía en febrero de 1880 se conspiraba en las puertas mismas de la capital. El día 29 se produjo la alarma en Marianao, al encontrarse sustancias inflamables cerca del Teatro, las autoridades pensaron que se trataba de una acción revolucionaria, que se llevaría a cabo "en solidaridad con los patriotas que en Oriente sostenían en alto la bandera de la rebeldía contra el oprobioso régimen colonial". Los Voluntarios encontraron, en el callejón de Quiebra Hacha, más de treinta escarapelas, proclamas con el membrete del "Ejército Libertador de Cuba", cartuchos cargados de explosivos, así como el cadáver de un campesino. A consecuencia de estos hechos fueron aprehendidos varios supuestos implicados, contra los que levantó sumaria el juez de primera instancia de El Cerro. Algunos historiadores se preguntan si con esta acción se perseguía asestar un ruidoso golpe en apoyo de la Guerra Chiquita, "que hubiese sido capaz de hacer posible que la atención de los cubanos de la región occidental, en instantes en que ésta parecía estar dominada por la propaganda autonomista, se volviera hacia el gran esfuerzo revolucionario que tenía su centro en Las Villas y en Oriente" [6].

4. Cfr. Varios autores: *Apuntes biográficos del mayor general Serafín Sánchez*, Ed. Unión, La Habana, 1986, pp. 36 y ss.
5. Dirección Política de las F.A.R.: Op. cit., p. 310.
6. Cfr. Oficina del Historiador de la Ciudad: *Recopilación de cuadernos de his-*

Nosotros hemos podido consultar unos documentos que pueden arrojar cierta luz sobre este asunto, que es interesante para destacar las implicaciones de la Guerra Chiquita en Occidente y, por lo tanto, para conocer la situación de inestabilidad del país durante estos años iniciales de la Tregua.

En efecto, según nuestras fuentes, hacia las nueve y media de la noche del domingo 29 de febrero de 1880, una detonación vino a turbar el aparente sosiego de Marianao. Una mano desconocida había tratado de incendiar el Teatro Municipal colocando, entre sus ventanas, algún tipo de material inflamable. Al poco rato, cuando el alcalde y el celador de policía se ocupaban del suceso, llegó una información confidencial del celador de Bauta, según la cual esa noche iba a producirse un motín [7].

La coincidencia de ambos hechos hizo que se alertara a la población, pero nada extraño sucedió durante el resto de la noche. No obstante, a eso de las seis y media de la madrugada fue descubierto, a orillas del camino que conducía a Wajay, el cadáver de un hombre, que resultó ser el del lechero Manuel Hernández Montes de Oca, con heridas mortales de machete. En sus inmediaciones, diseminadas por el suelo, fueron encontradas varias armas de fuego, cartuchos, machetes y otros objetos como escarapelas, cartillas de instrucción, etc. La aparente relación entre ambos sucesos no pudo ser probada por el juez de primera instancia del Cerro que, efectivamente, se ocupó del asunto, aunque no dudó en considerar que el pretendido incendio del teatro y el hallazgo de las armas y demás, constituían indicios evidentes de un intento de rebelión.

En efecto, desde mediados de enero, el gobernador civil de la provincia de La Habana se había enterado, a través de su red de confidentes, que "por algunos simpatizadores de la idea separatista, se conspiraba sordamente contra la causa nacional". Estas informaciones tomaron visos de veracidad a principios de febrero, iniciándose una investigación por el inspector del tercer distrito, cuyo resultado fue la detención de numerosas personas. Según el gobernador civil, la pronta intervención policial habría

toria de Marianao, Gobierno Revolucionario, Municipio de Marianao, La Habana, 1961, pp. 20-21. V., también, M. Hernández Soler: *Bibliografía de la Guerra Chiquita (1879-1880)*, Biblioteca Nacional "José Martí", Ed. Orbe, La Habana, 1975, especialmente las entradas números 11, 656 y 658, las dos últimas son referencias periodísticas sobre estos hechos.

7. Cfr. "Sucesos de Marianao en sentido insurreccional. Nº 441. Epoca del señor General Blanco", SHM de Madrid, Sección Tercera. Ultramar.

frustrado, precipitándolos, los planes de subversión, que consistían en reunir a todos los elementos a una señal convenida, el incendio del Teatro marianense, para diseminarse en diferentes grupos y sembrar el "desorden y la alarma" en las provincias de La Habana y Pinar del Río, "que alejadas en el período ya pasado, de las desdichas de la guerra, y no habiendo sufrido tan de cerca las privaciones y fatigas de aquel tiempo anormal, las suponían en mejor disposición para secundar sus depravados fines" [8].

La prisión del platero José Manuel Betancourt y González, del pardo Tomás Abela y Valdés y de una larga veintena de ciudadanos, a quienes se les habían ocupado proclamas y otras pruebas fehacientes del compromiso conspirador, junto al suicidio del jóven Vento, "que debía salir a la cabeza de una partida", impidieron la culminación de la intentona insurgente. En aquellos momentos, sin embargo, poco se sabía sobre los auténticos promotores del movimiento, aunque para las autoridades españolas su origen directriz estaba en los centros de emigrados en los Estados Unidos, quienes extendían sus actividades a través de los pequeños clubes y sociedades que existían en la capital y en otras poblaciones. El gobernador también llamó la atención sobre la considerable cantidad de dinamita aprehendida, solicitando medidas de control para los droguistas a la hora de expender el producto.

Tras los sucesos del 29 de febrero y madrugada del 1º de marzo, el cerco policial se fue cerrando. Prontamente fueron detenidos los pardos José Domínguez Avalos y Juan Zúñiga, el primero acusado de homicidio, posesión ilícita de armas e incendio frustrado, José Carvajal, el jóven de diez y seis años José Mª Piedra y Capote y los vecinos de Regla, Juan N. Montero y Regino Manzano. Y, por último, en la noche del 17 de marzo, en la calle del Alambique de La Habana, fueron hechos prisioneros don Juan Monzón y López y don Antonio Díaz Villegas, quienes serían considerados como los "principales cabecillas en los sucesos de Marianao", pues las proclamas encontradas aparecían firmadas por el primero como "segundo Jefe de Occidente". Ambos revolucionarios iban armados, en el momento de la detención, con sendos revólveres, ostentando Monzón, además, en el chaleco, "una estrella de cinco puntas guarnecida de piedras que indica, sin duda, la categoría del personaje" [9].

---

8. *Ibídem*, especialmente, comunicación al Capitán General del 13 de marzo de 1880.
9. *Ibídem*, en particular, comunicación al Capitán General del 18 de marzo de 1880.

Ahora bien, aún antes de que se practicaran estas dos últimas detenciones, la Capitanía General había ordenado que la causa, principiada como vimos por la jurisdicción civil, pasase a depender del Código militar, pues los sucesos habían causado una "honda inquietud" entre los habitantes de la capital, y, además, la osadía de los conspiradores requería un "pronto y severo castigo". Mas, pese a su dura profesión de fe a favor de la justicia militar, el general Blanco era, al parecer, tan conciliador como Martínez Campos. Quizá por ello el nuevo fiscal, Anacleto Ibáñez, pudo tramitar, en abril, la puesta en libertad de muchos ciudadanos que, detenidos de forma preventiva por la policía, se hacinaban en La Cabaña y en la cárcel. Transcurridos algunos meses de trámites engorrosos, el proceso pasó, a finales de agosto, a consulta del auditor de guerra, Federico Cerrada, quien puso de relieve la fragilidad de las pruebas aportadas a la sumaria. Por fin, el 21 de enero de 1881, el tribunal militar acordó el sobreseimiento del proceso, quedando en libertad todos los implicados, excepto José Domínguez Avalos, a quien debería seguirse causa ordinaria en relación con el asesinato del lechero Hernández Montes de Oca [10]. De esta manera, los implicados recobraron la libertad después de protagonizar, seguramente, una intentona que, al menos, simbolizó la solidaridad de Occidente con los revolucionarios de Oriente, a dos pasos del centro del poder colonial.

La Guerra Chiquita, sin embargo, fracasó por diferentes motivos. La sustitución de Maceo en la dirección de la primera expedición armada a Oriente, la incansable persecución del poder colonial, la falta de apoyo financiero de la burguesía agraria, la propaganda de los autonomistas y del partido conservador español, la ausencia de la dirección revolucionaria de los campos de Cuba y, en fin, los reveses sufridos por los jefes insurrectos del interior condujeron a la empresa independentista a un callejón sin salida. La propia expedición de Calixto García, tras numerosos avatares, consiguió desembarcar en la vertiente sur de la Sierra Maestra en mayo de 1880. El día 29, Pío Rosado y otros siete compañeros fueron capturados por las tropas españolas y fusilados pocos días después. Calixto García se vio obligado a presentarse a principios de agosto, "semidesnudo, descalzo y enfermo" [11].

Por otra parte, junto a los avatares bélicos, que marcan la intensidad de la presión política de los cubanos y son indicadores de la crisis social,

---

10. *Ibídem.*
11. Dirección Política de las F.A.R.: Op. cit., pp. 312-314.

también es necesario evaluar, siquiera sea mínimamente, el contexto socioeconómico en que se desenvuelve la Tregua, porque, como sabemos, este factor es fundamental en el análisis del bandolerismo.

En este sentido, M. Moreno Fraginals sitúa en torno a esta época los orígenes del segundo gran ciclo económico (1869-1873 a 1929-1933), caracterizado por el desarrollo de la gran industria azucarera cubana, "complementaria de las refinerías de Estados Unidos, y el paralelo mantenimiento de los patrones de retraso agrícola". La primera fase (1869-1873 a 1887-1891) está marcada por la Guerra Grande que realiza "la obra destructora de los elementos de la estructura esclavista que obstaculizan la industrialización, dejando intactos los retrasados patrones agrícolas". Al mismo tiempo, se edifica un nuevo utillaje institucional, mientras que el mercado norteamericano fija su papel hegemónico. En el azúcar se elimina la época de la libre competencia y se establece una estructura oligopólica que toma forma jurídica en 1887. "Se ha consumado la anexión económica de la Isla; la anexión político-militar será posterior. En el tabaco se avanza hacia igual monopolio. Apropiándose de la infraestructura física levantada por la manufactura esclavista, comienza a surgir la gran industria" [12].

La segunda etapa (1887-1891 a 1929-1933), es una fase crítica, "atravesada por la Guerra de Independencia, que no resuelve sino traslada los nexos coloniales". En la década de 1860 ni España ni Estados Unidos están interesados en la industrialización azucarera cubana, lo que desean es el mantenimiento de formas obsoletas de producción. "Esta situación cambiará en la década de 1880 y Estados Unidos, entonces, favorecerá y acelerará el desarrollo de la industria azucarera cubana, productora de crudos, en función de las refinerías norteamericanas" [13].

Pero, como se ha indicado, la guerra también trajo una serie de cambios en la economía y en la correlación de las clases sociales cubanas. La eliminación de la burguesía agraria criolla de las provincias orientales y su transformación en pequeña burguesía rural, sería uno de los acontecimientos más notables del período comprendido entre 1878 y 1895. A su vez, en las provincias occidentales se produce un fenómeno de concentración de la producción "como corolario lógico y normal de una economía capitalista de concurrencia". Los hacendados occidentales, animados por la ruina de sus competidores orientales, se esforzaron por incrementar al

---

12. M. Moreno Fraginals: Op. cit., t. II, p. 97.
13. Op. cit., t. II, pp. 97 y 198. V., también, J. Le Riverend: Op. cit., p. 189.

máximo la producción, "como consecuencia inevitable de este proceso, que exigía una mayor capacidad y eficiencia en la producción, los dueños de ingenios occidentales con menores facilidades financieras y con maquinarias y aparatos anticuados se arruinaron, pasando sus propiedades a manos de los más poderosos" [14].

En la producción azucarera, asimismo, apareció la figura del "colono" que sembraba la caña en la tierra que arrendaba –en muchas ocasiones propiedad del capital comercial español–, y la entregaba al dueño del ingenio vecino para que la moliese, recibiendo en pago parte del producto obtenido. Los pequeños colonos, "sin recursos suficientes para tener siquiera la propiedad de la tierra, en virtud del proceso histórico que terminó arruinándolos, conseguían préstamos de los bancos españoles, con los que cultivaban la caña, y al final de la zafra, pagaban las deudas con las escasas ganancias obtenidas y vivían, si así puede llamarse a la miserable existencia que llevaban", de modo que "cuando estalle la crisis que conmoverá a la economía colonial en la década del 90, nos vamos a encontrar a esta pequeña burguesía agraria conjuntamente con los esclavos convertidos en 'trabajadores' de los centrales, encabezando la lucha contra el colonialismo español" [15].

Hacia 1880, según refiere H. Thomas, hasta las mayores plantaciones se habían hipotecado completamente, para conseguir suministros o tonelería, y en el año indicado una nueva ley hipotecaria permitió a los acreedores quedarse con la tierra y no sólo, como había ocurrido hasta entonces, con sus productos. Además, en relación con el colonato, este autor indica que, en 1887, un tercio más o menos del azúcar cubano se cultivaba con el sistema de colonos, y el porcentaje era mayor cada año [16].

Para los trabajadores azucareros "los 'patronos', que encarnaban el régimen colonial ante sus ojos, no habían dejado de ser los amos. Las condiciones de trabajo no se diferenciaban en gran medida de las existentes bajo la esclavitud. Un trabajador ganaba un promedio aproximado de diez pesos al mes [...] Los trabajadores agrícolas no dejaron de ser los parias de la esclavitud. Discriminados, humillados, constituían una clase aparte de la sociedad colonial. De ahí que el llamamiento de la revolución a que

---

14. Dirección Política de las F.A.R.: Op. cit., p. 321.
15. Op. cit., pp. 322-323.
16. H. Thomas: *Cuba. La lucha por la libertad (1762-1970)*, Ed. Grijalbo, Barcelona, 1973, t. I, pp. 361 y 366.

ingresaran en sus filas, para constituir una nueva sociedad..., encontró el apoyo fervoroso de los trabajadores agrícolas" [17].

La situación social y política es ciertamente compleja, como corresponde a estos tiempos de incertidumbre. Muchos hacendados cubanos se habían arruinado, pero otros mantuvieron su nivel económico, en especial en Occidente, y ellos fueron en su mayoría los que nutrieron las filas del autonomismo. El cuerpo de ideas autonomista representaba, precisamente, a aquellos individuos que aún esperaban reformas de la metrópoli.

Los propietarios arruinados no poseían los capitales necesarios para la renovación tecnológica y productiva de la industria azucarera, pero esta innovación de la técnica era indispensable ante la nueva situación creada por la competencia del azúcar de remolacha en el mercado internacional, por la abolición definitiva de la esclavitud (1886), no sin reticencias de la burguesía esclavista [18], y por el propio proceso de desarrollo del sector económico azucarero.

En 1882 Cuba exportaba a España por valor de 23.532.000 pesetas y a los Estados Unidos por 70.450.652 pesetas. Ya para 1894 se vendían a la metrópoli productos por sólo 8.000.000 de pesetas y al vecino del Norte por 93.000.000 [19].

A partir de 1878 los reformistas van reforzando las filas del partido liberal. Al principio presionaron para conseguir la abolición de la esclavitud, mas, obviamente no sólo por cuestiones éticas sino, especialmente, por tratarse de una institución anacrónica en el seno del sistema de mecanización de la industria azucarera, cuyos ingenios se convirtieron en centrales a costa de otros más pequeños que quedaron en desventaja en el proceso de concentración y de centralización de la industria.

El otro gran objetivo reformista fue la consecución de un régimen autonómico para la Isla. El Partido Liberal Autonomista tuvo, al menos, el mérito de poner al desnudo las contradicciones coloniales de Cuba, que la metrópoli parecía querer ignorar. El diputado José del Perojo, nacido en Santiago de Cuba, clamaba en 1883, en las Cortes españolas, en favor de descargar el presupuesto cubano de una serie de partidas correspondientes, en realidad, al "tesoro nacional", pues, "si no hacemos esto, si no adoptamos ninguna medida para reducir el servicio de la deuda y para que el

17. Dirección Política..., cit., p. 324.
18. M.C. Barcia: *Burguesía esclavista y abolición*, Ed. de Ciencias Sociales, La Habana, 1987, p. 148.
19. J. Fernández Fernández y N. López Novegil: Op. cit., p. 89.

presupuesto de Cuba quede reducido a lo verdaderamente soportable para aquel país, si no ponemos a la producción, y especialmente a la de azúcar en condiciones de soportar la concurrencia de otros países productores para que siquiera el exceso de la cantidad supla la deficiencia de los precios, entonces tendremos que irnos acostumbrando al triste convencimiento de que Cuba se perderá, pero sabiendo nosotros que va a perderse" [20].

Pero la situación no sólo era grave desde el punto de vista económico, sino que la manifiesta desigualdad entre cubanos y españoles en cuestiones como la aplicación de la ley electoral, las oportunidades de acceso al poder y, en fin, los abusos de que eran víctimas los criollos por parte de la administración colonial, hacían que Cuba fuera una auténtica colonia y, además, un país ocupado militarmente.

Rafael Fernández de Castro, destacado autonomista cubano, diputado a Cortes en 1887, denunciaba la corrupción del aparato administrativo colonial y el desconocimiento, por parte de España, de la realidad insular. "Estas cosas –dirá en uno de sus discursos– son el resultado lógico de la pretensión tan absurda como funesta de gobernar y administrar aquellas provincias desde Madrid. Mientras esta pretensión no se abandone [...], seguirán pesando sobre la isla de Cuba dos grandes calamidades que han contribuido poderosamente a la pérdida de nuestro imperio colonial: el desconocimiento por parte del gobierno de las necesidades que está llamado a satisfacer, y el desconcierto de aquellos servicios, sobre los cuales aunque el gobierno quiera, no puede ejercer con acierto su alta inspección porque están a 2.000 leguas de distancia" [21].

Otro diputado, Giberga, ponía de relieve, por estas mismas fechas, la ineficacia de la represión militar para acallar las ansias de libertad del pueblo cubano. "España sabe que el fundamento más sólido de su dominación en las Antillas está en la voluntad de sus habitantes, no en esa cosa tan frágil, tan despreciable, tan mezquina que se llaman las bayonetas; España sabe que para sostener su dominación no necesita de la fuerza, sino de la libertad, y que sólo con ella conquistan las metrópolis la adhesión de sus colonias". Y, como ejemplo de la veracidad de sus juicios, adujo el fracaso del régimen militar "hasta para aquello en que a primera vista

20. L. Estévez y Romero: *Desde el Zanjón hasta Baire*, Ed. de Ciencias Sociales, La Habana, 1974, pp. 273-274.
21. Op. cit., p. 282.

113

podría parecer dotado de alguna eficacia. Me refiero a la represión del bandolerismo" [22].

Las amenazas y los temores de los representantes cubanos más honestos trataban de inclinar el ánimo del gobierno en favor de paliativos que evitaran el desenlace final, pero sus esfuerzos resultaron baldíos. El mantenimiento de las condiciones para una revolución democrática y emancipadora era pues, al margen de las luchas de los autonomistas, una creciente realidad en la Perla de las Antillas.

En este amplio contexto, difícil de resumir adecuadamente en pocas palabras, se enmarca la explosión del problema del bandolerismo cubano de entreguerras. No se trata, pues, de relacionar de manera arbitraria un fenómeno de rebeldía campesina con un programa de lucha política de carácter independendista y democrático. Siempre hubo, desde los inicios del siglo XIX, delincuentes rurales en los campos de Cuba, como hemos tenido oportunidad de comprobar. Los bandidos sociales existieron, junto a los simples malhechores, antes y después de las guerras emancipadoras y, desde luego, antes y después de la independencia o, si se prefiere, del cambio de Metrópoli.

Tenemos, pues, por un lado, la innegable pervivencia del delincuente rural, del individuo que se muestra indiferente al proceso revolucionario y aun a la propia situación de miseria en que vive el campesinado y trata de abrirse camino mediante la fuerza, por sí y para sí, en una sociedad estigmatizada por la injusticia, por el afán inmoderado de lucro y, en definitiva, por la corrupción de determinados sectores del aparato colonial y del resto de la población. Durante las guerras a este tipo de delincuente se le denomina "plateado", cuya única lealtad es la del dinero, el robo y la rapiña.

A principios de noviembre de 1878, por ejemplo, el Capitán General de Cuba informó al Ministro de la Guerra de un enfrentamiento ocurrido a corta distancia de Bejuco y de Quemadito Ruiz, entre una fracción –un oficial y diez y seis soldados– de la guerrilla montada del Batallón de Cazadores de Simancas y "una partida de bandoleros de 25 a 30 hombres montados, capitaneados por los denominados Bonachea Moreira y Gallo, éstos bandidos de profesión que durante la insurrección vivían separados de los medios regulares de aquella y *bajo el calificativo de plateados se entregaban al merodeo y robo sin reconocer autoridad de ningún género*, los cuales no quisieron aceptar los beneficios de la capitulación y aunque diferentes veces prometieron someterse parece quieren continuar su vida

---

22. Op. cit., p. 340.

de forajidos". El citado enfrentamiento se saldó con cinco muertos y un herido entre los componentes de la fuerza militar y una baja por el lado de los delincuentes, quienes, además, abandonaron cuatro caballos y una mula [23].

La máxima autoridad colonial restó importancia al suceso que, en su opinión, carecía "por completo de significación política", pues, en toda época, habían existido en la Isla "ladrones en despoblado que han vivido de sus exacciones a los propietarios y palenques de negros cimarrones fugados de los ingenios". Asimismo indicó que, según informaciones que había recibido, era posible que la mayor parte de los componentes de la partida se presentase a indulto, dado que, el día 2 de noviembre, se habían acogido a la amnistía en Remedios "tres denominados oficiales y siete hombres más, pues el espíritu público los rechaza y no podían vivir por la persecución de nuestras tropas" [24].

Pero, junto a esta clase de insumisos, a los que sólo nos referiremos de forma ocasional, se fue perfilando un nuevo tipo de bandolero, un prototipo resultante de la evolución del bandido social hacia metas revolucionarias, estamos hablando, naturalmente, del *bandolero-insurrecto*, término con el que definimos al bandido revolucionario cubano de la etapa objeto de análisis.

Como ha escrito E.J. Hobsbawm el bandolerismo social tiene una "cierta afinidad con la revolución, por ser un fenómeno de protesta social, si acaso no es un fenómeno precursor o un incubador potencial de la rebelión. En esto difiere netamente del mundo ordinario del hampa criminal", dado que el mundo del hampa es una "antisociedad, que existe mediante la inversión de los valores del mundo *decente* en mundo *descarriado*, pero por otra parte vive de él parasitariamente", mientras que, por el contrario, "un mundo revolucionario es también un mundo recto, salvo quizás en momentos especialmente apocalípticos en los que incluso los criminales antisociales tienen sus accesos de patriotismo o de exaltación revolucionaria" [25].

Según este autor, los bandidos, además, "comparten los valores y las

---

23. Cfr. "Ultramar. Velasco. Operaciones en persecución de malhechores en la isla de Cuba", SHM de Madrid, Sección 3ª, Ultramar, Leg. 26. Subrayado por nosotros.

24. *Ibídem.* No se deduce que los individuos presentados a indulto en Remedios fueran miembros de la partida de bandoleros, sino que existía un ambiente propicio para acogerse a este tipo de medidas.

25. Cfr. E.J. Hobsbawm: Op. cit., p. 121.

aspiraciones del mundo campesino y son por lo general, igual que los proscritos y rebeldes, sensibles a sus impulsos revolucionarios. Por su condición de hombres que se han ganado ya su libertad, pueden mostrar normalmente desprecio hacia las masas inertes y pasivas, pero en épocas de revolución esta pasividad desaparece" [26]. Asimismo, los denominados "bandidos de liberación nacional" son más frecuentes "en aquellas situaciones en que el movimiento de liberación nacional puede hundir sus raíces en la organización social tradicional o en la resistencia al extranjero que cuando es una importación novedosa hecha por maestros de escuela y periodistas". En definitiva, "es más difícil para los bandidos integrarse en movimientos de revolución social y política que no estén primordialmente orientados contra la dominación extranjera" [27].

En Cuba los bandoleros-insurrectos se caracterizaron, precisamente, por el apoyo que siempre obtuvieron de los campesinos, a los que, a su vez, los insumisos ayudaban en detrimento de las fortunas de la sacarocracia criolla y peninsular. Temidos por los propietarios y protegidos por los desposeídos, los bandoleros-insurrectos lograron, en términos generales, una gran efectividad para la vida en campaña, burlando a miles de hombres lanzados tras su búsqueda.

Así, pues, en los años comprendidos entre 1878 y 1895 se verifica la existencia de la época dorada del bandolerismo social en Cuba, si partimos como puntos de referencia de la magnitud de las acciones, de sus resultados, de la estabilidad de las partidas y del prestigio de sus jefes.

En efecto, a lo largo de la Tregua Fecunda tiene lugar, especialmente en la provincia de Matanzas y en parte de la de La Habana, un fenómeno socio-político que acusa una particular intensidad, nos referimos, lógicamente, a la presencia del bandido-patriota en los campos cubanos. Este fenómeno está relacionado, por una parte, con el desarrollo en estas regiones de la economía azucarera –reforzada por los desastres originados por la Guerra de los Diez Años en Oriente–, durante la fase de penetración intensiva de las inversiones imperialistas, tal como apuntamos más arriba; y, por otra, con el fortalecimiento de la corriente separatista en estas regiones. Se trata, por demás, de un fenómeno observable en otras latitudes como, por ejemplo, en distintos países mediterráneos europeos y, en particular, en el movimiento nacionalista griego que, en su lucha contra la dominación turca, se apoyó en la existencia de bandidos-patriotas, cam-

26. Op. cit., p. 122.
27. Op. cit., pp. 130-131.

pesinos proscritos de las montañas que fueron capaces de movilizar y de integrar a las masas rurales en la lucha por la independencia encabezada por la burguesía nacionalista.

Sin embargo, para el caso de la historiografía cubana, el término bandolero-insurrecto e, incluso, el concepto mismo de bandido-patriota es novedoso desde la perspectiva metodológica, por ello conviene precisar los vocablos.

Entre 1878 y 1895, sin olvidar la etapa previa a la Guerra Grande donde nos encontramos ya con figuras de la talla de Carlos García o de *Matagás*, existieron en el mundo rural de la Gran Antilla al menos dos tipos de bandoleros, a saber:

– Los simples proscritos o malhechores que utilizan la violencia en beneficio propio.

– Los bandoleros-insurrectos que equiparamos en plenitud al concepto de bandidos-patriotas, como una evolución natural de los bandidos sociales, quienes, desde luego, no "provocan" la revolución emancipadora –cuyas causas son mucho más complejas y profundas–, pero, indudablemente, sí se integran en el movimiento regenerador y contribuyen, asimismo, a mantener en vigor la sed de justicia y el fuego de la guerra.

Dentro de este segundo tipo podemos detectar, además, dos matices diferenciadores, según el origen o, más bien, el historial de los rebeldes. Existe, por un lado, el bandido social que, poco a poco, dependiendo de las circunstancias concretas del momento, se decanta por la lucha independentista, aunque los rasgos típicos de sus acciones no poseen, en principio, un acabado perfil político, aunque terminen adquiriéndolo, como, por ejemplo, el mítico Manuel García Ponce, "Rey de los campos de Cuba", y, por otro lado, el antiguo revolucionario cuya forma de operar asimila los esquemas del bandido social hasta el extremo de producirse, prácticamente, una fusión entre ambos personajes, estamos hablando, v.g., de Carlos Agüero.

Para las autoridades coloniales no existen diferencias, todos son bandidos, delincuentes, unos más recalcitrantes y otros menos, o, en el mejor de los casos y en tiempos de guerra, "cabecillas". Las razones de esta actitud son lógicas, entre otras: razones políticas, como ya se apuntó, para evitar que, durante las contiendas, los insurrectos obtuvieran, por ejemplo, el reconocimiento de la beligerancia por parte de otros países, en especial los Estados Unidos; razones ligadas a la escasa entidad numérica de las partidas en tiempos de paz –lo que, por otra parte, es una característica propia de las fuerzas bandoleras–, aunque fuera una paz tan endeble como la que se da en Cuba durante la Tregua, y razones administrativas, pues, a la hora de remitir los *partes* y las *revistas decenales* a Madrid, los Capitanes Generales preferían someter al juicio del Gobierno metropolitano una abultada lista de delincuentes rurales aprehendidos o muertos, antes que informar del escaso éxito de la intensa persecución militar contra los rebeldes, por ello, en no pocas ocasiones, se incrementaron las estadísticas de bandoleros eliminados con el recuento de simples desgraciados [28] que, al menos, contribuyeron a calmar la sed de "vindicta pública" de las autoridades.

La complejidad de esta etapa, pues, cuya evolución presenta una serie destacada de auténticos hitos en el devenir histórico del bandolerismo en Cuba, nos lleva a emprender su examen a partir del estudio de tres momentos relevantes. Una primera fase que se extiende entre el final de la Guerra de los Diez Años y el prólogo bélico de la Guerra Chiquita hasta mediados de la década de los ochenta. Una segunda etapa entre este último momento y el acceso al gobierno colonial del general Polavieja, caracterizada, entre otros factores, por el creciente protagonismo de Manuel García Ponce. Y una tercera época definida por el conjunto de medidas arbitradas por el citado general español, como fueron la institucionalización de la represión del bandolerismo mediante la creación del denominado Gabinete Particular y, en otro plano, la organización, bajo la égida de José Martí, del movimiento revolucionario con la fundación del Partido Revolucionario Cubano que, imprimió, por vez primera, una indiscutible unidad de acción y condujo al estallido de la "guerra necesaria", la Guerra de Independencia de Cuba, momento de especial exaltación liberadora que integra a numerosos bandidos y que, desgraciadamente, no resuelve sino que transfiere el problema colonial, de ahí que, como veremos más adelante, el bandolerismo siga estando presente en los campos de Cuba durante buena parte del siglo XX.

Para establecer esta división en subperíodos históricos también hemos tenido en cuenta, como es obvio, la calidad y la cantidad de la información disponible. En tal sentido, contamos, para la primera etapa y entre otras fuentes, con una destacada colección de *partes decenales* que cubre, prácticamente, toda esta fase de manera bastante minuciosa, documentos

---

28. Esto dificulta ostensiblemente la cuantificación del fenómeno en Cuba durante la etapa objeto de estudio, pero contamos con indicadores que nos ayudan a resolver el problema: la fama y voz pública de los principales bandoleros, la magnitud de las acciones, la abundancia de información en algunos casos, etc., etc.

que se conservan en el Servicio Histórico Militar de Madrid. Este tipo de información, en muchos casos confidencial, lo que constituye una garantía de su veracidad, es igualmente rica para la etapa de gobierno del citado Polavieja, tal como se verá en su momento, pero, en cualquier caso, hemos tratado de superar las carencias con otras fuentes que, en nuestra opinión, también revisten un gran interés documental e historiográfico.

1. LA PARTIDA DE FILOMENO SARDUY Y OTROS BANDOLEROS

En páginas anteriores hemos comentado algunos hechos de bandolerismo acaecidos en torno a los años de 1878 y 1879, en 1880 tuvo lugar, además, el secuestro del terrateniente don Antonio Jiménez Hernández, dueño de la hacienda "Buenavista" de Sancti Spíritus, "barrio Cabaiguán". Los secuestradores fueron dos desertores y ex-presidiarios españoles, Dionisio Villanueva Entierra, natural de Logroño y Santiago Martínez Antorán (a) *Martinillo*, zaragozano. Ambos consiguieron cobrar sesenta onzas de oro como rescate, tras enviar una carta a los familiares del secuestrado, en la que les decían "que el viejo había caído en las manos de doce negros", lo que es indicativo del escaso "prestigio" y de la falta de credibilidad de estos malhechores. Los delincuentes fueron capturados poco después y llevados ante un consejo de guerra el 27 de septiembre. Villanueva fue condenado a cadena perpetua y su cómplice a diez años de prisión [29].

Pero, si este suceso parece ser, más bien, un acto de delincuencia relativamente convencional, no es menos cierto que, por estas mismas fechas, merodeaba en la comarca de Cienfuegos, al frente de una partida de diez y seis hombres, "un tal Barnuevo" [30], quien, a nuestro juicio, debería adscribirse al modelo del bandolero-insurrecto, aunque la información que poseemos es ciertamente escasa. Aparte de algunas referencias de poca entidad, sabemos que a Hilario Barnuevo, su verdadero nombre, se le conocía como Barnuevo o Basnuevo (a) *El Chiquito*, que murió en el ingenio "San Gabriel" el 23 de marzo de 1881 y que se titulaba comandante

29. J.A. Carreras: "Los bandoleros de la Tregua en Santa Clara", *Revista Islas*, Universidad Central de Las Villas, n° 60, Santa Clara, mayo-agosto de 1978, pp. 130-131.
30. Art. cit., p. 131.

del Ejército Libertador [31]. Así se deduce de una carta que dirigió, a comienzos de ese año, a don Manuel de Cardenal, dueño del ingenio "Reforma" [32]:

> *Muy respetable Sor. después de saludar con el debido respeto esta se dirige a decirle lo siguiente: Sor. de Cardenal, el objeto de esta es para manifestarle que hallándome al frente de esta fuerza y Jefe de esta zona desearía que se pusiera V. en comunicaciones conmigo o de acuerdo: cuyas comunicaciones son las siguientes. Necesito para la defensa de la patria diez carabinas remington y dos mil tiros y si V. no se halla suficiente para poder facilitar estos pertrechos de guerra, me facilitará V. la cantidad de mil quinientos pesos oro para poder facilitar estos pertrechos de guerra [...] y de no contribuir a dichos pedidos con una cosa o con otra, no extrañe que se proceda por medio de la tea, pues el medio de la salvación de los intereses es el cumplimiento y buen comportamiento.*
> *Sin otro particular, queda a sus órdenes.*
> *El Comandante Hilario Barnuevo.*

La información disponible sobre el pardo Filomeno Sarduy es, sin embargo, bastante más rica [33]. Para el Capitán General Ramón Blanco (1879-1881), este personaje era el clásico individuo a quien la falta de

---

31. J. Fernández Fernández y N. López Novegil: Op. cit., p. 310.
    Según Antonio Pirala (*Anales de la Guerra de Cuba*, Ed. Felipe González Rojas, Madrid, 1898, t. III, p. 883), en la jurisdicción de Remedios se presentaron, por aquellas fechas, dieciocho bandidos "que se entregaron a toda clase de excesos; en las de Caibarién, Camajuaní y las Vueltas, 60 vagos y rateros de malísimos antecedentes, en complicidad con gente del campo que cometían crímenes. Eran indispensables medidas extraordinarias contra aquellos desalmados; las exigía la seguridad de los sitieros y de la gente honrada de los campos; y aunque se castigaba severamente, no se exterminaba tan funesta semilla; era productivo el oficio; así se levantaban nuevas partidas..."

32. AHPM. Gobierno Provincial. Orden Público. Bandoleros-Insurrectos, Leg. 1, n° 143.

33. Basada en la colección de partes decenales y oficios conservada en la Sección 3ª, Ultramar, del SHM de Madrid. Cfr. M. de Paz: "Bandolerismo social e intentonas revolucionarias (1881-1893): la otra guerra de Cuba", *Tebeto. Anuario del Archivo Histórico Insular de Fuerteventura (Islas Canarias)*, n° II, Cabildo Insular de Fuerteventura, 1989, pp. 27-31, donde se detallan estas fuentes documentales de carácter militar.

hábitos de trabajo o sus criminales antecedentes le avocaban a una vida errante de bandidaje como garantía de subsistencia. Hacia mayo o principios de junio de 1881 había efectuado su presentación en Palmira, pero poco después, a mediados de agosto, desapareció de Cienfuegos, se echó otra vez al campo y organizó una nueva partida de unos veinte o veinticinco hombres.

En septiembre y hasta su definitiva derrota en diciembre, la gavilla de Sarduy mantuvo en jaque a las fuerzas de orden público y coloniales de la Comandancia General de Las Villas. En efecto, en la madrugada del 2 de septiembre, un grupo de jinetes había tenido un encuentro con un cabo y cinco guardias civiles emboscados en el potrero "Hormiguero", en las veredas que conducían a los montes de Victoria y potreros de Lajitas. Por la mañana se hallaron, en el lugar de los hechos, dos cadáveres, cuatro caballos con sus monturas y algún armamento. Según el capitán responsable de las operaciones, en este caso no se trataba de la partida de Sarduy, sino de alguna de otra zona que vendría a entrevistarse con el pardo [34].

A mediados de septiembre los insurgentes protagonizaron un asalto con incendio en el poblado de Lomas Grandes, y fueron perseguidos por una sección de caballería que partió de Camarones, mientras que la guerrilla de Potrerillo efectuaba reconocimientos en dirección a la Bija. En la tarde del día 17 se produjo un enfrentamiento con la Guardia Civil y "rurales" en el ingenio "Victoria", del que los bandidos consiguieron llevarse cinco caballos, otros tantos remingtons y ciento cincuenta cartuchos. Además, les acompañaron tres negros que, junto a dos hombres que se les habían unido en Camarones, hacían ascender la partida a quince o dieciséis hombres armados y montados. Alertada la caballería, fueron perseguidos hasta los montes de la Güira, donde los bandoleros atacaron por sorpresa, dando muerte a un suboficial y a un soldado e hiriendo a otro. Este hecho obligó al comandante general de la provincia, José Chinchilla, a ordenar que el coronel jefe de la Guardia Civil tomara el mando de las operaciones represivas, debido, asimismo, al conocimiento que el bandido mostraba tener del territorio.

El día 22, fuerzas del Escuadrón de Tiradores de Borbón, procedentes de la Mandinga, atacaron a la partida en el potrero de Agustín Guzmán, en cuya casa se guarecía. Tras un tiroteo, los bandidos dejaron en el campo

---

34. A Sarduy se le relacionó con la partida de *Matagás*. Véase, para el incidente descrito, art. cit., p. 28 y, en su fuente original, el Leg. 26 de loc. cit. SHM de Madrid.

un cadáver, varias armas y, en las cercanías, ocho caballos. La tropa, por su lado, perdió un oficial y un soldado, resultando un cabo gravemente herido. Al día siguiente se presentó en el vecino pueblo de Ojo de Agua el moreno Ignacio Hernández García, quien informó que Sarduy y el llamado cabo Perico estaban heridos, el primero de bala, "pasándole de costado a costado". Poco después fueron capturados, en el potrero de Santa Ana, otros dos miembros de la gavilla, uno murió en el encuentro, otro, Casiano Gastorno, negro originario del ingenio "Fortuna", resultó herido, mientras que un tercero conseguía escapar del ataque de más de veinte soldados del destacamento de Camarones [35].

Pese al acoso de las fuerzas represivas, que aceleraron su búsqueda ante la proximidad de la zafra por orden expresa del nuevo Capitán General Luis Prendergast (1881-1883), Sarduy no acababa de ser derrotado. Por ello el nuevo jefe autorizó a las comandancias generales de Las Villas y de Matanzas para que las fuerzas perseguidoras pasaran de una provincia a la otra cuando así lo exigiese la necesidad de mantener activa la persecución, sin más trámites. Según Chinchilla, el bandido le hizo llegar entonces proposiciones de presentación, que el militar rechazó por oponerse a todo lo que no fuera entrega incondicional. Pero, gracias a la "protección que tenía entre los habitantes del campo", el pardo permaneció oculto durante algún tiempo, sin que las frecuentes batidas y las confidencias dieran el resultado apetecido por las autoridades.

En los primeros días de noviembre Filomeno Sarduy reunió nuevamente su partida y emprendió la marcha hacia Colón, esquivó el encuentro con las tropas y resistió sus embates entre aquella localidad y la de Cienfuegos. El día 9, en Monte López, tuvo un enfrentamiento con fuerzas del Escuadrón de Tiradores de María Cristina, a las que causó un muerto y dos heridos. Fue entonces cuando las autoridades coloniales se interrogaron sobre la prolongada resistencia del bandido, dadas las circunstancias, y llegaron a la conclusión de que un "móvil político" sustentaba en parte su alzamiento. Sarduy contaba, pues, no sólo con la aquiescencia de amigos y parientes en las fincas de Camarones, Bija y Potrerillo, sino que además se le había oído dar vivas a la *autonomía*, sea como pretexto para sus "fechorías" o debido a "sugestiones y miras de personas ocultas". Personas que, para el general Prendergast, no eran otras que las del "partido separatista" de Las Villas, que si bien lamentaban algunos "excesos" de la

---

35. V., entre otros oficios, el informe de José Chinchilla al Capitán General, Santa Clara, 25 de septiembre de 1881, en loc. cit.

gavilla, se valían de ella "para poder alterar el orden y conseguir el triunfo de sus ideales" [36].

Sea como fuere, la fortuna dejó de favorecer al pardo y, el 2 de diciembre, su partida fue duramente batida en los montes del Venero, donde perdió algunos hombres y la mayor parte de las monturas y bagajes. Cercado por los redoblados esfuerzos de sus perseguidores, Sarduy se presentó, con trece de los suyos, al teniente coronel Esteban Zurbano en el Vivero, el día 15 del mismo mes (V. **Cuadro I**). También fueron detenidos algunos colaboradores de la partida, como Miguel Rodríguez Silva y Vicente Bello, acusados de proteger a los bandidos y de participar en algunos actos de pillaje, sobre todo el primero, a quien consideraban como "director" del pardo rebelde. Asimismo, fue capturado el negro Sebastián García, "espía activo" de Sarduy [37].

El Capitán General concedió el indulto a regañadientes pues, para ello, tuvo que sopesar la existencia de otra partida en Las Villas a las órdenes de "Gallo", cuya destrucción anhelaba. Pero cambió el patronazgo y la jurisdicción de algunos patrocinados, envió a otros a la isla de Pinos y decidió deportar a España a los hermanos Sarduy, Cleto Quintero, Narciso Ayo y otros cuatro, para que jamás pudieran regresar a Cuba porque volverían a lanzarse al campo y podrían constituir "un poderoso punto de apoyo para iniciar un movimiento político que estamos en el deber de impedir a todo trance". Los deportados pasaron desde el castillo del Morro a bordo del vapor-correo "Alfonso XII" el día 25, llegando a Cádiz a principios de enero de 1882 y, desde allí, fueron conducidos a Ceuta [38], lejos de las feraces tierras que les vieron nacer.

---

36. V., especialmente, parte de Prendergast al Ministerio de la Guerra, 25 de diciembre de 1881, loc. cit.

37. V., en particular, el informe de Chinchilla al Capitán General, Santa Clara, 18 de diciembre de 1881, loc. cit., SHM. Aparte de los dieciséis nombres de la lista, existían en Cienfuegos cuatro individuos que habían caído en manos de las autoridades con anterioridad. A los catorce miembros presentados el día 15, incluido el propio Sarduy, se añadieron los nombres de Cleto Quintero y Narciso Ayo, que se entregaron poco después en Las Cruces. La lista de presuntos colaboradores de Sarduy ascendía a unas treinta personas.

38. Loc. cit. *Ibídem*. Parte del Capitán General Prendergast del 30 de diciembre de 1881. Los otros cuatro deportados fueron: Casiano Goltarero, Ignacio Hernández, Martín Hernández y Manuel Hernández. V., también, comunicación de Ultramar al Subsecretario de la Guerra, 30 de enero de 1882, en loc. cit.

Cuadro I
RELACIÓN DE DETENIDOS DE LA PARTIDA DE
FILOMENO SARDUY (15-XII-1881)

Procedencia	Nombre	Grupos Sociorraciales
–	Filomeno Sarduy	Pardo libre
–	Ángel Sarduy	Pardo libre
Paradero Limonar	Joaquín Leiva	Pardo esclavo
Ing. "Portugalete"	Esteban Escarza	Esclavo
Ídem	Juan Antonio Escarza	Ídem
Ídem	Luis Escarza	Ídem
Ídem	Tomás Escarza	Ídem
Ídem	Bonifacio Escarza	Ídem
Ídem	Ventura Escarza	Ídem
Potrero "Lonza Alta"	Pedro Velázquez	Pardo esclavo
Potrero "Manacas"	Juan Caraballosa	Ídem
Ing. "Fortuna"	Francisco López	Ídem
Ídem	Domingo Gastorno	Moreno esclavo
Potrero "Limones"	Zacarías Rodríguez	Ídem
–	Cleto Quintero	Pardo libre
–	*Narciso Ayo*	*Blanco*

Fuente: Relaciones e informe del Comandante General de Las Villas.
Elaboración Propia. *Nota*: Los esclavos llevan el apellido de sus dueños.

Antonio Pirala refiere las hazañas del pardo Sarduy con relativa exactitud. Según este historiador español, en febrero de 1881 se levantó la partida en Quemado de Güines, "compuesta de 11 malhechores" y capitaneada por Filomeno Sarduy y *Barnuevas*, quienes incendiaron los ingenios "Lugardita" (debe ser "Lutgardita") y "Socorro". Señala, además, que actuaban en los términos de Cartagena, donde el alcalde Pérez era "otro semibandido" y en el de Santa Isabel de las Lajas. Indica, asimismo, que el 2 de diciembre de 1881 fue derrotado Sarduy por la fuerza pública del teniente coronel Esteban Zurbano y que el día 15 se presentó, con trece de los suyos, en el monte Venero (cfr. *Anales de la Guerra de Cuba*, cit., t. III, p. 883).

Empero, este éxito parcial de las autoridades encargadas de mantener el orden en los campos de Cuba quedó empañado muy pronto, pues las acciones de los bandidos continuaron con profusión.

En abril de 1882 se produjo el secuestro del propietario asturiano don Manuel Rosete Blanco, en el potrero "San Rafael" cerca de Santa Clara. La familia recibió una carta del secuestrado y trató de conseguir la suma requerida por los delincuentes, dos mil pesos, pero, aunque entregó una parte, la Guardia Civil encontró, poco después, el cadáver del propietario. Nunca aparecieron los secuestradores [39].

Pero, si la clasificación de acciones como la anterior resulta difícil por la escasez de datos, nos consta, sin embargo, que en mayo de 1882 la Comandancia de Santiago de Cuba alertó al Capitán General sobre los planes de los emigrados cubanos residentes en Santo Domingo, "destinados a volver a encender la guerra". Incluso llegó a hablarse de enviar a aquella República y a Jamaica algunos oficiales del Ejército para realizar labores de espionaje, pero Luis Prendergast rechazó la idea porque, según sus palabras, "se les conocería enseguida" [40].

Los rumores expedicionarios cobraron cierta importancia a mediados de octubre, cuando se informó a la Capitanía General, a través del administrador de la Aduana de Caibarién, que en Cagüanes "habían desembarcado los cabecillas insurrectos Aguilera y Rosado" y que se intentaba llevar a cabo la arribada de hombres y armamentos por aquellas costas. La noticia pareció confirmarla el Comandante General de Santa Clara, quien señaló que, según el coronel Fortuny, el desembarco de Miguel Luis Aguilera y Manuel Rosado había tenido lugar en Morón. Informaciones posteriores aseguraban que, aparte de la indicada expedición, se había producido otro intento de desembarco cerca de Cayo Coco, protagonizado por un "sobrino de Calixto García con gente de Jamaica", y que se pretendía lanzar el "grito de rebelión en todo el territorio comprendido entre Morón y Caibarién, a cuyo efecto estaban reconcentrándose en la Sierra de Judas como punto de partida". A raíz de estas noticias, la Capitanía General dispuso que fuerzas del Ejército efectuaran un minucioso reconocimiento de la zona y que se hicieran a la mar algunos cañoneros, "sin haber hallado el más ligero indicio". Prendergast, por tanto, pasó a centrar sus preocupaciones en la proximidad de la zafra, durante la cual "algunos vagos de oficio y gentes

---

39. J.A. Carreras: Art. cit., pp. 131-132.
40. M. de Paz: art. cit., pp. 16-17 y Leg. 26 del SHM, exp. "Campaña. Política. Planes del enemigo. Mayo de 1882".

de mal vivir" podrían dedicarse a "explotar a los dueños de fincas, exigiéndoles crecidas sumas bajo amenaza de incendio y muerte" [41]. Lógicamente se refería al problema del bandolerismo.

En Sancti Spíritus reapareció el bandolerismo en 1883 con los hermanos Luis y Faustino Chaméndez, quienes, según Carreras, asolaron la región, exigieron dinero, incendiaron cañaverales, mataron animales y, pese al gran esfuerzo de la Guardia Civil, no pudieron ser capturados. El gobierno colonial, impotente al parecer, les expidió documentos y pasajes hacia la República de Santo Domingo en 1884 [42].

Estos personajes deben ser los mismos que, en la documentación militar que manejamos, aparecen como los hermanos Echemendías o Echamendías. A finales de septiembre de 1883 saltaron a la palestra, mientras llevaban a cabo sus correrías entre Puerto Príncipe y Sancti Spíritus. A primeros de octubre, el grupo inicial de tres o cuatro hombres se vio incrementado con seis u ocho más. La partida atacó entonces en Quemadito a una fuerza de la Guardia Civil que conducía mil doscientos pesos, compuesta de dos cabos, un guardia y un corneta, pertenecientes a los puestos de Taguasco y Covadonga. Sólo el corneta sobrevivió malherido. Por aquellos días, según publicó la prensa, aparecieron pegados en las paredes de varios puestos de la Benemérita en la comarca unos pasquines cuyo texto merece ser reproducido [43]:

> *Señores Civiles:*
> *Queridos amigos: Yo siento vastante el tener que disgustarnos pero ustedes lo quieren, pues amigos míos yo tengo diez mil tiros para que celebremos un guateque, a donde ustedes dispongan.*
> *Amigos no sean animales, no maten sus caballos en perseguirnos porque no se ajuntarán con nosotros, pues cuando ustedes nos ven es por que nosotros lo queremos que sea así para reirnos con ustedes y divertirnos con ustedes.*
> *Lo mejor que hacen es seguir de adulones como lo son ustedes.*

---

41. Art. cit., p. 17 y en loc. cit. "Política. Isla de Cuba, 23 de octubre de 1882" y, especialmente, Parte decenal de Prendergast al Ministro de la Guerra, 15 de noviembre de 1882.
42. J.A. Carreras: Art. cit., p. 136.
43. Art. cit., pp. 17-18. Y, en el SHM, loc. cit., "Div. 4. Cuba. Orden Público. Años 1883 y 1884. Persecución de bandidos". Cfr., especialmente, parte del Capitán General Ignacio M. del Castillo (1883-1884) del 15 de octubre de 1883.

*Espero que me digan si los confites estaban dulces, los que le tiramos
en el Cuabal y Callojía, pues no seguimos choteándolos más porque venía
agua y no habíamos comido.*

Esto se lo digo en nombre de todos los compañeros.

*Esto que los trate de amigos es por chota por que nosotros no podemos
ser amigos de gente tan baja como ustedes.*

*Sin más quedan de ustedes con el revólver en la mano para el día que
nos encontremos.*

> *Fuera de Cuba patones*
> *A robar a otro lado*
> *Que ya vastante han robado.*
> *¡Viva Cuba! Fuera pícaros de la Isla.*

Las reflexiones de la prensa conservadora ante este reto de los insurgentes tampoco tienen desperdicio: los bandidos obedecían a una organización, "pues en todas partes tratan de dar colorido político a sus fechorías", para añadir a continuación: "Ya lo hemos dicho, y no nos cansaremos de repetirlo. Los constantes enemigos de la nacionalidad española y del orden, en su impotencia para llevar a cabo sus inicuos planes, tratan de introducir la alarma en nuestros campos, y es necesario adoptar medidas enérgicas para que no lo consigan. La zafra está próxima, y si no se hacen pronto ejemplares escarmientos la reconstrucción se verá retrasada por unos cuantos malvados, que en su despecho al ver la indiferencia del país a sus criminales excitaciones sólo anhelan su destrucción". Para convencerse de lo anterior, puntualizan, bastaba con leer las "salvajes proclamas de los separatistas de Cayo Hueso".

Este ambiente de agitación rural quedó refrendado con nuevas acciones de la misma partida. Los bandidos tuvieron, el 24 de octubre, un enfrentamiento con un destacamento del Regimiento de Caballería de la Reina en Palmarito de Castillo (Trocha), pero consiguieron escapar al internarse en los montes de San Andrés. El 3 de noviembre se produjo un nuevo encuentro con fuerzas de la Guardia Civil de Tuinicú en el sitio denominado Caja de Agua, matando a uno de los guardias, y, el 18 de diciembre, con soldados del Regimiento de Tarragona y guerrillas de Santa Clara, entre Aguacate y Marroquí [44].

En enero de 1884 aumentó la presión de los perseguidores ante la amenaza, decían, de la quema de ingenios. La partida de los Echemendías

---

44. Art. cit., p. 19 y SHM, loc. cit., partes decenales de Castillo de noviembre y diciembre de 1883.

fue batida en Mabuello y se dividió en dos grupos. Una fracción de cuatro hombres se dirigió a Jobo Rosado y fue perseguida por un capitán con fuerzas del Regimiento de Camajuaní, quienes les causaron un muerto y los dispersaron. El otro grupo de bandidos, unos doce hombres montados, apareció en la madrugada del día 2 en las lomas de Alonso Sánchez y escapó en dirección a San Marcos. A principios de febrero los miembros que quedaban de la gavilla resistían en la Trocha del Júcaro a Morón y en Sancti Spíritus y Remedios, sin que el general Castillo informase a Madrid, con posterioridad a estas fechas, de la captura de estos bandoleros [45]. Además, el Capitán General solicitó del Gobierno una gratificación para los "infelices individuos de tropa" que, en número de cuatrocientos o quinientos y en pequeños grupos, auxiliaban a la Guardia Civil en las tareas represivas, porque, en estos momentos, el problema del bandolerismo, reflejo de una situación de descontento social más profunda, dada la "penuria del tesoro de la isla", adquiría una gran importancia [46].

En este contexto, precisamente, se produjo el alzamiento, el 8 de marzo de 1884 y en Sagua la Grande, de otra "partida de bandoleros", capitaneada por Víctor Durán, "ex-cabecilla de las pasadas guerras y fuerte de veinte hombres montados y armados". Al día siguiente atacaron el ingenio "Santa Rita", donde hirieron a dos asiáticos y se llevaron los víveres de la cantina, y de aquí pasaron a los ingenios "Panchita" y "Pepita", en los que recogieron a diecisiete "patrocinados" con tres caballos y unas cuantas armas. Pero fueron alcanzados el día 11 por fuerzas del Escuadrón de Cortés, cerca de Quemado de Güines, y del Batallón de Cazadores de Baza en el monte Escadón, los que les originaron numerosos heridos, algunos muertos y la pérdida de gran parte de las bestias, presentándose

---

45. *Ibídem* y, en particular, partes del 5 de enero y 5 y 6 de febrero de 1884 en loc. cit., SHM.
46. *Ibídem* y, en especial, partes de Castillo correspondientes a los días 6, 15 y 25 de febrero y 5 de marzo de 1884.

Otros bandidos de fama y nombre fueron Víctor Fragoso, bandolero-insurrecto que formará parte, más tarde, de la partida de Manuel García Ponce; Félix Jiménez, que operaba por la provincia matancera y fue compañero de andanzas de José I. Sosa Alfonso, *Gallo Sosa*; Roselló, quien combatió a la Guardia Civil en octubre de 1884 y Pancho Castro, famoso por sus fechorías en la llanura de Colón y que se refugiaba en la casa, ubicada en Jabaco, de su hermano y colaborador Manuel Castro; la vivienda fue registrada infructuosamente en marzo de 1883 (J. Fernández Fernández y N. López Novegil: Op. cit., p. 119 e índice de bandoleros cubanos).

como consecuencia varios de sus miembros. A los pocos días, de los cuarenta y cuatro hombres "a que se hacía ascender" sólo restaban ocho, entre ellos el propio Durán. Este, con cuatro o cinco leales, se mantuvo oculto por poco tiempo, hasta que cayó en una emboscada que le tendió el comandante de Voluntarios Eugenio Laso y seis guerrilleros, en los montes de San Francisco. Durán, herido de muerte, falleció cuando le conducían a Rodrigo, "no sin declarar su intención de reunirse a Agüero". Al comandante Laso le fue concedida por este hecho la Cruz del Mérito con distintivo rojo, previa solicitud de Castillo, porque según el Capitán General convenía "estimular a los que persiguen a los bandidos, venciendo las muchas dificultades del país, pues aunque éstos carezcan de importancia, influyen en el espíritu público e importa acelerar la destrucción de todos" [47].

Ahora bien, aunque el primer representante de la Metrópoli tratara de quitarle hierro al asunto, lo cierto es que no habían desaparecido, ni mucho menos, las amenazas de tormenta. Al desembarco efectivo de Carlos Agüero, tal como veremos seguidamente, se unieron los rumores de una nueva "expedición de bandoleros" procedente de Cayo Hueso, en este caso al mando de Castro. Castillo no sólo alertó a las fuerzas a sus órdenes, sino que, además, aprovechó su amistad con el Almirante estadounidense Cooper, Comandante de las Fuerzas Navales de su país en el Caribe, para conseguir que se le dispensara "todo el apoyo y protección posible a nuestro Cónsul en Cayo Hueso", con objeto de impedir las expediciones que se intentasen desde éste punto. La vigilancia establecida en la Punta de Tejas y en otros lugares estratégicos de la bahía de Santa Clara no había arrojado resultados positivos a principios de mayo, pero Cooper parece que se apresuró a cobrar la factura, pues la Capitanía General permitió que un buque de guerra yanqui hiciera "estudios hidrológicos en ciertos puntos de la Costa", a pesar de que el caso era de "dudosa resolución" desde el punto de vista militar, Castillo lo justificó ante Madrid por "las buenas disposiciones del Gobierno de los Estados Unidos respecto a nuestros asuntos, y la severidad que ha desplegado contra las autoridades que tendían a proteger a los perturbadores de la tranquilidad de la isla" [48].

---

47. *Ibídem* y, en particular, partes de Castillo del 15 y 25 de marzo y 15 de abril de 1884 y exp. "Ministerio de la Guerra. Orden público en la isla de Cuba", comunicaciones del Capitán General de Cuba del 14 de abril y 9 de mayo de 1884.
48. Art. cit., pp. 20-21, y loc. cit., partes de Castillo del 15 de abril y del 5 de mayo de 1884.

A finales de mayo volvió a hablarse con insistencia de la empresa expedicionaria de Castro, quien con quince hombres debía salir de Nassau. La Guardia Civil apresó a un emisario que recorría el campo mientras repartía proclamas y hacía proselitismo y, también, fueron requisadas "cartas llenas de esperanzas y promesas a personas acomodadas", por ello se ejecutaron numerosas operaciones de reconocimiento marítimo y terrestre. El 5 de junio, Castillo señaló que el "incesante trabajo" de los refugiados en Cayo Hueso, Jamaica y otras islas y puntos del continente tropezaba con "penurias y desconfianzas" que hacían difíciles los proyectos expedicionarios, sobre todo porque el "mal éxito" de Agüero retraía a los jefes de prestigio, y que, en definitiva, la inquietud pública obedecía, "más que a causas políticas", a razones económicas. A mediados de julio, sin embargo, tornaban a circular nuevos rumores sobre "supuestos desembarcos" [49], que aún tardarían en verificarse, pero que mantuvieron en constante alerta a las autoridades coloniales.

2. CARLOS AGÜERO: LA NOSTALGIA DE LA LIBERTAD

El caso de Carlos Agüero reviste particular importancia, pues constituye un ejemplo evidente de bandolero-insurrecto con historial revolucionario durante la Guerra Grande, de ahí que algún estudioso se negara a incluirlo en su "lista negra" de los insumisos [50].

Carlos Agüero, hijo del Camagüey y descendiente de una antigua

---

49. Art. cit., p. 21, y loc. cit., en especial, partes de Castillo del 25 de mayo, 5 de junio y 5 y 15 de julio de 1884.

50. F. López Leiva (op. cit., p. 26) afirma al respecto que Carlos Agüero, *Agüerito*, aun cuando el Gobierno colonial lo calificó siempre de bandido, "lo cierto es que aquel valiente y desgraciado muchacho que por su intrepidez había adquirido renombre en las filas cubanas durante la guerra de 1868 a 1878, tuvo siempre más visos y arrestos de revolucionario que de bandolero. En 1883 condujo una pequeña expedición desde Cayo Hueso a Varadero; pero su atrevimiento no encontró eco en el país. Entonces viose obligado a vivir como latro-faccioso, defendiéndose como fiera acorralada de la persecución de guerrillas y guardias civiles hasta que cayó para no levantarse más en una artera combinación que le prepararon en la Sierra de Prendes, al Sur de Colón, un negro esclavo y un sargento de la Guardia Civil".

familia al parecer de origen canario, tenía, en efecto, una destacada hoja de servicios bajo el mando de Julio Sanguily, Ignacio Agramonte y Máximo Gómez. Además, fue un hombre de confianza del brigadier Henry Reeve (*El Inglesito*) en la campaña invasora a Occidente que dirigió Máximo Gómez en 1875-1878 [51], época en la que protagonizó diversas acciones bélicas.

Así, el 6 de febrero de 1876, tras la derrota infringida por Reeve a una columna española en Aguada de Pasajeros, Agüero logró incendiar los ingenios "La Panchita", "San Isidro" y "San José" y, además, la estación del ferrocarril de Retamal. En abril quemó el ingenio "San Juan" y, el 25 de junio, tomó el fuerte "Galdós". Estuvo también en otras acciones dirigidas por Reeve en las jurisdicciones de Cienfuegos y Colón. El 24 de julio fue destacado por su jefe, al mando de una fuerza, para que operara en Jagüey Grande y volvió a tomar el fuerte "Galdós", en cuyo asalto cayeron diez soldados españoles. A partir de entonces operó por el sureste de Jagüey Grande en Guayabo Largo, Montes de Prendes y Raíz del Jobo. El 26 de septiembre, fuerzas combinadas de Cecilio González y del comandante Carlos Agüero tomaron por asalto el pueblo de Calimete, en una destacada acción militar.

Tras los acuerdos del Zanjón, Agüero depuso las armas junto a otros jefes del ejército mambí, pero en 1879 se alzó nuevamente para secundar el plan insurreccional que dirigía Calixto García. Al fracasar la Guerra Chiquita –señala Raúl Rodríguez–, fue hecho prisionero y permaneció un año confinado en La Habana, de donde logró fugarse posteriormente. En el primer semestre de 1882 marchó a los Estados Unidos con el objeto de solicitar apoyo y recursos de la emigración revolucionaria y, "sin haber obtenido la ayuda necesaria, se comprometió a alzarse de nuevo en armas" [52].

Carlos Agüero cumplió su promesa pues, el 26 de abril de 1883, se enteró la Capitanía General que había aparecido en Yaguaramas (Cienfuegos) "una partida de bandoleros compuesta de cuatro hombres armados al mando de Carlos Agüero". Desde aquel instante eligió como "teatro de sus fechorías" las jurisdicciones de Cienfuegos y Colón, sorteó el cerco del

---

51. V. sobre esta campaña una síntesis en E. Buznego Rodríguez y otros: *Mayor general Máximo Gómez Báez. Sus campañas militares*, Ed. Política, La Habana, 1986, t. I, pp. 142 y ss., en la que también participó el general canario Manuel Suárez.

52. R. Rodríguez de La O: "Ni se rindió ni traicionó", Revista *Mar y Pesca*, nº 247, Abril de 1986, p. 40.

Ejército y de la Guardia Civil y cometió "toda clase de tropelías"[53]. Para el Capitán General interino, el Mariscal Reyna, que rendía su informe el 25 de agosto, la actitud hostil de Agüero no respondía al "fin político" que éste pretendía darle, pues los campesinos y el país en general estaban convencidos, en su opinión, de que no eran sino "una gavilla de bandidos". No obstante, la partida creció y sus doce hombres se enfrentaron, el día 13, con fuerzas de guerrillas en Carril de Guano (Cienfuegos), "resultando herido Agüero en el brazo y tetilla izquierda". Fue entonces cuando, para inspirar confianza a los propietarios rurales y, también, para evitar la colaboración de los "timoratos" con los insubordinados, Reyna puso en pie de guerra a las fuerzas de las comandancias generales de Las Villas y de Matanzas, la infantería ocupó fincas y localizaciones estratégicas y la caballería en "constante persecución"[54].

Pese a las medidas arbitradas en su contra, Agüero tuvo tiempo, antes de internarse en un terreno que le era propicio por sus características, de llevarse dos caballos pertenecientes a don Dionisio de León, el día 29 de agosto, en el Guasimal (Cienfuegos), y de resistir con éxito un ataque del Escuadrón de María Cristina cinco días después. El 17 de septiembre la

---

53. El 27 de abril de 1883, según una comunicación del gobernador civil de Matanzas, Carlos Agüero asaltó al alcalde de Macagua: "le exigieron seis onzas de oro que se llevaron y que el que las recibió dijo se llamaba Carlos Agüero, sin haber dado detalles de la dirección que llevaban...". El insurrecto aparece descrito como "de 30 años, con toda la barba y bigote, de estatura baja, viste pantalón de dril y guayabera blanca" (AHPM. Gobierno Provincial. Orden Público. Bandoleros-Insurrectos, Leg. 1, n° 116).

A comienzos de julio, por otro lado, el jefe de línea del primer tercio de la Guardia Civil de Matanzas (Palmillas), informaba de su inspección en el Cayo de la Guayaba, cerca de la vivienda de la mulata Longina, tras la pista de la "partida de bandoleros de Agüero y Matagás". Según este informe, la campesina le indicó que, en la tarde del día 2, había estado por el batey del sitio una guerrilla de hombres armados y, como quiera que "la parda en cuestión es querida de Matagás, siendo por consiguiente encubridora y auxiliadora de dicha partida, tengo el honor de poner estos antecedentes en el conocimiento de Vd. por si la mulata citada y su familia pudiera ser trasladada del lugar donde habitan como perjudiciales que son para la tranquilidad pública, aunque por medios indirectos" (cfr. Comunicación fechada en Palmillas a 7 de julio de 1883, AHPM. Loc. cit., Leg. 1, n° 2).

54. Cfr. M. de Paz: Art. cit., pp. 32-33 y 85-86, y SHM, loc. cit., "Div. 4. Cuba. Orden público. Años 1883 y 1884. Persecución de bandidos", Parte de Reyna del 25 de agosto de 1883.

partida se refugió en la Ciénaga de Zapata, tras ocho días de acoso sistemático [55].

Una semana más tarde, Agüero y seis de los suyos se llevaron del potrero Sabana de Angustia (Colón), seis caballos y una yegua y huyeron en dirección al monte Rosario y a Colmena perseguidos por fuerzas de caballería y de la Guardia Civil. El 1º de octubre la agrupación insurrecta fue batida en Santa Teresa, donde resultaron heridos dos de sus miembros y, además, en las alforjas de uno de los siete caballos que quedaron en poder de los perseguidores fue hallada la "cartera de viaje de Agüero y una levita de uniforme con divisas de teniente y vivos encarnados" [56].

Pero, tal vez, el hecho más llamativo de Agüero y sus hombres en esta primera fase de actividad rebelde fue el asalto, que tuvo lugar el día 7 en la playa de Caimito (San Nicolás), de dos tiendas del asturiano don Pedro Fernández, Alcalde de aquel barrio, de donde se llevaron dinero, ropas, calzado y comestibles. Esta acción, que no por anecdótica deja de ser ilustrativa de la osadía del revolucionario, suscitó las protestas de la prensa conservadora. Según ésta, no sólo robaron las dos "tiendecitas" de Fernández, sino también otra de don Rafael Capdevila. "A las diez de la noche, después de haber cargado en caballos lo robado, volvieron a la playa, embarcándose en un bote pescador de don Liborio Palenzuela y dirigiéndose con rumbo al *Maniadero*, en la península de Zapata, jurisdicción de Cienfuegos, donde se cree se cobije en la actualidad mayor número de bandoleros" [57].

Durante las semanas siguientes parece que la partida se limitó a ocultarse del enemigo, aunque recorrió diversos puntos de las jurisdicciones de Colón y de Cienfuegos. Hacia mediados de noviembre, Agüero y dos de los suyos abandonaron la Isla rumbo a Cayo Hueso, desde donde el primero marchó a Nueva York. Las autoridades coloniales pretendieron ignorar lo que había sucedido con el resto de la partida, y alegaron que suponían que los otros insumisos habían optado, igualmente, por ausentarse de Cuba [58].

---

55. *Ibídem*, v., especialmente, partes de Reyna del 5, 15 y 25 de septiembre de 1883.
56. *Ibídem* y, en particular, parte de Castillo del 5 de octubre de 1883.
57. *Ibídem* y parte de Castillo del 15 de octubre de 1883 que acompaña, en este caso, recortes de prensa.
58. Art. cit., pp. 33-34 y loc. cit., partes de Castillo del 5, 15 y 25 de noviembre de 1883.
    El 13 de noviembre de 1883 cayó en una emboscada, en el ingenio "Niá-

Sin embargo, este viaje de Agüero a los Estados Unidos reviste gran interés por cuanto, según Pirala, Agüero se marchó de Colón, "donde actuaba como capitán de ladrones,..., con el amparo oficial, después de licenciar y pagar a la gente que robaba a sus órdenes" [59]. En este sentido, según una comunicación fechada en Colón el 2 de noviembre de 1883 y dirigida al comandante militar de Cárdenas, Bernardo González, por Ignacio Romero: "la partida se reune para la presentación; los blancos serán embarcados para los Estados Unidos y a los negros se les darán algunos cuartos" [60]. Asunto que no compartía el Jefe de Estado Mayor de la Capitanía General, Luis Rois, según una carta que dirigió al citado Bernardo González el día 16 del mismo mes [61]:

> *Mi estimado amigo:*
>
> *Oportunamente recibí su carta del 5 del actual, y como Agüero, según me han dicho en el Gobierno General, ha embarcado para el extranjero y Vivijagua ha sido muerto por la Guardia Civil, resulta que el compromiso de usted ha terminado por completo.*
>
> *No estoy en antecedentes de lo de Agüero, pero desde luego no cabe duda habría sido mucho mejor el matarlo que no el que se fuera como se ha ido, pues la verdad es que no nos favorece nada el que habiendo tenido tantas fuerzas en su persecución, nada se haya conseguido.*

En cualquier caso, Carlos Agüero llegó poco después a Key West (Cayo Hueso) a bordo del "Hutchinson". Las autoridades norteamericanas le detuvieron pero, al parecer, las gestiones de los revolucionarios emigra-

---

gara" de Jagüey Grande, José Morejón López (a) *Vivijagua* o *Bibijagua*, bandolero-insurrecto nacido en la Hanábana, hijo de Trinidad y Josefa, casado con Dolores Ramos y de 45 años de edad. Se había alzado el 10 de febrero de 1869 en Jagüey Grande, bajo el mando de Gabriel García Menocal y José Inclán, formó parte de la Columna de Operaciones que llevaba el nombre de aquella población y depuso las armas en 1873. Más tarde se alzó de nuevo y estuvo a las órdenes de Carlos Agüero, con quien reaparece en la primavera de 1883. En junio de este año se le abrió expediente por infidencia. Fue enterrado en el ingenio "Australia" de Jagüey Grande (Gentileza de H. Ballesteros. Libro de Defunciones de Blancos de la Parroquia de Nª Sª de Altagracia de la Hanábana, Tomo III, fol. 203, nº 1.301).

59. A. Pirala: Op. cit., t. III, p. 894. El pasaporte para su viaje a Estados Unidos se lo habría gestionado Julio Sanguily.

60. Op. cit., t. III, p. 895.

61. Op. cit., t. III, p. 897.

dos consiguieron que fuera puesto en libertad. El 17 de enero de 1884, el incansable rebelde consiguió una autorización del Comité Revolucionario Cubano de Nueva York para realizar acciones militares, "en calidad de Jefe de operaciones militares en campaña contra el Gobierno Español" [62].

Agüero, al contar con la cobertura necesaria por parte del mando revolucionario en el exilio, emprendió los preparativos de su particular empresa invasora. Varias referencias históricas hacen alusión a la salida de la goleta "Schavers" desde Cayo Hueso a las once de la noche del 1º de abril de 1884 y a su desembarco, en Varadero, después de evitar el intento de Manuel Pérez, espía español, de llevarla al puerto de La Habana o a otro punto conveniente a sus intenciones [63]. Acompañaban al brigadier insurrecto el coronel Rosendo García [64], el comandante y famoso bandolero-insurrecto José Alvarez Arteaga, *Matagás* [65]; el alférez Jerónimo Arteaga, Pedro Torres, Desiderio Matos, *El Tuerto Matos*, otro célebre bandolero-insurrecto; José Morejón, Manuel Fundora, Manuel, *El Gallego*; Manuel García, que nada tenía que ver con Manuel García Ponce; Félix Zaonet y otros. El número de expedicionarios, según las fuentes, oscila entre quince y una cantidad superior a la veintena [66].

---

62. Cfr. R. Gutiérrez Fernández: *Los héroes del 24 de febrero*, Carasa y Cía., La Habana, 1932, t. I, p. 118. La autorización está firmada por Juan Arnao como presidente del Comité.

63. Según F.J. Ponte Domínguez (*Matanzas, biografía de una provincia*, Imp. El Siglo XX, La Habana, 1959, pp. 227-228), con la credencial que le fue expedida el 17 de enero, el brigadier Agüero atrajo a unos quince resueltos lidiadores. Desde Cayo Hueso partió con ellos en la goleta "Schavers", entrada la noche del primero de abril, desembarcando sin tropiezos el día 3 frente al varadero de Cárdenes. Pirala (op. cit., t. III, p. 894) manifiesta, sin embargo, que fueron los trabajos de un espía español que se puso en contacto con Agüero en Cayo Hueso, los que dieron por resultado "la vuelta de ese bandolero", lo que, en principio, parece contradecirse un tanto con la actitud que, como luego se verá, tomó el Capitán General con las autoridades matanceras que no capturaron al insurrecto en los momentos inmediatos al desembarco, a menos que, en efecto, se tratara de la frustración producida por el fracaso de una supuesta celada.

64. Logró salvar la vida en esta campaña y luchó en la Guerra de Independencia a las órdenes de Serafín Sánchez.

65. Es improbable, como luego se dirá, que *Matagás* acompañara a Agüero desde Estados Unidos, porque no está probada su salida de Cuba con el segundo.

66. Cfr. R. Rodríguez de La O: Art. cit.; A. Dollero: *Cultura cubana*: *Matanzas*,

135

La relación entre Carlos Agüero y José Álvarez Arteaga, *Matagás*, es sumamente importante, porque demuestra a las claras la conexión entre rebeldes con distinto historial de lucha social. Parece ser que Álvarez Arteaga se alzó en junio de 1883 en la Villa de Colón, "en unión del último de los Barnuevo, que la misma noche de alzarse fue muerto por la fuerza pública en el puente del río Piedra en la misma Villa; siguiendo su marcha *Matagás* con los pardos Modesto Rodríguez Sánchez y un tal Gregorio; uniéndose a la partida que entonces capitaneaba Carlos Agüero, de la que se hizo el Segundo Jefe" [67].

Por estas fechas, mediados de 1883, José Álvarez Arteaga asaltó el ingenio "Serafina" en San José de los Ramos, del que obtuvo unos mil pesos en billetes y, más tarde, se unió a Carlos Agüero para realizar un asalto en el ingenio "Antón" del que se llevaron un rifle y varios efectos y, además, dejaron una carta para el dueño de la finca, don Antonio Fernández, en la que le exigían el pago de treinta onzas de oro [68].

A juzgar por los datos disponibles, Agüero y *Matagás* estuvieron muy unidos en ambas campañas (1883 y 1884-1885), si bien algunas cuestiones son confusas. Así, pese a las afirmaciones de algunos estudiosos, que ya mencionamos, no es seguro, en absoluto, que Álvarez Arteaga viajara a Estados Unidos junto a Agüero a finales de 1883, por lo que difícilmente pudo acompañarle en la expedición que llegó a Varadero a comienzos de abril de 1884, más probable es que el pardo permaneciera en Cuba y que, a la llegada del revolucionario camagüeyano, se incorporara a sus fuerzas con prontitud.

No transcurrió mucho tiempo, en efecto, sin que el Capitán General, Ignacio María del Castillo (1883-1884), tuviera noticias del segundo intento insurreccional del "bandido" Carlos Agüero. En marzo de 1884, el Cónsul español en Cayo Hueso había informado de los preparativos de los emigrados

---

La Habana, 1919; R. Gutiérrez Fernández: Op. cit.; J.L. Franco (*Antonio Maceo. Apuntes para una historia de su vida*, Ed. Ciencias Sociales, La Habana, 1975, 3 vols., t. I, p. 265), indica que Carlos Agüero fue el primero de esa tiara de hombres temerarios –los otros dos fueron Ramón L. Bonachea y Limbano Sánchez–, que se lanzaron a la aventura insurreccional sin aguardar a que la revolución sazonara sus frutos. Tras su desembarco, precisa, "nadie le secundó. Refugiado en los montes, pudo sostenerse algún tiempo, hasta que fue traicionado y asesinado en la finca *Prendes*, provincia de Matanzas, en 5 de marzo de 1885".

67. AHPM. Gobierno Provincial, Loc. cit., Leg. 1, nº 28.
68. AHPM. Loc. cit., Leg. 1, nº 2.

para formar una expedición. La noticia de que la marina estadounidense iba a vigilar el archipiélago del Sur de la Florida precipitó los acontecimientos, y el Cónsul, en telegrama del 2 de abril, avisó de la salida del revolucionario en la tarde del día 1º, con diez o doce hombres, a bordo de la goleta norteamericana "Shavers"(sic). La primera autoridad colonial, a pesar de la "poca importancia de una partida de ladrones más", según sus propias palabras, tomó las medidas necesarias para propiciar la captura de los expedicionarios, "por la pequeña influencia momentánea que el hecho pudiera tener en las circunstancias especiales del país". Pero fue en vano, el desembarco se produjo –con quince hombres– durante la noche del día 3 de abril, mediante la utilización de una lancha desde el buque anclado en alta mar y con la que los expedicionarios atracaron en el Varadero, en el extremo occidental de la península de Hicacos, "lengua arenisca" situada al norte de Cárdenas y poco distante de esta población. Los rebeldes permanecieron en las cercanías durante los dos días siguientes, pasaron por los ingenios "Borja" y "Dos Rosas" y adquirieron caballos. Luego marcharon más al sur, a los montes de San Miguel. Burlado en sus deseos de captura inmediata, Castillo quiso castigar la "grave responsabilidad" de sus subordinados, abrió expedientes disciplinarios a diversos jefes de la provincia matancera y dispuso que pasaran bajo arresto al castillo de la Cabaña [69].

Mientras tanto, F. Moreno, un representante de los intereses coloniales, clamaba en favor de la presencia española en Cuba con el viejo grito de guerra catalán [70]:

> *¡Desperta ferro!*
> *¡Catalanes, atención!*
> *Cerca de Cárdenas acaba de desembarcar el bandido Agüero.*
> *A este asesino y devastador de propiedades de catalanes* [71] *acompañan diez o doce forajidos. Trece o catorce hombres nada pueden pretender, es natural.*
> *Pero tratan de correrse.*
> *Si logran diseminarse, no son trece hombres, son trece partidas las que se preparan a devastar el país.*

---

69. M. de Paz: Art. cit., p. 34. Partes de Castillo (en SHM, loc. cit.) del 5 y 15 de abril de 1884.
70. Cfr. F. Moreno: *Cuba y su gente (Apuntes para la historia)*, Establecimiento Tipográfico de Enrique Teodoro, Madrid, 1887, pp. 63-65.
71. En nota a pie de página dice este autor: "Todo el mundo sabe que *despreciativamente*, en el interior, se llama a todo bodeguero *catalán*".

Procurarán ganar tiempo.
Levantar cuadrillas.
Esperando que de tierras lejanas lleguen refuerzos.

Al parecer, Carlos Agüero y sus compañeros de expedición se sirvieron del alcalde de mar Epifanio Beltrán como práctico, tras su inmediata arribada a Varadero. El día 7 se "corrió" Agüero hacia Colón. Atacó los ingenios "Resolución" y "Mercedes" y se dirigió a Guamajales y Guayabolargo. El 9 quemó el poblado del Manguito, cerca de Calimete, donde no entró por la "actitud de los voluntarios", y se encaminó en dirección a los montes del Borrón. Su partida contaba entonces con unos veinte hombres. Al día siguiente penetró en la provincia de Santa Clara e inició "un movimiento semicircular hacia el sur, en demanda de la Ciénaga, su albergue habitual". El 13 se dirigió a la misma, para ello dividió a su gente en pequeños grupos, pues uno de cinco hombres ya la había alcanzado a través de Cocodrilo. El resto estuvo en los montes de Voladoras, espesos y amplios, "donde la falta de pueblos" facilitaba la ocultación. Mientras tanto, las fuerzas de la Guardia Civil y del ejército sólo habían podido atrapar a un rezagado en Camarioca.

Este fracaso fue atribuido por Castillo a la "dificultad de perseguir a unos pocos hombres que se fraccionan, que cuentan con el apoyo de los elementos malos del país y con el de los que ceden al temor", en una comarca que conocían bien y donde las condiciones naturales permitían el ocultamiento, pues, como subrayó en su informe [72]: "Forman el SE de la provincia de Matanzas y el SO de la de Las Villas una vasta explanada, que limitan al extremo sur, las alturas que contornean la Ciénaga de Zapata, formando una extensa azaña, cuyo centro son los montes de Voladoras y que determinan el curso del Hatibonico, que de Oriente a Occidente la atraviesa hasta el mar. Esta región está cubierta de monte bajo, asentado en multitud de colinas cubiertas de manigua y muy fácil para la ocultación de poca gente, sin caminos marcados ni pasos ineludibles. El resto la llenan ricos ingenios y potreros abundantes de ganado, en cuya población domina la simpatía por los bandoleros o el miedo de sus excesos".

En la proclama que distribuyó Carlos Agüero podía leerse [73]:

---

72. M. de Paz: Art. cit., pp. 34-35 y partes de Castillo del 15 y 25 de abril de 1884 en SHM, loc. cit.
73. R. Rodríguez de la O: Art. cit., p. 41.

Compatriotas: La hora de combatir por el triunfo de la independencia y libertad, rompiendo con mano varonil la oprobiosa cadena de la esclavitud con que nos oprime el tirano de España, ha llegado, todos estáis obligados a combatir también, a cumplir ese deber en la medida de nuestras facultades; para los valientes está la gloria de empuñar las armas en nuestras filas; para los "pacíficos", el concurrir con sus recursos y ayuda a la obra común, sin que valgan excusas de ninguna clase para rehuir la obligación que tiene todo cubano con su patria, cualesquiera que sea su clase y condición, so pena de ser tratado con el mayor rigor que imponen las leyes de la guerra.

José Álvarez Arteaga, *Matagás*, junto a otros elementos de la campaña de 1883 se unirían nuevamente a Carlos Agüero. En esta ocasión, sin embargo, venía como segundo en el mando José Varona, quien se mantuvo en el cargo hasta que fue capturado algún tiempo después. A partir de entonces, *Matagás* pasaría a sustituirle. Agüero trataría, a su vez, de emular la experiencia de su antiguo jefe de la Guerra de los Diez Años, H. Reeve, esto es, la división ocasional de la partida en guerrillas de menor tamaño para realizar acciones simultáneas que, además de lograr alteraciones del orden y resultados combativos, producían una gran confusión en la jefatura de operaciones del enemigo [74].

En opinión del Capitán General, el foco rebelde no ejercía una "influencia real en el espíritu público, por más que ciertos políticos y algún periodista de ínfimo orden, harto conocidos, pretendan en vano extraviar la opinión". El día 23 de abril, empero, se produjo un encuentro cerca de Trinidad entre la "fracción principal" de Agüero, mandada por José Varona, y fuerzas de la Guardia Civil, en el que resultó muerto uno de los rebeldes. Esta acción, desde luego, no constituía un hecho aislado, fruto de la improvisación, sino todo lo contrario.

La partida de Agüero, en efecto, nunca superior a veinte o veintidós hombres, había sido dividida tácticamente en tres grupos que, según Castillo, actuaban de la siguiente forma: en primer lugar, una cuadrilla de diez a doce hombres a las órdenes de Varona, la cual –tras el encuentro anterior– caminaba hacia Puerto Príncipe para atraer sobre ella a las fuerzas coloniales ocupantes de la región del líder insurgente. Una segunda fracción, de cuatro a seis hombres, capitaneada probablemente por un pardo –[¿Matagás?]– que invocaba el título de "Agüero y los que le acompañan" y se mantenía a lomo de caballo en el límite de la Ciénaga de Zapata, con objeto

---

74. J. Fernández-Fernández: *Matagás: Bandolero y leyenda*, inédito, texto mecanografiado, pp. 47-48.

de atraer también sobre sí a las fuerzas sitiadoras. Y, en tercer lugar, en el centro, en los montes de Voladoras y sus estribaciones, el propio Agüero con media docena de hombres escogidos, cubierto militarmente por vanguardia y retaguardia y materialmente por los montes.

Frente a este probable plan militar de los rebeldes, las fuerzas combinadas de Matanzas y Las Villas desplegaron una febril persecución que, dada la desproporción de los contendientes y la aparente impermeabilidad del país al mensaje emancipador de Agüero, a pesar de los esfuerzos realizados en las islas cercanas y en el continente "para dar fuerza y carácter político al puñado de bandoleros", acabaría por colocar a los expedicionarios en el camino de la derrota. El grupo de Varona se subdividió a su vez en dos subgrupos y esta tendencia a la diseminación pareció cundir entre los rebeldes, a medida que aumentaba la presión colonial. Agüero, no obstante, continuó su campaña con acciones de cierta entidad. En la madrugada del 5 de mayo apareció con seis de sus hombres en Cuatro Caminos, Macagua, quemó una tienda, cogió tres caballos y, al parecer, secuestró a don Cirilo Rodríguez y, luego, se ocultó en el monte Haybón, en los límites entre Matanzas y Santa Clara [75].

El 28 de abril, el coronel Rosendo García, por su lado, había aplicado la tea en Guayabo Blanco y el comandante José Álvarez Arteaga batió a los españoles en el potrero "Santa Lucía" [76].

Empero, en el citado mes de mayo, la partida de Agüero sufrió un duro revés del que salió reducida a la mitad. Uno de los dos grupos principales que la integraban fue completamente destruido e incluso se aseguró que el segundo de Agüero, José Varona, había caído en poder de sus enemigos. Salvo dos prisioneros, los demás murieron en combate o fueron "víctimas de su intención de evadirse, al llevarlos a reconocer lugares por ellos designados", según versión del Capitán General que, asimismo, consideraba que la opinión pública se preocupaba más de la "situación difícil del país que de los bandoleros, a quienes sólo da importancia exageradísima la prensa de los Estados Unidos y los periódicos de Europa, que acogen sus absurdas noticias".

Así, pues, las posibilidades del revolucionario se habían reducido al mínimo y, de hecho, dependía del desembarco de nuevas expediciones "anunciadas con insistencia". Durante varios días Agüero permaneció

75. M. de Paz: Art. cit., pp. 35-36. Loc. cit. (SHM), partes del 25 de abril y del 15 de mayo de 1884 y telegrama del 8 de mayo de 1884.
76. J. Fernández-Fernández y N. López Novegil: Op. cit., p. 105.

oculto y en este sentido se rumoreaba que su desaparición de la escena obedecía a planes dirigidos desde el exterior, en espera de mejores tiempos. El insurgente reapareció, no obstante, el día 24 de mayo junto a tres de sus compañeros, cogió tres caballos y se hizo guiar por un práctico en Guayabales, cerca de Yaguaramas. Luego volvió a esconderse y así permaneció –salvo determinadas acciones en pos de recursos– durante prácticamente el resto del año 1884 [77].

El 1º de julio fue asaltado el ingenio "Manuelita", al parecer por hombres de Agüero que hirieron al guardia y a un negro que trató de tocar la campana de alarma [78].

Las autoridades coloniales, por su parte, no descuidaron el acoso del insurrecto, pues suponían que trataba de abandonar la isla ante el fracaso de su proyecto. Abonaba este aserto la detención por la policía, en La Habana, de Varona el 8 de julio, "en el momento en que se disponía para embarcar". Pero, como decimos, las fuerzas represivas no cesaban en su empeño y tanto celo pusieron algunos en el asunto que, como le ocurrió al condecorado comandante de voluntarios Eugenio Laso, el que acabó con la vida de Víctor Durán, se equivocaron de enemigo. Laso, en efecto, dio fin en una emboscada, a finales de junio, a una cuadrilla de cuatro hombres que, bajo el mando de don Alfredo Olazzo y con salvoconductos del Capitán General y armas españolas, perseguía legalmente al revolucionario.

El día 8 de agosto, por el contrario, se encontraron unos restos que, según se dijo, correspondían a Rosendo García, uno de los hombres de mayor confianza de Agüero [79]. Este reapareció a mediados de noviembre, pero no ejecutó acción alguna, aunque estaba acompañado por dos o tres hombres, según informó a Madrid el nuevo representante de la Metrópoli Ramón Fajardo (1884-1886), quizá ante el aviso de la expedición de Ramón L. Bonachea [80].

---

77. Art. cit., p. 36. Loc. cit. Partes de Castillo del 15 y 25 de mayo; 5 de junio y 5 y 15 de julio.
78. J. Fernández Fernández y N. López Novegil: Op. cit., p. 105.
79. Este dato es incierto pues Rosendo García combatió, incluso, en la Guerra de Independencia, como ya se dijo.
80. Art. cit., pp. 36-37 y Loc. cit. (SHM) partes de Castillo del 5, 15 y 25 de julio; 15 y 25 de agosto; 5 de septiembre y 15 de octubre de 1884, y parte de Fajardo del 25 de noviembre de 1884.

Sin embargo, según otras informaciones, parece que, en septiembre, mientras Desiderio Barnuevo [81] combatía en Bolondrón, Agüero lo hacía en Cabeza de Toro y *Matagás* en San Isidro, al sur de Jagüey Grande. En su campaña Agüero quemó más de diez ingenios y puso en jaque a las autoridades que defendían a toda costa el emporio azucarero de Matanzas. Protagonizó, igualmente, actos legendarios que han pervivido en la memoria popular, como el abrirse paso a machete limpio en Sabana de San José al verse rodeado. Además, Agüero repartió proclamas que había traído desde Cayo Hueso y realizó diversos actos de sabotaje, no sólo contra la industria azucarera sino contra establecimientos comerciales y de transporte, como sucedió, al parecer, en una acción llevada a cabo cerca de Cimarrones [82].

Por otra parte, los campesinos se negaban a servir de guías a las fuerzas del orden por temor a represalias de los bandidos o por solidaridad con los mismos, por ello oficiales españoles destacados en Palmillas solicitaron que se pagase a un práctico para poder llevar a cabo sus operaciones en la zona. El sur de la provincia matancera, por sus características geográficas, era ciertamente un refugio natural para los insumisos, especialmente la Ciénaga de Zapata desde el sur de Bolondrón hasta los límites con Aguada de Pasajeros. Le seguían en importancia comarcas montuosas de espeso follaje como los montes de Prendes, La Fermina, las lomas de San Miguel y otras [83].

En enero de 1885 Carlos Agüero realizó un recorrido por las cercanías de Cárdenas y consiguió enviar alguna correspondencia a los Estados Unidos. Los refuerzos prometidos demoraban con exceso y, de hecho, nun-

---

81. Existe cierta confusión en cuanto al nombre de este bandolero, pues aparece como Desiderio Barnuevo o Basnuevo y como hermano de Hilario Barnuevo, ya mencionado, pero con el sobrenombre de *Barnuevo* o *Basnuevo* o, incluso, con el de *Desiderio Barnuevo* se identifica también al bandido Victorio Pérez Acebedo, quien murió en San José de los Ramos el 23 de marzo de 1886, según una comunicación al gobernador de Matanzas firmada en Colón el día 25: "Como tuve el honor de participar a V.E. en mi telegrama de ayer, fue encontrado un grupo de bandoleros en número [de] cinco capitaneados por Barnuevo, en terrenos del ingenio San Gabriel, entre doce y una de la noche en el que resultó muerto el cabecilla Victorio Pérez Acebedo (a) Barnuevo, habiéndole ocupado las armas y caballo que montaba por parte de la fuerza" (AHPM. Loc. cit., Leg. 1, n° 157).
82. J. Fernández Fernández y N. López Novegil: Op. cit., p. 106.
83. Op. cit., pp. 106-107.

ca llegaron. En el exilio se vivía una etapa difícil, subsistían las viejas rencillas y pese a los esfuerzos de algunos revolucionarios como Máximo Gómez y de otros miembros del Club Revolucionario Cubano, no se logró articular la unidad de acción revolucionaria [84]. Gómez expresaba en su diario: "Mi decepción ha sido tristísima, porque sólo los cubanos pobres son los dispuestos al sacrificio" [85].

Tesifonte Gallego menciona una pequeña misiva del 27 de diciembre de 1884, dirigida por el Generalísimo a Carlos Agüero [86]:

> *Sólo haga daño a quien se lo haga a Vd. a los demás aunque sean españoles, tiéndales la mano, pero sin odio.*
> *Sólo haga Vd. daño a la propiedad cuando el propietario falte a la palabra empeñada. No se rinda ni se deje coger. Yo no sé, no puedo asegurarle cuando me reuniré con Vd. en esos campos queridos, pero iré...*

Ahora bien, lo cierto es que Agüero preocupó seriamente a las autoridades coloniales a fines de enero de 1885. Por aquellos días llegó a las manos de Fajardo una carta en la que el revolucionario, con fecha 24 de diciembre de 1884, anunciaba que tenía suspendidas las hostilidades por falta de parque y que pensaba reanudarlas pronto; que disponía de varias partidas –inexacto según el Capitán General– mandadas por Rosendo García, *Matagás* y Sotolongo; que llevaba consigo a Pancho el *Mejicano* y Rivas-Palacios y que "protegido por los hacendados, por el miedo que les inspira, pensaba aprovechar la inercia forzosa, quemando los ingenios sin dejar uno". Esta amenaza no cayó en saco roto y en tal sentido se tomaron varias medidas para frenarla.

Pero, Fajardo, además, enlazaba la "reaparición en la escena del olvidado bandolero" con planes exteriores de insurrección; sus noticias hablaban de los trabajos de Limbano Sánchez, de que Máximo Gómez apoyaba la aceleración de los desembarcos en Oriente y de que, además, Carrillo y otros jefes de Santo Domingo tenían órdenes de activar las expediciones, por tanto señalaba que "al salir Agüero de sus ocultas guaridas, sigue un plan combinado, a que da visos de verosimilitud la actividad exterior". Sin embargo, nuevas informaciones calmaron en parte sus te-

---

84. Op. cit., p. 107.
85. M. Gómez: *Diario de campaña*, Ed. Huracán, Instituto Cubano del Libro, La Habana, 1969, pp. 247-248.
86. T. Gallego y García: *La insurrección cubana. Crónicas de la campaña. I. La preparación de la guerra*, Imp. de Ferrocarriles, Madrid, 1897, p. 84.

mores al enterarse de la suspensión de la expedición de Limbano Sánchez y, asimismo, de que los emigrados esperaban momentos más propicios para entrar en acción [87].

Pese a lo anterior, el Capitán General siguió preocupado ante las noticias de centralización de los trabajos revolucionarios en el exterior "bajo la dirección única de Máximo Gómez" y la presumible conexión del plan con Carlos Agüero, quien, el 3 de febrero de 1885, reaparecía al frente de una partida de catorce hombres "para dar la mano, según mis noticias, al primer desembarco que se verificase". Agüero, sin embargo, fue prontamente batido por las importantes fuerzas movilizadas para su captura. El día 4 sufrió cuatro bajas: un muerto y tres prisioneros, y otros tres hombres resultaron heridos. Pocos días después volvió a ser atacado, perdió armas y caballos y quedó "una vez más reducido a buscar su salvación". Pero su temeridad y su valor no decayeron. El día 17 tuvo un enfrentamiento en el ingenio "Echeverría" y al día siguiente, en compañía de seis hombres, retuvo a don José Balanzarán, le condujo hacia San Pedro de Mayabón y le liberó dos días después. Al poco tiempo, no obstante, cayeron en poder de las autoridades dos miembros de la partida y un colaborador y seis hombres más el día 22 [88].

El 2 de marzo de 1885, a las ocho de la noche, en los montes de Prendes, entre Calimete y Jagüey Grande, a la izquierda de la vía del ferrocarril que subía hacia Colón desde el primer enclave citado, tuvo lugar el último encuentro de Carlos Agüero con sus enemigos. Un sargento de la Guardia Civil, Raimundo Gómez Zamora, con cinco parejas, el capitán de Infantería José Rodríguez y seis paisanos, dieron muerte al temerario insurgente. Con él cayó José Morejón, mientras que Casimiro Sotolongo conseguía escapar con heridas de machete. Posteriormente, el día 3, fueron acorralados otros miembros de la partida en los montes de San Pedro de Mayabón, mataron a tres y cogieron varios prisioneros. En total cinco muertos, dos heridos y nueve prisioneros, que fueron conducidos a Colón [89].

En la actualidad es relativamente fácil de encontrar la finca "Manue-

---

87. M. de Paz: Art. cit., p. 37. Y, en loc. cit. del SHM, partes de Fajardo del 25 de enero y del 5 de febrero de 1885.

88. Art. cit., p. 38 y partes de Fajardo del 15 y 25 de febrero de 1885.

89. *Ibídem* y parte de Fajardo del 5 de marzo de 1885. Por parte de la fuerza represiva resultó herido de importancia el paisano Mariano Ordoño y levemente el sargento Gómez. En las recompensas se menciona al moreno Prendes, "a cuyos servicios se debía el encuentro y tal vez la muerte de Agüero".

lita de Prendes", pero en tiempos de nuestro protagonista era un enclave propicio para esconderse, protegido por la cobertura vegetal y sin vías de comunicación. La tradición oral ha conservado en el recuerdo la celada que costó la vida al insurrecto [90]:

Por una injusta traición
mataron a Carlos Agüero
junto con su compañero
Casimiro Morejón,
cubanos sin dilación
fueron los que lo mataron
y después que lo entregaron
vino la Guardia Civil
y de una manera vil
a los muertos machetearon.

Otro testimonio oral [91] recuerda un fragmento de la décima guajira:

Murió el General Agüero
víctima de una traición
junto con su compañero
Casimiro Morejón.

La prensa recogió diferentes versiones sobre el suceso. Así, *La Unión Constitucional* de Colón [92] indicó que, al atardecer del día 2, salió a operar el sargento Raimundo Gómez Zamora y once guardias de los puestos de Cuatro Caminos y de Amarillas, que en Calimete se les unió el teniente del Batallón de Bailén José Rodríguez de Longo y que, más tarde, se les incorporaron tres voluntarios de la Compañía de Reserva de Calimete –uno de ellos el moreno Luciano Morejón– y los paisanos "pardo Federico Prendes y moreno Sixto Hernández". Se dispusieron en emboscada y esperaron hasta las nueve de la noche en que se presentó Agüero, con don José Morejón y los hermanos Sotolongo, "con ánimo de que el pardo Federico y el moreno Luciano se les unieran y proceder a robar armas y dinero en casas del señor Prendes, quemar la sierra y asesinar a la familia". La captura debería

---

90. Entrevista realizada por José Fernández a Silverio J. Acevedo Gutiérrez, vecino de Amarillas (Matanzas), el 18 de mayo de 1991.
91. Rafael Rangel, campesino de la comarca.
92. Del 5 de marzo de 1885.

realizarse a una señal previamente establecida, un disparo del sargento Gómez, pero, al fallar la detonación del cartucho, uno de los hermanos Sotolongo se apercibió de la situación e interrogó sobre el ruido. De pronto el sargento dio la orden de ataque, él mismo se dirigió contra Agüero, mientras que el pardo Federico Prendes atacaba a Morejón. Los cadáveres de los insurgentes quedaron horriblemente mutilados.

Otros periódicos describieron el homenaje que recibió el comandante general de Matanzas, González Muñoz, por el feliz resultado de las operaciones llevadas a cabo bajo su dirección [93], y, además, una información publicada en la *Crónica Liberal* de Cárdenas [94], añadió algunos matices interesantes. Al parecer el negro Sixto Hernández se llamaba, en realidad, Sixto Prendes, por lo que se deduce un posible parentesco con Federico Prendes, y, en consecuencia, puede presumirse que ambos facilitaron la captura de Agüero. Los Prendes se pusieron de acuerdo con la Guardia Civil y, tras entrevistarse con el insurrecto, informaron del lugar en el que se encontraba. "Federico dio a Agüero un machetazo en la cabeza y Sixto se abalanzó a Morejón dándole otro por la boca: murió el primero en el acto y el segundo instantes después de una descarga que hizo la Guardia Civil, infiriéndole antes una herida al pardo guerrillero Atanasio Ordóñez que iba con la fuerza perseguidora". Esta versión parece aproximarse más a la realidad de los hechos, pues, con posterioridad, volveremos a encontrarnos con los Prendes [95] como guerrilleros al servicio de las fuerzas coloniales en la persecución de José Álvarez Arteaga, *Matagás*.

Los cadáveres de Agüero y de José Morejón fueron enterrados en el cementerio de Colón, por disposición del Juzgado de Primera Instancia de la Villa, que practicaba las diligencias del caso [96]. La muerte de Carlos

93. V. *La Aurora del Yumurí*, Matanzas, 4 de marzo de 1885.
94. Recorte. V. J. Fernández Fernández y N. López Novegil: Op. cit., pp. 114-115.
95. Los hermanos Prendes se llamaban, como se verá más adelante, Luciano y Federico Prendes, así que es posible que el antes citado Luciano Morejón fuera, en realidad, Luciano Prendes, y que la confusión sea fruto de las habituales inexactitudes periodísticas.
96. Las actas de defunción de Carlos Agüero y Fundora y de José Morejón aparecen registradas en el t. I, fol. 55, nº 36 y t. I, fol. 57, nº 37, respectivamente, del Registro Civil de Colón. Agüero es descrito como de 32 años, natural de Puerto Príncipe, "cuyas demás generales se ignoran pero de estatura regular, delgado, con bigote y mosca y el cual falleció en la noche del día dos siendo las nueve y media de la misma en el potrero de Prendes, en-

Agüero produjo un vacío coyuntural en cuanto a la presencia militar revolucionaria en Cuba, quizá lo extemporáneo del intento dio al traste con sus aspiraciones y con las de un sector de los emigrados cubanos.

Por otra parte, el concepto de bandolero-insurrecto, tal como apuntábamos más arriba, quedaría definido por estos dos tipos de insurgentes:

– Los que, habiendo sido insurrectos en la Guerra Grande, poseían experiencia militar y, al tratar de continuar la guerra sin las condiciones adecuadas, se vieron obligados a realizar robos, secuestros y otros delitos en el marco de una estrategia militar "sui generis" y de cara a la guerra futura. En este sentido, constituyen ejemplos típicos Carlos Agüero y, con matices, José Alvarez Arteaga, *Matagás*.

– Aquellos que provenían de las filas del bandolerismo social y que, en contacto con los revolucionarios, pusieron su capacidad combativa, sus recursos y hasta sus vidas al servicio de la revolución. Ejemplos de este tipo fueron Manuel García Ponce y Regino Alfonso, a quienes nos referiremos a partir del próximo capítulo.

Bien es verdad que no todos los revolucionarios de la Guerra Grande optaron por el exilio o por mantener encendido, en el interior, el fuego de la guerra. Rafael Sorí Luna, por ejemplo, "sin menoscabo de su ideología revolucionaria, pues jamás se le ve involucrado con los autonomistas traidores", al decir de su biógrafo, sí formó parte muy activa de la "Junta de Vecinos" de Sancti Spíritus para perseguir el bandolerismo. En 1885 llegó a ostentar la jefatura de la "Fuerza de Vecinos" organizada en las comarcas de Santa Lucía y Cabaiguán. "Una peligrosa ralea de ladrones frecuentaba entonces estas apartadas zonas, al extremo de que le hacía la vida imposible a los laboriosos y honrados campesinos". Entre estos bandoleros destacaban Pepillo Torres, muerto en 1891, el *Tuerto* Rodríguez y "la muy temida

---

trada de Guayabo Largo a consecuencias de heridas que recibió en resistencia efectuada a fuerzas de la Guardia Civil y Guerrilla según consta de la causa criminal que al efecto se sigue, habiendo sido identificado por varios testigos y encontrándose como prendas de especial mención un machete guarnecido de plata en cuyo puño tenía las iniciales de C.A. y F. Asimismo procederá a iguales particulares respecto al cadáver de D. José Morejón, como de veinte y seis a veinte y siete años de edad, natural de Amarillas, sin más generales conocidas pero de estatura regular y lampiño, muerto en el mismo lugar, hora y fecha que el anterior". En el acta de José Morejón se especifica, además, "que el referido finado era natural de esta Villa, provincia de Matanzas..."

de Luis y Faustino Chaméndez, unida a los bandidos Matías Rodríguez, Pepe Cañizares, Manuel Álvarez, etcétera".

Rafael Sorí, empero, se unió otra vez a la insurrección a partir de 1895, fue herido en la Invasión a Matanzas y llegó a obtener el grado de teniente coronel del Ejército Libertador. Murió en julio de 1900, a la sazón era jefe del cuerpo de la Guardia Rural correspondiente al segundo distrito municipal de Sancti Spíritus, con sede en Cabaiguán [97]. Evidentemente, en este caso, la vocación policial es incuestionable, lo mismo que el desconocimiento del fenómeno del bandolerismo social por algunos historiadores.

Otros insurgentes, sin embargo, aparte de Carlos Agüero, optaron por precipitar los acontecimientos durante esta etapa de la "Tregua turbulenta".

3. VANGUARDIAS SIN COLUMNA

El 15 de octubre de 1884, a raíz de la acción de Francisco Varona en Colón (Panamá), que luego comentaremos, Castillo se ocupó de informar ampliamente a Madrid de las gestiones de los exiliados. En este sentido, gracias a los datos del espionaje español, el Capitán General sabía que los trabajos de Máximo Gómez en Nueva York no habían dado el resultado apetecido por "la falta de armonía y de abnegación" que había reinado entre los miembros de los clubes separatistas, quienes se habían negado a contribuir para el fondo de guerra. No ocurrió lo mismo en Cayo Hueso, pero las sumas eran insuficientes ya que la sociedad de auxilios fundada por los emigrados sólo disponía de once mil dólares, cantidad destinada a la compra de un vapor. Y, como siempre, aunque restó importancia a tales "proyectos belicosos", el Gobernador General solicitó de la representación diplomática española en los Estados Unidos que se pusiera en contacto con el Secretario de Estado para evitar la realización de expediciones rebeldes. Paralelamente, el cónsul español en Port-Au-Prince le remitió un oficio del

---

97. Cfr. R. Concepción Pérez: *Rafael Sorí Luna*, Ed. Política, La Habana, 1982, pp. 24-25, especialmente.

Por otra parte, es cierto que la Capitanía General apoyó la organización, en Sancti Spíritus, de una "especie de somatenes", creada por el conde de Lersundi y otros propietarios para combatir el bandolerismo. Esta organización paramilitar obtuvo, al parecer, numerosos éxitos en poco tiempo (M. de Paz: Art. cit., p. 23).

Ministro de Asuntos Exteriores de Haití, en el que le indicaba que los "desterrados" de este país, "residentes actualmente en Colón, se entienden con los emigrados cubanos con el fin de prestarse mutuo concurso en sus respectivos proyectos de insurrección contra el Gobierno de Cuba y contra el de Haití" [98].

Estos temores de invasión también turbaron el sueño de Ramón Fajardo. En enero de 1885 sus informadores insistían en que Máximo Gómez había ordenado gran actividad y que los desembarcos estarían dirigidos, sobre todo, hacia el Departamento Oriental. Agüero, en el interior, amenazaba con quemar los cultivos –como ya se indicó–, y, por si fuera poco, los rumores acerca de un intento expedicionario por parte del general insurrecto Limbano Sánchez cobraban alarmantes visos de ejecución. En febrero, las autoridades coloniales detectaron movimientos hacia la costa norte de "individuos prácticos, y conocidos por sus aficiones insurrectas". Y, asimismo, la llegada de Máximo Gómez, el día 23, a Cayo Hueso hizo abrigar sospechas de rebelión. Se trataba, además, según Fajardo, de dar participación al "elemento negro en la lucha", estrategia que, para el Capitán General, podría tener un interés momentáneo, "pero después sería contraproducente por el temor que inspira su posible supremacía a la gente del país" [99].

Entre finales de 1884 y la primavera de 1885 se sucedieron, en efecto, tres intentos insurreccionales de indudable importancia, aunque los tres fracasaron estrepitosamente, a saber:

a) A finales de septiembre de 1884 tuvo lugar la acción de Francisco Varona Tornet, con una treintena de seguidores, en Colón (Panamá). Este rebelde trató de apoderarse del vapor español "San Jacinto", que hacía la travesía a Santiago de Cuba, pero su plan se frustró por la gestión de los representantes diplomáticos españoles que denunciaron el caso ante las autoridades locales, quienes detuvieron a unos veinticinco insurrectos, aunque fueron puestos en libertad a los pocos días. A bordo del buque se encontraron armas, dinamita, municiones y proclamas que pasaron a poder del vicecónsul español [100].

b) La expedición del general insurrecto, que poseía un destacado

---

98. M. de Paz: Art. cit., pp. 21-22. Parte y revista a Ultramar del 15 de octubre de 1884 (loc. cit., SHM).

99. Art. cit., p. 22. "Partes del Capitán General de la Isla de Cuba. Año 1885", partes del 15 y 25 de enero y 15 y 25 de febrero de 1885, loc. cit.

100. Art. cit., pp. 40-44.

historial durante la Guerra Chiquita [101], Ramón Leocadio Bonachea Hernández, quien había estado en contacto con Varona Tornet. La nave procedente de Jamaica y con menos de veinte expedicionarios, apenas consiguió fondear, a principios de diciembre de 1884, cerca del Cabo Cruz, en la desembocadura del río Cauto y fue apresada por la lancha de vapor "La Caridad". Bonachea y otros acompañantes fueron fusilados el 7 de marzo de 1885, como "reos convictos y los más confesos de los delitos de filibusterismo y rebelión" [102].

c) La odisea del también general mambí Limbano Sánchez, el *León holguinero*, quien, procedente de la República Dominicana, consiguió desembarcar, a mediados de mayo de 1885, cerca de Punta Caleta, en la playa de Ovando (Santiago de Cuba), a donde le acompañaron Francisco Varona Tornet, Juan Soto, Julián Zumaquera, Ramón González, Duque de Estrada y otros. Fajardo declaró el estado de sitio en la indicada provincia y el comandante general de la misma, Moltó, puso en pie de guerra a todas las fuerzas coloniales a su mando y, además, levantó una guerrilla de medio centenar de hombres con la ayuda de los propietarios y comerciantes de Baracoa. Limbano Sánchez consiguió escapar por algún tiempo del estrecho cerco de sus perseguidores, gracias a las condiciones naturales de la comarca oriental, mientras que poco a poco fueron diezmados sus hombres, hasta que, a finales de septiembre, fue muerto en extrañas circunstancias junto a Ramón González, *Mongo*. Se habla de una traición por parte de un compadre y, oficialmente, del resultado de una de las emboscadas de las fuerzas coloniales y sus colaboradores. El Capitán General levantó el estado de sitio, convencido de que "el país ha visto con desdén, y rechazado con sensatez patriótica, una empresa que quería sumirlo de nuevo en una guerra insensata" [103].

Ahora bien, de forma paralela a los acontecimientos que acabamos de mencionar, al tiempo que se perseguía sin descanso a Limbano Sánchez en Santiago de Cuba, algunos bandidos del Este de la provincia de La Habana, de Matanzas y de la parte occidental de Santa Clara se unieron, según el Capitán General, a las órdenes de José Álvarez Arteaga, *Matagás*, y formaron en Palmillas, cerca de Colón, una partida de quince a dieciocho

---

101. Cfr. al respecto F. Pérez Guzmán y R. Sarracino: *La Guerra Chiquita: una experiencia necesaria*, Ed. Letras Cubanas, La Habana, 1982, p. 127 y ss.
102. Art. cit., pp. 38-40.
103. Art. cit., pp. 44-49.

hombres. A comienzos de junio de 1885 tuvieron un enfrentamiento con la Guardia Civil, en el que resultaron heridos un cabo y dos guardias, y por parte del grupo, Arteaga, considerado uno de los jefes, y un mulato de nombre *Jarcón*. El comandante general de Matanzas fue encargado expresamente por Ramón Fajardo para dirigir las operaciones represivas [104].

Poco después, la propia partida de *Matagás* se esfumó sin dejar rastro y, luego, se formó otra cerca de Camarioca a las órdenes de Félix Jiménez, "robando y saqueando un poblado", para desaparecer también a continuación. Estos bandidos, subrayaba el Capitán General, se agrupaban para dar el golpe y se disolvían después. Mas, lo verdaderamente preocupante fue que "todos los bandidos de Matanzas, una vez reunidos en grupos de alguna importancia, han enarbolado la bandera insurrecta, *se llaman soldados de la revolución*, y con cínico alarde se dirigen por escrito a la autoridad militar de la provincia" para anunciarle que continuarían en sus acciones con el fin de allegar recursos para su causa. Esto, sentenciaba Fajardo, podía "excitar los ánimos", por esta razón las autoridades coloniales persiguieron a los bandidos matanceros "con los ojos inyectados en sangre" y fueron capturados, a finales de junio y principios de julio, no menos de veinte hombres de las partidas de Félix Jiménez y de Pancho Torres y sometidos al Consejo de Guerra permanente [105].

En fin, conviene precisar, antes de continuar el relato de las actividades de *Matagás* y de otros bandoleros-insurrectos durante 1885 y 1886 que, al final de 1885, se cerraba de alguna manera un pequeño ciclo de la historia socio-política de la Gran Antilla. El período de las intentonas revolucionarias frustradas, tras la protesta de Baraguá y la Guerra Chiquita; pero la realidad económica y social y, en definitiva, las contradicciones entre la política colonial de la Metrópoli y los intereses nacionales de la mayoría de los cubanos perdurarán durante estos años de tregua relativa.

Asistimos, pues, al esfuerzo para estructurar desde el exilio un movimiento revolucionario unido y eficaz, al fracaso de las expediciones que

---

104. Art. cit., p. 23. Partes de Fajardo del 5 de abril y del 5 y 15 de junio de 1885 (loc. cit. SHM). Es dudosa la afirmación de la unidad de acción de los bandidos bajo las órdenes de *Matagás*, pese a lo indicado por Fajardo. Lo más probable es que se produjera algún tipo de coordinación entre diferentes jefes de partidas. Alvarez Arteaga se movía, como se ha indicado, entre Matanzas y Las Villas.

105. Art. cit., p. 24. Partes de Fajardo del 15 de junio y del 5 y 15 de julio de 1885 (loc. cit.).

tenían como finalidad reiniciar la lucha insurrecta y, también, a una profunda inestabilidad interior de la que, en buena medida, eran responsables los bandidos patriotas y los bandidos sociales, o sea, los bandoleros-insurrectos. Para que el movimiento de liberación o, si se prefiere, la lucha democrática y anticolonial volviera a ponerse en marcha sería necesaria la intervención de José Martí, cuyo milagro, como ha puesto de relieve Jorge Ibarra, fue precisamente conseguir la unidad de acción de todos los revolucionarios [106].

Mientras tanto, los inquietos protagonistas de esta etapa de la Tregua turbulenta fueron, como indicó el propio Antonio Maceo, "vanguardias sin columna", pero vanguardias al fin y al cabo, en el seno de una determinada "política de acción", tal como la definió Martín Morúa Delgado. Una política que conformó una determinada actitud ideológica propia de la época y un comportamiento casi nihilista ante la vida no por erróneo, estratégicamente hablando, deleznable. Todos los protagonistas de la inestabilidad, de la "perturbación" revolucionaria no sólo contribuyeron a mantener encendido el fuego de la contienda o a cimentar una práctica y una tradición de lucha en especial en el mundo rural cubano, sino que recordaron en todo momento a las autoridades coloniales y a los cubanos leales a España que, pese a los acuerdos del Zanjón, en Cuba ya nada sería igual.

4. HUIDA Y RESISTENCIA DE JOSÉ ÁLVAREZ ARTEAGA, *MATAGÁS* (1885-1886)

José Alvarez Arteaga no cayó en las redes de las fuerzas perseguidoras porque se encontraba, en el momento en el que se consumaba la traición contra su jefe Carlos Agüero, en las inmediaciones de Caimito de La Hanábana. Le acompañaba uno de los jóvenes expedicionarios que había venido con Agüero desde Cayo Hueso y, junto a él, *Matagás* pasó a esconderse en las lomas de San Miguel de los Baños, donde su acompañante tenía familia. Allí fueron traicionados por un pariente de éste, y su amigo pereció en la encerrona, mientras que Alvarez Arteaga conseguía escapar con algunas heridas producidas al despeñarse por un barranco [107].

---

106. J. Ibarra: *Ideología mambisa*, Instituto del Libro, La Habana, 1967, pp. 180-181.
107. J. Fernández Fernández: *Matagás...*, p. 52.

Poco después, el bandolero pardo vagó sin rumbo por las lomas de San Miguel, trató de ocultarse, sin conseguirlo, en la finca de un conocido de otros tiempos, don Eulalio Muñoz y, a finales de abril de 1885, recaló por Palo Seco en la vivienda de un isleño, don Pedro Fajardo, quien le brindó su humilde protección, lo acogió por unos días y, al parecer, le sirvió de enlace con otros miembros dispersos de la antigua partida de bandoleros-insurrectos [108].

A comienzos de mayo *Matagás* volvió a emprender su particular insurgencia, pero ya no estaba solo. Las inclemencias del tiempo dificultaban la persecución de las autoridades coloniales, además, trataba de no comprometer a sus amigos y, junto a un grupo de hombres bien armados, partió rumbo a Cárdenas, con objeto de dar un rodeo por el norte y dirigirse luego a la Hanábana. Según un informe, el capitán de la Guardia Civil de Cárdenas, don Juan Risueño, salió a operar por la zona el 19 de mayo. Llevaba con él una pareja montada y varios guardias de la propia ciudad y de Recreo, así como unos cuantos voluntarios. Se sabía que *Matagás* estaba vivo y que merodeaba por el norte de la provincia matancera, en consecuencia, en unión del alférez de Recreo, registraron los montes de San Fernando, los ingenios "San Blas", "Dolores", "Carolina" y "Por Fuerza" y llegaron hasta el mismo Caimito de la Hanábana, pero su batida no arrojó resultado alguno [109].

El 2 de junio de 1885 tuvo lugar, en Palmillas, un enfrentamiento con las fuerzas coloniales que ya mencionamos más arriba, en relación con los partes remitidos por el Capitán General a Madrid. El historiador jagüeyense H. Ballesteros nos aporta algunos datos de interés sobre este pequeño combate en el que, en efecto, cayó el lugarteniente de *Matagás*, su pariente Jerónimo Arteaga. Según parece, un confidente informó al capitán del Batallón de Bailén, Vicente Escurtín, quien se encontraba destacado en Palmillas, cerca de Colón, del lugar donde se encontraba la partida. El oficial español envió una avanzadilla al mando de un tal cabo Martín para que, con la ayuda del práctico Juan Torrelló, localizara a los bandoleros. Martín se dio de bruces con los insumisos a unas tres leguas de Palmillas, en la zona conocida como Jorobado o Cayo Guayaba y, acto seguido, se produjo el choque cuerpo a cuerpo entre los seis elementos mandados por el cabo y los aproximadamente doce hombres de *Matagás*. En el choque a

108. Op. cit., pp. 53-55.
109. AHPM. Gobierno Provincial. Orden Público. Bandoleros-Insurrectos, Leg. 1, nº 5.

la desesperada resultaron heridos de importancia el cabo Martín, los guardias José Rodríguez Zurdo y Dionisio Martín Balbuena y, por el lado insurrecto, Jerónimo Arteaga y un tal Falcón [110].

Ambas fuerzas se retiraron de inmediato, los perseguidores derrotados y al sentirse inferiores en número y los perseguidos por temor a que el ruido de la refriega se hubiese oído en Palmillas y, en consecuencia, se concentraran en la zona fuerzas represivas numerosas. No se equivocaron, el capitán Escurtín, acompañado de su colega de la Guardia Civil Juan D. Ramos, acudió rápidamente al lugar de la escaramuza y, en el camino, se encontró con la fuerza del cabo Martín en retirada, sin su jefe y maltrecha. Al poco se informó que Martín había llegado herido al ingenio "Carrillo". Por su parte, *Matagás* se retiró con el otro herido hasta que pudo iniciar la búsqueda de Arteaga, cuyo cadáver fue encontrado poco después por las autoridades. El guardia Rodríguez Zurdo también falleció en Palmillas el día 9 de junio, a consecuencia de las heridas recibidas [111].

Por otra parte, las pesquisas realizadas por el teniente fiscal don Blas de Olivellas, según documento datado en Jagüey Grande –su centro de operaciones–, hacían ascender la partida de *Matagás*, por aquellas fechas, a una treintena de personas, entre ellas el propio Álvarez Arteaga y una de sus amantes, la mulata Longina, mencionada más arriba. Los restantes miembros eran los siguientes [112]:

Nombres	Etnias
Rufino Cantero	Pardo
Antonio Hernández	Pardo
Cecilio Díaz	Pardo
Perico Armenteros	Pardo
Félix Oliva (o Faustino Palacios)	Pardo
Dionisio González	Negro
Ramón Puello	Negro
Félix Aleisé	Negro

---

110. Debe ser el "Jarcón" que se menciona en el parte del Capitán General ya citado.

111. H. Ballesteros: *Páginas de nuestra historia*, Jagüey Grande (Matanzas), inédito. Gentileza del autor.

112. AHPM. Loc. cit., Leg. 1, n° 6, fol. 4. Además aparece un individuo apodado *El Filipino* o *El Mejicano*.

Nombres	Etnias
Pascual Hernández	Negro
Patricio Callejas	Negro
Raimundo Toraya	Negro
Pancho Piedra	Negro
Faustino Larrinaga	Negro
Joaquín Jover	Negro
Baltasar Soler	Negro
Ricardo Larrinaga	Negro
Cecilio	Negro
Paulino	Negro
Patricio	Negro
Don León Macías	Blanco
Don Pancho Acosta	Blanco
Don Faustino Hernández	Blanco
Don Federico Hernández	Blanco
Don José Ramos	Blanco
Don Caridad de la Rosa	Blanco
Don Hipólito González	Blanco
Don José Jiménez	Blanco

El 29 de agosto de 1885, las fuerzas coloniales al mando de Olivellas pudieron copar a la partida en la colonia "Varela". En las primeras horas del día siguiente se produjo un intenso tiroteo, pero *Matagás* había previsto una de las sencillas pero eficaces tácticas de los bandoleros cubanos, dividir los caballos en dos grupos y, tras una decidida defensa, dirigir a todos sus hombres a uno de ellos y huir a la desesperada sin apenas recibir un rasguño. Las autoridades reconocieron el lugar y recuperaron dos caballos, además, en el interior de la casa donde habían descansado los insumisos, encontraron tres albardas, un sombrero de jipijapa, un pantalón de dril, un pañuelo, una silla de montar femenina y otras prendas [113].

En días sucesivos, el célebre bandolero puso en juego todas sus técnicas de ocultamiento: cambio constante del sentido de las marchas, utilización de senderos poco transitados, subdivisión de las fuerzas para desconcertar a los confidentes enemigos y, sobre todo, la búsqueda de un

---

113. AHPM. Loc. cit., Leg. 1, n° 7.

lugar idóneo para esconderse: la Ciénaga de Zapata. Así, tras romper el cerco en la colonia "Varela" se encaminó hacia el Caimito de la Hanábana y, luego, marchó hacia San Blas, donde ubicó su cuartel general. En la Ciénaga reinaban a la sazón otros bandidos como el citado Desiderio Matos, más conocido por el *Tuerto* Matos, y su hermano Bernardo. Eran caciques naturales en aquella zona pantanosa, impenetrable a la colonización, inhóspita y salvaje. *Matagás* supo ganarse su confianza, su colaboración y su lealtad tras la desaparición de Carlos Agüero.

La finca San Blas, situada al sur de Yaguaramas, apenas poseía alguna discreta comunicación por tierra firme con éste último poblado y con la Hanábana, así como con otros puntos de su mismo entorno pantanoso como Cocodrilos, Helechal, Bermejas y otros. El territorio, no obstante, era un extenso desierto humano; de hecho, toda la Ciénaga de Zapata era administrada desde Yaguaramas que, en realidad, sólo era una pequeña aldea. Como indicó Pezuela, abundaban lagunas y pantanos, "formando el resto de su territorio una estrecha faja de sabana pedregosa, en la cual apenas pastan las escasas reses de cinco o seis haciendas que comprende" [114].

El *Tuerto* Matos, Espinosa, Núñez y otros bandidos subsistían en este ambiente natural. El primero era conocido desde sus andanzas con Agüero, mientras que los otros dos habían llegado al bandolerismo en fechas más recientes. Precisamente, antes de morir el general mambí y, tal vez, en conexión con él, una nueva partida secuestró, en febrero de 1885, al alcalde de barrio de La Sierra y le exigió cinco mil pesos por su libertad, "conformándose con efectivo y 60 onzas de oro que le facilitaron", así como también con tres cédulas personales en blanco y tres certificados de propiedad de animales [115].

A principios de febrero de 1886, *Matagás* y los suyos se pusieron en movimiento hacia Palmillas, en cuya zona es posible que el pardo cobrase algunas "contribuciones" a los hacendados. Según un oficio del jefe de policía de aquella población, "por el rastro de los caballos que montaban y datos adquiridos, se supone sea el bandido José alias *Matagás* acompañado de dos más, a las dos horas de andar por el centro del monte por

---

114. J. de la Pezuela: *Diccionario Geográfico*..., p. 674. V., también, B.L. de Flores: "Mapa demostrativo de la Hanávana y sus poblaciones...", ANC, Realengos, Leg. 12-7.
115. E. Edo y Llop: *Historia de Cienfuegos*, La Habana, 1943, pp. 625-626.

varias veredas se perdió el rastro por completo, habiendo practicado, por segunda vez, un escrupuloso reconocimiento sin resultado satisfactorio" [116].

Tras pasar por Palmillas, la pequeña partida se dirigió a Banagüises y a la zona de Guamutas, cuyo alcalde, Manuel Fernández, envió un telegrama al Gobernador provincial: "En este momento que son las once mañana acabo de saber que bandido *Matagás* con tres más de su partida ha penetrado en este término ayer seis tarde. Doy órdenes al Jefe de Zona policía y demás agentes de mi autoridad para su persecución, del resultado daré cuenta" [117].

Guardias municipales, voluntarios, soldados de los Batallones del Príncipe y de Bailén, además del propio juez municipal, recorrieron los potreros "Echevarría", "Rosario", "San Fernando" y otros lugares sin resultados positivos. Los bandidos, por su lado, parece que no pudieron hacer otra cosa que evitar ser capturados. Así se deduce de un informe emitido el 3 de marzo, según el cual, "hasta la fecha los datos adquiridos por la fuerza en operaciones [...] en vista de la presencia del bandolero *Matagás* con tres más, sólo arrojan como seguro que el día 27 de febrero último, en las inmediaciones del ingenio 'San Luis', próximo a Hato Nuevo, se vieron tres hombres, uno blanco y dos mulatos armados, vestidos de rayadillo y montando caballos alazanes... Dichos individuos no han cometido fechorías de ningún género" [118].

El 18 de junio de 1886, un delator al servicio de las autoridades coloniales denunció a Juan Jiménez y a José Mejía, vecinos de Pijuán cerca de Colón, como "encubridores y protectores de los bandoleros *Matagás* y Guzmán, el Jiménez mayoral del potrero 'Deseada'". Sin embargo, las emboscadas dispuestas por fuerzas de Banagüises, Cervantes y Recreo no dieron resultado alguno [119].

A principios de octubre fueron detenidos en Alfonso XII (Alacranes) tres individuos acusados de llevar armas y efectos al sur de Matanzas para preparar un alzamiento revolucionario, entre ellos Carlos Aguirre quien muchos años después, en la guerra del 95, se alzaría con *Matagás* [120].

Transcurrido algún tiempo sin incidentes de importancia, en diciembre se desató una intensa persecución contra *Matagás* y sus compañeros y

116. AHPM. Loc. cit., Leg. 1, n° 12.
117. AHPM. Loc. cit., Leg. 1, n° 8.
118. AHPM. Loc. cit., Leg. 1, n° 9.
119. AHPM. Loc. cit., Leg. 1, n° 11.
120. ANC. Asuntos Políticos, Leg. 81, n° 14.

colegas fuera de la ley. José Álvarez Arteaga salió de sus refugios de la Ciénaga a principios del indicado mes, pasó por las inmediaciones de Hanábana, Jagüey Grande y Claudio y, luego, penetró en terrenos próximos a Manjuarí, al Hato de Jicarita y al municipio de Bolondrón. Su partida ascendía a unos diecisiete hombres y sus primeras acciones, el día 13, fueron algunos robos y el corte de las líneas telegráficas en la finca Morejón. Además, se apropiaron de comestibles y de ropa en la propiedad de don Domingo Gutiérrez y cambiaron un caballo por otro de don José García. Al día siguiente, la partida se encaminó hacia el río Auras, en una zona donde vivía otra de las amantes del bandolero, Brígida Fajardo [121].

El día 15, el grupo de bandidos se corrió hacia el barrio Realengo, en la comarca de Jovellanos y, según un relato del sargento primero de la Guardia Civil del término, entró en la casa del alcalde de barrio de Realengo y se apropió de armas, ropa, varios efectos y un caballo. *Matagás* procedía de Corral Falso, donde había cometido "grandes robos". En este sentido, los bandidos habían asaltado la tienda "Carratalá" a cuyo dueño, Antonio Guerra, hurtaron casi quinientos pesos. Después se encaminaron en dirección a Cuevitas, perseguidos por los guardias de la zona. También robaron en la tienda "Juanita" de don José Solís un millar de pesos y diversos enseres y mercancías. Las emboscadas que pusieron sus perseguidores en diversos puntos del camino de regreso a la Ciénaga fueron inútiles [122]. No cabía duda que el bandolero pardo "era un hombre de hazañas" [123].

El día 17 se informó de la salida de fuerzas desde Bolondrón hacia el río Auras en pos del bandolero y de su partida de ocho hombres [124]. Cuatro días después, la gavilla se presentó en los Puentes, en la casa del alcalde de barrio y teniente de voluntarios José Soler, le robaron y se llevaron a don Juan Fariñas, montero de Soler, para que les sirviera de práctico hasta el Arenal, "rumbo de Sabana Grande y San Pedro de Mayabón, término de Ceja de Pablo" (Santa Clara). Fueron perseguidos por fuerzas del primer escuadrón de chapelgorris, paisanos y voluntarios. La partida de bandoleros estaba integrada por once hombres bien armados, seis blancos y cinco mulatos, a las órdenes de *Matagás* y de Nicolás Espinosa. Este último, al salir de la casa de Soler, se había enfundado el uni-

121. J. Fernández Fernández: *Matagás*..., p. 62.
122. AHPM. Loc. cit., Leg. 1, n° 14.
123. Testimonio oral de Silverio J. Acevedo Gutiérrez, vecino de Amarillas, ya citado.
124. AHPM. Loc. cit., Leg. 1, n° 13.

forme de teniente y, entonces, *"Matagás* expuso a Soler que si él era Teniente, el tenía su cargo de Teniente General de las Provincias de Santa Clara y Matanzas, y lo mostró, expedido en Cayo Hueso" [125].

Por aquellos días, en cumplimiento de directrices emanadas de la misma Capitanía General, no sólo se puso precio a las cabezas de *Matagás* y de otros bandoleros destacados, sino que, incluso, se recurrió al pago de "expertos" para preparar una celada que permitiera la captura de los insumisos. El gobernador de Matanzas, don Joaquín Goróstegui, contó con la colaboración, en este asunto, del celador gubernativo de Cárdenas don Eduardo Landa, así como también con Enrique Parodi y Antonio Salorio, intermediarios directos en la operación [126], quienes se pusieron en contacto con José Alvarez (a) *Valula*, delincuente que gozaba de fama de temerario en toda la comarca de Colón. Parodi remitió, el 21 de diciembre y desde el ingenio "Luisa" de Quemado de Güines, una interesante misiva al gobernador provincial de Matanzas [127]:

> *El Sr. Landa, Celador Gubernativo de Cárdenas, me acompañó a Colón y allí hemos encontrado lo que se desea para concluir con los bandidos Matagás, Espinosa, Matos y Núñez que son los jefes de las partidas que merodean entre Santa Clara y Cienfuegos.*
>
> *Vive en Colón un mulato llamado José Alvarez (a) Valula, tenido por hombre más guapo que el mulato de su mismo nombre y apellido. Valula se ha comprometido con el intermediario don Antonio Salorio, mediante la cantidad que he ofrecido por orden del General Sr. Calleja, a capturar de cualquier manera a los bandidos citados; pero como el citado Valula no goza en el campo de muy buena reputación porque parece que lo priva de valiente, me dice el Sr. Salorio que necesita para Valula un salvo conducto para evitar que la Guardia Civil lo coja a él y se pierda la oportunidad que se presente. La querida de Matagás vive en Corral Falso y por medio de ella piensa Valula tenderle un lazo que le haga caer, para ganarse el dinero ofrecido.*
>
> *Así es que si V. lo estima conveniente tenga la bondad de mandarle al indicado don Antonio Salorio,..., un salvo conducto..., y para que el expresado Sr. Salorio pueda enseñarle a Valula que se cumplirá lo ofrecido a nombre del General sería bueno que Vd. se sirviera decírselo en una esquelita; pues el tal Valula cree que se le va a engañar y recuerda que no le dieron a Prendes y Ordóñez lo que les ofrecieron en el asunto de Agüero [...]*
>
> *Para acabar con estos bandidos no hay más remedio que recurrir si*

125. AHPM. Loc. cit., Leg. 1, n° 13, fols. 22-23.
126. AHPM. Loc. cit., Leg. 1, n° 14, fol. 5.
127. AHPM. Loc. cit., Leg. 1, n° 14, fols. 6 y 7.

es posible a los mismos compañeros de ellos; pues como viven en los montes y no salen sino a tiro hecho se dificulta que la Guardia Civil dé con ellos.
Inmediato a este Ingenio están Acosta, Martínez, Vasallo y Maravilla y [he] ofrecido mil pesos por cada uno. El Brigr. Sr. Correa me dice que está dispuesto a dar $ 4.000 por Matagás y lo mismo por Espinosa.

No poseemos constancia documental, hasta la fecha, de encuentro alguno entre los bandoleros-insurrectos y el tal *Valula* [128], quien, desde luego, recibió el salvoconducto solicitado [129], que pudo servirle para encubrir sus actos delictivos en la campiña de Colón. Se sabe, no obstante, por tradición oral, que en fechas próximas a la fracasada encerrona contra *Matagás* apareció el cadáver de un mulato en despoblado, mas la relación de este asunto con *Valula* no ha podido ser confirmada.

En relación con la práctica del soborno por parte de las autoridades para capturar a los bandidos más recalcitrantes, una actividad que volveremos a encontrar en numerosas ocasiones y en forma aún más organizada, convendría recordar unas palabras de José Martí sobre Jesse James, el "gran bandido" norteamericano, al referirse a la traición de Robert Ford que llevó a la muerte a James en abril de 1882, a raíz de un acuerdo con el gobernador Crittenden [130]:

> *Bien es que merezca ser echado de la casa de gobierno, quien para gobernar haya de menester, en vez de vara de justicia, de puñal de asesino. Bien es que da miedo y vergüenza que allá en la casa de la ley, cerca de puerta excusada y en noche oscura, ajustaran el jefe del Estado y un salteador mozo el precio de la vida de un bandido. ¿Pues, qué respeto merece el Juez, si comete el mismo crimen que el criminal?*

128. Este José Álvarez, (a) *Valula*, no debe confundirse, al menos en principio, con el primo de Álvarez Arteaga, del mismo nombre y conocido por *Malula*.
129. AHPM. Loc. cit., Leg. 1, n° 14.
130. J. Martí: "Jesse James, gran bandido", en *Escenas extraordinarias*, Ed. Gente Nueva, La Habana, 1990, p. 33.

CAPÍTULO IV

LOS BANDIDOS DE LA TREGUA (II): 1887-1890

Rey de mí mismo –mis dominios creo,
Y cuento en mi interior montaña altiva,
Y gruta oscura, y sol y mar y río.

José Martí: *Rey de mí mismo.*

LOS ULTIMOS años de la década de 1880 estarán marcados, entre otros factores, por la activa presencia en los campos cubanos de Occidente de dos grandes protagonistas del bandolerismo cubano, José Álvarez Arteaga, *Matagás*, al que acabamos de referirnos, y Manuel Hermenegildo García Ponce, el famoso "Rey de los Campos de Cuba", quien, sobre todo a partir de 1887, iniciará una fulgurante carrera insurreccional hasta su muerte en 1895, en los instantes primeros del Grito de Baire.

Se trata de una época apasionante que casi por sí sola simboliza toda la historia del bandolerismo en la Gran Antilla. En 1888, Enrique José Varona, un atinado pensador y sociólogo camagüeyano, dio a la estampa un interesante ensayo sobre el fenómeno, como luego se dirá. Por si fuera poco, el conjunto de medidas arbitradas por los Capitanes Generales Sabas Marín (1887-1889) y Manuel Salamanca (1889) para exterminar a los bandidos se caracterizarán por sus escasos resultados. Cuba, además, tras la abolición del Patronato, verá trabajar en los ingenios, en los potreros y en los campos la nueva fuerza de trabajo libre y, poco a poco, se repetirá en la documentación que se envía a Madrid un mensaje de esperanza. La situación económica y social de la Isla tendía a mejorar y por ello era necesario poner en marcha mecanismos que permitieran la modernización del país, pero, desde luego, el Gobierno metropolitano parecía prestar poca atención a los partes de sus Gobernadores Generales o a las críticas más o menos acervas de los diputados autonomistas y, más bien, se mostraba interesado en conocer, con minuciosidad, los réditos de las aduanas. A su vez, las individualidades más reaccionarias de las clases dominantes criollas opusieron a determinadas medidas progresistas, como los proyectos de colonización del General Salamanca a base de familias inmigrantes peninsulares y canarias, la importación masiva de fuerza de trabajo individual para un proceso agro-industrial que requería una gran concentración de mano de obra durante la época de la zafra. La situación había cambiado ostensiblemente con relación a los años treinta y cuarenta de la centuria.

Ahora más que nunca, los bandoleros cubanos representaban la pervivencia de la revolución anticolonial. Antes de que fraguara el proyecto unitario de José Martí, un sector del mando revolucionario en el exilio dará legitimidad a las acciones de los bandoleros-insurrectos que crecen en envergadura y en insolencia. Toda la represión del poder colonial estuvo condenada al fracaso, pese a los deseos de sus representantes, y ello no puede explicarse si omitimos factores tan fundamentales como el apoyo exterior y, en especial, la identificación del bandolero-insurrecto con el medio rural en el que vive en permanente simbiosis.

Un historiador español contemporáneo de estos acontecimientos, Antonio Pirala, al analizar las causas que impedían la completa extinción del bandolerismo, señalaba que la Guerra de los Diez Años había "dejado tras de sí un núcleo de aventureros, enemigos del orden, sin hábitos de trabajo y familiarizados con el pillaje, que contaban para sus fechorías con el seguro asilo que les ofrecían los impenetrables bosques de que está poblada la Isla, y con el silencio de los campesinos, que no se atrevían a declarar en contra de ellos por miedo a las venganzas de que pudieran ser objeto, pues sabían que aquéllos tenían medios de conocer cuanto en los Juzgados se decía y hacía, y, lo que era aún más grave, que eran protegidos por personas de aparente respetabilidad y que por sus antecedentes alejaban toda sospecha de complicidad con los malhechores" [1].

Pirala se equivocaba al atribuir el origen del bandolerismo cubano a núcleos de aventureros y desarraigados postbélicos, pues parece interpretar sin someter a crítica determinadas fuentes oficiales, y también en su valoración simplista de la complicidad de los campesinos, pero no dejaba de tener razón, pese a su evidente posicionamiento personal, en el apoyo que

---

1. A. Pirala: *España y la Regencia. Anales de diez y seis años (1886-1902)*, Madrid, 1904, t. I, p. 248.

prestaron determinados sectores del nacionalismo antillano a los bandoleros y en la pseudomoralidad que siempre acompañó a la interpretación del bandolerismo en Cuba. "Algunos separatistas, que no reparaban en medios, por criminales que fueran, para mantener la intranquilidad en Cuba, alentaban a los bandoleros, y como consecuencia de su complicidad, *que seguramente no agradaría a todos los emigrados*, parte del botín producido por los saqueos y secuestros iba a aumentar los mermados fondos del laborantismo"[2].

Otros factores que influían en la imposibilidad de erradicar el bandolerismo serían, en opinión de este autor, la escasez de fuerzas policiales por la reducción de los presupuestos municipales y la falta de cooperación de las autoridades locales y, en particular, de determinados elementos de la adminintración de justicia como los "oficiales de causas", quienes, según relata, ponían más trabas a la Guardia Civil que a los propios bandoleros[3]. Afirmaciones escasamente probables, por cuanto la represión estaba encomendada, principalmente, a la Guardia Civil y al Ejército y, además, según las disposiciones legales vigentes en aquellos momentos, tal como ya se apuntó, la jurisdicción militar conocía directamente en los delitos de bandolerismo[4].

Pese a todo lo anterior, Pirala refiere que durante el primer mandato del Capitán General Emilio Calleja (1886-1887), éste tuvo la "satisfacción de ver reducido el bandolerismo", según un *Estado comparativo* que también reproducimos en facsímil[5]. Este tipo de estadísticas obsesionará a todos los Gobernadores Generales de la época a la hora de rendir su informe final a Madrid.

En relación con las dificultades para eliminar el bandolerismo en Cuba conviene conocer, también, la opinión de López Leiva, quien pretendió rechazar el tópico de la colaboración de los guajiros con los insumisos. Este autor consideraba gratuita "tal acusación de complicidad voluntaria", pues existían otras causas que explicaban mejor "la pasividad del campesino en el caso concreto de la persecución del bandolerismo", a saber[6]:

– Inseguridad y falta de garantías para vidas y haciendas como con-

---

2. Op. cit., t. I, pp. 248-249. Subrayado por nosotros.
3. Op. cit., t. I, pp. 249-252.
4. Véase, aparte de lo indicado en el *Capítulo II*, el Decreto de Sabas Marín del 3 de julio de 1888 que reproducimos en facsímil.
5. Op. cit., t. I, pp. 250 y 306.
6. F. López Leiva: Op. cit., pp. 28-29.

secuencia de la diseminación de las viviendas y la existencia de sabanas y bosques.

– El desconocimiento del medio por los agentes de la autoridad, más atentos a inspirar temor que a ganarse la confianza del campesino.

– La generosidad del bandolero en pagar espías y confidentes que contrastaba con la tacañería con que los gobiernos retribuían estos mismos servicios, y

– La leyenda que se forjaba en torno al delincuente, al punto de convertirle en "una víctima de las injusticias sociales, como un personaje dramático, vengador de su honra, cuando en puridad de verdad el tal sujeto es, sencillamente, un enemigo y explotador de los hombres honrados a cuya costa se ha acostumbrado a vivir, empleando como armas decisivas el rifle y el machete, el terror y la fanfarronada".

Los planteamientos de Pirala y de López Leiva se parecen bastante, pese a las diferencias de partida. Ambos coinciden en su crítica a las actividades delictivas de unos hombres a los que consideran simples malhechores, de ahí que traten de explicarse de diferente manera las causas de la persistencia de un fenómeno que adquiere un carácter endémico en los campos cubanos y no sólo bajo el régimen colonial sino, como luego se verá, durante el primer tercio del siglo XX.

Autores cubanos más recientes, como el ya citado J.A. Carreras, tratan de establecer un esquema metodológico primario para explicar el fenómeno: desniveles socio-económicos; egoísmo de la sacarocracia criolla; ferocidad de la represión estatal; arbitrariedad de la administración de justicia; sistema de trabajo anacrónico, "montado en una etapa de tránsito, donde coinciden en fase de desaparición las formas de dos regímenes sociales: esclavitud y posesión semifeudal de la tierra", y, en fin, la contradicción colonia-metrópoli. Para Carreras, "el bandolero contó con la naturaleza como primer aliado y se aprovechó de las ventajas ofrecidas por los bosques para esconderse. Esto dificultó su captura y se benefició con las deficiencias del transporte y la inexistencia de caminos y puentes; sirviéndose de la fertilidad del suelo para tomar viandas de los sitieros... Su vida fue trashumante; atacó al pacífico y no enfrentó a la Guardia Civil cuando lo emboscaron sino [que] huyó. El bandolero era ágil como un ave de rapiña, olfateaba el peligro y nunca estaba desprevenido" [7].

Sin embargo, añade este autor, "el bandolero es una excrecencia de la división clasista de la sociedad. Cada bandolero llegó a esa postura por

---

7. J.A. Carreras: "Los bandoleros de la tregua...", cit., pp. 129-130.

una causa muy particular que lo enfrenta al orden establecido. Con pocas o muchas razones para ello, atenta contra el hombre acaudalado porque éste tiene lo que él necesita, dinero. *Decir que hay un odio de clase en este enfrentamiento es falso*, aunque el bandolero cuando agrede va en busca de la fortuna acumulada dentro del sistema esclavista. *El bandolero no plantea una reivindicación social, no quiere el dinero para redimir a los humillados y ofendidos sino para vivir con él. Es un ente individualista que vive por sí y para sí. Hace su justicia cuando ejecuta al cómplice que lo traiciona"* [8].

A pesar de las diferencias ideológicas, cronológicas y metodológicas entre estos tres autores mencionados, a modo de paradigmas historiográficos, gravita sobre ellos el mismo planteamiento prejuiciado sobre los bandoleros cubanos, por eso se equivocan al evaluar la importancia de un fenómeno social y, coyunturalmente, político que marcó la historia de Cuba desde los inicios del siglo XIX, tal como hemos podido ver y como pretendemos analizar a partir de este momento.

1. BANDOLEROS MENORES

Tres aspectos del bandolerismo cubano de la época llaman nuestra atención a primera vista, de un lado la concentración del mismo en las comarcas occidentales con respecto a las orientales, de otro, la marcada estacionalidad del fenómeno y, en tercer lugar, la frecuencia de los secuestros. Los datos son abundantes, si bien un tanto dispersos.

El 2 de agosto de 1886, el comandante del puesto de la Guardia Civil de Macuriges (Matanzas) informó del robo perpetrado por una cuadrilla de seis hombres montados y armados contra don Antonio Vizcaíno, a quien exigieron la suma de 30 onzas de oro, mas como el asaltado no tenía esa cantidad se llevaron los quince pesos y noventa centavos que pudo reunir. La fuerza pública inició la persecución sin que, en principio, se obtuvieran resultados, pues desconocían al jefe de la partida y sólo sabían que "todos eran de 25 a 30 años, estatura alta, dos de ellos rubios y uno bastante prieto y todos con patillas recortadas" [9].

En esta ocasión el propietario corrió con bastante suerte, pues lo común durante estos años era el recurso al secuestro que, como apuntamos,

---

8. Art. cit., pp. 139-140. Subrayado por nosotros.
9. ANC. Asuntos políticos, Leg. 81, nº 10.

se convierte en una práctica cotidiana de los bandoleros cubanos. Según Carreras, en 1885 la ola de secuestros y asaltos aumentó de tal forma que obligó a tomar medidas de envergadura. En ese año se produjeron quince secuestros: siete en Matanzas, otros tantos en Santa Clara y uno en La Habana. En 1886 se registraron, según este autor, diez casos de secuestros efectuados por bandoleros, aunque estos datos nos parecen dudosos. Y, en 1887, se reportaron otros siete secuestros sólo en Santa Clara [10].

En Puerto Príncipe, por el contrario, según un informe del Gobierno Provincial del 31 de agosto de 1887, no se produjeron hechos de bandolerismo entre febrero de 1886 y julio de 1887 [11]. Sin embargo, el periódico *El Arrebol* denunció, el 12 de mayo de 1887, un caso de *componte*, o sea, de castigo brutal a que fue sometido, por fuerzas de la Guardia Civil, don Luis Vega, campesino de la finca "La Concepción" del municipio de Cascorro. "Hemos oído decir que don Luis Vega fue sacado de su casa esposado y que, sin quitarle las esposas, los *humanitarios* agentes de la seguridad de los campos, la emprendieron a golpes con él, menudeándolos de tal suerte que ha sido imposible después trasladarlo a esta Capital". El periódico llamaba la atención de las autoridades gubernativas y judiciales sobre el asunto y protestaba de la situación, "basta tener conciencia de lo que significa, de lo que vale la dignidad humana, base en que fundan su prestigiosa personalidad los pueblos, para protestar con energía de los desafueros criminales que vienen cometiéndose, según las denuncias de los periódicos, en las personas de los laboriosos y valientes campesinos de Cuba" [12].

Ahora bien, en opinión de Raimundo Cabrera, no era cierto que la mayoría de los robos y secuestros se realizaran por los insulares separatistas, puesto que el separatismo no existía o, al menos, no tenía fuerzas militares a la sazón. Los bandidos procedían de allende los mares, "el mayor número, notablemente mayor, es de naturales de la Península y

---

10. J.A. Carreras: Art. cit., p. 132.
11. ANC. Asuntos políticos, Leg. 81, nº 15.
12. "Componte", *Alcance a El Arrebol*, Puerto-Príncipe, 12 de mayo de 1887, ANC. Asuntos políticos, Leg. 81, nº 17. Subrayado en el original. "Tal parece –añade el periódico– que se intenta, aquí, en estos angustiosos instantes de nuestra desventurada historia colonial, provocar un conflicto terrible, flagelando a hombres cuyos rostros caldeados al rigor de los rayos del sol abrazador de los trópicos, indican bien claramente su amor al trabajo; hombres que han demostrado decisión y valor para velar por el prestigio de su dignidad, incólume de toda mancha".

extranjeros...″ [13], aunque en este caso Cabrera tampoco distingue entre bandoleros y simples delincuentes y sus informaciones estadísticas no parecen muy fiables, aparte del ánimo polémico de su libro.

El 8 de agosto de 1887, al ponerse el sol, se produjo un secuestro en Nueva Paz, en los límites con San Nicolás, que reúne un gran interés por cuanto pone de relieve las conexiones entre diferentes bandidos de la provincia habanera y de las comarcas aledañas de Matanzas y nos aporta más información sobre la vinculación de los bandoleros con el mundo campesino. Las víctimas fueron un hijo y un hermano de don Manuel Hoyos, residente en el potrero "La Luz", barrio de las Vegas, término de Palos, y los bandidos, seis hombres blancos montados y armados, escaparon en dirección a Madruga. La osadía de los bandoleros irritó a las autoridades coloniales y el propio Capitán General, Sabas Marín, ordenó, nada más conocerse el suceso, a los alcaldes de los municipios vecinos y a otros subordinados como el gobernador civil de Matanzas que activaran la persecución de acuerdo con sus disposiciones y con las leyes sobre bandolerismo, quienes, poco después, remitieron diversos partes telegráficos informando del resultado de sus gestiones, siempre infructuosas [14].

Manuel Hoyos denunció el hecho al alcalde de Nueva Paz a la una de la tarde del día 9 de agosto y empezó por describir a los bandidos, "seis hombres blancos, montados, armados de revólver, rifles y machete, vestidos uno con levita que le pareció de dril de juntas y los otros de guayavera, uno con sombrero de jipijapa y los demás lo llevaban de guano, unos con fleco y otros sin fleco". Indicó, también, que cuando llegaba su hijo Manuel María, ya mayorcito, procedente de la escuela y a caballo le impidieron que se desmontara y, tras obligarle a él a ensillar un caballo de la finca, se dirigieron con el declarante a la colonia vecina de don Pedro Rivero Rojo, cercana a la vivienda de su hermano Pedro Hoyos, a quien también secuestraron; que pudo enterarse que faltaban dos miembros de la partida, que le parece que se unieron después, "y que a uno de ellos le llamaban el Isleño; que todos son jóvenes y que todos se hablaban bajo la palabra 'chico'". Los bandidos no atendieron su ruego de que se le llevaran a él en lugar del muchacho y le pidieron 16.000 pesos oro como rescate. Finalizó su

---

13. R. Cabrera: *Cuba y sus jueces (rectificaciones oportunas)*, Imp. "El Retiro", La Habana, 1887, p. 58.

14. "Papeles sueltos sobre bandolerismo", AHN. Ultramar, Leg. 5.818.

declaración con algunas referencias a las marcas y características de los caballos [15].

El Alcalde de Nueva Paz suponía que el secuestro de don Pedro Hoyos había sido realizado "con el fin de que les sirva de correo para convenir el rescate", por ello dispuso una discreta vigilancia en torno a la morada de su hermano Manuel Hoyos, "para proceder a lo que corresponda", e informó de ello al Gobernador General [16].

Pero, la información más completa sobre este hecho la suministró el jefe de la Comandancia de la Guardia Civil de la provincia habanera, quien remitió desde Madruga un amplio e interesante informe al gobernador provincial, el 11 de agosto de 1887. Según este documento [17], el secuestro fue realizado por la partida de Manuel Romero Guzmán, más conocido por *Lengue Romero*, un destacado bandolero a cuya gavilla perteneció, durante bastante tiempo, nada menos que Manuel García Ponce, entre otros bandidos de armas tomar, como luego se dirá.

Manuel Hoyos se había defendido con éxito, en una ocasión anterior, de las pretensiones de la partida de Manuel Romero Guzmán, quien tuvo que desistir de su intención de robarle varios caballos y dinero. Posteriormente, los bandidos volvieron a intimidarle, le pidieron dinero y trataron de incendiarle su casa, pero "a los gritos de la familia" desistieron de sus propósitos. No obstante, Manuel Hoyos temió por su vida y por la de los suyos y se trasladó a Güines, "en cuyo punto tuvo que tener un arreglo con ellos entregando dinero (manifestación hecha por el mismo interesado) y con tal motivo regresó a vivir nuevamente" al lugar donde se acababa de verificar el secuestro.

Ahora bien, en torno a esta acción se tejía una auténtica intriga familiar que nos da idea de la cotidianeidad del bandolerismo en el medio rural y de las conexiones familiares y solidarias entre los insumisos y otros elementos de su mundo ilegal. Una cuñada de Manuel Hoyos estaba casada con un compañero y hombre de confianza de *Lengue Romero*, Pablo Gallardo, conocido por Pablo *Escuela*, "natural y vecino de Nueva Paz, cuartón del Aguila lindando con el barrio de Vijaca, lindero de Madruga", cuya

---

15. V., en loc. cit., la comunicación del Alcalde de Nueva Paz del 9 de agosto (julio por error) de 1887.

16. Comunicación del Alcalde de Nueva Paz al Gobernador General, 10 de agosto (julio por error) de 1887, en loc. cit.

17. V., en loc. cit., la copia del mismo que, con carácter reservado, se elevó al Gobernador General el 16 de agosto de 1887.

familia vivía en la misma zona, "todos bandidos de malos antecedentes" y, por tanto, probables implicados en el asunto.

Entre los encubridores y colaboradores de la partida aparecen don Ernesto y don Bernardino Padrón, dueños del potrero "Pelota" de las Vegas, don N. Valverde, residente en el potrero "Pulgarón" de San Nicolás, don Desiderio Sotolongo, que vivía en las Tierras Coloradas, cerca de Martialto [Martiartu], en la misma zona, así como el administrador o mayoral encargado del ingenio "El Tiempo", ubicado al lado del paradero de Nueva Bermeja. Tras cometer el secuestro los bandidos se habían dirigido a la zona de Cabezas (Matanzas) y se internaron en las lomas del Purgatorio, "siendo el punto de reunión de toda la partida". El dueño de la finca "Purgatorio", montañosa y cubierta en su mayor parte de vegetación que facilitaba el ocultamiento, era un tal don Domingo Medina, "relacionado con intensidad con los bandidos". Medina tenía un "titulado yerno" que se encargaba de vender el tabaco que ambos cultivaban en los desmontes, y "de acuerdo con su suegro es el que facilita todos los recursos a la partida que tiene en su casa, sirviendo de mandadero para buscar todo lo necesario" [18].

Otro colaborador de la gavilla era don Manuel Escudero, administrador del cafetal "Calderón", situado en el barrio de Ceiba Mocha, en las proximidades del citado "Purgatorio", y yerno de don Desiderio Sotolongo. Escudero era considerado "gran protector de los criminales", pues el año anterior había tenido en su casa a un miembro de la partida de *Lengue Romero*, "Victor Fragoso, curándolo de una herida que recibió éste en un encuentro que tuvo con un grupo del Cuerpo en los linderos del ingenio 'Santa Rita'" [19]. Los bandidos también contaban con otros apoyos en Cabezas, donde el dueño del ingenio "Esperanza" don José Ignacio Domínguez y su mayoral llamado Marcos, primo del mismísimo *Lengue Romero*, "cuya vida bandálica [sic] es vieja", servían de intermediarios a los insumisos.

Así, pues, según este informe, los "secuestradores del hijo de Hoyos, los mismos que fueron autores del secuestro de don Dámaso del Campo son Manuel Romero Guzmán (a) *Lengue*, José Sosa Alfonso (a) *Gallo*, Pablo Gallardo (a) *Escuela*, [Ramón] Fernández [Delgado], Manuel Ramos Offani y Serafín Valera, los cuales forman un grupo de la partida" y se encontraban escondidos en los citados terrenos de don Domingo Medina [20].

---

18. *Ibídem.*
19. *Ibídem.*
20. *Ibídem.*

El escrito finaliza con algunas referencias a las gestiones realizadas por otros individuos como don Pedro Rivel y don Manuel Velazco, sin olvidar al padre de *Lengue*, don Julián Romero, y al tío de uno de los secuestradores, don Manuel Valera, para conseguir la libertad de los secuestrados mediante el pago del rescate. Así como también a las relaciones entre los bandidos y determinados vecinos destacados de Madruga, incluidos el médico, don José María Pardiñas y el celador Sr. Sicles, quienes, el día 7 de agosto, habían celebrado una reunión sospechosa en relación con el secuestro. Sicles era, al parecer, amigo del citado Manuel Valera [21].

Estas informaciones, difíciles de probar por lo que parece, sí debieron contribuir a un mayor conocimiento de las actividades y de los escondites de Manuel Romero Guzmán, *Lengue Romero*, quien resultaría muerto en la Catalina, el 25 de enero de 1888, en un encuentro con la Guardia Civil [22], aunque este hecho tardaría en confirmarse y subsisten algunas dudas sobre la fecha exacta de su óbito que, en efecto, ocurrió en el primer semestre de 1888, como luego se dirá.

Pero, a lo largo del mes de agosto de 1887 menudearon aún los hechos de bandolerismo en Cuba. El Capitán General Marín sabía que el momento era especialmente propicio para los insumisos, por ello, desde el día 1º, había mandado publicar una circular sobre el problema [23]:

> *Muchas y muy diversas son las causas que aparte de las condiciones topográficas del país y su población escasa y diseminada fomentan el bandolerismo y dificultan su extirpación; mas entre todas ellas descuellan por lo eficaces la protección decidida que encuentran los bandidos en las poblaciones desde las cuales algunos ayudan a sus fechorías y participan de sus presas y la indirecta que otros en el campo les conceden por miedo a su venganza.*
>
> *Tanto los unos, cómplices solapados y criminales, como los otros, tímidos y encubridores contribuyen con su ayuda a hacer estériles la actividad y perseverancia de la fuerza pública aislada de todo apoyo, desprovista de confidencia y muchas veces engañada.*

---

21. *Ibídem*.
22. Así aparece en la "Relación nominal de bandidos muertos por la fuerza pública en esta Isla desde 1º de Julio de 1887 hasta la fecha", Habana, 28 de marzo de 1888, que reproducimos más adelante. ANC. Asuntos políticos. Leg. 81, nº 18.
23. Circular de Sabas Marín dirigida a los gobernadores civiles de las provincias, Habana, 1º de agosto de 1887, en AHN. Ultramar, Leg. 5.818.

A continuación prometía ser inexorable en relación con las autoridades locales que no se mostraran diligentes para la captura de los rebeldes, animaba a contribuir en la represión a las autoridades militares –sin el "prurito" de mantener la estricta esfera de sus atribuciones–, llamaba la atención sobre la necesidad de vigilar los "focos de auxilio y correspondencia que necesariamente han de tener en el poblado los bandoleros", ponderaba la importancia de las confidencias y el sigilo que debía rodearlas y, en fin, subrayó que esperaba de sus subordinados la máxima energía y las sugerencias que pudieran hacerle en relación con el mayor éxito de las investigaciones, lo que contribuiría al "renacimiento de la confianza pública".

Mas, pese a sus deseos, muy pronto afluyeron al Palacio de gobierno las malas noticias. En la madrugada del 2 de agosto, una cuadrilla asaltó y robó en el ingenio "Victoria" de Santa Clara, mataron al mayordomo y al carpintero e hirieron gravemente al sereno [24]. Sin embargo, pocos días más tarde, la Guardia Civil y voluntarios de Cifuentes descubrieron a los asesinos y apresaron a uno de ellos, que también era "voluntario de caballería de dicho punto" [25], y poco después fueron detenidos todos los culpables [26] que, al parecer, no eran bandoleros habituales y sí verdaderos delincuentes.

El día 7, por otra parte, se informó de un encuentro, acaecido el día anterior, entre el célebre Mirabal, bandolero que ya había operado por la zona, y fuerzas del puesto de Mamey, en Remedios. El bandido logró escapar, aunque se pensó que estaba herido [27].

Estos y otros sucesos ocurridos en la provincia de Santa Clara preocuparon lo suficiente a Marín como para que llamara a su lado, con objeto de "adoptar con urgencia las medidas que aconseje la justicia para la tranquilidad" de los vecinos, al alcalde de Sancti Spíritus, el ex-insurrecto Marcos García, personaje singular, quien, desde luego, acudió presuroso a la cita con el Gobernador General [28].

---

24. Telegrama del 2 de agosto de 1887 firmado por Rafael Correa, en loc. cit., AHN.
25. Comunicación al gobernador civil de la provincia del 8 de agosto de 1887 (loc. cit.).
26. Telegrama de Rafael Correa al Capitán General, Santa Clara, 15 de agosto de 1887, loc. cit.
27. Telegrama fechado en Remedios el 7 de agosto de 1887, loc. cit.
28. Telegrama de Marín al Alcalde de Sancti Spíritus del 9 de agosto de 1887 y

Por estas mismas fechas se produjo otro incidente en la comarca de Las Tunas (provincia de Santiago de Cuba), unos ladrones robaron y asesinaron al alcalde del barrio de Manatí y a un sobrino, pero fueron descubiertos casi de inmediato. Marín se felicitó por el rápido éxito de esta operación, en la que intervinieron de forma muy activa el alcalde y el juez municipal de Las Tunas [29].

Pero, los casos de auténtico bandolerismo hay que situarlos, como ya dijimos, en Occidente. En Matanzas, el Gobernador Provincial informó, el 12 de agosto de 1887, de la captura de Rufino Rodríguez (a) *Regino Martínez* y su compañero Miguel Villalonga, ambos armados, el primero estaba complicado en el secuestro "del niño Castillo por cuyo motivo se unió a la partida de *Matagás*, a donde se supone pensaba regresar con los caballos que se le han ocupado, provisto de documentos falsos" [30].

Marín requirió, al día siguiente, información complementaria sobre la noticia publicada en *El Imparcial* de La Habana, según la cual el día 7 cuatro bandoleros habían asaltado la finca de don José Inés Mesa, en Benavides, y habían herido a uno de sus trabajadores, Eligio Medina. El

---

Telegrama de Marcos García al Gobernador General del 10 de agosto de 1887, en loc. cit. El texto de Marcos García fue el siguiente: "Sabado salgo para esa por no haber vapor hasta ese día".

Marcos García, a quien nos vamos a referir en diversas ocasiones, había nacido en Sancti Spíritus el 30 de junio de 1842, cursó la Licenciatura en Derecho y, tras participar en la Guerra Grande, donde alcanzó la graduación de coronel, impulsó la firma del Pacto del Zanjón y abjuró de su postura independentista. "Marcos García en su condición de alcalde, encargado de velar por el orden y visto que la Guardia Civil no cumplía su objetivo, preparó una guerrilla y al frente de ella no dio cuartel a los bandoleros; limpiando de esa forma la jurisdicción; estando dispuesto a poner el pie en el estribo para repetir sus métodos drásticos y expeditivos siempre que fuera necesario" (J.A. Carreras: art. cit., p. 137). Las afirmaciones de Carreras sobre la Guardia Civil son bastante tendenciosas y gratuitas y, además, Marcos García no fue el único ex-insurrecto destacado que reprimió el bandolerismo en la comarca espirituana, pues, como se recordará, también lo hizo Rafael Sorí Luna.

29. V., en loc. cit. (AHN), telegramas del 11, 16 y 17 de agosto de 1887, entre el gobernador provincial y el Capitán General.

30. Telegrama del Gobernador de Matanzas al Capitán General del 12 de agosto de 1887 (loc. cit.).

Gobernador de Matanzas indicó que, en este caso, "se trataba de una venganza personal" y no lo había considerado un suceso de bandolerismo [31].

Sin embargo, el mismo día 13 de agosto se produjo el secuestro, en el ingenio "Victoria" (Jovellanos), del hijo del dueño, don Domingo Ugarte, por cuatro desconocidos que, a continuación, tomaron el rumbo de los montes de "La Fermina". El suceso produjo un gran revuelo, porque las noticias llegaron a La Habana, por vía particular, antes que a la capital de Matanzas y Marín encargó del control de las operaciones al comandante de la Guardia Civil de la provincia. El gobernador matancero trató de recuperar su protagonismo en la persecución de los malhechores, pero recibió órdenes de dejar en "libertad de acción" al jefe de los civiles, mientras no tuviera datos positivos sobre los bandoleros. Se supo que los secuestradores eran "cuatro hombres blancos, vestidos al uso de campo, sucios; dos de ellos con carabinas", que la acción tuvo lugar en un terreno próximo al batey del ingenio y que, poco después, marcharon por el camino de Carratalá hacia Cuevitas. Se avisó, como de costumbre, a los alcaldes de los pueblos vecinos que, al parecer, no se mostraron muy diligentes a la hora de tomar las adecuadas medidas de búsqueda y captura [32].

Por otra parte, el 14 de agosto fue asaltado, en Banes, el administrador del potrero "Fénix", don Eloy Cruz, "por tres hombres desconocidos, armados de revólveres y machetes, llevándole a la fuerza y con amenazas mil ochocientos sesenta y cinco pesos en billetes y cincuenta y tres en oro", además de las joyas de la familia. El Capitán General mandó cumplir, estrictamente, sus disposiciones al Gobernador de Pinar del Río y a los alcaldes de los pueblos aledaños [33].

Como es obvio, no siempre los bandidos consiguieron escapar con éxito de sus correrías, sólo una minoría privilegiada obtuvo la gloria de la leyenda debido a su especial habilidad y a otros factores que los convirtieron en auténticos dueños de los campos de Cuba. Entre el 1º de julio de 1887 y el 28 de marzo de 1888, se produjeron no menos de dieciséis muertes entre bandoleros de distinta importancia, según una *Relación* firmada por Sabas Marín [34]:

31. Telegramas del 13 y 14 de agosto de 1887, en loc. cit.
32. Cfr. Telegramas del 13 y 14 de agosto y comunicaciones del 14 y 15 de agosto de 1887 (loc. cit.).
33. V., en loc. cit., telegramas del 15 de agosto de 1887.
34. "Relación nominal de bandidos muertos...", ANC. Asuntos políticos, Leg. 81, nº 18, citada. Conviene precisar algunos datos que se añaden en este

Nombres	Provincias	Fechas
D. Pedro Arencibia	Pinar del Río	28-I-1888
D. Benigno Lois Deus (a) *Zapote*	La Habana	1º-VII-1887
D. Waldo Pelayo o Peláez	La Habana	1º-VII-1887
Moreno Pío Florentino García (a) *Kifré*	La Habana	25-VII-1887
D. José Rodríguez Prieto	La Habana	24-VIII-1887
D. Cándido López Castro	La Habana	24-VIII-1887
D. Luis Felipe Piedra	La Habana	24-VIII-1887
D. Manuel Romero Guzmán, *Lengue Romero*	La Habana	25-I-1888
D. Manuel Rodríguez (a) *El Galleguito*	Matanzas	26-VIII-1887
D. Jacobo Rodríguez	Matanzas	31-VIII-1887
– Pedro Amaro	Matanzas	31-VIII-1887
– Jerónimo Díaz	Matanzas	31-VIII-1887
D. Manuel Beribén (a) *Quiebra-hacha*	Matanzas	11-IX-1887
Moreno José Prieto (a) *Largo*	Matanzas	23-IX-1887
Moreno Pablo Sánchez	Santa Clara	16-IX-1887
Ninguno	Puerto Príncipe	–
Ninguno	Santiago de Cuba	–

Se pueden observar, a primera vista, algunos datos interesantes. En primer lugar que la mayoría de estos bandoleros son blancos, a juzgar por el preceptivo tratamiento de "don" que acompaña a sus nombres. En segundo término, la inmensa mayoría de los óbitos ocurren en La Habana y en Matanzas, enclaves fundamentales del bandolerismo en esta época, lo que contrasta con la inexistencia de muertes en las dos provincias más orientales; y, en tercer lugar, la inmensa mayoría de las defunciones suceden en los meses de julio y agosto, dato que también coincide con una

documento, a saber, el segundo y el tercer bandido de la relación (Benigno Lois y Waldo Pelayo o Peláez) fueron muertos en el momento en que trataban de forzar la puerta de una casa en la capital, por lo que no sabemos si eran realmente bandidos rurales. Pío Florentino también fue muerto en la ciudad, lo mismo que los tres siguientes, en este caso por resistirse a la policía. Sobre *Lengue Romero* se dice: "Resulta haber muerto en un encuentro con la Guardia Civil en la Catalina". Jacobo Rodríguez y los dos que le siguen fueron "fusilados en virtud de sentencia". Además, se añade en la lista a "Victor Fragoso y otro que no se cita el nombre", los cuales resultaron "heridos [y] que se cree fallecieron", creencia infundada, por lo menos en lo concerniente a Víctor Fragoso.

indudable estacionalidad del fenómeno, tal como hemos destacado anteriormente, si bien el número de casos es poco significativo desde el punto de vista estadístico.

Ahora bien, junto a los éxitos parciales de las autoridades contra el bandolerismo, lo común era una situación de perpetua alerta a lo largo de todo el año, a pesar de que en determinados meses, en particular los que coincidían con el tiempo muerto, el fenómeno tendía a exacerbarse y, en consecuencia, también se dinamizaba la persecución de las fuerzas del orden.

El 31 de enero de 1888 fue secuestrado, en Remedios (Santa Clara), don Martín Chenique por tres hombres blancos desconocidos que le exigieron dos mil pesos, pero se conformaron con doscientos [35].

El día 11 de febrero fue asaltada, por cuatro hombres armados, la casa de don Francisco Rico Bacallao, en el barrio de Palma Sola, limítrofe entre las provincias de Santa Clara y Matanzas, le robaron dinero y tomaron dirección a Río Palma (Cárdenas). Al día siguiente pasaron por una colonia del ingenio "Santa Isabel" y, según informes del alcalde del barrio de la Teja (Matanzas), cambiaron un caballo y obligaron a un moreno a que les sirviese de práctico hasta Paso Lima, en Río Palma [36]. Según parece, uno de estos bandoleros era Alberto Alfonso, "que dirigió el secuestro del niño Castillo y puede considerarse *el más importante después de Matagás y Lengue*", por ello el gobernador de Matanzas consultó con Capitanía General una proposición que se le hizo por alguien que tenía posibilidades de capturar al bandolero, a cambio de una cantidad en metálico. Marín prometió mil pesos oro "una vez *identificado* en debida forma", mas pasaron algunos días sin otras noticias al respecto [37]. Alberto Alfonso –hermano de Regino Alfonso, como luego se verá–, fue herido y capturado algún tiempo después, el 30 de abril de 1888, en las afueras de Matanzas [38].

El día 26 de febrero, fuerzas del Regimiento de Infantería de la Reina destacadas en Nueva Paz tuvieron fuego con dos jinetes en el cuartón del

35. Copia de telegrama cifrado, Santa Clara, 2 de febrero de 1888, AHN. Ultramar, Loc. cit. [Leg. 5.818].
36. Telegramas de los gobiernos provinciales de Santa Clara y Matanzas, 13 de febrero de 1888 (loc. cit.).
37. V., en loc. cit., copias de telegramas cifrados del 14, 15 y 18 de febrero de 1888. Subrayado en el original.
38. J. Fernández Fernández y N. López Novegil: *Bandoleros insurrectos*, cit., p. 307.

Águila, "al darles el ¿quién vive?, contestaron ¡España! acompañado de una descarga y voces de ¡Viva Cuba libre!", a continuación huyeron en dirección al Sopapo (Matanzas), en cuya retirada volvieron a tener fuego con otra fuerza del Regimiento de Caballería de la Reina [39].

La atenta vigilancia de las fuerzas del Ejército y de la Guardia Civil produjo, durante esta época, otros éxitos contra el bandolerismo. Los bandidos Severino Gómez, jefe de la partida, Valentín Delgado y Tiburcio Pérez, que merodeaban por los límites entre las provincias de Santa Clara y Puerto Príncipe, expusieron, a principios de marzo de 1888, su deseo de entregarse al alcalde de Yaguajay, si se les perdonaba la vida. Su único delito había sido el robo e incendio de la tienda de don Antonio Morales, alcalde del barrio de Bellamota, a finales del año anterior. Marín se negó a otorgarles el perdón, pero "les ofrezco que la pena que les imponga el tribunal sea la menor posible, y si ésta fuese la de muerte, interpondré oficial y particularmente toda mi influencia cerca de Su Majestad para que sean indultados". Valentín Delgado y Tiburcio Pérez se entregaron hacia mediados de mayo, con armas y municiones, al alcalde de Yaguajay y al capitán Vargas, que estaban de operaciones por la zona [40], mientras que Severino Gómez desistió de sus primeras intenciones. En junio se supo que se ocultaba en el sitio conocido como "El Cafetal", próximo a Sancti Spíritus, "en casa de un licenciado de apellido Roque y de otro individuo de apellido González", en las noches serenas pernoctaba en el monte [41].

Por otra parte, el 21 de marzo de 1888 fue secuestrado el señor Sierra, quien desempeñaba una comisión reservada del Gobierno General, en el potrero "Zaldívar" del barrio San Blas, municipio de La Catalina (La Habana), "por cuatro hombres armados vestidos de militares". En los primeros momentos de confusión se pensó que la víctima pudo haber sido detenida por las mismas fuerzas encargadas de la represión del bandolerismo, pero Sierra fue encontrado al día siguiente, en Vieja Bermeja, por

39. Comunicación al Gobernador General, Habana, 2 de marzo de 1888, loc. cit.

40. Cfr., en loc. cit., copias de telegramas cifrados del 5, 6 y 12 de marzo de 1888 y telegramas del 6 y 8 de marzo y del 20 de mayo de 1888.

41. Comunicación reservada del jefe de policía de Santa Clara al Capitán General, Santa Clara, 29 de junio de 1888 (loc. cit.).

Severino Gómez, que pasó a pertenecer a la partida del *Tuerto* Rodríguez, murió cerca de Caibarién en septiembre de 1891 (cfr. J. Fernández Fernández y N. López Novegil: Op. cit., p. 322).

un grupo del Regimiento de Caballería de la Reina que operaba en la provincia de Matanzas, y manifestó "que a las 5 de la tarde del mismo día le habían soltado los bandoleros en un punto desconocido". El día 23 fueron detenidos, en Madruga, "ocho individuos complicados en el secuestro" y puestos a disposición del alférez don Matías Díaz Huidobro que instruía las primeras diligencias judiciales [42].

El 5 de abril fue muerto por miembros de la Guardia Civil en Corral Falso, el bandido Eugenio González (a) *Morejón*, según una nota de la Capitanía General [43].

Por estas mismas fechas recibió Marín un anónimo que le avisaba que en la cárcel de Matanzas estaba preso un individuo, cuñado de otro conocido por *El Montañés*, llamado Sotero Sousa, quien había cometido un asesinato en el ingenio demolido "La Empresa" y, más tarde, "anduvo en partida". El Capitán General escribió al Gobernador Provincial de Matanzas para indagar más datos sobre el denunciado. Joaquín Goróstegui respondió, a vuelta de correo, con el informe penal de Sotero Sousa Cruz, o sea, don Benigno Sosa Allo, natural de Ceiba Mocha, casado, de 30 años y vecino de Melena del Sur. Estaba detenido por hallarse reclamado por el juez de primera instancia de Alfonso XII (Matanzas), "en causa que se le sigue por homicidio de don Fernando Hernández, vecino del expresado pueblo". El 15 de octubre de 1887 fue entregado a la policía municipal "para ser conducido por cordillera a Alfonso XII" [44]. Está claro, pues, que las autoridades coloniales no despreciaban ninguna información que pudiera arrojar luz sobre todo tipo de bandoleros y delincuentes.

Hacia mediados de mayo de 1888 fue apresado por el teniente don Nicolás Ruiz, en San José de los Ramos, Manuel Fragoso Montero, acusado del secuestro de Galíndez en Madruga. Manuel Fragoso era hermano del famoso bandolero Víctor Fragoso [45], aunque, más tarde, el primero se pondría al servicio de las fuerzas represivas.

Víctor Fragoso apareció el día 5 de junio en el potrero "Zaldívar"

---

42. Cfr., en loc. cit. (AHN), comunicaciones del 22, 23 y 24 de marzo de 1888 y telegrama del 29 de marzo de 1888. Los secuestradores eran miembros de la partida de Manuel García, como más adelante se dirá.

43. Conservada en loc. cit. (AHN).

44. V., en loc. cit., anónimo s. f.; comunicación del Capitán General del 6 de abril de 1888; telegrama del gobernador de Matanzas del 7 de abril de 1888 y ficha de Sotero Sousa, esto es, don Benigno Sosa Allo.

45. V., en loc. cit., telegramas del 18 y 19 de mayo de 1888.

(Catalina), en la casa de don José María Fundora, junto con dos acompañantes, cambiaron ilegalmente dos caballos durante la noche y partieron con dirección a Aguacate o Madruga [46]. Pocos días después fue detenido, cerca de Colón, Víctor Cruz Expósito, a quien se le suponía complicado en los secuestros de Domingo Ugarte y de León Torres [47]. Víctor Fragoso y Víctor Cruz [Alonso] fueron miembros de la partida de Manuel García Ponce, como luego se dirá.

A veces la concisa información de los partes sobre acciones de los bandidos es un tanto desconcertante, aunque, como sabemos, la conexión entre bandolerismo e insurrección es nítida en el caso cubano durante estos años. El Gobernador provincial de Matanzas remitió, al Capitán General, el siguiente telegrama cifrado, con fecha 23 de junio de 1888 [48]:

> *El primer jefe guardia civil comandancia de Colón me dice lo que sigue: Comandante puesto Claudio en telegrama que acabo de recibir me dice lo siguiente: Cuatro hombres se presentaron once y media noche ingenio "Constancia" dando gritos "viva Cuba libre"; hicieron fuego administrador quien contestó; uno de los agresores salió herido según rastro sangre. Fuerza de aquel puesto los persigue y el que suscribe va para lugar ocurrencia.*

Por otro lado, el gobernador civil de Santiago de Cuba remitió, el mismo día 23 de junio, una comunicación al Capitán General en la que le anunciaba la comisión de algunos robos en la casa de don Pedro Bonet, situada en el cafetal "Caridacita" (Songo) y en la tienda "La Fontina", cerca de la capital. A continuación exponía las medidas tomadas para perseguir a los tres malhechores que iban montados y armados, y afirmaba que si era necesario procedería a "levantar somatenes". Mas, en su opinión, estos actos no pasaban de "ser raterías cuya perpetración se atribuye, según informes de la Guardia Civil, al preso prófugo de la Cárcel de esta Ciudad en enero último José Tomás Villalón, en unión de tres más". El gobernador oriental parecía estar muy satisfecho de que, *"hasta el presente, no existen en la Provincia partidas de bandoleros*, y que en el desgraciado caso de que intenten formarse, serán perseguidas y hostigadas hasta conseguir su completo exterminio" [49]. Marín le respondió, el día 30, que tales hechos

---

46. V., en loc. cit., telegramas del 6 de junio de 1888.
47. V., en loc. cit., telegrama del 11 de junio de 1888.
48. En loc. cit. El nombre actual de Claudio es Torriente.
49. Comunicación del gobernador civil de Santiago de Cuba del 23 de junio de 1888, en loc. cit. Subrayado por nosotros.

eran propios de los bandidos y que debería activar la persecución para evitar, a todo trance, que volvieran a repetirse [50].

A finales de septiembre de 1888 se produjo la captura, en la zona de Guáimaro (Puerto Príncipe), del "cabecilla Juan López", quien con otros dos jinetes había atacado la finca del alcalde de aquel barrio y, después, se había refugiado en los montes cercanos [51].

Por estas mismas fechas se produjo, en un potrero próximo al ingenio "Dolores" de Casiguas (La Habana), un encuentro entre un destacamento del Regimiento de Infantería de la Reina y una partida de entre cuatro y siete bandoleros montados. La partida se dividió a continuación y uno de los grupos se dirigió hacia el camino de Sabana de Robles. Poco pudieron hacer los militares para perseguirlos porque, acordes con el Cuerpo al que pertenecían, iban a pie [52].

Las *revistas políticas decenales*, por otro lado, nos permiten reconstruir en parte la dinámica del bandolerismo social cubano durante el año 1889, no sólo en lo concerniente a la cuantificación del fenómeno sino, especialmente, a la política represiva diseñada por el General Salamanca durante su breve mandato (13-III-1889 a 6-II-1890), como luego veremos.

Respecto a la cuantificación de los resultados de la represión puede ser ilustrativo el **Cuadro II**, aunque en el mismo no están comprendidos todos los bandoleros que fueron capturados o muertos a lo largo de estos meses, en acciones de las fuerzas represivas, pero sí, tal vez, algunos de los bandidos menores más representativos [53].

50. Copia de la comunicación al gobernador civil de Santiago de Cuba, La Habana, 30 de junio de 1888, loc. cit.
51. Telegramas del gobernador provincial, J. Berriz, al Capitán General, 27 y 30 de septiembre de 1888, loc. cit.
52. V., en loc. cit., telegrama del 30 de septiembre de 1888 y comunicaciones de la misma fecha y del 4 y 6 de octubre de 1888.
53. Cfr. "Cuba. Revistas Decenales", AHN. Ultramar, Leg. 4.851, comprende las revistas decenales de todo el año 1889, remitidas hasta marzo por Marín y, luego, por Salamanca.

Cuadro II
REPRESIÓN DEL BANDOLERISMO (1889)

Bandidos	Lugar y fecha	Capturados	Muertos
Paulino Mesa o			
Pedro Pablo Morejón	Habana, 30-I-1889		x
Juan Manuel Aragón	Hato Viejo, 14-III-1889		x
Manuel Salvador Valdés	Marzo de 1889		x
Salazar	Marzo de 1889		x
Nicasio Blanco	8-IV-1889		x
Bautista Reguero	11-IV-1889		x
Carlos González	Jovellanos, 14-IV-1889	x	
Vicente López	Jovellanos, 14-IV-1889	x	
Ambrosio Simancas	Julio de 1889	x	
Herrera Arias	Agosto de 1889	x	
Modesto Rodríguez	Agosto de 1889	x	
Joaquín Estrella	Santa Clara 16-VIII-1889	x	
Dionisio Guzmán	Santa Clara, 15-VIII-1889	x	
Chano	Habana, Agosto de 1889	x	
José Castillo Cabrera	Santa Cruz de Pinos, VIII-89	x	
Sotolongo	Remedios, Septiembre, 1889	x	
Machín	Cartagena, Septiembre, 1889	x	
Alemán	Septiembre de 1889	x	
Manuel González	Septiembre de 1889	x	
Mustelier	Santiago Cuba, IX-1889	x	
Casimiro Sotolongo	Cartagena, IX-1889		x
Juan Fleitas	Manzanillo, X-1889	x	
Rafael Guerra	Manzanillo, X-1889	x	
Félix González	Octubre, 1889	x	
Santiago Alvarez	Octubre, 1889	x	
Fermín Pérez	Octubre, 1889	x	
Tomás López Machín	Calabazar, X-1889	x	
Fermín Tamayo	Octubre, 1889	x	
Juan de Dios Tamayo	Octubre, 1889	x	
Rosa Fernández	Octubre, 1889	x	
Higinio Hurtado	Cartagena, X-1889	x	
Saturnino León Trujillo	Itabo, X-1889	x	
Aniceto García	Melena del Sur, X-1889	x	
Manuel Sánchez	Sancti-Spíritus, XI-1889	x	
Miguel Rojas	Noviembre, 1889	x	

Por otro lado, de acuerdo con esta misma fuente, en 1889 se cometieron, entre otros, los siguientes secuestros [54]:

Secuestrados	Lugar y fecha
D. Justo Pérez	San Felipe, I-1889
D. Eduardo Alfonso	Yaguasa, I-1889
D. Zacarías Corzo o Colza	Mariel, 29-I-1889
D. Modesto Ruiz	Placetas, II-1889
D. Agustín Arzola Abreus	Pinar del Río, II-89
D. Manuel Martínez Alonso	Aguacate, 2-VIII-89
D. Pedro Sardiña	Nueva Paz, 7-VIII-89

Todos los Capitanes Generales intentaron acabar con lo que ellos consideraban una grave lacra social. Salamanca llegó a afirmar que los tres problemas de Cuba eran la cuestión económica, el autonomismo, que él identificaba con el separatismo, y el bandolerismo, por ello quiso exterminarlo a golpe de decretos, de circulares y de somatenes. Además, mantuvo una postura intransigente y se negó a conceder el perdón y a facilitar la huida al extranjero a los bandoleros que, según él, se lo solicitaban. Salamanca fue, también, una especie de reformador. Su deseo de sanear la administración colonial es innegable, recorrió la Isla palmo a palmo para conocer la realidad *in situ*, pese a sus problemas de salud, y acabó contrayendo unas fiebres malignas que lo llevaron a la tumba. Es falso, pues, como se ha dicho por algunos historiadores, que trataran de envenenarlo por su afán moralizador.

También es falso que facilitara de buena gana el retorno a Cuba del General Antonio Maceo. El Titán de Bronce estuvo en la Isla en 1890, en loor de multitud, hasta que fue expulsado por Polavieja, nada más tomar posesión de su cargo en el verano de ese año. El regreso de Maceo, como luego se dirá, estuvo motivado por una suerte de política de "reinserción" planeada desde Madrid, con la obligada aquiescencia del aparato diplomático y colonial español.

Salamanca se preocupó, asimismo, por la educación y por la instrucción popular; suplicó continuamente la entrega de numerario para hacer frente a los gastos del anacrónico sistema administrativo de la Colonia y,

---

54. *Ibídem.*

en particular, se mostró sensible ante las deficiencias estructurales de la hacienda municipal; trató, asimismo, de colonizar vastos territorios mediante la importación de familias peninsulares y canarias, como ya se dijo, lo que levantó airadas protestas de determinados sectores de la sacarocracia criolla, obsesionados por la obtención de mano de obra abundante y barata. Además, intentó dividir a los autonomistas, pero no supo, o no quiso, adular a los individuos más reaccionarios y menos dialogantes del partido español; clausuró cárceles y aduanas inútiles y sumarió a no pocos empleados corruptos de la administración. En el fondo no gustó a nadie, ni a los políticos ni a los periodistas pero su programa de gestión parece sincero, pese a combinar cierta planificación tecnocrática con una ideología bastante reaccionaria. Tampoco gustó a los bandoleros, aunque en este caso la explicación es obvia.

2. SALAMANCA Y EL PROBLEMA DEL BANDOLERISMO

Ni Salamanca ni, probablemente, ningún otro Capitán General de la época creyó, en realidad, en el verdadero significado revolucionario de los principales bandoleros cubanos, los bandoleros-insurrectos. Para los Gobernadores Generales los bandoleros, como ya se ha apuntado, eran todos iguales, individuos marginales fuera de la ley, peligrosos por su agresión a la propiedad y al orden rural, columnas vertebrales del sistema colonial. La verdad es que, por estas fechas, algunos exiliados pensaban de forma parecida. Como indicaba *El Cubano*, de Cayo Hueso, en uno de sus artículos de opinión [55]:

> *¿A qué se presentan en Cuba 6 ó 7 hombres sin concierto ni dirección, sin prestigio ni fuerza moral que los aliente? A perecer, después de hacer un daño considerable que desprestigia nuestra causa; a derramar sangre inútil; y a entregarse al robo y al secuestro, porque allí como se desprende no hay vida política en el campo, sino bandidos y secuestradores lo mismo en el campo que en las ciudades.*
>
> *Renunciamos a ver libre a Cuba siempre que sea por medios ilegítimos*

---

55. "Justísimos cargos", *El Cubano*, nº 288, Key West (Florida), 26 de diciembre de 1888, p. 2 (ejemplar en AHN. Ultramar, Leg. 4.851, cit.).

rechazados por toda conciencia honrada y sus únicos salvadores los hombres que así han venido disponiendo de su destino.

Es el debate de siempre: o bandidos o patriotas, para muchos ambos términos han sido irreconciliables. En el fondo es, también, un problema ético, una mentalidad sobre la transgresión de normas sociales universalmente compartida.

Casi a finales de su mandato, en enero de 1889, Sabas Marín quería ver un cambio sustancial en la marcha del bandidaje que, en su opinión, "va tan de vencida, que se regocijan los hacendados y sus familias de poder pasar tranquilamente las Pascuas en el campo con confianza y sin peligro; suceso que años hace no se realiza". Pero sus esperanzas eran infundadas, la estación era peligrosa, según sus palabras, y muy pronto aparecieron los secuestros e incendios de cañaverales [56].

Manuel Salamanca y Negrete que, como decíamos, llegó al cargo con afanes reformistas, publicó, el 19 de marzo de 1889, una circular en la que recordaba que había que "agotar todos los medios para conseguir que se restablezca la confianza y se aleje todo temor en campos y poblados". En este sentido, ordenaba a los gobernadores provinciales que pusieran toda su energía "para prevenir, evitar e imponer rápida y enérgica represión a cualquiera hecho vandálico que se realice"; es más [57]:

> *No basta que, cuando se tenga noticia de la aparición de alguna gavilla de bandidos, disponga V.S. su persecución por la fuerza pública; no basta que, cuando se sepa que un ciudadano honrado ha caído en poder de los malhechores, que exigen por su libertad o su vida una suma más o menos importante, apele V.S. a todos los medios de acción para evitar un enorme delito y una gran vergüenza; es preciso, indispensable, que sin tregua ni descanso, consagrándose por completo a asunto tan preferente, indague, averigüe, vigile y persiga constantemente a cuantos por sus hábitos y costumbres, por sus antecedentes criminales, o por su conducta sospechosa, puedan, en un momento dado, atentar a la vida de sus semejantes, o a la propiedad, objeto, a veces, de brutales atropellos.*
>
> *Hora es ya de que cese toda indiferencia y de que, sin contemplación de ninguna clase, se haga sentir el peso de la Autoridad en los mal avenidos*

56. Revistas del 5, 15 y 25 de enero y del 5, 15 y 25 de febrero de 1889 (AHN. Ultramar, Leg. 4.851, cit.).
57. Revistas del 15 y 25 de marzo de 1889 y *Gaceta de La Habana* del 19 de marzo de 1889, p. 1, loc. cit.

con el respeto a las leyes y a los hombres; hora es ya de que se persiga, no sólo a los criminales que se arrojan a cometer toda clase de atentados, sino de tratar con el mismo rigor, y aún más, si cabe, a cuantos, sea cual fuere su posición, por debilidad o por punible inteligencia, amparan o ayudan a sustraerse a la acción de la justicia, a los que, si no contaran con cierta clase de apoyos, más o menos directos, caerían indudablemente en poder de sus perseguidores.

Terminaba por hacer patente su decisión de exigir responsabilidades a los funcionarios, jueces y militares que no cumplieran rigurosamente con sus obligaciones al respecto, y por ofrecer su recompensa a aquellos que se hicieran acreedores a ella por el celo demostrado en el cumplimiento de su deber.

Poco después, a principios de abril, publicó otra circular en la que recordaba que "uno de los medios más eficaces para destruir el bandolerismo e impedir que los malhechores campen por sus respetos, es procurar el castigo de cuantas personas les presten auxilio, y exigir la debida responsabilidad a los que con ellos simpatizan, pues es innegable que, si el bandido que no respeta vida y haciendas, no encuentra apoyo en las comarcas donde ejerce su criminal profesión, ni siquiera halla el amparo de la indiferencia para sus actos, ha de sentir, necesariamente, todos los peligros de su aislamiento, viéndose en plazo más o menos corto, obligado a abandonar el campo habitual de sus correrías". Se trataba, pues, de inspirar mayor confianza en la población a través de una efectiva labor de los fiscales, de toda la administración de justicia y de las autoridades en general, en tal sentido, "como ha llegado a mi noticia que no siempre las fuerzas encargadas de perseguir a los criminales se conducen como es debido, estoy dispuesto a imponer castigos severos a los que incurrieren en faltas censurables que, sin vacilación de ninguna clase, los haría efectivos para ejemplaridad y conveniente corrección de los que están obligados a prestar con su servicio el mayor bien a las sociedades, la seguridad de vidas y haciendas" [58].

Estas medidas incidieron, según el Capitán General, en el ánimo de los bandoleros, quienes "desalentados..., han tratado de abandonar el país, buscando la manera de concertar con las Autoridades su fácil huida que, de día en día, ha de ser para ellos más peligrosa; pero al rechazar, como es

---

58. "Capitanía General de la Siempre Fiel Isla de Cuba. Estado Mayor", *Gaceta de La Habana*, 3 de abril de 1889, p. 1.

debido, todo trato y concierto con criminales de esa especie, he adquirido el convencimiento de que no se consideran con ánimos para sostenerse en unas comarcas en que, hasta ahora, habían campado por sus respetos"[59]. En concreto, Salamanca rechazó las gestiones realizadas "cerca de mi Autoridad,..., para que no pusiera obstáculos a la huida de los hermanos Machín, sentenciados a muerte y fugados del castillo del Príncipe, donde se hallaban, cuando se les impuso aquella condena, y de los bandidos que más frecuentemente les acompañan, llamados Suárez, sobre el que pesa una condena de veinte años de presidio, Alemán y Delgado"[60]. Como diría en su informe al Ministro de Ultramar[61]:

> *No es ya sólo, Excmo. Sr., cuestión de decoro, para la Autoridad y el Gobierno, el rechazar semejantes proposiciones; no se trata únicamente de la vindicta pública, que a buen seguro forma principal exigencia del deseo de que el peso de la Ley caiga sobre aquellos criminales; la tranquilidad de la isla y la necesidad absoluta de extirpar el bandolerismo, reclaman imperiosamente, más aún que las anteriores consideraciones, el que en manera alguna se transija con los que aquella infame profesión ejercen, pues es indudable que si hoy, acosados por la constante y enérgica persecución que sufren, abandonasen este territorio, volverían a él el día menos esperado, cuando obligados por la miseria no pudieran permanecer en el país donde buscasen accidental refugio.*

Sin embargo, Salamanca se enfrentó, muy pronto, con el problema de la falta de créditos para atender este importante capítulo de su labor al frente de la Capitanía General. "Me es grato manifestar que la tranquilidad pública adquiere de día en día más consistencia en campos y poblados y que el bandolerismo, objeto de la más enérgica persecución, anda por todas partes maltrecho y desconcertado. Sensible es, sin embargo, que por falta

---

59. Revista reservada del 5 de abril de 1889, loc. cit.
60. Revista del 15 de abril de 1889, en loc. cit.
   Víctor o Victoriano Machín fue capturado y conducido a La Habana en el mismo tren en que regresaba de uno de sus viajes el General Salamanca. Su aprehensión se produjo en el muelle de Cienfuegos cuando intentaba escapar del país junto con varios familiares y su amigo Juan Suárez. Fue agarrotado en La Cabaña (La Habana), el 1º de junio de 1889 (J. Fernández Fernández y N. López Novegil: Op. cit., p. 326-327).
61. Revista del 15 de abril de 1889, cit. V., también, revista del 25 de abril de 1889.

de recursos no pueda concertar todos los medios para extirpar en plazo breve aquella funesta plaga; pues agotada la consignación del crédito que figura en presupuestos para gastos de la índole que nos ocupa, no encuentro medio alguno para satisfacer los más apremiantes que se originan" [62].

Por si fuera poco, otra dificultad vino a sumarse a la anterior. "No quiero ocultar a V.E. que los Tribunales de justicia no me auxilian, como era de esperar, en la persecución y castigo de los malhechores; pues además de mostrarse sumamente fáciles al excarcelamiento de los detenidos por agentes de la Autoridad con motivo sobrado para no obtener aquel injustificado beneficio, recientemente se ha dado el caso escandaloso de que al reclamar al Juez de primera instancia del Bejucal los documentos necesarios para pedir la extradición a los Estados Unidos de un procesado en rebeldía por asesinato,..., ha contestado a mi orden mandándome un auto poniéndole en libertad bajo fianza personal, sin que, como es consiguiente, puesto que el procesado sigue en rebeldía, haya podido ser oído ni se haya personado en autos. Reclamo para ese juez el merecido castigo, si ya no hubiese V.E. decretado su cesantía" [63].

Paralelamente, la existencia de un alto nivel de criminalidad en la Isla y, de forma especial, en la provincia capitalina, hizo que publicara una circular para "quitar elementos a la criminalidad". En tal sentido manifestó que "la ley de 8 de enero de 1877, sobre represión del bandolerismo, aplicada a esta Isla por Real Decreto de 17 de octubre de 1879, me autoriza para que, oyendo el parecer de una junta, compuesta en cada provincia del Gobernador Civil Presidente, Comandante General, Juez Decano de primera instancia, Jefe de la Guardia Civil y dos diputados provinciales, pueda fijar, durante un año, el domicilio de los vagos y gente de mal vivir, y como estoy firmemente resuelto a que no se confundan con los ciudadanos honrados que tienen indiscutible derecho a que la autoridad los ampare y les defienda, excito a V.S. para que, cumpliendo con uno de sus principales deberes, ponga en práctica todos los medios que su celo le sujiera para la estricta aplicación de la mencionada ley" [64].

---

62. Revista del 5 de mayo de 1889, en loc. cit.
63. *Ibídem.*
64. "Gobierno General de la Isla de Cuba. Circular", *Gaceta de La Habana*, 12 de mayo de 1889, p. 1. V. revistas decenales del 15 y 25 de mayo de 1889, loc. cit.

Por otra parte, transcurrido algún tiempo sin especiales incidencias [65], Salamanca observó cierta radicalización en las acciones de los bandoleros, debido a su política de oposición a facilitar la huida de los mismos, pues, "en la desesperación, sin duda, los que de mí han esperado aquella especie de indulto, han emprendido una nueva campaña de sus acostumbrados crímenes, para ver si conseguían por este medio que yo accediera a lo que antes, ahora y siempre he de rechazar, sin vacilación alguna" [66]. Antes al contrario, lamentó que no se hallasen consignadas en los presupuestos las cantidades para el aumento de quinientos guardias civiles para ejercer la lucha contra el bandolerismo, y que el Ministro de la Guerra "no haya constestado a las consultas ha tiempo pendientes, sobre imposición de la pena capital a secuestradores, cuyas causas están por completo terminadas" [67].

Salamanca, para estrechar aún más el cerco contra los insumisos, decretó otras disposiciones relacionadas con el establecimiento de la red telefónica entre los puestos de la Guardia Civil y con "la creación de la Guardia rural para la persecución de los bandoleros y seguridad de vidas y haciendas" [68].

En una circular del 7 de agosto, excitó a la población de la Isla a denunciar las agresiones de que fueran víctimas por agentes de la Guardia Civil, llamó a la colaboración de todos en la extinción del bandidaje, recordó el ofrecimiento de fuertes recompensas y expresó su esperanza de que "el establecimiento de la red telefónica entre los puestos de la Guardia Civil de la Isla, debidamente utilizada por los jefes de puesto, por las autoridades y particulares, ha de facilitar de un modo decisivo la persecución de los bandoleros y ejercer una acción rápida sobre cualquier hecho que se produzca en daño de la seguridad individual que establece el Estado y reclaman los ciudadanos" [69].

A su vez, para decretar la creación de una Guardia Rural, a partir de la propia Guardia Civil, que se ocupara de forma especial en la protección

---

65. V. revista del 14 de julio de 1889, loc. cit. La lista de bandidos muertos y detenidos durante 1889 ya la hemos reproducido en el epígrafe anterior de este capítulo.

66. Revista del 10 de agosto de 1889, en loc. cit.

67. *Ibídem.*

68. *Ibídem.*

69. "Secretaría. Orden Público" y "Circular", *Gaceta de La Habana*, 8 de agosto de 1889, pp. 1-2 (ejemplar en loc. cit.).

de las propiedades rurales y cuyos gastos correrían a cargo de los propietarios, Salamanca se basó, entre otros motivos, en que no le era posible al Estado, aunque quisiera, "subvenir a las necesidades del servicio de seguridad y vigilancia hasta el punto de tener ocupado el país militarmente, para impedir las correrías de un puñado de bandoleros; pues, aparte de lo vergonzoso que sería tener que apelar a recursos tan extraordinarios para prevenir sucesos aislados que, por sensibles que sean, no tienen la importancia que se les atribuye, no llegaría a conseguirse, aún haciendo los mayores sacrificios en hombres y dinero, lo que no consigue un número considerable de servidores y colonos, primeros interesados en garantir la seguridad individual del que les facilita el bienestar por medio del trabajo".

Además, no convenía distraer fuerzas del ejército en la custodia de propiedades rústicas, pues era impropio de un país "debidamente constituido" y los soldados perdían los "hábitos de organización y disciplina que son la base fundamental de las virtudes militares". En su opinión "esa Guardia rural destinada exclusivamente a impedir las audacias del bandolerismo y a defender la propiedad de toda clase de agresiones, viviendo en las mismas fincas a su cuidado encomendadas, al lado de sus dueños por cuya tranquilidad velaría con su leal comportamiento, había de ser indudablemente el auxiliar más poderoso de la Guardia Civil y llevaría a las autoridades la seguridad de que no se albergaba en caserío alguno, ni siquiera momentáneamente, el malhechor que se ve obligado a dejar la guarida para ejercer su profesión criminal" [70].

Este proyecto del General Salamanca no pasó de ser un sueño de verano tropical. En sus revistas ulteriores no se vuelve a mencionar una palabra sobre el asunto. Seguramente los propietarios no estaban muy decididos a subvencionar, sin tapujos, a la Guardia Civil, y Madrid no vería con buenos ojos la atribución de competencias del Gobernador General para dividir a su antojo al benemérito Instituto, pero sobre todo, existían problemas económicos para hacer frente a la política reformista de Salamanca.

Para consolarse, Salamanca remitió una revista casi monográfica el 19 de agosto, donde aplaudió el papel jugado por el ex-insurrecto Marcos García en Sancti Spíritus en la represión del bandolerismo, papel que no era secundado en el resto de la Isla. "Este patriótico ejemplo no es seguido, por desgracia, en el resto de la Isla, aun contando, como cuentan todos los

---

70. "Gobierno General de la Isla de Cuba. Secretaría. Orden Público", *Gaceta de La Habana*, 10 de agosto de 1889, pp. 1-2.

pueblos, con mayores medios de defensa y con una protección que nunca han contado por parte de las Autoridades y de la fuerza pública encargada de la seguridad de vidas y haciendas". Resumió, además, una carta de Manuel García Ponce, como luego se dirá, y terminó "anunciando a V.E. que para allegar todos los medios de persecución contra el corto número de bandoleros que aisladamente infestan los campos, voy a organizar somatenes en los pueblos, cuyas fuerzas en otros países y en análogas circunstancias, han producido excelentes resultados; y si bien todo nuevo servicio público lucha en los primeros momentos con algunas dificultades, abrigo el convencimiento de que podré dominarlas, y conseguiré el objeto que me propongo, aprovechando las buenas disposiciones de varios alcaldes que, en los últimos secuestros habidos, han levantado por natural impulso el somatén contra los malhechores" [71].

Poco después, el 21 de agosto de 1889, se publicó en el periódico oficial el decreto de erección de la institución de somatenes y se creó una Inspección General, "encargada de la organización y dirección de las fuerzas propias del Instituto, que dependerá directamente del Gobierno general, relacionada con todas las autoridades civiles y militares, cuyo auxilio solicitará cuando las circunstancias lo exijan". En el preámbulo del decreto expresó Salamanca sus deseos con respecto a esta organización popular de seguridad pública [72]:

> No desconozco que ciertas costumbres, propias del carácter de pueblos determinados, no se arraigan fácilmente en otros, de hábitos totalmente distintos; pero sé también que la voluntad todo lo alcanza; y, si los pueblos, penetrándose de la necesidad de extirpar el bandolerismo a toda costa, secundan mis disposiciones y no se muestran indiferentes a mis esfuerzos, conseguiremos que se arraigue la institución del somatén en este país y que sean las fuerzas populares las que siembren el terror entre los bandoleros, que nada temen tanto como que se levanten contra ellos los pueblos, sin esperar otro aviso que la noticia de existir un malhechor en su término municipal.

Más tarde, ante la resistencia de partidas famosas como la de *Matagás* y la de Manuel García, Salamanca agradeció al Ministerio el aumento

---

71. Revista del 19 de agosto de 1889, loc. cit. Sobre Marcos García reproduce, asimismo, su discurso de contestación con motivo de la visita de Salamanca a Sancti Spíritus (v. revista del 30 de agosto de 1889, en loc. cit.).
72. V. *Gaceta de La Habana*, 21 de agosto de 1889, p. 1.

de la Guardia Civil en la Isla, pero lamentó el frenazo a algunas de sus reformas por problemas relacionados con el presupuesto estatal [73].

El Gobernador General ligó uno de sus proyectos más interesantes, el de la colonización con familias peninsulares y canarias, a la eliminación de los tres grandes problemas de Cuba, entre ellos el del bandolerismo. "Fuerza es que consigne que los tres problemas más difíciles del mando y conservación de esta Isla, se resuelven, indudablemente, por este medio de una manera eficaz aunque indirecta, pues la pavorosa cuestión económica, el bandolerismo que ha venido agobiando algunas comarcas y las intransigencias de la autonomía que a más de un ánimo sereno han preocupado, han de desaparecer, sin duda alguna, con la colonización en determinadas provincias y con las obras de carácter general que en lo político y en lo militar serán la clave del mejoramiento de los intereses de los pueblos y de la paz de la Isla por tantos combatida, aunque por todos deseada" [74].

Por otra parte, el somatén comenzó a dar sus primeros frutos, pues, según Salamanca, "ya no es sólo la fuerza pública la que se bate y persigue con encarnizamiento a los bandidos; hoy el paisanaje, que antes, si no prestaba apoyo y protección al bandolerismo, lo consentía con criminal indiferencia, no bien tiene noticia de la aparición de algún malhechor en el campo, sale en su busca, acométele donde quiera que le encuentra, y unas veces ayudado de la Guardia Civil y otras sin auxilios, recorre extensas comarcas haciendo reconocimientos casi siempre de resultados inmediatos" [75].

En noviembre, el Capitán General restó importancia a un incendio provocado por la partida de Manuel García en Nueva Paz, y aseguró que el apoyo popular contra los malhechores iba en aumento, hasta el punto de que en algunas poblaciones se le habían hecho ofrecimientos "para dotar a la Guardia Civil de armamento superior al que hoy tiene, con el que pueda batirse, en caso necesario, en mejores condiciones" [76]. Sin embargo, Salamanca siguió con atención los movimientos de Maceo en el exilio y las audacias de Manuel García en el interior de Cuba [77], y hacía bien, de acuerdo con los intereses que representaba y con la envergadura de los acontecimientos que luego abordaremos.

---

73. Revista del 10 de septiembre de 1889, en loc. cit.
74. Revista del 30 de septiembre de 1889, en loc. cit.
75. *Ibídem.* V., también, las revistas del 10 y del 30 de octubre, así como la del 10 de noviembre de 1889, en loc. cit.
76. Revista del 20 de noviembre de 1889, loc. cit.
77. Revista del 10 de diciembre de 1889, loc. cit. V., también, la revista del 20 del mismo mes.

Mientras tanto, su balance de la represión del bandolerismo durante los últimos meses de 1889 no pudo ser más optimista. "Nada digo a V.E. sobre bandolerismo, porque no tengo ni la más insignificante noticia que comunicarle. El balance de fin de año sobre este particular no puede ser más satisfactorio" [78].

Durante los mandatos de Salamanca, José Chinchilla (1890) y primeros meses de Polavieja (1890-1892), se llevaron a cabo varias ejecuciones de bandidos, acusados, en su mayor parte, del delito de secuestro y, también, por robos y asesinatos en despoblado. El verdugo que ejecutó muchas de estas sentencias de muerte fue, según Varela Zequeira, Valentín Díaz, negro matancero que fue nombrado para el cargo el 31 de mayo de 1889. Entre otros bandoleros fueron ajusticiados [79]:

Bandidos	Causas	Lugar y fecha
Victoriano Machín	Varias	Habana, VI-1889
Cristóbal Fernández Delgado	-	Jovellanos, 4-VI-1889
Eusebio Moreno Suárez	Secuestro	Guanajay, 27-VIII-1889
Federico Acosta Figueroa	Secuestro	Guanajay, 12-IV-1890
José Martín Pérez, *Bulldog*	Secuestro	Guanajay, 12-IV-1890
Domingo Guzmán Pérez	Secuestro	Santa Clara, 6-V-1890
Nicanor Duarte Ramos	–	Matanzas, 9-V-1890
Manuel de León Ortíz	–	Matanzas, 9-V-1890
José de León Ortíz	–	Matanzas, 9-V-1890
José Díaz Ramos	Robo y asesinato	Habana, 30-IX-1890
Carmelo Díaz Ramos	Robo y asesinato	Habana, 30-IX-1890
Felipe López Fernández	Agresión fuerza armada	Jovellanos, 30-X-1890
Francisco Paz	Agresión fuerza armada	Jovellanos, 30-X-1890
José Estrauman Dasin	Robo y asesinato	Colón, 31-X-1890
Pedro Macías Ortal	Robo y asesinato	Colón, 31-X-1890
Pedro Boitel Moreno	Robo y asesinato	Colón, 31-X-1890
Valentín González López	Secuestro	Santa Clara, 13-XII-1890

Varela Zequeira aporta otras informaciones curiosas sobre los bandoleros cubanos. Víctor o Victoriano Machín, su hermano Luis y Juan

---

78. Revista del 30 de diciembre de 1889, loc. cit.
79. E. Varela Zequeira: "Memorias de un reporter", *Heraldo de Cuba*, La Habana, 6 de marzo de 1914.

Suárez se escaparon por una claraboya de su calabozo en el castillo del Príncipe, en la noche del 2 al 3 de noviembre de 1888. Se perdió su pista y se supo de ellos al ajusticiar a quien los había delatado, Francisco Fajardo, el 17 de diciembre del mismo año. El 27 de mayo de 1889 se recibió, en La Habana, la noticia de la captura de Machín en Cienfuegos. Víctor Machín, natural de San Antonio de los Baños, donde había nacido el 23 de marzo de 1857, tenía esperanzas de conseguir el indulto y contrajo matrimonio, ya en capilla, con su ex-amante y madre de sus tres hijos. Machín contaba con simpatías populares, pero, como sabemos, fue ejecutado el 1º de junio de 1889 [80].

Federico Acosta Figueroa (a) *El Guineo* y José Manuel Martín Pérez (a) *Bulldog*, éste natural de Las Palmas de Gran Canaria, secuestraron en el término de Ceiba del Agua, el 14 de febrero de 1888, a José Agustín Alzola, quien estuvo más de un mes en poder de sus secuestradores hasta que pudo escapar en un momento de confusión. Federico Acosta fue detenido el jueves santo de 1889 y Martín Pérez fue hecho prisionero en casa de su familia, el día 30 de marzo. A comienzos de abril de 1890 fueron llevados a Guanajay para ser agarrotados. Acosta estaba pálido, "*Bulldog* se mostró indiferente" [81].

Otro bandido que demostró un especial estado de ánimo a la hora de morir fue Pablo Cantero, de hecho se despidió al grito de "¡Adiós hermanos! ¡Viva Cuba Libre!". Acudió al patíbulo entre risas, pidió que le acompañaran para ir bailando con instrumentos de cuerda y, además, cantó dos cuartetas [82]:

A mí me dijo mi padre
que no hiciera desatino
que me tomara este vino
y me acordara de mi madre.

Ya Saturnino cesó
ya esa linterna no alumbra
ya ese tunal no da tunas
ya ese tiempo se acabó.

80. E. Varela Zequeira: "Memorias de un reporter", *Heraldo de Cuba*, La Habana, 25 y 26 de febrero de 1914.
81. E. Varela Zequeira: "Memorias...", *Heraldo de Cuba*, La Habana, 19 de febrero de 1914.
82. E. Varela Zequeira: "Memorias...", *Heraldo de Cuba*, La Habana, 13 de mayo de 1914, p. 4.

3. UNA INTERPRETACIÓN DE ENRIQUE JOSÉ VARONA

El erudito y polígrafo camagüeyano Enrique José Varona (1849-1933), dio a la estampa, en la *Revista Cubana* que dirigió entre 1885 y 1895, un interesante ensayo sobre el bandolerismo [83]. El examen de este pequeño estudio, que ha pasado inadvertido para algunos estudiosos recientes del fenómeno, resulta conveniente por tratarse de una de las escasas interpretaciones originales de las causas del bandolerismo cubano durante esta época.

Varona comienza por plantear unas reflexiones sobre la vida en sociedad y su evolución. "Para llegar al estado de cooperación perfecta que supone una sociedad perfecta, tienen los pueblos que subir muchos grados. Lo característico de las primeras etapas es la cooperación rudimentaria del grupo general, compuesto de pequeños grupos coherentes en sí, pero mal coordinados unos con otros" [84].

En esta línea de pensamiento positivista y evolucionista llega muy pronto a la conclusión de que "siendo la cooperación para los fines normales el objeto de una sociedad bien constituida y en vías de progreso, si no en estado perfecto, la cooperación para fines anormales es, por lo menos, un caso de regresión, y siempre un caso patológico". Pero su verdadero objetivo era subrayar el carácter eminentemente social de estos fenómenos. "Donde quiera que aparezca una sociedad para hacer mal..., la explicación del fenómeno ha de buscarse en las condiciones sociales del pueblo en que se produzca", esto es, que si se estudian los "caracteres normales" de la evolución social se podrían detectar las causas que determinan la aparición del fenómeno social: país (medio físico), raza (herencia étnica), historia (herencia psíquica), costumbres, organización industrial y política, moralidad y cultura en general [85].

En opinión de este autor, las sociedades de criminales podían ser divididas en dos formas generales muy diversas. Las *públicas*, que rompían abiertamente con las leyes estatuidas y se caracterizaban por el uso habitual de la violencia, y las *secretas*, que trataban de disimular y aun cohonestar

---

83. "El bandolerismo", *Revista Cubana*, VII, La Habana, junio de 1888, pp. 481-501.
84. Art. cit., p. 481.
85. Art. cit. p. 482.

su ilegalidad y "se caracterizan por el empleo preferente de la astucia". Ambas formas de organización criminal implicarían, a su vez, dos grados distintos de evolución social. "Baste decir que la una es genéricamente campesina, y la otra urbana. Siguen la ley de evolución social que va agrupando cada vez más la población, antes dispersa en los campos, en grandes centros de habitación con límites precisos. Marcan el tránsito de la vida nómada a la vida sedentaria; del período depredatriz al período industrial. Todos los pueblos han pasado por ellas; los hay donde coexisten ambas, pero en los más adelantados ha desaparecido la primera" [86].

En este contexto teórico, el bandolerismo sería "la manifestación más completa de la primera forma" y, en consecuencia, "un signo característico de atraso social". Las causas del bandolerismo habría que buscarlas en la ausencia de los elementos que constituyen el "progreso de las colectividades", a saber [87]:

> *El aumento de la población; la extensión y perfeccionamiento de las comunicaciones; la mayor eficacia industrial; las grandes aglomeraciones urbanas con la policía perfeccionada que requieren; la difusión de la educación intelectual y estética; la mayor suavidad de las costumbres; el buen gobierno; la libertad y la igualdad políticas, y el sentimiento de la responsabilidad personal y colectiva en el mayor número de ciudadanos, son circunstancias que, a medida que se reunen y coordinan para formar una gran asociación próspera y culta, estorban y acaban por hacer imposible la constitución y permanencia de pequeños grupos inconexos en guerra abierta con el orden social. Este fenómeno, pues, no se presenta nunca aislado; es consecuencia de causas fácilmente apreciables, cuando se estudian sin prevenciones ni prejuicios. Los pueblos que tengan la desgracia de sufrir este azote, y sientan, como es natural, la necesidad y la obligación de combatirlo, están en el caso de examinarse a sí mismos, en todas las manifestaciones de su vida colectiva, si quieren llegar a las raíces del mal.*

Cuba se encontraba en este caso y Varona se propuso, a continuación, indicar los puntos fundamentales de su análisis. En primer lugar el factor histórico. "Lo presente es hijo de lo pasado", afirma, y añade "la psicología del cubano tiene que explicarse acudiendo a la historia del pueblo español" y, claro está, en este contexto, "lo característico en esa historia es el largo predominio de la violencia". Es más, "entre las naciones que constituyen

---

86. Art. cit., pp. 482-483.
87. Art. cit., p. 483.

verdaderamente la civilización europea, no hay ninguna donde haya durado más[...]. La guerra civil ha sido dolencia crónica del español en Europa y en América". En este sentido se remonta, pues, a la Reconquista peninsular y realiza un breve recorrido histórico sobre el bandolerismo español, para lo que se apoya, entre otros autores, en un clásico, don Julián de Zugasti [88].

Estos antecedentes históricos influían de dos maneras en la existencia del bandolerismo en Cuba. "Por la transmisión hereditaria de la raza y las costumbres, y por la inmigración". El emigrante, señala, "es, por lo común, en bien y en mal, un buen exponente de los caractéres más enérgicos de su raza; porque siempre emigran los más osados y emprendedores. Esto por lo que respecta a la emigración voluntaria", porque habría que sumar a este capítulo de la inmigración importantes sectores de la milicia colonial. "España además ha mantenido aquí desde el principio del siglo un ejército numeroso, que ha convertido en desaguadero de todos los rezagos de sus guerras civiles. Carlistas y cantonales han venido a parar por igual al ejército de Cuba". Este hecho explicaría "el número de licenciados y de procedentes de las antiguas guerrillas auxiliares que se encuentran en las actuales partidas de bandoleros" [89].

En éste último aspecto Varona parece confundir criminalidad simple con bandolerismo. La presencia de inmigrantes y de hijos de inmigrantes en las filas del bandolerismo social cubano es más que constatable, es una de nuestras tesis fundamentales –como se irá analizando– y ya hemos expuesto varios ejemplos, sobre todo de los provenientes de Canarias, pero, salvo rarísimas excepciones, se trata de individuos que se funden con el medio rural y no son, en absoluto, extraños a él, sino todo lo contrario.

---

88. Art. cit., pp. 484-489. Una edición reciente (1983) de J. de Zugasti: *El bandolerismo. Estudio social y memorias históricas*, 3 vols., ha sido editada en Córdoba por la Ed. Albolafia y la Diputación Provincial. Otros textos de diverso interés: C. Bernaldo de Quirós y L. Ardila: *El bandolerismo*, Gráfica Universal, Madrid, 1933; D. Pastor Petit: *El bandolerismo en España*, Plaza y Janés, Madrid, 1979 y, para Cataluña en particular, J. Reglá: "El bandolerismo en la Cataluña del barroco", *Saitabi*, XVI, Valencia, 1966, pp. 148-160 y X. Torres i Sans: "Guerra privada y bandolerismo en la Cataluña del barroco", *Historia Social*, UNED, Valencia, 1988, n° 1, pp. 5-18, entre otros.

89. Art. cit., pp. 490-491. Varona no hace alusión, en este sentido, a ningún bandolero mínimamente famoso, aunque sus nombres eran, como es obvio, del dominio público.

Además, Varona parece ignorar la importancia de la emigración familiar específicamente canaria. Una inmigración que, como él mismo pone de relieve a continuación, es tan esclava como la negra, sin embargo, el intelectual cubano no llegó a dilucidar la importancia de la desintegración de las estructuras rurales tradicionales, lo que, por otra parte, sería una deficiencia demasiado fácil de criticar desde nuestra perspectiva actual.

Otro argumento de Varona es el relativo al "estado de nuestras costumbres", cuyo estudio ponía de manifiesto otros dos caractéres genéricos que influían en la génesis del bandolerismo cubano, "la crueldad y la improbidad". Crueldad en relación con la esclavitud que había engendrado desprecio por la persona humana. "No ha sido el sudor, sino la sangre de los hombres lo que ha fecundado nuestros campos", y se pregunta: "¿Qué sentimientos han podido engendrarse en la población híbrida, ignorante y fanática que se formaba en nuestros campos, aumentada parte por el cruzamiento, parte por la inmigración de hombres no menos duros, crueles, incultos y fanatizados?" [90].

Respecto al principio de la probidad, de la honradez, el intelectual cubano subraya que "el ansia desapoderada de la riqueza, del lucro por lo menos, que parece ser característica de los pueblos nuevos en nuestros tiempos, ha reinado entre nosotros sin contraste, y ha subvertido los principios fundamentales de la probidad social. Enriquecerse a toda costa ha sido aquí el objeto principal de la vida". De ahí a la corrupción social generalizada no había más que un paso. "La única institución del gobierno, popular en la Isla entera, aceptada y sancionada por los habitantes de todas las procedencias, es la lotería" [91].

A estos factores habría que añadir la actitud meramente represiva del gobierno. "El gobierno todo lo que ha conseguido es sembrar el terror por breves intervalos, sin corregir y sin morigerar; antes al contrario, dando el más pernicioso ejemplo, y alejando cada vez más de sí a la población espantada. El miedo es un gran disolvente social; y donde se aflojan los lazos civiles es donde con más facilidad se forman las asociaciones irregulares y criminales". En este contexto no tenía razón de ser la acusación de deficiencia y corrupción de la judicatura, porque ésta también era una rama del gobierno y el Estado no podía confesar su impotencia para atajar "la venalidad de los curiales" [92].

90. Art. cit., pp. 491-492.
91. Art. cit., pp. 492-493.
92. Art. cit., pp. 493-495.

En el caso concreto del bandolerismo, nada había sido tan desmoralizador como la acción del gobierno. En momentos de arrebato, afirma Varona, se había encarnizado contra los bandidos, mientras que, en otras ocasiones, los agentes del Estado habían recurrido al engaño y a la traición, cuando no al soborno, para deshacerse de los insumisos. "Un gobierno que desmoraliza con su ejemplo, forma él mismo los criminales que habrá de perseguir después" [93]. Y, ¿cómo predicar con el ejemplo cuando el cohecho llega, incluso, a implicar a las primeras autoridades de la Colonia?

Su visión de la sociedad cubana de la época nos pinta, en fin, con tintes sombríos, a un pueblo desintegrado, no vertebrado, donde se confundían razas salvajes, razas decrépitas y razas grandemente mezcladas, de acuerdo con las corrientes socio-biológicas de su tiempo. Nos habla, también, de una sociedad "fundada en la explotación sin misericordia del hombre por el hombre", situada en el primer peldaño de la civilización. En la zona ganadera y abrupta de Oriente se había formado una sociedad recia y poco sociable, donde, sin embargo, el carácter se había conservado más entero. Pero hacia Occidente, "donde se estrecha la Isla", "el guajiro y el isleño han sido tan esclavos como el negro", como ya se apuntó. No era más lisonjera, en aquellos momentos, la situación de los pequeños cultivadores, ni la de los colonos [94].

Paralelamente, el orden social no se revelaba a la población campesina como protección, "sino como fuente de exacciones perennes" y, además, la Iglesia ni educaba ni moralizaba. "Todo lo que ve del Estado es el secretario del juzgado municipal, de quien se recela, el ejecutor de apremios, que aborrece, y el guardia civil, ante quien tiembla". Estas condiciones desembocaban en una institución mantenida por la ley de la necesidad, la del cacique rural, que es un tirano y, a veces, un protector. "Antes era el cacique un hijo del país, hoy casi siempre es un español; es el único cambio". Sólo de esta forma se mantenían relaciones indirectas entre el pueblo y la ley. "La miseria, la ignorancia, el temperamento moral heredado, y la sumisión a la voluntad ajena, he aquí lo que constituye a nuestra población campesina en semillero de bandidos. Un desalmado audaz arrastra unos cuantos, impone a muchos, busca conexiones y encuentra protectores. Las condiciones externas favorecen, las condiciones morales no

93. Art. cit., pp. 495-498.
94. Art. cit., pp. 499-500.

pueden ser más propicias, y el régimen social conspira de la mejor manera". En conclusión [95]:

> El bandolerismo, que ya no existe en Sicilia, que ya no existe en Grecia, subsiste en España. En Cuba se les ha perseguido más de una vez a fuego y sangre; y hoy todavía se buscan leyes especiales y tribunales especiales para reprimir los bandidos. Cuando no es que nos falten leyes, sino que nos sobran las causas de disolución social. ¿De qué nos ha de servir, pues, una reforma legislativa, suponiendo que lo sea, si lo que se necesita es cegar las fuentes de corrupción, empezando por lo alto; respetar y enseñar a respetar todos los derechos, sobre todo los de la persona humana como tal; abatir las desigualdades artificiales; combatir los privilegios extra-legales; esparcir la cultura verdadera, empezando por la de los sentimientos; en una palabra, regenerar, morigerar y dignificar un pueblo entero? El bandolerismo no retrocede ante la fuerza, sino ante la civilización. Y en Cuba lo que avanza es la barbarie.

El mérito principal de las reflexiones de Varona fue el intento de encontrar una explicación racional y democrática a las causas del bandolerismo rural en Cuba, y en ese sentido sus planteamientos poseen, en algunos puntos, una gran actualidad metodológica y un indudable rigor intelectual. Pero Varona no comprendió, o no estaba en condiciones de comprender, la carga revolucionaria o protorrevolucionaria del bandolerismo social cubano de su tiempo.

4. *MATAGÁS*: LIBRE COMO LAS PALMAS

El intento de atrapar, a fines de 1886, al decano de los bandoleros-insurrectos cubanos fracasó definitivamente. El pardo era demasiado astuto para caer en una más de las muchas celadas que sus perseguidores pusieron en su imprevisible camino, de hecho, su invulnerabilidad adquiría tintes de leyenda.

A comienzos de 1887, Alvarez Arteaga operaba en los límites de las provincias de Santa Clara y Matanzas, donde fue perseguido sin éxito por fuerzas combinadas de ambas provincias. En febrero, no obstante, perdió a uno de sus hombres. Secundino Amador Neussoli, natural de La Habana, trató de buscar trabajo en el ingenio "Santa Nora", para facilitar un se-

---

95. Art. cit., pp. 500-501.

cuestro, pero su imprudencia, al preguntar si existía un puesto de la Guardia Civil en las cercanías, le hizo sospechoso y fue apresado por Francisco García y Faustino Corrales, guardias de la zona de Mameyes (Colón). Pero, también en febrero, el jefe bandolero secuestró a Jacinto Sardiñas en Jagüey Chico y tuvo un enfrentamiento con miembros de la Guardia Civil en Cayo Espino, cuyo resultado se saldó con tres muertos entre las fuerzas del orden [96].

El 4 de marzo, *Matagás*, al frente de los suyos, dio un golpe en Cuatro Esquinas y, luego, continuó hacia Monte Alto, desde donde llevó a cabo una contramarcha que despistó a las fuerzas de la Guardia Civil. Al día siguiente, un grupo del Regimiento de la Reina entró en combate con ocho hombres de la partida, en Corralillo, en el que cayeron dos soldados españoles. La alarma cundió entre las autoridades de la zona, pues se sabía que el pardo dirigía una fuerza no inferior a los treinta hombres. El 7 de marzo se pedía, desde Macagua, protección contra el bandolero porque "este pueblo está bastante indefenso a causa de lo lejano de los puestos de la Guardia Civil que son de infantería, ruego nuevamente que disponga establecer un destacamento de caballería del Ejército" [97].

Desde Caimito del Hanábana se informó, asimismo, el 9 de marzo, de un encuentro entre fuerzas del Regimiento de Caballería del Príncipe y miembros de la partida de *Matagás*. La jornada terminó con seis muertos, sin que se especifique el bando al que pertenecían. Además, algunos delincuentes menores comenzaron a utilizar el nombre del bandolero para realizar sus fechorías. Tres individuos robaron a un tal José Navarro en las cercanías del ingenio "Santo Domingo" [98] y, aunque se jactaron de ser hombres de *Matagás*, eran vecinos de Corral Falso de Macuriges –actualmente Pedro Betancourt–. Al parecer, este tipo de actos delictivos no agradaban ni al propio bandolero-insurrecto, molesto por la usurpación de su nombre y de su "prestigio" popular [99].

Es más, se cuenta que con ocasión de haber sido asaltado, a fines de 1886, el médico de Colón, don Joaquín Planas, por un individuo que dijo pertenecer a la partida de *Matagás*. El primero recibió, algún tiempo después, una inesperada visita de un personaje disfrazado. Era el propio Ál-

96. J. Fernández Fernández y N. López Novegil: Op. cit., p. 130 y 132.
97. AHPM. Gobierno Provincial. Orden Público. Bandoleros-Insurrectos, Leg. 3, n° 72.
98. Ubicado en la zona de Claudio –hoy Torriente–, cerca de Jagüey Grande.
99. J. Fernández Fernández y N. López Novegil: Op. cit., p. 131.

varez Arteaga, quien, al conocer el suceso, creyó que era su deber arriesgar la vida para dar al médico una satisfacción por el delito que un desconocido había cometido valiéndose de su nombre [100].

El 28 de mayo de 1887, según "confidente de entero crédito", se avisó a las autoridades provinciales que *"Matagás* con su partida estará seguramente noche del martes próximo en límite del ingenio Mercedes" del término de Guamacaro [101]. La partida, en efecto, estuvo en las cercanías, pero al parecer se esfumó al ver movimientos de tropas en la zona. El teniente Esteban Acosta continuó con las operaciones y preparó una emboscada, pero no encontró a nadie. Luego salió con su fuerza y reconoció el ingenio "Carambola", los bateyes de "Quintana", "Guanajayabo", "Desempeño" y "San Vicente" y, finalmente, las sitierías de Cimarrones sin resultados positivos [102].

Algún tiempo después, hacia el mes de agosto, se supo que cuatro miembros de la partida de Alvarez Arteaga habían llegado a Cayo Hueso. El Cónsul español informaba al respecto que "de los cuatro individuos de *Matagás*, recientemente llegados a esta, he podido averiguar el nombre de tres de ellos que son: Leopoldo Díaz de Güines, Ruperto Valdés de Colón y Julián García de La Habana, el primero blanco y los otros dos de color" [103]. El cuarto viajero fue Toribio Sotolongo. Las conexiones con la emigración revolucionaria seguían siendo evidentes.

En una carta al brigadier Francisco Carrillo, fechada en Panamá el 23 de noviembre de 1887, afirma Máximo Gómez [104]:

> *¿Conque gran reunión el 10 de Octubre? Me alegro que allí acudiesen cubanos prestigiosos como Tomasito y Martí —aunque en los tiempos que corremos no sabemos si habrán cambiado de opiniones. Como quiera que sea, nosotros no tenemos que ver nada con los que se cansen y dejen su carga en medio del camino. Los hombres de ideas y principios fijos, y con verdadera conciencia de lo que son, no vacilan jamás en sus propósitos [...]*

100. P. Villanueva: *Historia de Colón*, Imp. Paltenghi, Colón, 1933, t. II, pp. 172-173.
101. AHPM. Loc. cit., Leg. 1, n° 18. El telegrama fue rectificado con posterioridad y, en lugar del ingenio "Mercedes", se indicó que en realidad era el "Merced".
102. *Ibídem.*
103. AHPM. Loc. cit., Leg. 1, n° 22, fols. 1-2.
104. M. Gómez: *Cartas a Francisco Carrillo*, Ed. de Ciencias Sociales, La Habana, 1971, pp. 76-77.

Por todas partes anda la cosa alborotada. De algunos puntos me escriben en diferente sentido –y yo a todo contesto, que cuando el principio de independencia quede sujeto a la defensa de un simple triunvirato yo seré el tercero–, aunque mis dos compañeros sean Pico Paz y Matagás.

Mientras se aclaraba la situación en el exilio revolucionario, *Matagás* continuó con su campaña interior, que de algún modo era secundada, en la provincia habanera, por las acciones de otros bandoleros-insurrectos como *Lengue Romero* y, a partir de estas fechas, de otra gran figura de la historia del bandolerismo social y revolucionario cubano, Manuel García Ponce.

Antes de finalizar 1887, Álvarez Arteaga realizó otros actos de rebeldía en los campos de Matanzas. En noviembre sostuvo, en El Quiebrahachal, un enfrentamiento con fuerzas de la Guardia Civil y, en diciembre, secuestró a don Francisco Echeverría [105].

El 16 de enero de 1888, miembros de la partida secuestraron también, cerca del ingenio "Meteoro", en los límites entre Matanzas y Santa Clara, a don Martín Sarasa, pidiendo por su rescate la cantidad de "tres mil duros". Según un parte del capitán de la Guardia Civil, Ramiro Valcárcel, en operaciones por la comarca de Palma Sola, la familia del secuestrado no había informado a "ninguna autoridad, ni aun a los vecinos porque estaban haciendo las gestiones para entregar el dinero y por temor de que no le quitasen la vida, si veían movimientos de fuerzas; cuyos bandidos dicen ser de Matagás, mandados por un titulado el Prieto". El oficial español solicitaba que se vigilasen los enclaves aledaños, los cruces de caminos y "salida de montes, principalmente por la parte [de] Crucecitas que es donde piden el dinero" [106].

A su vez, el alcalde de Guamutas, Manuel Fernández, avisó, el día 19, que *Matagás* y otros habían estado la noche anterior en el potrero "Echeverría" [107]. Por estas mismas fechas, el bandolero pardo llevó a cabo otro secuestro, el del colono don Eulogio Molina del ingenio "Desquite", en la zona norte de Matanzas, cerca de Recreo. También obtuvo un rescate en metálico, aunque al parecer de menor cuantía [108].

105. J. Fernández Fernández y N. López Novegil: Op cit., p. 134.
106. Comunicación al Gobernador General, Palma Sola, 18 de enero de 1888, ANC. Asuntos políticos, Leg. 81, nº 21.
107. Telegrama de Manuel Fernández al Capitán General, 19 de enero de 1888, en AHN. Ultramar. Papeles sueltos sobre bandolerismo, Leg. 5.818, cit.
108. J. Fernández Fernández: *Matagás...*, cit., pp. 74-75.

La partida de *Matagás* tenía en perpetuo jaque a las autoridades de la comarca. Entre sus miembros destacaban varios hombres de armas tomar, experimentados y astutos, acostumbrados a la vida en campaña. Quizá por ello, el Capitán General Sabas Marín telegrafió a los gobernadores de Matanzas y Santa Clara, el 15 de marzo de 1888, en los siguientes términos [109]:

> *Comisionado por mí el Teniente Coronel D. José Gul para la persecución del bandolerismo en la zona que le he marcado, sírvase V.S. disponer se cumplan en dicha zona de Amarillas, Aguada de Pasajeros y Yaguaramas las órdenes que aquel dé a las fuerzas de la Guardia Civil y demás agentes de su autoridad.*

A mediados de abril se sospechó que el bandolero pardo estaba próximo a la zona de Sancti Spíritus [110], y, el día 24, telegrafió el alcalde de Guamutas para indicar que, según confidencias, se encontraba en su término municipal [111]. El 1° de mayo, el solícito edil volvió a informar de la presencia de *Matagás*, con cinco de los suyos, "en las Sabanas de Guamutas", lo que participó a todas las autoridades, "saliendo con voluntarios, celador de policía y guardias en su persecución" [112].

Todas estas gestiones de los agentes del orden fueron inútiles. *Matagás* y los suyos campaban por sus respetos. En julio fue secuestrado, en Abreus (Las Villas) Daniel Cueto, y, en agosto, el hijo del potentado Roig, quien pagó un fuerte rescate pero recibió al joven sano y salvo en Aguada de Pasajeros. Álvarez Arteaga se enfrentó en numerosas ocasiones, durante el primer semestre del año, a las fuerzas perseguidoras, y sólo perdió un hombre, José González, que fue detenido cuando se recuperaba de sus heridas en el hospital de Jovellanos [113]. El 28 de agosto, según el comandante militar de Cárdenas, *Matagás* y su partida tuvieron fuego con fuerzas de seguridad en los montes de Jícara (Santa Clara), y huyeron en dirección a Guamutas [114].

---

109. Copia del telegrama en AHN. Loc. cit., Leg. 5.818.
110. Copia de telegrama del gobernador de Santa Clara, 16 de abril de 1888, en loc. cit.
111. Telegrama al Gobernador General, 24 de abril de 1888, en loc. cit.
112. Telegrama al Gobernador General, 1° de mayo de 1888, en loc. cit.
113. J. Fernández Fernández y N. López Novegil: Op. cit., p. 146.
114. Telegrama al Gobernador General del 29 de agosto de 1888, en AHN. Loc. cit., Leg. 5.818.

Una de las claves de la invulnerabilidad de Álvarez Arteaga era, sin duda, el apoyo popular, pues de lo contrario es imposible entender su supervivencia ante tantas adversidades. Pese a contar con la Ciénaga de Zapata como refugio bastante seguro, sus acciones se prolongaban, como hemos tenido ocasión de observar, por una vasta comarca que comprendía gran parte del oeste de la actual provincia de Matanzas y un amplio sector al este de lo que hoy son las provincias de Santa Clara y de Cienfuegos.

No bastaba, pues, el apoyo de familiares y amigos, a lo largo y a lo ancho del equilátero formado por las poblaciones de Jagüey Grande, Colón y Aguada de Pasajeros, en tanto que territorio más seguro, sino que, aparte de unos mínimos conocimientos de estrategia militar que le permitían dividir a sus hombres en pequeños grupos más operativos, *Matagás* contaba con las simpatías, el apoyo y, al menos, la discreción de muchos habitantes de la comarca. Como afirma nuestro informador de Amarillas, "toda esta gente de aquí nunca lo delató y era porque él los defendía y era muy bien llevado. Y según los viejos él recaudaba dinero para la guerra, y a quién se lo entregaba no sé, pero mucho dinero que dio para la Revolución" [115].

Según un informe oficial, "por lo regular *Matagás* anda siempre con cuatro hombres solamente y cuando pretende llevar a cabo algún hecho reúne a cinco o seis más, que vuelven a su casa después [...] de verificado" [116]. Esta fue, en efecto, otra de las claves de su singular resistencia, de esta forma el bandolero-insurrecto podía enfrentarse con sus enemigos en los montes de Jícara en la provincia de Santa Clara y, más tarde, reaparecer por las tupidas colinas de San Miguel de los Baños, en el corazón de la provincia matancera. A la sazón la partida era mayor, en torno a la treintena de efectivos reales, profundos conocedores de sus zonas de nacimiento, y, además, los datos disponibles sugieren una indudable cohesión interna del grupo en torno a su jefe.

Otra clave digna de ser examinada tiene un carácter socio-revolucionario, político. Tres de los principales colaboradores de *Matagás* ya habían militado a las órdenes de Carlos Agüero y, tras la muerte de éste, reconocieron a Álvarez Arteaga como su jefe natural. Se trata de Desiderio Matos, *El Tuerto* Matos; Juan Sotolongo (a) *Vizcaíno* y Casimiro Sotolongo.

El primero había nacido en Caimito de la Hanábana o en Yaguaramas, según las fuentes, era alto, de pelo negro, soltero, de unos treinta años a la sazón y con una nube en un ojo. El segundo era natural de Colón,

---

115. Entrevista a S.J. Acevedo Gutiérrez, Amarillas, 18 de mayo de 1991, cit.
116. AHPM. Loc. cit., Leg. 1, n° 28.

tendría unos veinticuatro años, mulato, alto y grueso, de frente despejada y pómulos salientes, poseía una cicatriz en el párpado derecho; y el tercero vino al mundo en el Caimito de la Hanábana, mulato, soltero, de treinta y dos años, delgado y de baja estatura, tenía una cicatriz de herida de bala que recibió en 1884.

Otros bandoleros de la partida y de la comarca, según los antecedentes que obraban en poder de la policía de Matanzas, eran [117]:

– Guillermo Fonseca. Natural de Colón, estatura regular, mulato, de cara redonda y lampiña, de unos 22 años.

– Modesto Lasunsé Castañeda. Natural de Caimito de la Hanábana. Negro, de unos 20 años, de baja estatura y con una cicatriz en la cabeza. Se alzó a raíz de haber dado muerte a un mulato en el ingenio "Conchita".

– Modesto Rodríguez. Natural de Palmillas. Mulato de cara redonda, ojos pardos, baja estatura y de 24 años de edad. Sentenciado por robo en 1883 y 1886, se fugó del destacamento presidial del ingenio "Socorro" en Corralillo y se unió a *Matagás*.

– Pío Matos (a) *Sabanero*. Primo o hermano de *El Tuerto* Matos. Tenía antecedentes penales y se incorporó a la partida hacia 1887.

– Toribio Sotolongo. En 1887 emigró a Cayo Hueso con su amante y con otros tres bandoleros ya mencionados.

– Ramón García Solano (a), *Maravilla*.

– Félix Jiménez.

– Juan Tuero (a), *El Asturiano*.

– José González.

– Francisco Brito. Natural de Canarias.

– Benito Flores.

– Gregorio Armas.

– José Calzadilla.

– Silvestre Rojas.

La partida de *Matagás* también actuó, en su conjunto, en alguna ocasión, como por ejemplo en el ataque, en 1888, al ingenio "Vera", ubicado en la zona de Recreo. Los hombres llegaron al lugar en pequeños grupos y se unieron para el combate, de esta forma consiguieron una su-

---

117. Informe de Casimiro Fernández, Jefe de Policía de la provincia de Matanzas, 25 de octubre de 1888, en AHPM. Loc. cit., Leg. 1, n° 28, fol. 13. Además figuran en la lista un tal Florentino, otro individuo de apellido Campos, un tercero no identificado y de raza blanca y un cuarto natural de Filipinas.

perioridad numérica sobre los defensores del ingenio [118]. Pero esto no era lo habitual, lo común, como ya hemos apuntado, era la fragmentación estratégica de la fuerza en pequeñas partidas de bandoleros, por ello, durante todos estos años turbulentos, no cayó Alvarez Arteaga en ninguna de las frecuentes escaramuzas que tuvo con las fuerzas perseguidoras. Algunos de sus hombres más valiosos, sin embargo, sí fueron víctimas de las fuerzas del orden en 1889, bajo la intensa campaña de persecución que auspició el general Salamanca.

Así, como ya indicamos en el **cuadro II**, a comienzos de agosto de 1889 la Guardia Civil y la guerrilla de Taguasco apresaron a Modesto Rodríguez, "que es otro de los que vienen formando la gavilla del tristemente célebre *Matagás*" [119]. También, a principios de septiembre, Salamanca informó que la Guardia Civil había dado alcance a la partida del bandolero-insurrecto cuando se refugiaba en la Ciénaga de Zapata y la batió "en aquel sitio peligroso, causándola un muerto y apoderándose de armas, equipajes y dinero" [120], y, a fines de mes, señaló con regocijo [121]:

> *Pero donde se ha demostrado que el elemento popular, abandonando su antigua indiferencia, sigue resueltamente y con entera confianza las órdenes de este Gobierno General, lo que nunca había sucedido, es en el encuentro de que dí cuenta a V.E. por telégrafo, que tuvo el Alcalde de Cartagena con la partida de Matagás, del que resultó muerto el 2º de la cuadrilla, llamado Sotolongo, que por el número de fechorías que llevaba hechas, tenía fama de ser el más terrible y arrojado de los compañeros del mencionado bandido.*

Álvarez Arteaga llevó a cabo diversas acciones a lo largo de este año, pero es cierto que, sobre todo, empleó su tiempo en evitar el acoso de las fuerzas del orden. El 11 de diciembre se avisaba, desde Hato Nuevo, que varios hombres armados se habían internado en el término, "se supone sea la partida de *Matagás* con la pretensión de exigir cantidades a los hacendados" [122]. Esta fue la práctica delictiva más común de Álvarez Arteaga y de sus hombres durante estos años, la extorsión y el secuestro de los pro-

---

118. J. Fernández Fernández: Op. cit., p. 79.
119. Revista de Salamanca del 10 de agosto de 1889, en AHN. Ultramar. Leg. 4.851, cit.
120. Revista del 10 de septiembre de 1889, en loc. cit.
121. Revista del 30 de septiembre de 1889, en loc. cit.
122. AHPM. Loc. cit., Leg. 1, nº 4.

pietarios de la comarca. De esta forma aseguraban su subsistencia y la de numerosos campesinos pobres y colaboradores y, probablemente, contribuían a financiar la Revolución venidera.

El invicto *Matagás* se alzó en armas, nuevamente, en la Guerra de Independencia, con toda su partida, y murió en febrero de 1896, con el grado de teniente coronel del Ejército Libertador, pero volveremos sobre él más adelante porque, durante esta época, su indudable protagonismo en los campos de Cuba fue eclipsado por otro de los grandes bandoleros-insurrectos, Manuel Hermenegildo García Ponce.

5. MANUEL GARCÍA PONCE: EL ORIGEN DE UN MITO

Manuel Hermenegildo García Ponce fue el más famoso de los bandoleros cubanos de la Tregua Fecunda y de todos los tiempos. Su figura ha sido glosada por historiadores, eruditos y periodistas con desigual acierto y su imagen pervive en la memoria colectiva del pueblo cubano, casi como una seña de identidad. En torno a ella se ha tejido una red de interpretaciones y de juicios más o menos apasionados que han pretendido, por lo general, exaltar los valores innatos y la rebeldía del guajiro y, por otra, destacar su papel como revolucionario que, justo antes de que José Martí consiguiera aunar en torno al Partido Revolucionario Cubano las voluntades dispersas de las fuerzas emancipadoras, simbolizó la resistencia contra el poder colonial.

Se ha tratado, pues, de idealizar su imagen, de desprenderla de toda connotación peyorativa o despectiva, de negar su praxis como bandolero porque la ética revolucionaria así lo exigía. Nadie que fuera indigno, delincuente, bandido..., podía brillar con luz propia, por lo tanto Manuel García Ponce no fue un bandolero sino un *mambí*, un líder revolucionario de Occidente, acusado de marginal y de asesino por la interesada opinión de los representantes de la Metrópoli y sus colaboradores.

Sus primeros tiempos como uno de tantos individuos que se alzó por motivos personales y se echó al monte y pasó a delinquir frente a la Autoridad colonial, aunque no ante sus iguales los campesinos cubanos de Occidente, están envueltos en los misterios y las inexactitudes de la leyenda. Igual sucede con su oscura muerte, el día primero de la Guerra de Independencia, que ya desde entonces hizo circular todo tipo de conjeturas y rumores contradictorios.

Manuel García Ponce fue un bandolero-insurrecto, un bandido patriota de liberación nacional en el más puro sentido *hobsbawmniano* del término. Fue, también, el gran árbol que impidió a más de un historiador ver la profundidad y la densidad del bosque.

Las noticias disponibles sobre su figura, en cualquier caso, pueden agruparse en dos apartados, a saber, las producidas por la investigación intelectual, en sus distintos niveles, desde la elaboración científica a la glosa periodística, literaria, radiofónica y cinematográfica y, en otro sentido, los testimonios de sus contemporáneos, la tradición oral. En ambos planos se producen curiosas coincidencias, fragmentos de la verdad que han hecho cada vez más difícil un acercamiento a la auténtica realidad histórica del personaje.

Julián Sánchez, que tenía unos diez años cuando murió Manuel García, afirmaba en torno a 1970 [123]:

> *Manuel García almorzaba con frecuencia en casa del campesino Angel Flores –que aún vive– y le contaba sus planes. Tenía el propósito de dar el grito de la revolución en Matanzas y llevarse de allí a la juventud que quisiera seguirlo al monte para luchar por la libertad de Cuba.*
>
> *Manuel García contó una vez que le había mandado veinticinco mil pesos a Martí y que éste se los devolvió porque "no quería dinero de bandoleros para la revolución". A mi entender, el Maestro no estaba completamente informado del proceder de este hombre. De ser así, no hubiera considerado robo aquel dinero amasado con la sangre de la ignominiosa esclavitud.*
>
> *En La Habana había algunos individuos a los que Manuel García les entregaba dinero para la causa revolucionaria, y después lo perdían en el juego.*

Otro testigo de este tiempo turbulento fue el negro Esteban Montejo, el relato de sus andanzas y de sus recuerdos fue recogido por Miguel Barnet en su famosísima *Biografía de un cimarrón* [124]:

> *Manuel no perdía una oportunidad. Donde quiera que él veía centenes hacía la zafra. Esa valentía le ganó muchos amigos y muchos enemigos. Yo creo que eran más los enemigos. Dicen que no era asesino. No sé. Lo que sí es positivo es que tenía un ángel buenísimo. Todo le salía bien. Fue amigo*

123. E. Dumpierre (recopilador): *Julián Sánchez cuenta su vida*, Instituto del Libro, La Habana, 1970, pp. 25-26.
124. Ed. Ariel, Barcelona, 1968, pp. 107-108.

de los guajiros; amigo de verdad. Cuando ellos veían que la guardia espa-
ñola se aproximaba al lugar donde estaba Manuel, sacaban los pantalones
y los tendían en una soga con la cintura para abajo. Esa era la señal para
que Manuel se alejara. Por eso vivió tanto tiempo con el robo.
Fue el más atrevido de los bandoleros. Lo mismo detenía un tren que
lo descarrilaba. Cobraba contribuciones. Para qué contar... Lo de Manuel
llegó a tal punto que no cortaba ya ni las líneas telegráficas porque él decía
que estaba seguro de que nadie lo iba a coger. Salamanca y Polavieja lo
combatieron como a nadie. Otro general que vino aquí, llamado Lachambre,
iba a capturar a Manuel. Pero Manuel lo que hacía era reírse de él y
amenazarlo con cartas donde le decía que lo iba a colgar. Lachambre era
guapo, pero nunca pudo dar con Manuel. Y eso que los españoles tenían las
armas mejores y el número de hombres mayor.
[...] Manuel García dio mucha lata en Cuba, en La Habana sobre
todo. A él le gustaba esa vida. Y no tenía vergüenza de decirlo. Primero estuvo
de cuatrero en el monte, robando bueyes para vender. Luego se puso a robar
dinero y a secuestrar.

A su vez, desde el punto de vista histórico y, también, ensayístico se han ocupado del personaje diversos estudiosos, con la natural desigualdad en los resultados obtenidos. En este sentido conviene citar, entre otros, los trabajos de Enrique Varela Zequeira y Arturo Mora Varona [125], Federico Villoch [126], Francisco Meluzá Otero [127], Álvaro de la Iglesia [128] y, más recientemente, aparte de diversos artículos en revistas y periódicos cubanos –algunos de los cuales citaremos en su momento–, las importantes monografías, ya mencionadas, de M. Poumier [129] y de R. Schwartz [130].

125. *Los bandidos de Cuba*, primera serie, La Habana, 1891. Además, Varela Zequeira, quien fuera teniente coronel del Ejército Libertador y gran conocedor sobre el terreno del tema del bandolerismo, dio a la estampa los trabajos: "Recuerdos históricos, Manuel García", *La Discusión*, 8 de noviembre de 1903 y "Memorias de un repórter", ya citadas, en *El Heraldo de Cuba*, La Habana, febrero-abril de 1914.
126. *Manuel García, Rey de los Campos de Cuba (desde la cuna hasta el sepulcro)*, por "Uno que lo sabe todo", Habana, 1895 y 1921.
127. *Manuel García, una vida extraordinaria*, Habana, 1941-1942, 2 vols.
128. *Manuel García, el Rey de los Campos de Cuba, su vida y sus hechos*, Habana, 1895 y *Manuel García, el Rey de los Campos de Cuba, vida de este famoso bandido, desde su infancia hasta su muerte*, Habana, 1896.
129. *Contribution à l'étude du banditisme...*
130. *Lawless Liberators...*

Así, pues, partiendo de que no se trata de realizar aquí un estudio exaustivo del personaje, sino, más bien, de describir cierta base biográfica sobre la que aportar algunos datos inéditos o poco conocidos que sirvan de sustentación para nuestras hipótesis, debemos consignar, en primer término, que es un hecho comprobado que Manuel Hermenegildo García Ponce nació el día 1° de febrero de 1851 en Alacranes (Matanzas), que fue bautizado, tres días después, por el beneficiado Félix M. González, y que sus padres, Vicente García y María Isabel Ponce, eran inmigrantes de las islas Canarias [131].

---

131. La partida de bautismo fue reproducida por E. Varela Zequeira y A. Mora Varona en su obra ya mencionada (1891), pp. 212-213.

Según el testimonio oral de Luis Manuel García (recogido por José Fernández Fernández, en Jagüey Grande, el 16 de noviembre de 1988), un descendiente de la saga de los García-Ponce, parte de la genealogía familiar puede resumirse de la siguiente manera:

Vicente García = Isabel Ponce (matrimonio proveniente de Tenerife)
    Hijos (1ª Generación)
Manuel Hermenegildo García Ponce = Rosario Vázquez (de Quivicán)
Vicente García Ponce = Juana León
Mariana García Ponce = Albelo
    Nietos (2ª Generación)
Manuel Hermenegildo García Ponce = Rosario Vázquez
    Hijos
Manuel García Vázquez (póstumo), se fue de Cuba y ejerció como médico.

Además, con una concubina de apellido Santana, tuvo Manuel García uno o más hijos, uno de los cuales se llamó Bartolo.

Vicente García Ponce = Juana León
    Hijos
Marcelino y Manuel García León.
Mariana García Ponce = Albelo
    Hijo
Fausto Albelo, fallecido en 1967.
    Bisnietos (3ª Generación)
Marcelino García León = Juana Peñate Oramas
    Hijos
Gregorio, Rosario, Loyda, Onelia, Eriberto, Víctor, Plácido y Aurora García Peñate.
    Tataranietos (4ª Generación)
Gregorio García Peñate = Lorenza Domínguez

Manuel García y su hermano Vicente recibieron una educación muy rudimentaria, de acuerdo con los escasos recursos de su familia campesina. Mas, parece que Manuel era un joven de sanas costumbres y de gran resistencia física.

Hacia la década de 1870 la familia se trasladó a Quivicán (La Habana), donde Manuel García conoció a la que sería su esposa, Rosario Vázquez. Pero, la muerte de su padre marcaría su existencia, pues su madre se unió a otro isleño, José García Gallardo, quien al parecer la maltrataba. Fue, precisamente, cierto día, tal vez de los primeros de esta década, cuando Manuel García atacó a su padrastro, al que encontró golpeando a su madre, y creyéndole muerto se echó al monte. Al enterarse de que sólo lo había herido se entregó a la justicia y cumplió su primera condena en la cárcel de Bejucal.

Tras su salida de prisión, nuestro hombre se dedicó a traficar lícitamente con ganado y realizó negocios con su hermano Vicente, dueño de una carnicería en Quivicán. Parece, sin embargo, que muy pronto cambió su destino, pues acabó convertido en cuatrero, actividad ilegal en la que era secundado, entre otros, por Severiano Dundo y, más tarde, por Cristóbal Díaz. Debió ser entonces cuando, en compañía de éste último, Manuel García tuvo un primer tropiezo serio con la Guardia Civil en "La Gía", cerca de Batabanó, en el que resultarían muertos –en mayo de 1878– dos

---

Hijos

Luis Manuel (*testimoniante*), José, Elda, Eida, Jorge y Juan García Domínguez.

(5ª Generación)

Luis Manuel García Domínguez = Georgina del Valle (primeras nupcias) y María de los Ángeles Rodríguez.

Hijos

Luis Manuel García del Valle
Dariuska García Rodríguez.

Además, Manuel García León, segundo hijo de Vicente García Ponce, fue teniente del Ejército Libertador y murió, al final de la Guerra de Independencia, en 1898, en San Juan. Una parte de estos García descendientes del hermano del *Rey de los Campos*, fueron protegidos, según nuestro informante, por Juan o Ramón Croa, pues se supone que una cuñada de éste era amante de Vicente García Ponce. Asimismo, varios de sus descendientes vivieron en Mena, pero evitaron el apellido García y usaron el de Machado, aunque nada tuvieron que ver con el presidente y tirano de Cuba del mismo apellido.

guardias y, en consecuencia, se convirtió definitivamente en un individuo fuera de la ley [132].

En los inicios de la década de 1880, Manuel García entró en contacto con dos individuos que habían pertenecido a la partida de bandidos-insurrectos de Carlos García, Perico Torres y Félix Jiménez [133]. Es probable, pues, que recibiera, por esta vía, los rudimentos de su formación como "político"; su propia experiencia en la manigua y en la emigración revolucionaria harían el resto.

Manuel García comienza, pues, su andadura insurgente en los campos del Este de la provincia habanera y del Oeste de la de Matanzas. El 28 de junio de 1885, participa, junto a Félix Jiménez y Perico Torres en el secuestro del niño Damián Riera –hijo de un acaudalado propietario oriundo de Tortosa (Tarragona)–, en el valle del Yumurí (Matanzas), por el que se pidió un crecido rescate [134]. En este contexto general llama la atención

132. M. Poumier: Op. cit., pp. 86-87.
133. Op. cit., p. 86. "Pourtant, on le dit servant de guide à Carlos García dans ses déplacements insurrectionnels, dans la Vuelta Abajo, autour de San Antonio de los Baños. Il aurait donc eu des affinités avec les combattants pour l'indépendance de la Guerre des Dix Ans. En tout cas, dans les années 1880, il sera effectivement lié avec des individus qui avaient accompagné Carlos García: Perico Torres et Félix Jiménez, qui firent parler d'eux à la fois comme bandits et comme 'patriotes'".

Pedro o Perico Torres fue, como *Matagás*, otro caso de unión entre bandolerismo e insurrección. Torres estuvo en el grupo de conspiradores matanceros que realizaron el atentado que costó la vida al inspector de policía de La Habana Carlos Castro Camó, hecho que se efectuó en los portales del Palacio de Gobierno de Matanzas, en la noche del 1° de enero de 1879. Al parecer, el inspector de policía tenía los hilos de la conspiración revolucionaria que pretendía reiniciar la lucha independentista. Los otros autores del atentado fueron el teniente coronel capitulado del Ejército Libertador don Esteban Arias, don Amador Pérez y los hermanos Pedro y Francisco Hernández (AHPM. Gobierno Provincial. Orden Público. Guerra Chiquita. Leg. 1, n° 1). Los hermanos Hernández murieron en el potrero "Reunión Deseada" el día 26 de junio de 1879. Francisco Hernández y Perico Torres fueron perseguidos durante los días 23 y 24 del indicado mes y año en la zona de La Sierra, en las cercanías de Matanzas (AHPM. Loc. cit., Leg. 1, n° 2).

134. Poumier (Op. cit., pp. 87 y 423) y AHN. Ultramar. Leg. 4.327, "Causa por secuestro del niño Damián Riera". El extracto de esta sumaria corresponde a comienzos de 1890 y se refiere al intento de obtener la extradición

que el nombre de Manuel García Ponce no aparezca, al menos directamente, relacionado con la andadura insurrecta de Carlos Agüero, ya analizada en páginas anteriores, que había muerto traicionado a principios de marzo.

En cambio, Manuel García sí aparece vinculado, por estas mismas fechas, con otro bandolero-insurrecto, Manuel Romero Guzmán, *Lengue Romero*, que tuvo cierta fama de cruel y "poco ortodoxo" en sus depredaciones, por lo que el primero pudo decidir desligarse de su influencia [135].

Al parecer García utilizó, entonces, las gestiones de don Mariano de la Torre, marqués de Santa Coloma, propietario de múltiples terrenos y de algún ingenio por las zonas de Güines y Quivicán, para marchar al exilio [136].

Nuestro hombre embarcó, junto a Perico Torres, en el vapor "Mascotte" con rumbo a Cayo Hueso, según todos los indicios en marzo de 1886. A bordo conocieron a Antonio Fonseca, quien les aseguró que serían bien recibidos a su llegada [137]. García fue empleado por Eduardo Hidalgo Gato –cubano y rico empresario tabaquero que contribuyó económicamente a la preparación de la Guerra de Independencia [138]–, y, más tarde, llevó a su esposa a su lado.

Pese a afirmaciones como la de Rafael Guerrero [139], García era todavía un personaje secundario que llegó sin recursos económicos a Cayo Hueso. Sin embargo, el 23 de mayo de 1886, dirigió a Máximo Gómez una interesante misiva en la que se ponía a sus órdenes como soldado de la causa de la independencia [140]:

de Perico Torres, a la sazón en Cayo Hueso, de los Estados Unidos. En el expediente aparece, también, una fotografía de este bandolero.

135. J. Fernández Fernández y N. López Novegil: Op. cit., p. 125.

136. *Ibídem* y M. Poumier: Op. cit., p. 88.

137. J. Fernández Fernández y N. López Novegil: Op. cit., pp. 125-126.

138. M. Poumier: Op. cit., p. 89.

139. *Crónica de la Guerra de Cuba*, Librería Editorial de M. Maucci, Barcelona, 1895, t. I, pp. 40-41: "En 1885 el separatismo fomenta el bandidaje y Manuel García reúne a otros bandoleros (Perico Torres, Félix Jiménez, Lengue y algunos más) hasta que a fin de 1885 se vio obligado a embarcar para Cayo Hueso con Perico Torres, y forzados a escapar por la activa persecución ordenada por el Capitán General señor Fajardo".

140. Carta de Manuel García al Mayor General Máximo Gómez, en ANC. Archivo Máximo Gómez, Leg. 3, n° 112. La carta ha sido publicada, aunque sin citar su localización exacta en el ANC, por Raúl Rodríguez La O ("¿Quién fue realmente Manuel García?", *Trabajadores*, La Habana, 10 de mayo de 1990, p. 4). Por la estructura gramatical y el estilo literario es seguro que

Mi general: hallándome dispuesto a volver a los campos de Cuba, de donde salí hace dos meses por haberse corrido que U. y el Mayor Maceo habían sido prisioneros de los españoles en el vapor City of Mexico, me pongo a las órdenes de Ud. como soldado que soy de la causa de la independencia de mi patria. Yo he estado peleando contra los tiranos hasta el momento de mi salida de la Isla y soy práctico desde la jurisdicción de Cárdenas hasta cerca de La Habana. El General Sanguily y el Coronel J.M. Aguirre me conocen, así como el Sr. Poyo y podrán dar a Ud. los informes que desee acerca de mi persona.

Ya el Sr. J.F. Lamadriz, por cuyo conducto le remito esta carta, está enterado de mi pretensión, que espero sea atendida.

Con protesta de mi consideración y respeto quedo de Ud. mi General, obediente soldado.

¿Por qué García ocultó al General Gómez los verdaderos motivos de su salida de Cuba? ¿Cual fue el auténtico papel que jugó Juan Francisco Lamadriz en este asunto? El problema, ciertamente, es cada vez más complejo y difícil de dilucidar, pero no debemos omitir ningún testimonio. Parecen evidentes, de cualquier manera, los vínculos de Manuel García con los elementos revolucionarios antes y, desde luego, después de su salida de Cuba, pero también es cierto que en la práctica insurgente de este personaje, aún tras su regreso a Cuba, como luego se verá, continuaron vigentes rasgos propios del bandolerismo, justificables sólo en parte por las duras condiciones en que se desenvolvió su resistencia hasta el estallido de la Guerra de Independencia.

Mientras tanto, en el seno de la emigración revolucionaria José Martí trataba de aunar esfuerzos y de impedir la precipitación de algunos exaltados. Martí, ha escrito Paul Estrade, fue un estratega militar como lo fueron Bolívar y San Martín en el continente y, en la Isla, Gómez y Maceo. Un estratega de la guerra de liberación nacional [141].

Desde su famosa carta a Máximo Gómez, del 20 de octubre de 1884, donde pone de relieve sus principios anticaudillistas, hasta las vísperas de la aprobación de las bases del Partido Revolucionario Cubano el 5 de enero de 1892, Martí trata de construir, pausada y firmemente, todo un proyecto

---

la carta fue redactada por una persona con mayor soltura cultural que Manuel García pero, en principio, no hay razones para dudar de la autenticidad de este documento.

141. P. Estrade: *José Martí, militante y estratega*, Ed. de Ciencias Sociales, La Habana, 1983, pp. 58-59.

de futuro. El genio estratégico de Martí se dibuja, en efecto, en muchos pasajes de su ingente obra [142]:

¿Guerra? Pues si hubiese querido tenerla siempre encendida, ¿cuándo ha faltado una montaña inexpugnable ni un brazo impaciente? Refrenar es lo que nos cuesta trabajo, no empujar: lo que nos cuesta trabajo es convencer a los hombres decididos de que la mayor prueba de valor es contenerlo: pues, ¿qué cosa más facil que la gloria a los que han nacido para ella, ni qué deseo más impetuoso que el de la libertad en los que ya han conocido, en el brío del combate y en la vela de armas, que es digna de sus heraldos naturales, el sacrificio y la muerte? Las manos nos duelen de sujetar aquí el valor inoportuno. Si no lleva la emigración la guerra a Cuba, acaso será porque cree que no debe aún llevarla; acaso será porque hay en su seno mucho hombre sensato, que prefiere dar tiempo a que los hechos históricos culminen por sí en toda su fuerza natural, a precipitarlos por satisfacer impaciencias culpables, a comprometerlos con una acción prematura, con una acción que, habiendo de conmover, de trastornar, de ensangrentar el país, debe esperar para ejercerse a que, por todo lo visible y de indudable manera, no sólo necesite el país la conmoción, sino que la desee, por el extremo de su desdicha y lo irrevocable de su desengaño. ¡Aquí no somos jueces, sino servidores!

No obstante, su tarea no fue nada facil, como el mismo apuntó en diversas ocasiones, pues hubo dirigentes en el exilio, aún después de los sinsabores de Carlos Agüero, Bonachea, Varona Tornet y Limbano Sánchez, como ya hemos indicado, que no quisieron esperar tiempos mejores. Uno de estos hombres era el general Fernández Ruz.

En efecto, parece ser que fue Fernández Ruz quien auspició una pequeña expedición que partió de Cayo Hueso, a bordo del "Dolphin", y arribó a Puerto Escondido (Matanzas), el 4 de septiembre de 1887 [143]. Puerto Escondido es un enclave próximo a la desembocadura del río Bacunayagua y allí llegaron los cuatro miembros de la agrupación invasora: Manuel Beribén (a) *Quiebra Hacha*, Manuel García Ponce, Domingo Montelongo y Víctor Fragoso, quienes, algún tiempo después, se refugiaron en la vivienda cercana de Juan Bautista Castellanos [144].

---

142. J. Martí: *Obras Completas* (OC), t. IV, p. 222. Discurso en el *Masonic Temple* de Nueva York, 10 de octubre de 1887.
143. M. Poumier: Op. cit., pp. 90 y 92-93.
144. Cfr. la siguiente nota conservada en el AHPM (Gobierno Provincial. Orden Público. Bandoleros-insurrectos, Leg. 1, n° 113): "Cuando desembarcaron Manuel García, Domingo Montelongo, Víctor Fragoso y otro conocido por

Según un testimonio muy posterior del citado Juan Bautista Castellanos, los expedicionarios fueron denunciados, inmediatamente, al puesto de la Guardia Civil de Chirino, salieron un cabo y dos números en su persecución y tuvieron el primer encuentro en las casas de la finca de Juan López, donde Beribén fue gravemente herido y murió, cuatro días después, falto de asistencia médica [145].

Poco después, a juzgar por este mismo testimonio, Manuel García consiguió burlar a sus perseguidores y se internó en la finca, bastante montañosa, de Manuel Romero, "donde tomó práctico bajando al Chirino, entrando francamente en el Valle del Yumurí" y aquí volvió a ser denunciado [146]. Este Manuel Romero sería el bandido-insurrecto Manuel Romero Guzmán, *Lengue Romero*, cuyas huestes volvería a engrosar, más tarde, aunque por poco tiempo, el propio Manuel García [147].

Mientras tanto, Manuel García y sus acompañantes sostuvieron, en la zona del Valle del Yumurí, un nuevo enfrentamiento con las autoridades, "quedando copados materialmente García y los suyos durante cuatro días, hasta que burló nuevamente el cerco, dirigiéndose a mi finca denominada 'Piloto', donde lo socorrí y auxilié con tanta eficacia y suerte, que durante quince días que en mi casa estuvo logró que tres mil hombres del Ejército español, que pugnaban por encontrarlo, volvieran a sus cuarteles de Matanzas". Cuando la situación se calmó, "le facilité práctico que fue Emilio González, aún residente en Camarioca, quien lo condujo en día lluvioso a la finca de La Jutía, Paso del Medio, término de Matanzas, donde se reunió a sus compañeros de expedición" [148].

Según un certificado, también muy posterior, de Manuel Patricio Delgado, Secretario del Club Patriótico Cubano de Cayo Hueso, la expedición de García Ponce tenía la "misión expresa de destruir propiedades

---

Quiebra Hacha, se hospedaron en la casa de Batista Castellanos quien vive cerca de Bacunayagua. Este último es abrigador por simpatías y está en buena posición pecuniaria".

145. Carta de Juan Bautista Castellanos a Desiderio García y Rafael Gutiérrez, Corral Nuevo (Matanzas), 12 de abril de 1922, en R. Gutiérrez Fernández: *Los héroes...*, t. I, pp. 251-252.

Según M. Poumier, el encuentro con las fuerzas perseguidoras (Infantería de Bailén, Caballería de la Reina, Guardia Civil y policía de La Habana) se produjo el 11 de septiembre (Op. cit., pp. 92-93, 303 y 424).

146. Carta de Juan Bautista Castellanos, cit.

147. M. Poumier: Op. cit., p. 93.

148. Carta de Juan Bautista Castellanos, cit.

enemigas, fomentar la Revolución y recabar fondos para organizarla en todo el país", y, además, contaba –según este documento– con la aquiescencia de José Dolores Poyo, presidente del citado Club, y "con la conformidad de otras agrupaciones revolucionarias de Nueva York" [149], aunque parece omitirse el especial protagonismo del general Fernández Ruz en este asunto, quien, por ésta y por otras razones, tuvo ciertas diferencias con el propio José Martí [150], que, en cualquier caso, no era aún el jefe indiscutible del exilio revolucionario.

En efecto, en carta a Fernández Ruz, del 20 de octubre de 1887, en la que daba respuesta a otra del general insurrecto del día 1°, Martí llama profundamente la atención sobre la necesidad de esperar el momento oportuno para iniciar el envite revolucionario [151]:

> *Entonces, amigo mío, no llamará a los héroes "aventureros", sino "redentores"; entonces, sin las últimas esperanzas que ahora juegan, se les habrán de unir, y se les unirán de prisa, los que hoy tienen aún, a pesar de estar ya casi decididos, pretextos para no decidirse por entero; entonces con una sabia conducta desde afuera, se habrán desviado obstáculos y aportado elementos que hoy se nos oponen por falta de preparación adecuada, por lo aislado y personal de nuestras anteriores intentonas, por lo pueril y mal conducida de nuestra política en el extranjero, por no verse de allá en la emigración un cuerpo junto con propósitos respetables en vez de temibles, por la dificultad de que un pueblo amedrentado –que no está al habla ni va unido– se determine a pelear mientras le quede una probabilidad de decoro sin la guerra.*

El 10 de diciembre de 1890, Camilo García Polavieja remitió, al Ministerio de la Guerra, un interesante parte reservado –como se verá más adelante–, sobre la lucha contra el bandolerismo. En el mismo subrayaba que si los hacendados y otros elementos relevantes de la sociedad se resistieran, unidos, a las exigencias de los criminales, el bandolerismo, "aislado y perseguido, caería deshecho ante tan patriótica actitud", pero sucedía todo lo contrario [152]:

---

149. Certificado de Manuel Patricio Delgado, Tampa, 24 de diciembre de 1921, en R. Gutiérrez Fernández: *Los héroes...*, cit., t. I, pp. 248 y ss.
150. M. Poumier: Op. cit., pp. 90-92, 302-303 y 424.
151. J. Martí: *OC*, t. I, pp. 200-204, la cita en p. 203.
152. Parte reservado de Polavieja en SHM. Loc. cit. "Partes de novedades en la persecución del bandolerismo en la Isla, durante los meses de 20 de septiembre de 1890 a 30 de diciembre de 1891".

Aumentado el mal por los que acarician ideas hostiles a nuestra dominación, que contemplan la alardeante profesión de fe insurrecta que presentan los criminales para cubrir sus desmanes, y notan con júbilo que éstos muestran despachos y diplomas de Jefes insurrectos, análogos al que tengo el honor de remitir.

El despacho en cuestión, que reproducimos en facsímil, lo había otorgado el ciudadano Fernández Ruz, "General del Ejército Libertador de Cuba y General en Jefe de las fuerzas en operaciones", y confería el grado de capitán, con fecha 27 de septiembre de 1887, a un individuo que, pese a lo sumamente borroso del nombre en el documento [153], pudo ser Serafín Pérez, lo que podría coincidir con uno de los nombres supuestos de Manuel García Ponce [154]. Es más, hasta resulta lógico que García tuviera el grado de capitán, pues el responsable primero de la expedición sería Beribén [155], que ostentaría el de comandante.

José Martí se refirió, también, a este desembarco dirigido por Beribén [156]:

¿Por qué estamos aquí? ¿Por qué desembarcó Biriben [sic]? ¿Será que algún militar ambicioso, será que alguna reliquia temible de la guerra, será que tomemos por estado natural del país la alarma común, nos alucinen de

---

153. Se sometió a una técnica de lectura mediante rayos ultravioletas por el Servicio de Restauración de Documentos del Excmo. Ayuntamiento de La Laguna (Tenerife), a cuyo responsable agradecemos su gentileza.

154. Según la ficha del bandido de la colección de historiales del Gabinete Particular (AGI. Diversos-19). Desde luego, la fecha del despacho es posterior a la del desembarco, pero entendemos que esta era una práctica habitual, lo mismo que la utilización de falsas cédulas de identidad.

155. M. Poumier: Op. cit., p. 92. "Le chef de l'expédition était Manuel Beribén, Basque qui avait fait la Guerre des Dix Ans avec les Cubains, et avait tenté un soulèvement en 1885 à Manicaragua (Santa Clara)".

Según el Capitán General Fajardo, el nombre de este individuo era José Beribén Otaño, teniente de milicias que, en efecto, se alzó en Manicaragua, el 30 de noviembre de 1885, al frente de un grupo de guerrilleros y al grito de "¡Viva la República!". El 2 de diciembre, las fuerzas enviadas en su búsqueda le originaron un muerto y otros dos se presentaron. Al día siguiente cayó prisionero junto con sus compañeros (Telegramas de Fajardo al Ministerio del 1º y 4 de diciembre y parte decenal del 5 de diciembre de 1885. SHM. Loc. cit. Leg. 26. "Orden Público en la Isla de Cuba").

156. J. Martí: *OC*, t. XXII, pp. 194-195. En este tomo se recogen borradores y fragmentos de la obra martiana.

las acciones verbosas? ¿Será que algún descarado intrigante hable de estos
o aquellos lutos para servir fines privados? –No: los cubanos no se han hecho
¿verdad que no se han hecho? para masa engañable y llevadiza. Como todos
los hombres se entusiasman: pero en seguida piensan –y son dignos de la
República, porque no entregan su juicio–.

Esto viene de todas partes, sin que se sepa cómo, sin que nadie anuncie
criminalmente más de lo que es, sin que se hayan de levantar fuera de aquí
más esperanzas que las que el hecho mismo desnudo y revelado como es en
su espontaneidad justifique.

A partir de estos momentos, Manuel García Ponce comenzó a fraguar su propia leyenda, especialmente, como más tarde se dirá, en una amplia zona situada entre el Este de la provincia habanera y el Oeste de la de Matanzas, que comprendía los actuales municipios de Madruga, Nueva Paz, San Nicolás, Güines, Melena del Sur, Batabanó, Quivicán..., y, por el lado de Matanzas, Limonar y Unión de Reyes, entre otros. Influyó en su mitificación, además de su extraordinaria habilidad para escapar de sus perseguidores, entre otros muchos factores, la desaparición de otros bandoleros "históricos" de la comarca. Félix Jiménez cayó en noviembre de 1886, Perico Torres se quedó en el exilio y Manuel Romero Guzmán, *Lengue Romero*, fue muerto a principios de 1888 y sus hombres quedaron bajo las órdenes de Manuel García [157].

Entre los miembros de la partida de García encontramos, a partir de esta época, los nombres de José Inocente Sosa Alfonso, (a) *Gallo Sosa*; Domingo Montelongo; Pablo Gallardo, (a) *Escuela*; Ramón Fernández Delgado, (a) *Maravilla* [158]; Víctor Fragoso; Sixto Varela o Valera, conocido también por Sixto Monteagudo y que debió llamarse Sixto Varela Monteagudo; Manuel Fundora, Eulogio Rivero [159] y otros que iremos viendo sucesivamente.

157. M. Poumier: Op. cit., p. 94.
158. Con el sobrenombre de *Maravilla* fue conocido, también, el bandolero-insurrecto Víctor Cruz Alonso, como se verá más adelante. Es frecuente, en este sentido, la confusión en nombres y apodos en la documentación consultada. Ramón Fernández Delgado, (a) *Maravilla o Maravillas* como se dirá después, era miembro de una saga de insumisos, uno de sus hermanos, Cristóbal, como ya se apuntó, fue ejecutado en Jovellanos y él se suicidó en prisión.
159. Op. cit., p. 94-95 y notas 17 y 18, y J. Fernández Fernández y N. López Novegil: Op. cit., pp. 140-141.

Las acciones principales de Manuel García y de sus hombres a lo largo de 1888 se resumen en los secuestros de Antonio Sierra y de un hijo de Antonio Alentado, propietarios de La Catalina y de Bainoa, en el mes de marzo; el asesinato, por considerarlos espías al servicio del Gobierno, de los isleños Antonio y Zacarías Martínez, padre e hijo, a principios de mayo; el importante secuestro, en Madruga y en el mes de abril, del hacendado Antonio Galíndez de Aldama, miembro de una de las grandes familias cubanas, del que obtuvieron un elevado rescate, y el asalto, en octubre, al potrero "Zaldívar", en ésta última población, en el que, al parecer, pereció Víctor Fragoso [160].

Mención aparte merece el asesinato de los Martínez, pues, según una comunicación reservada del gobierno civil de La Habana, del 7 de mayo de 1888 [161], sobre uno de los cadáveres decapitados de los Martínez, campesinos residentes en Cabezas (Matanzas) –nacido el padre, Antonio Martínez, en Canarias y el hijo, Zacarías, en el término de Nueva Paz–, se encontró una interesante misiva de Manuel García Ponce, dirigida al Capitán General [162]:

[¿]Hasta cuando el Gobierno estará engañando padres de familia y tristes labradores que viven con el sudor de su frente, ofreciéndoles sumas de dinero por que nos entreguen cuando eso lo sabemos nosotros enseguida y matamos inmediatamente al que despunta por hablar y choteaernos[?], sistema que voy a adoptar de ahora en adelante, que sólo en saber que uno habla lo más mínimo de nosotros matarlo.

Según el Gobierno mata a los inocentes con sólo el mero hecho de un chota desgraciado decirlo, que un hombre abrigó siendo falso; así es que el Gobierno puede poner una correcta [carreta] para que recoja los muertos de ahora en adelante, por supuesto los chotas, pues nosotros no somos asesinos como el Gobierno o sean los mandantes, ahora no necesitamos dinero porque lo tenemos, ahora vamos a gastar el tiempo muerto matando traidores y chotas, el recoger dinero lo dejamos para la zafra venidera.

Mientras el Gobierno no tenga un arreglo con nosotros y nos garantice nuestras vidas con personas respetables y pudientes, pues los que estamos en el monte somos hombres honrados y trabajadores pero nos duele mucho

160. M. Poumier: Op. cit., pp. 94-99 y 425.
161. Conservada en AHN. Ultramar. Leg. 5.818. V., también, M. Poumier: Op. cit., pp. 98-99.
162. Comunicación del gobernador civil de La Habana al Gobernador General, Habana, mayo 7 de 1888. AHN. Ultramar. Leg. 5.818. En el exterior del sobre se leía: "Al Gobierno General y al Pueblo".

el pellejo y sólo le huimos al Componte del Manatí que cargan esos cobardes de la Guardia Civil, y como no somos como esos canallas que lo aguantan nos vamos al monte para que cuesten caras nuestras vidas.

En nombre de la patria mato este o estos y por no hallarse al frente de la partida mi Coronel Manuel Romero lo hago yo el Comandante.

Tras la firma de Manuel García se añadían dos postdatas, en la segunda se advertía a los "chotas", los confidentes, campesinos que se habían doblegado a la presión o a las promesas económicas del Gobierno: "Chotas mirar el cuadro, mirar sus hijos, mirar lo que el Gobierno les salva que para nosotros no hay fuerza, no hablar" [163].

Se trataba, pues, de un escarmiento frente a los "traidores", según una vieja "ley" del bandolerismo, que por supuesto no se ajustaba, en puridad, a las leyes de la guerra ni, desde luego, a la *rectitud revolucionaria*. El secuestro con el objetivo de obtener recursos económicos, el asesinato contundente y sin garantía legal alguna de los sospechosos de traición, la extorsión y el robo son prácticas propias del bandolerismo, no de la guerra.

Así, pues, a pesar de la existencia de nombramientos militares más o menos heterodoxos, de las grandes simpatías en el mundo rural hacia estos individuos colocados fuera de la legalidad y, asimismo, pese a la profesión de fe nacionalista que se arguye en algunos de estos documentos, Manuel García y sus hombres no eran soldados irregulares, eran bandoleros. Pero, eso sí, bandoleros sociales y, desde luego, bandoleros-insurrectos que, como hemos apuntado, contribuyeron a mantener en el interior de Cuba una situación de inestabilidad contra el Gobierno colonial y una tradición de lucha en el mundo rural y que, también, se sintieron y fueron grandes protagonistas de esa historia, porque confiaban en la llegada de un mundo mejor.

La carta en cuestión también permitía sospechar que Manuel Romero Guzmán, *Lengue Romero*, continuaba vivo. Esto, sin embargo, era poco probable. Ya el 17 de abril de 1888 el Capitán General Marín había ordenado al cónsul de España en Nueva York que investigara el rumor de la salida de La Habana, en el vapor "San Marcos" próximo a llegar a aquella ciudad estadounidense, del citado bandolero, y que se decía que le esperaban su padre y Andrés Terry, aunque podría tratarse de Rosa Romero, su hermano, "pues noticias muerte aquel siguen confirmándose". El cónsul

---

163. *Ibídem.*

220

respondió, rápidamente, que las investigaciones realizadas por el agente Briant habían sido negativas [164].

Por otro lado, en enero de 1889, el cónsul español en Cayo Hueso informó que un reducido grupo integrado por Bernardino Trujillo, Emilio García, Antonio Betancourt y un tal Pancho Guanabacoa trataba de salir para Cuba, "con el objeto de unirse a la partida de Manuel García", todos iban notablemente armados y, además, se indica en el documento que "José Dolores Poyo, propietario de *El Yara* y cónsul del Perú en este puerto es el organizador de esta pequeña expedición, dando nombramientos del *Ejército Libertador*" [165].

Pero, mientras tanto, Manuel García y sus hombres continuaban con los secuestros que, según el Capitán General Marín, solían coincidir con la época de la zafra [166].

El 11 de enero de 1889 fue secuestrado, pues, don Justo Pérez, vecino de San Felipe, a la salida de San Antonio de las Vegas. La investigación realizada por el inspector jefe de policía de Matanzas señalaba que los autores habían sido Manuel García, Andrés Santana y otro llamado Pablo, "bajito, grueso, de ojos saltones y grandes". Los bandidos recibieron dos entregas de dinero, una de 700 pesos en oro y otros tantos en billetes y otra de 4.000 pesos en oro. Pero, por otra parte, existían antecedentes desfavorables en relación con el secuestrado, pues, aunque simulaba ocuparse en negocios de ganado, llevaba una vida sospechosa, era jugador vicioso y aparentaba tener mucho dinero, y, además, se decía que [167]:

...hace como tres años que el tal bandido Manuel García marchó para Cayo Hueso y en confianza dejó en su poder $ 2.000 en oro, porque eran muy amigos desde la infancia, nacidos y criados juntos en Quivicán, y por

164. Telegrama de Marín al cónsul de España en Nueva York, 17 de abril de 1888 y telegrama del cónsul a Marín del día 18. Existe, asimismo, una comunicación del cónsul fechada en Nueva York el mismo día 18 de abril de 1888 (AHN. Ultramar. Leg. 5.818).
165. AHPM. Loc. cit. Bandoleros-Insurrectos, Leg. 1, n° 105.
166. Revista decenal del 25 de enero de 1889, en AHN. Ultramar. Leg. 4.851.
167. Copia de la comunicación del Gobierno Civil de la provincia de Matanzas al Gobernador General, 22 de enero de 1889, adjunta a la revista antes citada (AHN. Loc. cit. Leg. 4.851). Se añaden, en el informe, otras implicaciones rocambolescas –no confirmadas– del secuestrado y su pariente don Canuto Bacallao.

*esto, se corre por Unión de Reyes la especie de que este secuestro no ha sido
otra cosa sino que el García quiso que Pérez le devolviese su dinero.*

El 7 de agosto de 1889, la partida de Manuel García secuestró, también, al hacendado don Pedro Sardiña en las afueras de Nueva Paz, lo que produjo el natural disgusto al general Salamanca, que se gloriaba de los resultados de sus medidas contra el bandolerismo [168].

Mas, el enfado del Capitán General fue mayor cuando supo que la familia del citado propietario había pagado el rescate y que, aún después de la devolución del secuestrado al seno de la misma, se negaba a informar sobre los secuestradores. En estas circunstancias, reflexionaba Salamanca, "¿se puede perseguir con éxito a los malhechores cuando de ésta manera son considerados por los que más deber tienen de perseguirlos?" [169].

Por otra parte, el Gobernador General envió a los tribunales de justicia, "una carta que ha caído en mi poder, de puño y letra del bandido Manuel García" [170]:

> *Confiesa en ella los crímenes que ha cometido, los secuestros que ha
> realizado, los asesinatos que ha llevado a cabo; dice que se ha resuelto a
> lanzarse, con más pasión que nunca, a sus empresas criminales porque le
> he negado retirarse tranquilamente al extranjero; y aunque vierte la terrible
> amenaza de cometer una infinidad de asesinatos, he leído en algunas frases
> de ese desdichado escrito el desaliento y el terror que lo dominan.*

Sin embargo, Manuel García, que a la sazón veía incrementada la partida, entre otros, con su propio hermano Vicente, quien fue acosado por las autoridades después de haber resultado absuelto en la sumaria por el secuestro del niño Damián Riera, ocurrido en 1885 como se recordará [171];

---

168. Revista decenal del general Salamanca, 10 de agosto de 1889 (AHN. Loc. cit.).
169. Revista decenal de Salamanca del 19 de agosto de 1889 (AHN. Loc. cit.).
170. *Ibídem.* M. Poumier (Op. cit., pp. 336 y ss.) ha publicado una amplia colección de cartas de Manuel García clasificadas en tres apartados: de extorsión, a las autoridades y a la prensa y personales.
171. E. Varela Zequeira y A. Mora Varona: *Los bandidos de Cuba...,* cit., p. 26 y M. Poumier: Op. cit., pp. 395-396. La carta de Vicente García a don Antonio San Miguel, director de *La Lucha,* fue publicada el 5 de julio de 1889. "El Gobierno es quien lo quiere así, no soy yo quien deseo esta vida tan cercada de intranquilidades y peligros".

escribía al director de *La Discusión*, el 25 de agosto de 1889, para negar ciertas declaraciones de Salamanca sobre su petición de indulto [172]:

> *... para irme al extranjero no necesito de indulto pues tengo quien me lleve a la hora que yo quiera, mire Vd. si es falso, que para yo embarcarme para el extranjero quiero que el Gobierno me dé 30.000 pesos oro y las garantías de dos cónsules: uno el de Estados Unidos y otro el de Inglaterra, pues en la palabra no creo, porque todos los días veo las cosas que hacen, con que mire Vd. que bien puedo pedirle nada yo al General; yo a quien pido el indulto es a los hacendados que son los que sufren.*

Pero Salamanca había puesto en marcha el Instituto de somatenes, a cuyo frente colocó al general Lachambre. El 30 de agosto, el Capitán General comunicó a Madrid, como prueba de la eficacia de sus medidas, la captura, "en el acto de ir a recoger una cantidad por él exigida", del bandido "de la cuadrilla de Manuel García, conocido por el 'Chano'" [173].

No obstante, el "prestigio" o el "temor" suscitado por Manuel García iba en aumento, hasta el punto de que había hacendados que se entregaban a sus secuestradores, sin oponer la más mínima resistencia, con sólo mencionar el nombre del célebre bandolero [174]. Otros propietarios, sin embargo, como el jefe de voluntarios Lavín, del que también escribiremos más adelante, no cedieron a las exigencias de García, pese a que éste incendió, en noviembre, unas casas de guano que aquel poseía en Nueva Paz. Salamanca restó importancia a este incidente y aseguró que nadie hacía ya caso a las exigencias de dinero del bandido [175], afirmación muy arriesgada.

Es más, Manuel García escribió al general Lachambre el 10 de noviembre, para asegurarle que él no quería aquella situación, y, en este sentido, citó el caso de don Domingo Lavín que, en efecto, se negaba a cumplir sus exigencias de dinero y, añadió, "además que yo con los pobres no me meto sino con los ricos y si quisiera meterme con la tropa, cada rato mataría; pero no quiero" [176].

---

172. Carta de Manuel García reproducida en M. Poumier: Op. cit., p. 351.
173. Revista de Salamanca del 30 de agosto de 1889 (AHN. Ultramar. Leg. 4.851).
174. Revista de Salamanca del 10 de septiembre de 1889 (AHN. Loc. cit.).
175. Revista de Salamanca del 20 de noviembre de 1889 (AHN. Loc. cit.).
176. E. Varela Zequeira y A. Mora Varona: Op. cit., pp. 211-212; M. Poumier: Op. cit., pp. 102-103 y 352-353. "...esta vida me hace hacer algo que no está en el orden, pues la vida lo requiere como haría usted en mi estado".

El 10 de diciembre de 1889, Salamanca unió, sin pretenderlo, dos destinos que, desde luego, tendrían a corto plazo una alta significación en la lucha anticolonial durante la Tregua. En la revista decenal de aquella fecha aseguró que la campiña gozaba de tranquilidad, pero que no había desatendido la vigilancia pues, "mientras por una parte me consta que Maceo ha llegado a Jamaica y piensa dirigirse a Santiago de Cuba, por otra el único bandido realmente temible por su audacia, Manuel García, sé que trata de dar algún golpe de mano que le produzca los necesarios recursos para abandonar el territorio" [177].

En efecto, es muy posible que la llegada de Maceo a Cuba sirviera de aliciente a Manuel García Ponce. Pero esta cuestión, polémica como tantas otras, será objeto de estudio más adelante. Salamanca murió a comienzos de febrero de 1890 y su muerte coincidió, prácticamente, con el arribo a la Isla del *Titán de Bronce*.

Mientras tanto, el 20 de diciembre de 1889, el Capitán General informaba a Madrid [178]:

> *Participóme por telégrafo nuestro Cónsul en Jamaica la presencia de Maceo, dispuesto a conseguir que se le expidiera pasaporte para esta Isla; por telégrafo también le autoricé para que se lo expidiera para La Habana o Santiago de Cuba, donde será objeto, tan pronto llegue, de constante y eficaz vigilancia que le imposibilite para toda clase de movimientos o le sorprenda en cualquiera que trate de iniciar en daño del público sosiego. Hoy por hoy todas las noticias que tengo de los propósitos que abrigan los enemigos de la patria es la manifestación de su impotencia que tratan de encubrir sembrando la alarma por medio de rumores de trastorno del orden público que están, por fortuna, muy lejos de la realidad y aun del menor fundamento.*

Pero, lo cierto es que ni tan siquiera la institucionalización centralizada de la persecución y el perfeccionamiento de las técnicas represivas pudo devolver ese deseado sosiego a los campos de Cuba, que, a partir de estas fechas, verán incrementarse las acciones de los bandidos-insurrectos y, en particular, las de Manuel García Ponce, el Rey.

---

177. Revista de Salamanca del 10 de diciembre de 1889 (AHN. Loc. cit.).
178. Revista de Salamanca del 20 de diciembre de 1889 (AHN. Loc. cit.).

CAPÍTULO V

LOS BANDIDOS DE LA TREGUA (III): 1890-1895 BANDIDOS CENTRO-ORIENTALES

Odio el mar, que sin cólera soporta
Sobre su lomo complaciente, el buque
Que entre música y flor trae a un tirano.

José Martí: *Odio el mar.*

LA COMPLEJIDAD del bandolerismo del primer quinquenio de la década de 1890, por un lado, y la abundancia de información disponible, sobre todo para la etapa de 1890-1892, por otro, nos llevan a analizar en tres capítulos el conjunto de acontecimientos que tienen lugar durante estos años inmediatos a la Guerra de Independencia.

A estas alturas del siglo XIX, es preciso poner de relieve, también, las diferencias entre los bandoleros occidentales y aquellos que realizan sus acciones en las comarcas centrales y orientales, como se dirá a continuación. En este contexto, la llegada de Camilo Polavieja; la fundación del Gabinete Particular, un departamento de la Capitanía General encargado de centralizar la represión; los acontecimientos políticos, dentro y fuera de la Isla; las nuevas circunstancias de la lucha anticolonial y otros factores conforman una etapa de gran complejidad histórica, donde el bandolerismo social se decanta definitivamente, sobre todo en el Occidente insular, por la lucha en favor de la independencia de la Gran Antilla.

El presente capítulo se ocupa, pues, del estudio del bandolerismo en Santiago de Cuba, Camagüey y Las Villas, mientras que los dos siguientes se dedicarán al análisis del fenómeno en el Occidente insular: Matanzas, La Habana y Pinar del Río.

1. POLAVIEJA Y EL GABINETE PARTICULAR

Tras el brevísimo mandato de José Chinchilla (1890) al frente de la Capitanía General, fue nombrado para el cargo Camilo García Polavieja, un experto estratega que ya había cubierto buena parte de su carrera militar en la Gran Antilla, desde su llegada en 1863, recién ascendido a alférez, hasta los tiempos en que destacó como General en Jefe de las tropas españolas durante la "Guerra Chiquita" [1].

A partir de su toma de posesión, el 24 de agosto de 1890, y hasta su renuncia en junio de 1892, acosado por Madrid por sus ideas heterodoxas sobre el futuro de Cuba y, en definitiva, por los fracasos de su política antillana [2], Polavieja puso en práctica el sistema represivo más elaborado de cuantos se ejecutaron durante la Tregua. Su llegada a la Isla se produjo en unos momentos cruciales.

En efecto, la visita de Antonio Maceo había despertado múltiples adhesiones entre sus compatriotas y había puesto en marcha una auténtica conspiración. Polavieja insistirá en este asunto con posterioridad. Así, el 30 de noviembre de 1890, comunicó a Madrid sus conversaciones con José María Gálvez, Jefe del Partido Autonomista, respecto a Maceo; el apoyo de determinados sectores populares de dicho Partido a la causa separatista y otros extremos, sin olvidar el problema racial. En abril y en septiembre de 1891 volvió sobre el tema: "Evitando la revolución de Maceo el año pasado, salvé la isla de Cuba para España por segunda vez". Y, asimismo, en la memoria que rindió a Maura explicando su labor en Cuba, describió con detalle los trabajos del ilustre *mambí* y, particularmente, las razones que

1. M. Fernández Almagro: *Historia política de la España contemporánea*, Alianza Ed., Madrid, 1974, 3 vols., t. II, pp. 142 y ss.
2. "Es creencia mía que el pueblo que descubrió, conquistó y colonizó la Isla de Cuba está obligado, por su propia honra, por los destinos de su raza y por sus propios intereses *a dejar tras sí una fuerte nacionalidad en Cuba*, para que ésta, con la República mejicana, *fije los límites de la raza sajona*, conteniéndola en su marcha invasora hacia el sur, y no un nuevo Santo Domingo con su Haití, del Cauto y Nipe al mar del Sur, que es hacia donde, sin quererlo, marchan autonomistas y separatistas" (C. García Polavieja: *Relación documentada de mi política en Cuba. Lo que ví, lo que hice, lo que anuncié*, Imp. de Emilio Minuesa, Madrid, 1898, pp. 104-107. Reproduce la revista decenal al ministro Fabié del 30 de noviembre de 1890).

le habían inducido a expulsarle, como única forma de evitar la rebelión, preparada para el 8 de septiembre de 1890 [3].

Además, Polavieja sabía que el "tenaz revolucionario", como él mismo lo calificara en alguna ocasión, no iba a resignarse fácilmente, por ello no es raro que, en noviembre de 1890, diera crédito a las afirmaciones de determinados miembros de la partida de Martín Velázquez, caído en la zona de Baracoa a principios de mes –como veremos seguidamente–, en el sentido de que Maceo se proponía desembarcar en fechas próximas en las costas de la mencionada comarca [4]. Y tampoco es extraño que, en diferentes ocasiones, el Capitán General hiciera referencia a la entrevista entre el *Titán de Bronce* y Manuel García, como indicaremos después; mientras que, en julio de 1891, negó rotundamente las noticias aparecidas en *La Discusión* sobre un supuesto desembarco en Santiago de Cuba, dirigido por Calixto García y cuyo pretexto era, según el Gobernador General, "envalentonar a los bandidos, sostener la intranquilidad y crear toda clase de obstáculos al gobierno" [5].

Ahora bien, la segunda medida de gobierno de Polavieja, paralela a la orden de destierro contra Antonio Maceo, fue la creación de un departamento oficial encargado de centralizar la represión del bandolerismo, según resolución del 29 de agosto de 1890 [6]:

> *Se crea un Gabinete Particular, que bajo mi dirección entenderá en todos los detalles de persecución del bandolerismo, el que con carácter civil y militar unirá y se concentrarán en él todos los trabajos.*

La erección de este organismo represivo contra el bandolerismo, que institucionalizaba y centralizaba la lucha contra los bandidos más allá de las meras actividades de seguridad ciudadana o del simple reclamo al levantamiento de somatenes, como había sucedido hasta entonces, se basó, según el Capitán General, en que el bandolerismo amenazaba gravemente el "sosiego particular de las familias" y, "osado y vigoroso", atentaba "con

---

3. C. García Polavieja: Op. cit., pp. 95, 122, 123, 140, 175 y ss.
4. Parte de Polavieja del 10 de noviembre de 1890, SHM. Ultramar. "Isla de Cuba. Orden Público. Partes de novedades en la persecución del bandolerismo en la Isla. 1890-1891".
5. Parte de Polavieja del 30 de julio de 1891, en loc. cit.
6. Partes de Polavieja del 20 de septiembre de 1890 y del 19 de junio de 1892, especialmente (en loc. cit.). La creación del Gabinete fue ratificada por R.O. del 8 de octubre de 1890.

descarada impunidad a los más sagrados intereses", como lo demostraban las amenazas de destrucción de las líneas férreas que, poco antes, habían sido objeto de tres atentados "escandalosos", con los subsiguientes perjuicios para las empresas y el público.

Pero, además, había otra razón esencial: el hecho de que los bandidos –procedentes de las "más ínfimas" capas sociales– estuvieran "perfectamente dirigidos por otra clase de personas", y se sostuvieran "con carácter político para servir de base a más grandes empresas". Por ello dirá [7]:

> *Una verdadera situación excepcional atraviesa esta Isla. Ese estado ni de paz ni de guerra; sostenida la intranquilidad y ensayados los medios prudentes y racionales para devolver al país el público reposo; ni han servido en ocasiones las prisiones hechas de los que con más o menos acierto se tildaron de encubridores, ni la Ley de bandolerismo y los escarmientos recientes en los autores de delitos comprendidos en dicha Ley han dado el saludable ejemplo que se esperaba.*

La creación del Gabinete respondía, pues, a la necesidad de cercenar en el más breve plazo y desde sus mismas raíces, ese estado de insubordinación social, y con este fin fue articulado su cometido en varios puntos [8]:

– Implicación de todas las autoridades en un esquema unitario de acción represiva, a través del envío de circulares aclaratorias de sus respectivas misiones.

– Sometimiento absoluto de las autoridades civiles y militares a la dirección centralizada del Gobernador General, para evitar que "las fuerzas perseguidoras anduviesen divorciadas en tan principalísimo objeto".

– Utilización eficaz del Ejército en sus funciones represivas, a través del fraccionamiento de la Infantería (Batallón de Bailén y Compañía de San Quintín) en grupos de doce hombres para la vigilancia de las estaciones ferroviarias y el reconocimiento de los diferentes tramos de las líneas, y de la Caballería (Regimiento Pizarro) en secciones de unos veinte caballos, para evitar, principalmente, que los bandidos "hicieran fuego a los trenes".

– Establecimiento de dos zonas en la provincia de La Habana y otras dos en la de Matanzas para la persecución del bandolerismo, a cargo de jefes de la Guardia Civil y del Ejército y con claras instrucciones al respecto.

– Cesión de caballos del Regimiento Pizarro a los alcaldes municipa-

---

7. Cfr., en loc. cit., parte citado del 20 de septiembre de 1890. Subrayado por nosotros.
8. *Ibídem.*

les, "con el fin de poderles exigir responsabilidades de lo que en los territorios de sus demarcaciones ocurriera".

– Recomendaciones rigurosas para que las fuerzas represivas civiles y militares se prestasen mutuo auxilio y colaboración y, asimismo, para que no cometieran "transgresiones con los paisanos y se usen con ellos las mejores formas, dándoles buen trato", con el fin de obtener el apoyo de los campesinos y para crear un clima de seguridad en los campos.

Este último extremo parecía tanto más conveniente cuanto el bandolerismo –insistía Polavieja– no se miraba en Cuba como "instrumento de infamia", sino que "representaba el obstáculo que se quiere crear al dominio de España, sirve para mantener constante alarma y núcleo donde basar nuevas aventuras separatistas y se le presta ayuda por todos".

Por estas razones, el Capitán General siguió perfeccionando su aparato represivo. Al poco tiempo hizo que fuerzas de guerrillas recorrieran los campos de la provincia habanera y de Matanzas, penetrando en lugares accidentados y difíciles, como los montes de Guanamón y la Ciénaga. Para ello ordenó que muchos de sus hombres fueran reclutados en Oriente, entre las "gentes del país y si es posible que hayan hecho la guerra a nuestro lado", y, asimismo, les abonó del presupuesto de "gastos secretos" un sobresueldo de diez pesos mensuales. También reforzó la participación del Ejército en las tareas de orden público, en la custodia de las propiedades y en la vigilancia sistemática de las localidades y comarcas más peligrosas e, igualmente, dispuso sumas importantes de dinero para hacer frente a los gastos generados por las "costosas confidencias" [9].

Pero la eficacia de la represión no se basaba únicamente en la coordinación logística, por ello Polavieja recurrió a otras medidas más sutiles, como la orden de evitar las prisiones indiscriminadas que solían producirse tras la comisión de un acto de bandolerismo, "con lo que han dado en llamar satisfacción de la vindicta pública", al fracasar los intentos de captura de los auténticos bandidos [10]; o bien, usando de sus atribuciones como Gobernador General, a la investidura de algunos oficiales como alcaldes de los municipios "calientes" de Quivicán, Aguacate, Melena del Sur y Madruga, en la provincia de La Habana, para sortear el problema de que los ediles tuvieran "en el término afecciones de familia, intereses creados,

9. Parte de Polavieja del 30 de septiembre de 1890 (loc. cit.).
10. Parte de Polavieja del 20 de octubre de 1890 y Circular adjunta dirigida a los gobernadores militares y civiles y al coronel subinspector de la Guardia Civil (loc. cit.).

ni otra cosa que pueda impedirles el más exacto cumplimiento de las órdenes que en punto a persecución y noticias referentes al bandidaje dicte mi autoridad". Y, por último, tampoco olvidó poner precio a las cabezas de los bandoleros [11].

Sin embargo, la táctica coercitiva del Capitán General tropezó, desde muy pronto, con obstáculos insalvables. El 10 de diciembre de 1890, en un extenso parte *reservado*, informaba a Madrid que el sostenimiento del bandolerismo constituía un ejemplo del "espíritu latente de animadversión hacia nosotros". Un bandolerismo a cuyo lado palidecían todos los "demás conflictos que aquí puedan amagarnos", especialmente en las provincias de La Habana y Matanzas; que resistía porque gozaba de la protección de los habitantes de los campos cubanos, "presentándose en lucha abierta contra las leyes y, bajo plan astuto, alentado por quienes tienen interés en sostener constantemente la intranquilidad y el sentimiento hostil a la madre patria". Según él, en esta tarea participaban activamente distintos sectores sociales de la Isla, a saber [12]:

– Los hacendados, dueños de grandes fincas y detentadores de cargos públicos como jefes de Voluntarios, diputados provinciales y alcaldes, quienes aparte de hacer efectivo el canon impuesto por los bandidos y de contemplar la "alardeante profesión de fe insurrecta que presentan los criminales para cubrir sus desmanes y notan con júbilo que éstos muestran despachos y diplomas de jefes insurrectos", se negaban a facilitar información a las fuerzas perseguidoras, como "si en efecto los bandoleros fueran los verdaderos protectores de sus propiedades".

– Las corporaciones municipales de las demarcaciones rurales y, sobre todo, los alcaldes nativos, "que en el fondo nos son siempre hostiles y ven en los bandidos a compatriotas que no han de causarles daño alguno, cosa bien demostrada".

– La prensa, que había influido de forma decidida en el "envalentonamiento del bandolerismo", contribuyendo a desprestigiar a las autoridades coloniales. En esta labor destacaba el periódico *La Fraternidad*, "dirigido por Juan Gualberto Gómez, perteneciente a la raza de color y uno de los hombres más inteligentes que representa aquí al separatismo [...]. Nada puede hacerse con las leyes actuales contra esa perjudicial campaña y, a sabiendas, hay que estar siempre sufriendo que así se trabaje en contra

---

11. *Ibídem* y, además, partes del 10 y 20 de noviembre de 1890.
12. Parte reservado del 10 de diciembre de 1890 (loc. cit.).

nuestra. Juan Gualberto Gómez es un elemento hostil y perjudicial que nos ha de acarrear muchos disgustos..."

– El apoyo que los bandidos obtenían en las comarcas rurales, donde habían nacido y donde contaban con la ayuda de parientes y amigos para llevar a cabo sus acciones.

– La ineficacia de las leyes de represión del bandolerismo; las interpretaciones que las instancias superiores de la justicia militar daban a las "causas por encubrimiento"; el celo de los jueces ordinarios que, sin unidad en el criterio represivo, entorpecían la necesaria ejemplaridad de los castigos; "los aquí llamados oficiales de causas", hábiles "para arreglar una falta de prueba" y, por último, los jueces nativos que respaldaban, también, "al bandolerismo, atacando a los perseguidores y a los funcionarios de policía, en cuya labor se extreman verdaderamente".

Pero, junto a estos factores internos, Polavieja destacó también las conexiones de los bandidos con la emigración revolucionaria [13]:

> *Existe, además, un punto cercano a la isla de Cuba, que es foco de podredumbre y de desafectas gentes a nuestra madre patria. Allí puede decirse que está el cuartel general del bandolerismo. Me refiero a Cayo-Hueso, pueblo americano donde se refugian todos los criminales de aquí. En ese sitio se comen los frutos que da a los bandidos de Cuba su faena.*
>
> *Allí es lugar de descanso y de apoyo, lo que facilita la proximidad del Cayo a la Isla... En las épocas de zafra cobran aquí el canon los bandidos y envían recursos a sus apoyadores del Cayo; otros van y vienen, después de que concluyeron el último céntimo, a buscar provisión nueva.*
>
> *La indiferencia con que se ven muchas demandas de extradición, les alienta y enardece y los clubs separatistas que allí existen les impulsan y entusiasman y toman parte de la ganancia. El Gobierno debe poner mano fuerte en este asunto; de lo contrario poco vale que aquí, a fuerza de constantes trabajos, logremos ir quitando de enmedio bandidos, si allí, en ese Cayo, se encuentra el almacén repleto de donde han de remitirnos nuevas remesas.*

En este contexto, el Capitán General criticó la práctica gubernamental de subvencionar el exilio "voluntario" de los bandoleros y puso, como ejemplo, el caso de Manuel García Ponce, quien trataría de embarcarse mediante las gestiones del general insurrecto Julio Sanguily, como luego se dirá. Asimismo, Polavieja aprovechó para informar sobre la ambigua ac-

---

13. *Ibídem.*

tuación de este último, definido, desde entonces, como doble agente e individuo sumamente peligroso, pese a su posible utilidad como confidente del Gabinete Particular [14]:

No puedo dejar desapercibida la persona de don Julio Sanguily, que, a pesar de recibir una asignación del Gobierno y haber tratado de atraerlo por todos los medios suaves y decorosos que han estado a mi alcance, abrigo la seguridad que estima en más no sólo el recuerdo de lo que fue en la guerra separatista, sino el poder alentar este estado de cosas que tanto nos perjudica y que forma la base para demostrar la desafección latente que contra nosotros existe, sirviendo a los bandidos de verdadero protector y de padrino, como aquí se llaman los que siguen la errónea conducta de aparecer piadosos trabajando en favor de los verdaderos criminales. Sanguily, como Gualberto Gómez, es sumamente peligroso, porque, a pesar de que tengo la evidencia de que participa de los productos que se procuran los bandidos, es bastante astuto y tiene condiciones personales para aparecer inocente de las acusaciones, que los mismos autonomistas, como verdaderas, entre ellos le reconocen, aunque me lo presentan como modelo de lealtad y honradez, constándome, porque lo tengo muy vigilado, la clase de vida que lleva, los vicios que le dominan y las cantidades que invierte, sin contar con otra renta que la referida asignación que satisfago preferentemente. Fue además recaudador de la Empresa del ferrocarril de Villanueva y se levantó con sus fondos, sin que se haya procedido contra él, por consideraciones en que por mucho puede entrar la política.

Con posterioridad, Polavieja volvió sobre gran parte de los puntos señalados, en ocasiones criticó el egoísmo de los hacendados, otras veces mostró su frustración porque los "padrinos" de los bandidos parecían decantarse más hacia los malhechores que hacia la causa que él representaba, a pesar de sus expresiones de españolismo y, en fin, protestó ante las campañas periodísticas contra su política, tanto en Cuba como en el exterior [15].

El 28 de febrero de 1891, sin embargo, el Gobernador General se mostró más optimista al hacer llegar al Ministerio de la Guerra una relación de 39 individuos apresados desde su llegada a Cuba, subrayó que todos estaban "alzados por delitos de bandolerismo" y que se excluía a los que

---

14. *Ibídem.*
15. V., en loc. cit., partes del 20 y 30 de diciembre de 1890 y del 20 y 30 de julio de 1891, así como también el capítulo VIII de su obra *Relación documentada...*, cit.

"por los tribunales ordinarios se les reclamaba para responder de otros delitos y han sido igualmente capturados". También acompañó una lista de las 106 causas incoadas por el delito de secuestro durante los mandatos comprendidos entre marzo de 1880 y febrero de 1891 [16]:

Mandatos	Número de causas
1879-1881	3
1881-1883	4
1883-1884	7
1884-1886	21
1886-1887	25
1887-1889	33
1889-1890	9
1890	2
1890-1891	2

Pero, en cualquier caso, el objetivo último de su política represiva nunca llegó a hacerse realidad. Al dejar el mando, en junio de 1892, se replanteó las razones que le habían inducido a fundar el Gabinete, insistió en la conexión entre el bandolerismo y el movimiento insurreccional y describió el balance de resultados. Durante sus veintiún meses de gobierno habían sido capturados 164 individuos acusados de bandidaje, 43 habían muerto en la persecución y otros 20 sufrieron la última pena (V. **Gráfica 1**). En total, 227 bandidos eliminados. Por otra parte, habían sido obligadas a residir en la isla de Pinos 165 personas acusadas de auxiliar a los bandoleros. El número de secuestros se redujo notablemente y lo mismo ocurrió con los incendios intencionados, de un total de 461 para la zafra de 1891 a 1892, sólo 45 podían considerarse provocados y, entre éstos, había "varios producidos por los mismos dueños de las colonias, cuando éstas no eran propiedad del de la fábrica, para obligar al de ésta a que moliera la caña inmediatamente" o para facilitar el corte y abonar el terreno [17].

A la vista de sus resultados, Polavieja se prometía –en caso de haber

---

16. Partes del 20 y 28 de febrero de 1891 y documentos adjuntos, en loc. cit.
17. Parte-informe de Polavieja del 19 de junio de 1892 y documentos adjuntos (loc. cit.).

continuado en el cargo–, la "total exterminación de los malhechores y de sus abrigadores". Mas, no pudo negar que había "ocupado militarmente" las provincias de La Habana, Matanzas, Santa Clara y Santiago de Cuba mediante los 2.612 soldados que, con sus jefes y oficiales al frente, ayudaron a la Guardia Civil en las tareas represivas, "con todas las contrariedades de una campaña y sin esperanza de obtener los beneficios que en aquélla se alcanzan y sin el estímulo del combate diario que tanto eleva la moral del soldado, teniendo, por el contrario, que perseguir al que nunca da frente, y sólo en la sorpresa y la huida fía su causa" [18].

El Gabinete Particular, en efecto, siguió funcionando, aunque sólo en teoría, bajo el gobierno de su sustituto Alejandro Rodríguez Arias (1892-1893) y, también, con la interinidad de José Arderius y García (1893), hasta que fue suprimido por Emilio Calleja (1893-1895), el 8 de octubre de 1893, quien alegó que tal sistema, fruto de una situación excepcional, debía "desaparecer con los motivos que le impusieron, porque no sucediendo así, la acción personal de la primera autoridad llegaría a gastarse, inconveniente que a toda costa se debe evitar" [19].

En este sentido, resulta ilustrativo el contraste entre los resultados de la gestión de Polavieja y los de la etapa Rodríguez Arias-Calleja. El **Cuadro III** nos permite deducir, pese a la existencia de importantes lagunas documentales y no pocos interrogantes, que bajo el mandato del primero la represión contra el bandolerismo se agudizó y se tradujo en cifras superiores de bandidos capturados, presentados y, particularmente, muertos, lo que no es raro pues, entre otras cuestiones, los agentes del *Gabinete negro* tenían, en más de una ocasión, órdenes de evitar las capturas y, simplemente, tirar a matar.

---

18. *Ibídem.*
19. Parte de Emilio Calleja del 20 de octubre de 1893, en "Isla de Cuba. Expediente general de asuntos de Orden Público, persecución del bandolerismo y trabajos de los separatistas en la isla de Cuba desde 1891 a 1894", loc. cit.

Cuadro III
REPRESIÓN DEL BANDOLERISMO (1892-1893)

Bandidos	Lugar y fecha
José María Pérez	Santa Clara (?), VII-92
Cecilio Martínez**	Pinar del Río, 23-VIII-92
Eustaquio Tapanes y Tapanes**	Matanzas, 29-VIII-92
Manuel Álvarez, *Chiquito***	Manzanillo, 18-IX-92
Teófilo Rodríguez, *Mariquilla*	Pinar del Río, XII-92
José Velázquez, *Calasán*	Idem, Idem
Lucas Godoy Brito	Idem, 2-XII-1892
Vicente Durán Perera	Idem, 18-XII-1892
Nicolás Grajales	Santiago de Cuba, XII-92
Juan Esterling	Ídem, Ídem
Antonio Martínez Naranjo	Ídem, Ídem
Alejandro Martínez Naranjo	Ídem, Ídem
Ciriaco Beltrán Echevarría	Ídem, Ídem
Florentino Alvarez Rodríguez	Ídem, Ídem
Narciso Fuentes	Ídem, Ídem
Aquilino Castañeda, *Chacho***	Santiago de Cuba, 19-II-93
Manuel Rodríguez Rodríguez	S. Miguel de los Baños, 22-II-93
Luis González	Cienfuegos, 25-II-93
Roque Pupo*	Santiago de Cuba, III-93
Pedro Alfonso	Matanzas, IV-93
Ricardo Quintana Padrón	Cienfuegos (?), IV-93
Rafael Martínez Álvarez, (a) *Ciriaco Oliva***	Pinar del Río, V-1893
Gonzalo Valdés Acosta	Matanzas, VI-1893
Santiago Noya Millet	Colón, 28-VI-1893
Rafael Madruga**	Ídem, VII-1893
Joaquín Domenech Ripoll**	Pinar del Río, 3-VII-93
Guillermo Pérez Pérez	Cienfuegos, 15-VII-93
Leocadio de Jesús Madrigal	Ídem, Ídem
Manuel González, *José*	Santa Clara, 17-VII-93
Juan Aguilar	Pinar del Río, 26-VIII-93
Antonio Alfonso**	Ídem, 6-IX-93
Manuel Alemán	Ídem, 23-IX-93
José Nieves*	Pto. Príncipe, IX-93
José Valdés Ortega, *Deque-Deque***	Güines (Habana), 20-X-93

Fuente: Colección de partes decenales de Rodríguez Arias y Calleja. SHM (loc. cit.).
(*): Presentados.
(**): Muertos en persecución.

Por otra parte, este último tramo de la Tregua, justo antes del estallido revolucionario y bélico de 1895, se caracterizará no sólo por el intento de Polavieja de articular un sistema represivo eficaz, sino, sobre todo, porque los dispersos embates de la emigración revolucionaria encuentran, al fin, un cauce adecuado y una unidad de acción bajo los auspicios del Partido Revolucionario Cubano, fundado por José Martí en los inicios de 1892, como ya se dijo. Los nacionalistas cubanos tuvieron en Martí el estratega que habría de conducirles a la "guerra necesaria" a su debido tiempo, sin precipitaciones ni aventuras, pero, también, sin pausas.

Mientras tanto, en el interior de Cuba se aceleraban las contradicciones. Naturalmente, el bandolerismo no desapareció ni con Polavieja ni entre 1892 y 1895, incluso ganaron fama nuevos bandoleros sociales como Regino Alfonso, quien, lo mismo que los veteranos Manuel García Ponce y Álvarez Arteaga, *Matagás*, se sumará a las fuerzas insurrectas en el Grito de Baire. Se trata de un nuevo giro de la espiral de violencia rural que envuelve, como un enorme mar de fondo, la epopeya final de la Tregua fecunda. Tal vez pudiera hablarse, dada la magnitud y la proliferación de sus protagonistas, de la edad de oro del bandolerismo cubano, pero, sobre todo, del bandolerismo cubano de Occidente, como veremos después.

2. BANDOLEROS ORIENTALES

En efecto, a lo largo de los capítulos precedentes ha podido constatarse que el bandolerismo, cuantitativa y cualitativamente, conoce un predominio indiscutible en el Occidente insular. Las provincias centro-orientales (Las Villas y Camagüey), y, en particular, el Oriente profundo (Santiago de Cuba), tienen también, durante la etapa que estamos analizando, una dinámica diferente. Veamos, en primer término, la situación en Santiago de Cuba.

Como apuntábamos más arriba, el mismo día en que Polavieja firmó el decreto de creación del Gabinete Particular, el 29 de agosto de 1890, se recibía en el Palacio de la Capitanía General el siguiente telegrama del Gobernador Civil de Santiago de Cuba: "Acabo notificar Maceo quien embarcará mañana. Sin novedad" [20]. Desde la víspera se habían intercambiado varios mensajes cifrados sobre el asunto, pues se temía que estallara

---

20. E. Bacardí y Moreau: *Crónicas de Santiago de Cuba*, reedición de Amalia Bacardí Cape, Madrid, 1973, t. VII, p. 339.

la insurrección si la noticia trascendía a la opinión pública. Por ello, el Capitán General debió respirar tranquilo, sobre todo al día siguiente, cuando se confirmó la salida de Maceo. Al mismo tiempo ordenó que vigilaran al general insurrecto Flor Crombet, otro vértice de la conspiración, pero, además, las circunstancias jugaron a su favor. El Partido Autonomista de Oriente, como afirma Emilio Bacardí, se declaró "por el retraimiento en esta región". Esta actitud de los dirigentes del autonomismo, "de quienes el pueblo esperaba que cooperaran a los planes revolucionarios de Maceo y Crombet, se la denominó pintorescamente *La Paz del Manganeso*, por haber muchas personas interesadas en la explotación de grandes yacimientos recién descubiertos de dicho mineral" [21]. Parece que, efectivamente, determinados sectores del autonomismo y del nacionalismo radical, cayeron en la cuenta en aquellos momentos –como antaño sus correligionarios de Occidente–, de que, si se declaraba la guerra, tendrían mucho que perder.

Mas, no todos los independentistas orientales pensaban de la misma manera. Martín Velázquez, "compañero de Antonio Maceo durante tanto tiempo y aliado suyo en la conspiración de 1890", se convirtió en el "objetivo de Polavieja". R. Schwartz señala que la partida de Velázquez, de más de treinta hombres, había barrido el interior de Oriente en apoyo del general insurrecto y que la opinión cubana se dividía al respecto. Para unos se trataba de un delincuente que se había hecho bandido por necesidades económicas después de la Guerra Grande, otros pensaban que su levantamiento respondía a motivos políticos y, en fin, un tercer grupo creía que su alzamiento se debía a la venganza por la deportación de Maceo [22].

En nuestra opinión, Martín Velázquez fue, antes que nada, uno de tantos insurrectos inoportunos que se echó al monte porque confiaba en el éxito de su empresa. Como se apuntó en el epígrafe anterior, algunos de los miembros de su partida declararon, en el momento de entregarse, que se esperaba la pronta llegada de una expedición de Maceo por las costas de Baracoa. Tal vez sólo fuera una entelequia, pero, por otra parte, también es cierto que la peculiaridad de su alzamiento que, como sabemos, fue escasamente secundado, convirtió sus acciones militares en muy irregula-

---

21. *Ibídem.* V., también, M.J. de Granda: *La paz del manganeso*, Imp. "El Siglo XX", La Habana, 1934, que reproduce la colección de telegramas cifrados y otros documentos de interés.
22. R. Schwartz: Op. cit., pp. 167-170.

res, de ahí que fuera definido como bandolero por ciertos cenáculos de opinión y por el propio mando colonial.

Sin embargo, F. de C., desde las páginas de *El León Español*, un periódico nada proclive a las tesis emancipadoras, escribió tras la caída del rebelde [23]:

> *El bandido Martín Velázquez no era bandido sino como medio de terror, era un Jefe de la guerrilla de avanzada de la insurrección, que venían preparando Maceo y Flor Crombet en la provincia de Santiago de Cuba.*
>
> *Lanzado a operaciones y deportados los Jefes con cuyo apoyo contaba, no le quedaba otro remedio al feroz caudillo separatista, que lanzarse por la vía del crimen para sembrar el terror y atraerse partidarios con que engrosar las fuerzas de su mando, por eso aparece Martín Velázquez como bandolero, cuando lo que era en realidad un insurrecto que alentaba esperanzas de levantar la parte de descontentos y simpatizadores que siempre existen en aquella tan asolada provincia.*
>
> *Por eso no conceptuamos como un golpe al bandolerismo, la muerte del capitán y la entrega de la partida de Martín Velázquez; en nuestro concepto aquello ha sido la estrangulación del tercer levantamiento insurrecto del departamento Oriental: el bandolerismo propiamente dicho, queda en pie, como se hallaba a la llegada del actual Gobernador General.*

Una de las primeras acciones de Martín Velázquez había tenido lugar el 3 de septiembre de 1890. En torno a las cuatro de la tarde de ese día, él "y dos pardos más asaltaron y robaron la cantina de los hermanos José y Esteban Baus, situada en el camino de Yateras a una legua del Palmar, en cuya cantina asesinaron a dichos hermanos así como al cocinero" y a un ex-miembro de la Guardia Civil que iba de paso. Posteriormente, los insumisos pasaron a la cantina del Blanquizal donde, "no hallando al dueño que según parece intentaban matar también, robaron y quemaron cuantos papeles hallaron, lo mismo que en la anterior cantina". Más tarde, el grupo se dirigió a Casisey, lugar en el que fue muerto de un disparo el alcalde de barrio don Eduardo Rodríguez, "que estaba en su cantina, en cuyo establecimiento no les fue posible robar gracias a la eficaz intervención de la fuerza del puesto que con un nutrido fuego les rechazó siguiéndoles hasta

---

23. F. de C.: "El bandolerismo", *El León Español*. AGI. Diversos 22. La colección de artículos periodísticos del fondo Polavieja del AGI no está fechada por lo común, así que, salvo indicación contraria, remitiremos al mencionado fondo.

la trocha del Sigual, en donde se perdieron en el bosque". Martín Velázquez tuvo que abandonar después su caballo, herido de un disparo, pero atacó también la cantina del Sigual "sin lesionar a nadie". Luego marchó en dirección al batey del ingenio "San Antonio", donde le esperaban, y, tras un intercambio de disparos, se retiró en dirección a la trocha del Sigual, en cuya entrada volvió a luchar con fuerzas de la guerrilla de Simancas al mando del alférez Segundo Garrido, escaramuza en la que resultó herido un guerrillero [24].

Estas acciones del pequeño grupo inicial de Martín Velázquez no reflejan, en puridad, hechos de bandolerismo. Es posible que el cabecilla decidiera acometer, de acuerdo con sus escasas posibilidades, diferentes enclaves con cierto valor estratégico. En este sentido llama la atención que se ataque, en cuestión de horas, a varios cantineros y que, aparte del robo o del asesinato, se destruyan diversos documentos, libros de crédito, etc. Quizá estemos ante una acción de represalia contra individuos significados por su colaboración con las fuerzas coloniales, como parece deducirse de algunas matizaciones, pero, en cualquier caso, los partes de las fuerzas del orden no dudaron en calificar de bandoleros a los hombres del rebelde, al tiempo que informaron de las distintas medidas puestas en marcha para su captura.

En cualquier caso, la dinámica insurgente continuó en días sucesivos, así, el 19 de septiembre, se produjo un nuevo incidente. A las nueve de la noche fue asaltado por Martín Velázquez y cuatro acompañantes, en Sagua de Tánamo, el establecimiento comercial de Cirera y Valentínez. En el hecho resultaron heridos dos propietarios y dos empleados que trataron de resistirse y los rebeldes se llevaron un fusil con munición y, al parecer, ciertas cantidades de dinero. A los gritos de los asaltados acudió en su ayuda un vecino, don Ángel Laurencio, que hizo fuego en señal de alarma y, a continuación, llegó una fuerza del destacamento militar que apenas pudo disparar a los asaltantes en su huida [25].

Según una comunicación del alcalde municipal, los "bandoleros en su retirada entraron en un establecimiento del barrio de Miguel [...], di-

---

24. Vicente de la Torre, Jefe Guardia Civil, al Gobernador Civil de Santiago de Cuba, Guantánamo, 5 de septiembre de 1890 y comunicación del comandante del puesto del Palmar del 4 de septiembre de 1890 (AGI. Diversos 18).
25. Oficio del comandante militar de Sagua de Tánamo, 20 de septiembre de 1890, AGI. Diversos 18.

ciendo que venían del pueblo porque había allí mucho fuego contra los bandidos que parecía habían llegado, en cuyo establecimiento no hicieron daño alguno, sin duda por encontrarse en aquel varios voluntarios que se hallaban prevenidos". También se supo que, a las dos de la madrugada del día siguiente, los bandoleros pasaron por Santa Catalina de la Reina y, al parecer, acabaron por ocultarse cerca de San Fernando o Monte Rus (jurisdicción de Guantánamo). En su huida robaron algunos caballos para sustituir a sus monturas, heridas o cansadas, y cortaron las líneas telegráficas por varios puntos [26].

El día 21, en un suplemento especial, *El Clamor Público* de Guantánamo informaba sobre estos sucesos. El Sr. Cirera, "hombre de sesenta y tantos años, Presidente del Casino Español de Sagua, salió gravemente herido, así como algunos de los que le ayudaban en la defensa de sus intereses". El periódico indicaba, también, que según sus noticias, la misma partida había realizado otro asalto cerca de Palma Soriano, entre Arroyo Blanco y Remanganaguas, pero, en su opinión, este último ataque estaba en contradicción con las informaciones procedentes de Sagua de Tánamo y sus aledaños [27].

Al mismo tiempo, el alcalde de aquella población informó, con más detalle, de la totalidad de los caballos robados por los asaltantes y transmitió, asimismo, nuevas noticias sobre la partida recogidas de algunos vecinos del pueblo que habían estado ausentes. Se supo así que dos de sus paisanos se encontraron en el Guayabal (jurisdicción de Guantánamo), con "la partida de Velázquez compuesta de cinco armados de rifles y fusil remington, la que se les apoderó de las dos monturas que traían sus cabalgaduras sin haberles hecho otro daño", y que otros vecinos la vieron en el Molinar, cerca de Guaso [28].

Empero, las gestiones realizadas por las fuerzas represivas no gustaron a Polavieja que, el día 22 de septiembre, remitió un contundente telegrama al comandante general de Santiago de Cuba: "Me satisface poco la persecución que se hace al bandido Martín Velázquez", le dijo, y le ordenó

---

26. Comunicación de Miguel Pagés, alcalde de Sagua de Tánamo, al Gobernador Civil de la provincia, 20 de septiembre de 1890 (AGI. Diversos 18). El alcalde solicitaba refuerzos para garantizar la seguridad en la zona.
27. Ejemplar del suplemento en AGI. Diversos 18.
28. Comunicación de Miguel Pagés al Gobernador Civil, Sagua de Tánamo, 21 de septiembre de 1890 (AGI. Diversos 18).

que acelerara la persecución y le mantuviera informado de los "menores detalles" [29].

Polavieja tenía razones para mostrarse preocupado. El Gabinete Particular empezaba a dar sus primeros pasos y convenía un éxito inmediato. Además, existían dudas sobre la rapidez de la actuación de las fuerzas militares en el asalto de Sagua de Tánamo, como parece confirmarlo, con fecha 23 de septiembre, una misiva particular de la casa comercial Riego y Compañía de aquella localidad: "Como fue un hecho inesperado y el primero que acontece en esta tranquila y pacífica jurisdicción, sólo acudimos las fuerzas de tropa y voluntarios después de hecho el daño" [30].

El mismo día 23 de septiembre, el Gobernador militar de Santiago de Cuba telegrafió, desde Gibara, al Capitán General: "En vapor que sale hoy para Guantánamo, salgo para dicho punto, a ponerme personalmente al frente de las operaciones contra bandolerismo" [31]. Pero, las autoridades de La Habana no estaban satisfechas. En días sucesivos ordenaron la apertura de un expediente sobre el asalto de Sagua de Tánamo para averiguar la conducta de su destacamento militar, enviaron un confidente y decidieron tomar cartas en el asunto [32].

El 26 de septiembre se recibía en Palacio un telegrama esperanzado desde Guantánamo, en el que se indicaba que estaban organizados los servicios contra el bandolerismo y que se habían puesto en acción "dos pequeñas partidas cuyo total es ocho hombres [...]. Son de los mismos que mataron al bandido *Maceíto*", y, en este sentido, se pedía la conformidad de La Habana para hacer frente a los gastos generados por estos servicios especiales [33]. Desde la capital respondieron que habían autorizado a Tejeda para ofrecer dos mil pesos por la captura de Velázquez y solicitaron más

---

29. Transcripción de telegrama cifrado de Polavieja (AGI. Diversos 18, fol. 1.253).
30. Comunicación de Riego y Comp., Sagua de Tánamo, 23 de septiembre de 1890 (AGI. Diversos 19).
31. Transcripción de telegrama cifrado al Capitán General, 23 de septiembre de 1890 (AGI. Diversos 18, fol. 1.260).
32. Transcripción de telegrama del Gobernador militar de Santiago de Cuba del 23 de septiembre y telegrama del 2 de octubre, así como copias de telegramas del Capitán General del 29 de septiembre, 1º y 4 de octubre de 1890 (AGI. Diversos 18).
33. Telegrama de Guantánamo al Jefe del Gabinete Particular, 26 de septiembre de 1890 (AGI. Diversos 18, fol. 1.252). Calixto Marcial (a) *Maceíto* fue muerto en julio de 1890 (E. Bacardí y Moreau: Op. cit., p. 332).

información sobre las condiciones acordadas con las dos pequeñas partidas de perseguidores extra-oficiales [34].

Paralelamente, la Capitanía General autorizó al teniente Pedro Garrido y Romero para que, como comisionado del Gabinete, contribuyera a detener los progresos del bandolerismo en Oriente y, en particular, para que pusiera fin a las andanzas de Martín Velázquez. Esta decisión desagradó profundamente a las autoridades orientales, que no sólo habían visto cuestionada por La Habana su eficacia para acabar con los "bandidos" de la provincia, sino que, además, al uso de los viejos tiempos, la Capitanía General había otorgado ciertos poderes especiales a un individuo que, muy pronto, se convirtió, por su celo, su habilidad y sus técnicas heterodoxas, en un subordinado incómodo y molesto.

El 6 de octubre, Garrido se dirigió desde su base en Yateras al Comandante militar de Guantánamo, en petición de que ordenara al Jefe de Comunicaciones que le autorizara a transmitir, desde las estaciones de telégrafos de la jurisdicción, "los despachos oficiales que tenga yo necesidad de dirigir..." [35]. Esta fue una de sus peticiones más incordiantes, pues, de alguna manera, pretendía ratificar una libertad de acción que sus superiores en Oriente no estaban dispuestos a tolerar.

Además, la tensión entre las mismas autoridades por las acciones de Martín Velázquez y de otros individuos subió de tono. Según una comunicación del Comandante General de Santiago de Cuba, del 7 de octubre, no era cierto que Martín Velázquez fuera el protagonista de un asalto a un establecimiento situado entre Palma Soriano y Remanganaguas, pues no se tenía constancia "ni aun de la existencia de bandidos por aquella demarcación, a excepción del que ocurrió en 20 del anterior en la cantina de don José Alcaide en el punto denominado Arroyo Blanco, por tres hombres armados". Sin embargo, era verdad que, a principios de mes, en la demarcación de Auras (jurisdicción de Holguín), en el enclave conocido por Guabasiabo, había sido atacada la casa de don Pedro Pérez "por tres hombres tiznados, los cuales llevaron 100 pesos en oro y 13 en alhajas, habiéndose capturado por fuerzas de la Guardia Civil a uno de los tres autores del hecho citado". En el resto de la provincia, añadía el informe,

---

34. Copia de telegrama sin fecha remitido desde el Gabinete Particular (AGI. Diversos 18).
35. Comunicación (copia) de Garrido al Comandante militar de Guantánamo, Yateras, 6 de octubre de 1890 (AGI. Diversos 16).

"no se conoce más partida de bandoleros que la de Martín Velázquez, cuyo paradero se desconoce en la actualidad" [36].

El día 12, Garrido, que había visto como su petición de refuerzos era desatendida por el Comandante Militar de Guantánamo, escribió en solicitud de ayuda al Comandante General e insistió en su ruego para poder transmitir de manera oficial los telegramas pertinentes a sus superiores y, en especial, al Gabinete Particular [37]. Asimismo, al día siguiente se dirigió, en carta personal, a la misma autoridad, el General Andrés González Muñoz, tratando de ser persuasivo. Le indicó que no creía conveniente que sus hombres pasaran a Guantánamo para ser filiados en la oficina del Batallón de Simancas, que era necesario mantener el máximo sigilo sobre sus colaboradores, que algunos de ellos pertenecían a la Compañía de Voluntarios de Yateras y que de conocerse sus movimientos los bandoleros esquivarían su persecución, "dada la fuerza moral que tienen sobre las gentes del campo, y los muchos de estos que por temor, o con miras particulares, de lucro o políticas, les auxilian y encubren". Suplicó, también, que quedase a sus órdenes su hermano el alférez Segundo Garrido, para que, con la fuerza que se le designase, le ayudase a investigar en las extensas zonas por las que se movían los bandoleros [38].

Pero, el general González Muñoz no estaba por la labor. Con la misma fecha, 13 de octubre, se dirigió a Polavieja criticando, de acuerdo con el Comandante militar de Guantánamo, "el proceder libérrimo" de Garrido en aquella comarca, "donde cuenta no pocos enemigos por haber figurado, aunque inconscientemente, en algunas cuestiones políticas" [39].

En días sucesivos cayó sobre Garrido una lluvia de improperios y de represalias. Se consideró que se había excedido en sus atribuciones al poner a disposición del juez de Guantánamo a varios individuos acusados de

---

36. Comunicación del Comandante General de Santiago de Cuba al Capitán General, 7 de octubre de 1890 (AGI. Diversos 18).
37. Copia de la comunicación de Garrido al Comandante General de Santiago de Cuba, Yateras, 12 de octubre de 1890 (AGI. Diversos 16).
38. Comunicación de Garrido al general González Muñoz, Yateras, 13 de octubre de 1890 (copia), AGI. Diversos 16.
39. Copia de comunicación del Comandante general de Cuba al Capitán General, Santiago de Cuba, 13 de octubre de 1890 (AGI. Diversos 16).

encubrir a los bandidos [40], se le negaron sus reclamaciones económicas [41], y, en fin, se le abrió sumaria por la muerte, el día 15, en una emboscada cerca de Felicidad del mulato José Varela (a) *Cabeza*, a quien se creía cómplice de Martín Velázquez, y en esta ocasión se aprovechó para recordar al Capitán General la "inconveniencia de la continuación de aquel oficial" [42]. El 18 de octubre, un nuevo telegrama cifrado del Comandante General de Santiago de Cuba al Jefe del Gabinete Particular insistía en la necesidad de que Garrido cesase en su misión, pues algunos individuos con pases firmados por el celoso oficial alarmaban a los vecinos y les producían no pocas molestias [43]. Al día siguiente salió de Capitanía la orden de destitución de Pedro Garrido [44].

El Comandante General de la provincia oriental y, en particular, el jefe militar de Guantánamo cayeron como fieras sobre Garrido, que tuvo que esconderse y proteger a sus hombres de la Guardia Civil que tenía órdenes de detenerlos [45]. Garrido escribió, el día 20, a García Aldave, indignado [46]:

> *El Coronel de Simancas que es el Comandante Militar, y más especialmente el Capitán de la Guerrilla montada y el bandolero manso Nicanor Reyes han creado o están creando en las regiones oficiales una atmósfera contra mí, tan inverosímil que no tiene explicación lógica.*
>
> *Por todos los medios posibles pretenden evidenciarme, así como a mi pobre hermano, y el único fin que persiguen esos Sres., es inutilizarnos y*

---

40. Copia de comunicación del Comandante General de Santiago de Cuba del 13 de octubre de 1890 y copia del oficio de Garrido al Comandante militar de Guantánamo, 9 de octubre de 1890 (AGI. Diversos 16).
41. Telegramas, copias, del 14 y 15 de octubre de 1890 entre el Comandante General de Cuba y el Capitán General (AGI. Diversos 16).
42. Traducción de telegrama cifrado del Comandante General de Cuba al Capitán General, 18 de octubre de 1890 (AGI. Diversos 16).
43. Telegrama cifrado del Comandante General de Santiago de Cuba al Jefe del Gabinete Particular, 18 de octubre de 1890 (AGI. Diversos 16).
44. Copia de telegrama de Capitanía al Comandante General de Santiago de Cuba, 19 de octubre de 1890 (AGI. Diversos 16).
45. Copia de oficio de la comandancia militar de Guantánamo del 20 de octubre de 1890; copia de telegrama de Garrido al Comandante militar de Guantánamo del 22 de octubre de 1890; Comandancia militar a Garrido, 22 de octubre de 1890 (AGI. Diversos 16).
46. Garrido a García Aldave, Jefe del Gabinete Particular, Guantánamo, 20 de octubre de 1890, AGI. Diversos 16.

coartar mi acción para que no pueda yo secundar los deseos de V.S. y los elevados propósitos del Gral. Polavieja: en menos palabras, comprenden que yo puedo acabar pronto con estos bandoleros y no saben como inutilizarme para ello, puesto que se les acabará la vida de fantochería y mentira que llevan tanto tiempo ha.

Tres días después, volvió a ponerse en contacto con el Jefe del Gabinete Particular para hacerle presente el "ensañamiento con que me persiguen las autoridades militares de aquí". Narró las dificultades de sus subordinados y añadió que, para continuar los trabajos emprendidos en la persecución de los bandidos, había conseguido que el Alcalde de Guantánamo los nombrara guardias municipales, pero el Coronel de Simancas se había opuesto y el Alcalde, que a la vez era comerciante y tenía uno de sus mejores clientes en el Batallón al que suministraba, cedió ante la presión económica de la autoridad militar. Garrido añadió con rabia [47]:

> *Estas autoridades militares hacen uso de los criminales para exterminar a los bandoleros, lo cual se puede hacer con mejor éxito y de una manera más decorosa, digna y económica, utilizando elementos sanos y prestigiosos: esos criminales originando conflictos con la Guardia Civil, que al verlos los prende, y tiene que soltar; como bandoleros que son no hacen más que robar por donde quiera que van, ellos han sido los del robo y asalto de Sagua, cuyo hecho se lo acumularon a Martín Velázquez; ellos al ir a Baracoa después y asegurar que matarían a Martín en esa excursión, se robaron en el llano los caballos en que fueron montados, los vendieron o dejaron en Baracoa y regresaron en mulos que también robaron allá.*

Mas, a pesar de sus dificultades, el teniente Pedro Garrido continuó recibiendo información de sus confidentes. El 6 de noviembre tornó a escribir a García Aldave para informarle que sus antiguos superiores habían hecho poco caso a sus avisos sobre la presencia de los bandoleros en Caujerí. Las fuerzas perseguidoras se mostraban, según Garrido, bastante indolentes, pues habían demorado su salida de Baitiquirí (jurisdicción de Guantánamo) y abandonaron el "rastro fresco" que los bandidos dejaron en el Corojo. Además, el Comandante militar de Guantánamo sólo se inspiraba en el "criterio egoísta y funesto del Capitán don Juan Condines que manda la Guerrilla de Simancas", quien, a su vez, aceptaba como bueno

---

47. Garrido a García Aldave, Guantánamo, 23 de octubre de 1890 (AGI. Diversos 16).

"el trabajo inútil y costoso de Nicanor Reyes, y asegura con el mayor cinismo que este hombre, perjudicial por todos conceptos, con la partida de criminales que le secunda, acabarán con Martín y los suyos, siendo así, que lo que están haciendo es alarmar a diario a las gentes honradas y cometer mayores robos que los bandoleros a quienes dicen perseguir" [48].

El Comandante General de Cuba aprobó, sin embargo, la presencia de algunos voluntarios de Yateras entre las fuerzas encargadas de la persecución del insurgente, y ofreció recompensas en metálico [49]. Por fin, el día 9 de noviembre, se recibió en La Habana la noticia de la muerte de Martín Velázquez y de la entrega de su partida, el periódico *La Lucha* repartió un suplemento gratuito [50]:

> *Según telegrama recibido en el Gabinete Particular, el bandido Martín Velázquez ha sido muerto en Baitiquirí (Guantánamo). La partida que mandaba, compuesta de 21 hombres, se ha presentado con armas y municiones.*

A la hora de las recompensas las autoridades militares, como siempre, trataron de regatear con sus colaboradores. Al final, la operación costó unos mil ochocientos pesos, cantidad en la que se incluía una gratificación de setecientos para el individuo que había matado al rebelde [51].

Posteriormente, se presentaron otros doce seguidores de Martín Velázquez en diversos puntos y, además, la prensa publicó diversas informaciones y opiniones sobre el suceso. El protagonismo de la acción fue otorgado al alcalde de Baracoa, Sr. Columbie, y al comandante militar de esta población Pérez Boixerac, pero también se habló de manejos ocultos. El hecho, en efecto, era "completamente nuevo en los anales del bandolerismo", como se afirmaba en un suelto del periódico *Unión Constitucional*, por ello alguien pensó que la traición pudo haber venido desde el interior de la propia cuadrilla. Según *La Lucha*, la partida de Martín Velázquez

---

48. Garrido a García Aldave, 6 de noviembre de 1890 (AGI. Diversos 16).
49. Traducción de telegrama cifrado del 7 de noviembre de 1890 (AGI. Diversos 18).
50. Copias de telegramas al Comandante General y al Gobernador Civil de Cuba, Habana, 9 de noviembre de 1890 (AGI. Diversos 18), y "A última hora", *Suplemento a La Lucha*, Habana, 9 de noviembre de 1890 (AGI. Diversos 19).
51. Traducciones de telegramas del Comandante General de Santiago de Cuba del 10 y 11 de noviembre de 1890 (AGI. Diversos 19).

hacía más de cuatro años "que se hallaba cometiendo fechorías en la provincia de Santiago de Cuba", lo que es poco probable a juzgar por los testimonios disponibles. Se dijo, también, que "algunos de los individuos que la formaban, entre ellos Martín Velázquez, pertenecieron a las escuadras –de Voluntarios– de Guantánamo" [52]. Lo cierto es que, para la mayoría de los periódicos, el caso era singular y Martín Velázquez no parecía un "bandido común", como los bandidos occidentales.

Después de estos hechos, Garrido se estableció en Yateras, dedicado a cultivar café en su finca "La Cubana". El 1º de abril de 1892 le escribió a García Aldave para decirle que estaba decepcionado y apartado de todo trato social, que sólo se dedicaba a los trabajos agrícolas y a atender a su numerosa prole, que había decidido pedir el retiro pero que contara siempre con su colaboración, y, además, le anunció el envío de un barril de café de su propia cosecha [53]. García Aldave aceptó el obsequio de su antiguo colaborador y le aconsejó que se retirara y viviera en paz con su familia [54].

Ahora bien, a lo largo de 1891, el Gabinete Particular se mantuvo atento a los informes sobre orden público en Oriente. A comienzos de marzo, por ejemplo, la prensa publicó noticias sobre actos de bandolerismo en Manzanillo y San Luis [55], y en abril se supo de la caída de un "pacífico" en una emboscada contra cuatro bandoleros que merodeaban por la zona de Manzanillo [56].

Sin embargo, en ocasiones la alarma de las autoridades de La Habana parece infundada. El 7 de agosto, el Jefe de la Comandancia de la Guardia Civil en Holguín respondía a una carta de García Aldave para restar importancia a un supuesto robo de ganado acaecido días antes en el potrero "La Gloria", que, más tarde, apareció en otro lugar. Se trataba de una estratagema del encargado del potrero para engañar al dueño del mismo. Emilio Elías, Jefe de la Comandancia, respondía de la seguridad de su jurisdicción, donde "no hay nadie que se atreva ya a robar reses ni a tirar tiros, y apelo en corroboración de esto al testimonio de todo el pueblo" [57].

---

52. Véase, en la colección de prensa del AGI (Diversos 22), las informaciones y opiniones publicadas en *Diario de la Marina, La Lucha, Unión Constitucional* y *La Discusión*, entre otros.
53. Garrido a García Aldave, Guantánamo, 1º de abril de 1892 (AGI. Diversos 16).
54. García Aldave a Garrido, 13 de abril de 1892 (AGI. Diversos 16).
55. V. "Bandolerismo", *La Lucha*, 4 y 5 de marzo de 1891 (AGI. Diversos 22).
56. V. "Bandoleros", *La Lucha*, 16 de abril de 1891 (AGI. Loc. cit.).
57. Emilio Elías a García Aldave, Holguín, 7 de agosto de 1891 (AGI. Diversos 16).

Por otro lado, el 29 de noviembre, el teniente de la Guardia Civil Matías Díaz Huidobro informaba, desde Banes, del fracaso de su persecución contra Perico Delgado, "por la indiscreción de un sitiero en una finca propiedad de don Patricio", lo que, junto a ciertas noticias aparecidas en la prensa, había puesto sobreaviso al bandolero que no se fiaba ni de sus amistades más íntimas [58].

Poco tiempo después, el 5 de diciembre, la Comandancia General de Santiago de Cuba cantaba victoria. Con la muerte del bandido Magdaleno Moya Centeno, acaecida el día 30 de noviembre cerca de Baitiquirí, "puede asegurarse que ha sido extinguido por completo el bandolerismo en todo el territorio de esta Comandancia General, y de manera tan radical, que es de esperar que haya sido extirpado por mucho tiempo ese cáncer social". La primera autoridad militar de Oriente acompañó a su informe un *Cuadro sinóptico* que, a modo de resumen, daba cuenta de las importantes acciones represivas llevadas a cabo, principalmente bajo la dirección del Comandante Militar de Guantánamo, de los jueces de instrucción y de otras autoridades, y cuyo resultado había sido la aniquilación de una vasta red de bandidos y colaboradores que permitía la subsistencia del bandolerismo desde la destrucción de la partida de Martín Velázquez, "hasta la muerte del último de los que componían la formada posteriormente, capitaneada por Francisco Torres Velázquez (a) *El Chino*" [59].

La lista de los sesenta y dos delincuentes y encubridores, incluidas dos mujeres, se puede desglosar de la siguiente manera [60]:

Muertos...................................... 6
Presentados.............................. 2
Presos 51
Búsqueda y captura 2
Libertad provisional.................. 1

---

58. Díaz Huidobro a García Aldave, Banes, 29 de noviembre de 1891 (AGI. Diversos 16).

59. Comandante General de Santiago de Cuba al Capitán General y *Cuadro sinóptico* adjunto, 5 de diciembre de 1891 (AGI. Diversos 19).

Un sector de la prensa se hizo eco, también, de la muerte del "último bandido que quedaba en Santiago de Cuba" (AGI. Diversos 22).

60. *Cuadro sinóptico...*, cit.

A su vez, la estructura socio-profesional (V. **Gráfica nº 2**) nos permite observar, como es natural, la abrumadora mayoría de trabajadores del campo vinculados a las actividades contra el sistema.

El 9 de enero de 1892, se cursaron a La Habana las solicitudes de recompensa para algunos militares que se habían destacado en "los trabajos extraordinarios a que dio lugar la persecución y completa extinción del bandolerismo en esta Provincia" [61].

Algunos meses más tarde se reportaron, sin embargo, nuevos éxitos contra los bandidos de Oriente. A principios de mayo de 1892 fueron capturados el moreno Basilio Romero y el pardo Ubaldo Ochoa, "convictos y confesos de ser los autores del asalto y robo verificado en el punto denominado 'La Prefectura', en Holguín", el 7 de abril [62]. Y, en septiembre, cayó en una acción de los guerrilleros de Alfonso XIII, "Manuel Álvarez (a) *El Chiquito*, autor de varios secuestros en los años 1886 al 87 en la provincia de Santa Clara" [63]. Este último fue el primero de los bandidos abatidos en Oriente durante el resto de la vigencia del *Gabinete negro*, tras la marcha de Polavieja, tal como puede verse en el **Cuadro III**.

Empero, la provincia oriental como en una ocasión manifestó cierto periódico, expresando en este sentido toda una concepción particular del problema, era "un pueblo de guerreros y no de bandoleros" [64]. Hacia el Occidente insular, sin embargo, las circunstancias eran diferentes.

3. EL BANDOLERISMO EN LAS VILLAS Y CAMAGÜEY

El 16 de abril de 1891, Angel M. Carvajal, gobernador civil de la provincia de Santa Clara, escribía a Polavieja una de sus frecuentes misivas para informarle sobre el estado del bandolerismo en las campiñas villaclareñas. Se quejaba de la falta de colaboración de los hacendados, ponderaba la necesidad de tomar medidas contundentes contra el chantaje de los bandoleros y, en este sentido, consideraba que había que "levantar un poco

---

61. Manuel Alonso a García Aldave, Santiago de Cuba, 9 de enero de 1892 (AGI. Diversos 16).
62. V. *Diario de la Marina*, 11 de mayo de 1892, p. 3.
63. "Del Gabinete Particular", *Unión Constitucional*, La Habana, 21 de septiembre de 1892, p. 2.
64. "Del Gabinete Particular", recorte en AGI. Diversos 22.

el espíritu público, pues es ridículo que cuatro rateros tomando el nombre de Manuel García traigan alarmada una comarca y saquen dinero" [65]. Se refería con esto último a ciertas cartas enviadas, entre otros, a propietarios de Sancti Spíritus y firmadas, supuestamente, por el *Rey de los Campos de Cuba*, como luego se dirá.

En otra epístola del día 29, Carvajal daba a conocer sus gestiones con Marcos García, a quien había presionado para que volviera a hacerse cargo de la Alcaldía Municipal de Sancti Spíritus, llamaba la atención acerca del procesamiento de Eustacio Méndez y sobre la necesidad de realizar un escarmiento en la persona del comandante secuestrador, como luego veremos, y, además, insistía en que había que cercenar de forma radical el "aumento incesante que se observa en los bandidos de 2ª clase" [66].

En relación con este último punto, Carvajal dio pruebas, poco después, de su implicación inescrupulosa en la represión del bandolerismo y la delincuencia, pues, al comunicar la detención por el Alcalde de Cruces de Rafael Lima y José Rodríguez, "autores del robo en despoblado en Ceiba Hueca", afirmó: "Creo pretenda reclamarlos la jurisdicción civil, pero pierda Vd. cuidado que ya estoy yo al tanto y no se le entregarán". Y, más adelante, añadió: "Yo llamé a dos vecinos de Vueltas tildados de encubridores y les dí 48 horas para salir de la provincia. Ya lo han hecho. Esto no será muy constitucional pero da resultados. A Vergara tengo que sujetarlo pues es demasiado radical" [67].

Pero, el gobernador de Santa Clara y sus colaboradores más inmediatos, en su afán por exterminar a los bandidos, estaban dispuestos a llegar mucho más lejos. El 9 de mayo, Carvajal indicaba que el hacendado Sr. Goitizolo había recibido una nueva carta de extorsión, que, en su opinión, tales misivas provenían de Cienfuegos y que, precisamente, uno de los sospechosos más probables era un tal Benito López Quesada, quien estaba preso e incomunicado por cuatrero. Según el gobernador villaclareño [68]:

> *Por fin he podido probarle el robo de unos caballos en despoblado y con ese pretexto lo entrego mañana al fiscal militar. Es de muy malos antecedentes y tiene atemorizada a la gente en Cienfuegos en cuyos arrabales*

---

65. Carvajal a Polavieja, 16 de abril de 1891 (AGI. Diversos 16).
66. Carvajal a Polavieja, 29 de abril de 1891, AGI. Diversos 16.
67. Carvajal a Polavieja, 8 de mayo de 1891. Se refiere al coronel Vergara del que luego se hablará (AGI. Diversos 16).
68. Carvajal a Polavieja, 9 de mayo de 1891 (AGI. Diversos 16).

vive, hasta el extremo de que nadie se atreve a declarar contra él, pues le temen para cuando recobre su libertad.

Ya ha estado otras veces preso y se ha vengado en los que le han delatado.

Ahora creo no se irá; la opinión le designa como coautor de cartas exigiendo dinero. Como tendrá mañana que ser trasladado de la celaduría a la Cárcel, donde quedará a disposición del fiscal militar, he dado órdenes para que lo trasladen de noche y que pretenda escaparse.

Esta actitud de la primera autoridad civil de la provincia que, sin duda, era secundada por otros elementos del aparato gubernamental, se escudaba, además, en el clamor de la prensa contra la inseguridad pública en la comarca. "En el término municipal de Santa Clara –afirmaba un artículo de *El Universo* [69]–, no hay autoridad, ni orden, ni concierto, ni seguridad personal. Y no es con guerrillas, ni con batallones, como pueden restablecerse la tranquilidad y una situación normal: es con un Alcalde que conozca sus deberes, que sepa donde pisa y pise en firme y que quiera cumplir con empeño su difícil cargo". Para el citado periódico, tales cualidades se reunían en el inefable Marcos García, quien, en posesión nuevamente de la vara municipal espirituana, se dirigió a sus paisanos con un rotundo manifiesto [70]:

> *Seguro estoy de que para realizar semejante propósito, lejos de encontrarme aislado, vendrán en mi apoyo, como autoridad popular, los hombres honrados de todo el Término, sin distinción de procedencias políticas, a quienes por mi parte estoy llamado a proteger, alejando de la comarca, por cuantos medios pone la ley a mi disposición, a todos aquellos vecinos cuya conducta no se ajuste a la manera de ser de los pueblos cultos, y cuyo proceder venga a constituir una constante amenaza contra el orden público y contra el respeto que demandan las personas y los intereses en toda sociedad que, como la nuestra, no ha omitido sacrificios siempre que se ha tratado, sin vacilaciones y sin tregua, de rechazar la barbarie bajo cualquiera de las formas en que haya preferido presentarse en esta demarcación.*

---

69. "La seguridad personal", *El Universo*, Santa Clara, 16 de julio de 1891 (AGI. Diversos 22).
70. M. García: "Alcaldía Municipal de Sti.-Sptus" (Impreso), 20 de julio de 1891 (AGI. Diversos 16).

El comportamiento decidido de algunas autoridades villaclareñas en contra del bandolerismo y la delincuencia [71], pretendía, pues, contraponerse al protagonismo que, en el mundo rural de la citada comarca y también en la vecina provincia de Puerto Príncipe, tuvieron a la sazón un conjunto de bandoleros de importancia, algunos de los cuales encajan en el prototipo del bandolero social y, por lógica evolución, en el del bandido-patriota. Nos referimos a insumisos como Nicasio Mirabal, el *Tuerto* Rodríguez, Pepillo Torres y el inquieto *Veguita*, de los que escribiremos seguidamente.

Por otra parte, en lo tocante al conjunto de la provincia de Camagüey, la información obtenida es más dispersa, aunque permite deducir una menor incidencia del bandolerismo, si bien es cierto que la acción de algunos de los bandoleros mencionados, especialmente Nicasio Mirabal, incorpora, como dijimos, determinadas comarcas del antiguo Puerto Príncipe. El 17 de mayo de 1891, sin embargo, se produjo una especie de secuestro en la persona de don Rubén Ramos Ronquillo, entre San Agustín y Santa Marta, por individuos disfrazados, quienes exigieron seis mil pesos por su rescate. El secuestrado consiguió su libertad al día siguiente, mediante la entrega de sólo tres centenes a sus captores, "gente nueva en el *oficio*" [72], lo que no constituye, precisamente, un ejemplo singular de actividad bandolera en Camagüey.

En diciembre de 1893, además, una Junta de Hacendados y Comerciantes, creada para conseguir fondos destinados a sufragar los gastos originados por la persecución del bandolerismo, "ofreció varios premios consistentes en fuertes sumas de dinero, por la muerte o captura de varios de los individuos fuera de la ley que formaban las partidas de bandoleros que infectaban la provincia; pero a excepción de algunos infelices que fueron entregados por sus compañeros traidores, los demás: algunos gozan de muy buena salud" [73].

---

71. A mediados de abril de 1892 serían ejecutados, mediante garrote, Santiago Álvarez, Manuel Laviser y José Zurita, "sentenciados en Consejo de Guerra, celebrado el día 31 de marzo,..., por el asesinato de don Serafín Mosquera" ("El Garrote en Santa Clara", *La Discusión*, La Habana, 18 de abril de 1892. AGI. Diversos 22).

72. V. *Unión Constitucional* (21 de mayo de 1891), *La Discusión* (21 y 25 de mayo de 1891), y *La Lucha* (21 de mayo de 1891), en AGI. Diversos 22.

73. J. Juárez y Cano: *Apuntes de Camagüey*, Imp. "El Popular", Camagüey, 1929, t. I, p. 198.

3.1. NICASIO MIRABAL

La información acerca de este bandolero que, más tarde, participó con todos los honores en la Guerra de Independencia de Cuba no es demasiado abundante. Sus acciones se desarrollan entre Santa Clara y Puerto Príncipe, lugares en los que produjo una gran inquietud entre los hacendados y, especialmente, entre las autoridades encargadas de su persecución.

El 27 de septiembre de 1890, el Comandante General de Puerto Príncipe informaba al Gabinete Particular que un oficial de la fuerza de Camajuaní (Las Villas), "con misión reservada en esta provincia", se le había presentado unos días antes para manifestarle que había cercado la casa del bandido Mirabal, pero que éste había conseguido fugarse herido, y que, desde entonces, la persecución emprendida no había resultado favorable [74].

El oficial mencionado se llamaba Pedro Sosa y mandaba una fuerza de quince hombres del destacamento de Buenavista (Regimiento de Caballería Voluntarios de Camajuaní), que, a mediados de septiembre, había recibido la orden de partir tras la pista de Nicasio Mirabal, pues se decía que merodeaba por las inmediaciones de Puerto Príncipe. El encuentro con el bandido se produjo en Ingenio Grande (Camagüey), en una vivienda ocupada por el bandolero y su familia, aunque Mirabal escapó herido bajo una lluvia de plomo. Más tarde, un testigo presencial observó, "atravesando la finca 'del Pilar' a 'Lorenzo' a un hombre alto, grueso, de barba sin sombrero e iba muy manchado de sangre por la espalda y por delante", pero no pudo ser capturado pese a la intensa búsqueda posterior. En la casa residía una mujer con un niño, "la que me manifestó era esposa de don Rafael Roche, nombre que tenía el Mirabal; también se encontraba un joven como de veinte años que resulta ser hermano de la referida señora Dª Herminia Navarro Rus" [75].

El Coronel Jefe del Regimiento de Voluntarios de Camajuaní, José Vergara, no pudo reprimir, sin embargo, su frustración por este fracaso,

---

74. Comandante General de Puerto Príncipe a Coronel Jefe Gabinete Particular, 27 de septiembre de 1890 (telegrama). AGI. Diversos 18.

75. Pedro Sosa al Coronel Vergara, Buenavista, 4 de octubre de 1890 (copia oficial). Se adjunta también el *Diario* de operaciones de la fuerza (AGI. Diversos 18). De la morada de Mirabal se retiraron, igualmente, algunos efectos: una carabina, veinte cápsulas de revólver y dos de carabina, un machete con cinto y un sombrero.

aunque prometió a Polavieja un éxito seguro en cuanto el bandolero se desplazara hacia la provincia villaclareña [76].

La tensión aumentó en torno al 10 de octubre, aniversario del Grito de Yara. El Alcalde de Remedios (Santa Clara), Modesto Ruiz, le aseguró a Vergara que se preparaba una intentona para ese día, "por lo visto, todo es cuestión de bandolerismo, disfrazado de cuestión política", pues los antiguos jefes capitulados afirmaban que no tenían participación en el asunto. "Según mis informes, los instigadores o instrumentos son Mariano Ibarra, Francisco Cortés, Higinio Pérez, Rafael Casallas y los demás que anduvieron persiguiendo en comisión a Mirabal" [77]. Hecho que no dejaría de ser curioso, si la información fuera cierta. Pero, en realidad, el problema era más complejo. En medio de esta trama parecía estar la mano de don Eustacio Méndez, quien más tarde sería ejecutado por el secuestro del Alcalde y hacendado remediano y que, además, estaba en relación con todos los malhechores de Vueltas, que gozaban de su protección interesada, tal como se dirá más adelante.

Con todo, el aniversario del 10 de octubre pasó sin pena ni gloria, y José Vergara, auténtico gendarme de la región, mantuvo al tanto a la Capitanía General. Al mismo tiempo aprovechó para criticar las fanfarronerías de Casimiro Fernández, Jefe de Policía de Santa Clara, que hacía público su proyecto de capturar a Mirabal en el Remate, mientras departía con sus contertulios en el Casino Español de Camajuaní [78].

El 20 de octubre, la Comandancia de la Guardia Civil en Remedios informaba al Gabinete que Mirabal, en contra de lo previsto, no había penetrado en la jurisdicción, "ni ha llegado a los límites de ella con la de Morón, en la que se esperaba llegase a curarse de la herida que dicen tiene", aunque las fuerzas de seguridad se mantenían vigilantes [79].

Una comunicación reservada, fechada en Santa Clara el citado 20 de octubre de 1890, recogía también unas interesantes declaraciones del remediano y vecino de las Vueltas, Santiago Álvarez. En 1888, afirmaba el declarante, el General Marín había comisionado, en primer lugar, a don

---

76. José Vergara a Polavieja, 5 de octubre de 1890 (AGI. Diversos 18).
77. Modesto A. Ruiz a Vergara, Remedios, 10 de octubre de 1890 (AGI. Diversos 18).
78. Vergara al Capitán General, 12 y 13 de octubre de 1890 (AGI. Diversos 18).
79. Comunicación de la comandancia de la Guardia Civil en Remedios a García Aldave, 20 de octubre de 1890 (AGI. Diversos 18).

Eustacio Méndez para la persecución y muerte de Mirabal, "valiéndose para ello de Donato Pérez, de Francisco Cortés, Marino Ybarra y Bernardo Santilé"; y, en segundo término, había otorgado una autorización similar a un presidiario llamado Aniceto Morejón, "con objeto de que se uniera al bandido Mirabal y lo matase". La reacción de Méndez, al enterarse de esta segunda comisión, fue ordenar la muerte del tal Morejón, "lo cual efectuaron" [80].

Álvarez –individuo de mala reputación y al parecer ex-miembro de la partida de Mirabal–, sobre el que pesaban graves acusaciones, manifestó, asimismo, otros extremos sobre la conducta delictiva del comandante-malhechor Méndez. En cierta ocasión le había presionado para que ratificara la falsa muerte de Mirabal, de cara a justificar el cobro de una importante recompensa otorgada por las autoridades de La Habana. Además, en esta misma declaración, afirmó que Mirabal utilizaba "tres cédulas con los nombres, una de Juan Camejo; otra de Rafael Broche y otra de José Jesús Borges, habiéndose internado en Puerto Príncipe y colocándose de maestro de azúcar" [81].

Unos días después, José Huertas, celador de Cienfuegos, remitía al Jefe de la policía provincial una nueva confidencia del detenido e incomunicado Santiago Álvarez. Según éste, los que asesinaron a Morejón en 1888, en la casa de un tal don Benigno Veitia (Sagua la Chica), habían sido don Benito Águila, don Francisco Cortés y don Donato Pérez [82].

Pero, en el fondo, Álvarez no quería decir toda la verdad, porque entendía que sus declaraciones a las autoridades podrían serle útiles como una garantía de supervivencia. No era para menos. A través de un oficial de la Guardia Civil de Remedios, Emilio de Maraneda, solicitó un indulto a cambio de su confesión. Alvarez había pertenecido, en efecto, a la partida de Mirabal, "del que se dice fue segundo", y, a finales de 1888, se había presentado al Comandante Militar de Remedios, lo que le valió un "indulto aparente" y la libertad condicional por orden del General Marín, con tal de que no estuviera reclamado por autoridad alguna. El 7 de octubre de 1889, no obstante, fue denunciado por don Manuel Martínez González, "como uno de los autores de su secuestro, acaecido el 7 de julio de 1887. La causa estaba archivada y en ella aparecían como autores, Nicasio Mi-

80. "Bandolerismo. Comunicaciones y antecedentes reservados". Informe fechado en Santa Clara el 20 de octubre de 1890 (AGI. Diversos 19).
81. *Ibídem*.
82. José Huertas al Jefe de Policía de Santa Clara (copia), Cienfuegos, 25 de octubre de 1890 (AGI. Diversos 19).

rabal, en rebeldía, Lino Morales, fallecido y un desconocido" [83]. Este último sería Santiago Álvarez.

Asimismo, el prisionero también apareció implicado en la causa por secuestro de Vicente González, iniciada en el mismo mes de octubre de 1889. Este secuestro fue atribuido al propio Mirabal en compañía de Pastor Pérez (a) *Regilete*, Santiago Álvarez y otro desconocido. Y, por si fuera poco, "últimamente se le ha complicado en el secuestro de Martín Echenique". Por todo ello, "él quiere que sus revelaciones le produzcan un resultado y por eso pide un indulto proporcionado al servicio que preste"; máxime cuando sus confidencias, en opinión de Maraneda, "son de importancia, pues darán a conocer los elementos con que cuenta el bandolerismo en Remedios, uno de los puntos donde tiene hondas raíces" [84], tal como veremos después en relación con la sumaria de Méndez.

Sin embargo, no parece que las autoridades de La Habana se inclinaran por el perdón, pues, en la lista de bandidos ejecutados bajo el mandato de Polavieja aparece el nombre de Santiago Álvarez, cuyas revelaciones no sirvieron para salvar su vida y, mucho menos, para capturar a Mirabal.

La dinámica de la persecución, no obstante, continuó sin interrupciones, aunque, en numerosos casos, en un ambiente confuso y frustrante para las autoridades coloniales.

El gobernador civil de Puerto Príncipe, Leopoldo Barrios, escribía a García Aldave el 10 de noviembre de 1890 [85]:

> *Por aquí hasta ahora el bandolerismo no existe en verdad. Hay sí, una docena de bandidos dispersos y casi fugitivos, algunos con capa de hombres tranquilos, y mucho me alegraría, con respecto a esa última clase, poder reunir la Junta de Vagancia y echarlos fuera; pero ya comprendo que eso es imposible, no habiendo declarado aquí en vigor la ley de bandolerismo, y también comprendo que eso no debe hacerse, pues sería alarmar inútilmente.*

Existía, sin embargo, en Puerto Príncipe, otro grupo de bandoleros más peligrosos como Mirabal, Sotolongo, Simancas, Cazorla, Ballagas y

---

83. Emilio de Maraneda al General José Sánchez Gómez, Remedios, 25 de diciembre de 1890 (AGI. Diversos 19).
84. *Ibídem.* V., también, nota 71 de este capítulo.
85. Leopoldo Barrios a García Aldave, Puerto Príncipe, 10 de noviembre de 1890 (AGI. Diversos 16).

otros, entre los que destacaba el primero, pero, "estos asuntos requieren cachaza y mala intención" [86].

A comienzos de diciembre se aseguró que Mirabal había embarcado en un balandro por la zona de Santa Cruz [del Sur], mas el gobernador civil tenía sus reservas al respecto [87]. En otra carta del día 14, indicó que se proponía viajar a Guáimaro, "en busca de vientos de Mirabal", y, al mismo tiempo, aprovechó para censurar la conducta de un tal Bonilla que, con salvoconducto del Comandante General de Las Villas y al frente de una fuerza de Camajuaní, había penetrado en la provincia camagüeyana sin un objetivo concreto [88]:

> *Yo le suplico a V. mi Coronel, que no me envíen esos regalos. Mire V. que esto está tranquilo, y siempre que vienen esos caballeros, me arman algún molote. Al día siguiente de mi conferencia con él, durante la cual..., no pude menos de decirle – pero bien y V. a qué viene aquí, si esto está completamente tranquilo, y no hay ni un hombre armado, ni un hecho de mano armada–, al día siguiente, repito, ocurrió el asalto de "El Guano", finquita insignificante situada a una legua de la población, próxima al camino de Santa Cruz.*

El rumor sobre el embarque de Mirabal continuó en enero de 1891. No obstante, el alcalde de Morón aseveraba que el bandido estaba en Yaguajay, junto con Severiano [Severino] Gómez. "Este último sí sé que es verdad; pero con el otro lo que sucede es que por aquí, todos los bandoleros tratan de hacerse pasar por él, para aprovecharse de la fuerza moral de su reputación" [89]. Una práctica que, por otra parte, se dará en otras ocasiones durante la historia del bandolerismo en Cuba. El día 25, Barrios estaba bastante convencido del embarque de Mirabal por Santa Cruz o por Yaguabo [90].

---

86. *Ibídem.*
87. Barrios a García Aldave, 1º de diciembre de 1890 (AGI. Diversos 16).
88. Barrios a García Aldave, 14 de diciembre de 1890 (AGI. Diversos 16). "En una palabra mi Coronel, que no piense V. que yo me descuido ni me estoy tumbado a la bartola. Lo único que no hago es pedirles a Vs. dinero porque mientras no ofrezca hechos tangibles no quiero soltar dinero y por consecuencia pedirlo".
89. Barrios a García Aldave, 11 de enero de 1891 (AGI. Diversos 16).
90. Barrios a García Aldave, 25 de enero de 1891 –1890 por error–, en AGI. Diversos 16.

Empero, de forma paralela a estos rumores sobre la partida del famoso bandolero, Vergara aseguraba, desde Remedios, que Mirabal se encontraba en Puerto Príncipe [91]. Mientras que, el 10 de enero, fue el propio Eustacio Méndez quien hizo saber a Polavieja, desde Vueltas (Las Villas), que Mirabal "no está ni ha venido a esta jurisdicción, ni tampoco se sabe a donde ha ido a parar", y aprovechó para justificar los escasos resultados de la represión por la falta de unidad "entre los que persiguen; y ésta no existe; pues estamos como perros y gatos" [92].

El 22 de enero, Vergara insistió sobre la presencia de Mirabal en Puerto Príncipe [93]:

> *Estos días aguardo darle buenas noticias referentes al bandolero Mirabal, pues no ceso un momento de trabajar hasta quitarlo del medio.*
> *Dicho bandido se encuentra en la misma provincia de Puerto Príncipe, trató de correrse para esta jurisdicción, pero parece que su valor no llega a tanto.*

A su vez, el 11 de febrero, Leopoldo Barrios escribía a García Aldave en el sentido de que un individuo, Beloso, contactado al parecer para capturar al bandido, había cogido miedo ante la eventualidad de que éste no se hallara, en realidad, ausente de la comarca. "Ya dije a V. que hay seguridad completa de que Mirabal embarcó en las inmediaciones de Santa Cruz; pero como mientras unos aseguran hizo rumbo a Jamaica, otros dicen que desembarcó en Júcaro, hallándose robustecido esto por el *mieditos* que ha cogido Beloso, he enviado hacia allí un confidente y veremos si se confirman las noticias" [94].

Pocos días después, Vergara proponía a Polavieja una visita para indicarle, verbalmente, la forma de acabar con el bandolerismo en la jurisdicción de Remedios, tal vez en relación con el asunto Méndez, y, una vez más, se reafirmaba en su criterio de que Mirabal estaba en Camagüey [95]. Además, según el Jefe del Regimiento de Voluntarios, el hecho de circular la noticia de que Mirabal estaba en la zona "fue con idea de arrancar mil centenes a un amigo mío" [96].

91. Vergara a Polavieja, 15 de diciembre de 1890 (AGI. Diversos 18).
92. E. Méndez a Polavieja, Vueltas, 10 de enero de 1891 (AGI. Diversos 19).
93. Vergara a Polavieja, 22 de enero de 1891 (AGI. Diversos 18).
94. Barrios a García Aldave, 11 de febrero de 1891 (AGI. Diversos 16).
95. Vergara a Polavieja, 17 de febrero de 1891 (AGI. Diversos 18).
96. Vergara a Polavieja, 19 de febrero de 1891 (AGI. Diversos 18).

A su vez, el 23 de febrero de 1891, Barrios comunicaba a García Aldave una interesante observación en relación con el bandidismo en Puerto Príncipe y, en general, en Cuba. Se le había presentado un individuo, Manuel Betancourt y Betancourt, para proponerle "prestar servicios secretos en la cuestión del bandolerismo, y entre otras cosas, me decía que el bandolerismo está sostenido por los emigrados de Cayo Hueso, en lo cual no parece que va muy descaminado". El personaje, que ya había colaborado anteriormente con otras autoridades coloniales, aseguró que [97]:

> ...en la provincia no tenía enlace ninguno político la cuestión de los bandoleros, pero no así en los territorios Occidentales, y que él deseaba ponerse a las órdenes del Jefe del Gabinete Particular.

Por su lado, el Comandante de la Guardia Civil en Remedios, García Rojo, manifestaba a García Aldave, el día 24, que Mirabal –frente a lo que pensaba Vergara–, ya debería haber llegado a las inmediaciones de la población, con objeto de cobrar los tres mil pesos que había pedido a dos vecinos del término, "cuyas cartas obran en mi poder", y añadía que le tenía preparada una emboscada [98].

El 6 de marzo, Barrios hacía llegar al Gabinete nuevas proposiciones de individuos que estaban dispuestos a entregar a Mirabal y al *Tuerto* Rodríguez a cambio de una crecida recompensa, que la Capitanía no aceptó, y aseguraba, por enésima vez, que el primero estaba fuera de Cuba y que la provincia se mantenía tranquila, "porque esas andanzas son allá por los límites, mejor dicho por la jurisdicción de Remedios" [99].

Pero, la creencia del gobernador civil de Puerto Príncipe parecía infundada, el día 8, un confidente de García Rojo había estado hablando con Mirabal "a un lado del camino de Yaguajay, pero con tal desconfianza el Mirabal del otro, que no permitió se le acercara; hablaron mediando una cerca entre los dos, y así le hizo varios encargos Mirabal al confidente, y

---

97. Barrios a García Aldave, 23 de febrero de 1891 (AGI. Diversos 16). Barrios no se arriesgaba en relación con Manuel Betancourt, pero, por si acaso, advirtió a García Aldave que ya no disponía de fondos para hacer frente a los gastos del pasaje de aquel hasta La Habana, "y ..., de mi bolsillo es demasiado patriotismo", añadió.
98. García Rojo a García Aldave, 24 de febrero de 1891 (AGI. Diversos 16).
99. Barrios a García Aldave, 6 de marzo; Comunicación a Barrios, 14 de marzo de 1891 y nota del Gabinete: "Mirabal", fols. 1.113-1.114 (AGI. Diversos 16).

en particular que se viera con dos personas de esta Ciudad, para que les mandasen el dinero que les tiene pedido". García Rojo confiaba, pues, en capturar al bandolero al tratar de hacer efectiva su extorsión [100].

Vergara, por su parte, envió a la zona de Sagua un pequeño grupo de seis hombres para tratar de capturar a unos bandidos, al frente del indicado grupo iba un "autonomista, pero que es hombre de orden y que desea la tranquilidad de la Isla" [101]. Mas, ante el fracaso de esta operación y, sobre todo, ante las noticias de que Mirabal, en efecto, parecía encontrarse en Vuelta de Buenavista, Vergara pidió sangre. Envió a un confidente, "tan malo como él", para que lo matara, dio instrucciones a sus hombres para que, a su vez, si el confidente mentía, lo eliminaran y, en fin, aseguró al Capitán General que no iba a comprometerlo pero que ya era hora de que rodaran cabezas [102]:

> *Sensible es quitar vidas, pero es preciso hacerlo para que puedan vivir con tranquilidad los vecinos honrados,...*
> *El partido autonomista en este asunto está con nosotros y son los primeros que tienen entera confianza en V., pues huyen de guerra, lo que quieren [es] tranquilidad en la Isla, único modo de que vuelva a ser lo que era y esa esperanza tienen fundada en V.*

En abril de 1891, por otra parte, fecha de la última diligencia registrada en su expediente, el *curriculum* delictivo de Mirabal era, ciertamente, abultado. Entre otros delitos constaban [103]:

– Insulto a fuerza armada (Guardia Civil) en noviembre de 1884. Condenado, en rebeldía, el 18 de diciembre de 1886, a 4 años en un correccional.

– Secuestro de don Tomás Cáceres con asesinato (8 de marzo de 1885). " Suspenso en cuanto a él, y los demás condenados a muerte".

– Secuestro de don Federico Grasso en el potrero "Primores" de Sancti Spíritus (11 de abril de 1885), "en instrucción y muerte".

---

100. García Rojo a García Aldave, 10 de marzo de 1891 (AGI. Diversos 16).
101. Vergara a Polavieja, 13 de marzo de 1891 (AGI. Diversos 18).
102. Vergara a Polavieja, 15 de marzo de 1891 (AGI. Diversos 18).
103. "Mirabal. Bandido", expediente del Gabinete Particular (AGI. Diversos 17). Una nota, escrita en alfabeto griego, venía a indicar algo sobre su supuesta marcha a Jamaica en tiempos del General Marín. Esta operación, poco clara, parece costó unos 4.000 pesos al Gobierno, aunque no se confirma su salida de Cuba.

– Secuestro de don Manuel Martínez González (7 de julio de 1887). Suspendida la causa para él por rebeldía el 12 de julio de 1890.

– Secuestro de don Eulogio Nodal (15 de noviembre de 1887). Suspensa la causa por rebeldía.

– Homicidio o asesinato del movilizado Adolfo Sosa y heridas a Caridad Sotolongo (1887). "En rebeldía el 12 de diciembre de 1887".

– Robo de armamentos de movilizados y otros objetos (14 de marzo de 1888).

– Secuestro de don Vicente González Rodríguez (16 de octubre de 1888).Condenado a muerte en rebeldía (9 de abril de 1891).

– Secuestro de don Pablo Figuerola (6 de abril de 1889). Condenado a muerte, en rebeldía, el 9 de abril de 1891.

Esta relación era, desde luego, bastante incompleta. Así se deduce, entre otros indicios, de una información publicada por *La Lucha*, a raíz de la detención en Nuevitas (Camagüey), de Benito Padrón y Nodarse, compañero de andanzas de Mirabal –según esta fuente periodística–, desde 1884, cuando ambos trataron de extorsionar y, después, dieron muerte a don Hermenegildo Mier, administrador del ingenio "Santa Ana" de Las Villas. "La importancia de ambos bandidos era tan grande que, siguiendo una práctica escandalosa y nunca censurada en los términos que se merece, se trabajó, en la época del mando del general don Sabas Marín, el embarque de Padrón y Mirabal, para el extranjero, mediante la entrega de cinco mil pesos a los dos bandidos". Pero, al parecer, Mirabal se ocultó como pudo sin dar señales de vida, hasta que, tiempo después, "sostuvo fuego con la fuerza pública en momentos de ser sorprendido en su bohío". Benito Padrón, a su vez, "consiguió una cédula personal extendida a nombre de don Enrique Gutiérrez y se embarcó en una goleta, en 'Laguna del Medio' con dirección a Baracoa. En aquel punto estuvo trabajando como dependiente en un café". Casimiro Fernández, Jefe de Policía de Santa Clara, se enteró de su lugar de residencia y trató de capturarlo, pero el bandolero huyó a Puerto Príncipe hasta que fue detenido por el celador Castillo de Nuevitas por indicación de Fernández, seguramente hacia mediados de junio de 1891 [104].

Por su lado, el gobernador de Puerto Príncipe fue trasladado, algún tiempo después, a Santiago de Cuba. El 20 de julio escribió a García

---

104. "Un secuestrador capturado. El compañero de Mirabal en La Habana", *La Lucha*, 20 de junio de 1891 (AGI. Diversos 22).

Aldave, en su sempiterno tono escéptico sobre el bandolerismo camagüe-yano [105]:

> *Hace pocos días, se armó aquí un esperpento segunda parte del se-cuestro de Rubén Ramos; pero como yo estoy de pie, reduje la cosa a sus verdaderas proporciones y ... nada; porque ni siquiera había nada, abso-lutamente nada. No le cuento detalles por no molestarle inútilmente.*

Vergara, por su parte, se empeñó en encontrar enemigos que com-batir más allá de su propia jurisdicción y, en carta del 15 de noviembre, insistía en que, en determinadas zonas de Puerto Príncipe, quedaban al-gunos bandidos que, "con nombres cambiados viven allí sin trabajar, co-miendo de lo ajeno" [106]. Pero, a esas alturas de su vida, el omnipotente hacendado y Coronel de Voluntarios parecía tener cierta propensión a las monomanías.

En otro orden de cosas, se conservan dos cartas sin fecha de Nicasio Mirabal, mas seguramente corresponden a 1891 o, como muy pronto, a finales de 1890. Una de ellas está dirigida a don Vicente González y, por ser uno de los escasísimos testimonios directos del bandolero, la reprodu-cimos a continuación [107]:

> *Muy señor mío y amigo: Me alegraré que al recibo de esta esté sin novedad, yo bueno a Dios gracias. La presente tiene por objeto lo siguiente, que en virtud que ya tú sabrás lo que me ha pasado en Vuelta Arriba, espero de ti el favor me facilites un rifle relámpago que yo te abonaré lo que cueste y agradeciéndotelo tan o más que si me lo regalaras, suplicándote me dis-penses la molestia, pero tú vendrás al conocimiento que yo hoy tengo que valerme de las personas de mi confianza para estas cosas, porque tienen que ser muy reservadas y por lo tanto ocurro a ti, así es que con Gerardo Mojica lo espero en tal caso que tú no me lo puedas traer. Lo quiero con cien tiros. Esto ha de ser muy reservado. Sin más por hoy tu amigo. Nicasio Mirabal [rubricado].*

Las referencias que poseemos acerca de las actividades de nuestro hombre durante el año 1892 son mínimas. Una noticia publicada en el

---

105. Leopoldo Barrios a García Aldave, 20 de julio de 1890 (AGI. Diversos 16).
106. Vergara a Polavieja, 15 de noviembre de 1891 (AGI. Diversos 19).
107. Carta de Nicasio Mirabal a don Vicente González, s.l. y s. f. (AGI. Diversos 19). Hemos corregido la ortografía y la puntuación para facilitar la lectura.

periódico habanero *La Lucha*, reproducida de *La Justicia* de Puerto Príncipe, indicaba que, el día 6 de abril, un comerciante de la capital camagüeyana evitó ser extorsionado por Herminia Navarro, esposa del bandolero, mediante una nota intimidatoria suscrita a nombre de Mirabal [108]. El día 7, Marcos García, confesaba, desde Sancti Spíritus, que no le había sido "posible averiguar el paradero de Mirabal, a pesar del interés que he desplegado en ello, y que continuaré desplegando" [109].

A principios de 1893 se aseguró que Mirabal se había internado en la provincia de Camagüey con seis hombres y que había recorrido algunos puntos "tratando de imponer contribución a los hacendados, sin que hasta la fecha se sepa hayan cometido fechoría alguna", aunque las fuerzas de seguridad de la comarca se pusieron en circulación [110].

El 1º de febrero, sin embargo, una nueva comunicación de la Guardia Civil, manifestaba que, tras las averiguaciones realizadas en San Gerónimo, resultaba cierto que Mirabal estaba dentro de la provincia, pero "acompañado de otro que se cree es sobrino suyo, por lo que puede suponerse sin valor la noticia respecto a los seis hombres que se dice le acompañaban" [111].

El sobrino de Nicasio Mirabal que, al parecer, le acompañaba en esta ocasión, pudo ser Lino Mirabal, otro bandolero que amplió así la saga delictiva e insurgente de esta familia de rebeldes agrarios. En agosto de 1894, el gobernador civil de Camagüey puso precio a las cabezas de tío y sobrino, "jefes de bandas que operaban en su territorio". Además, el 25 de septiembre de este mismo año, Mirabal exigió una fuerte suma a la Compañía ferroviaria que explotaba la línea de Nuevitas a Puerto Príncipe, por lo que los trenes fueron escoltados militarmente [112].

Según el cronista camagüeyano Hernández Báez, la partida de Lino

---

108. "Mirabal en campaña", *La Lucha*, 16 de abril de 1892 (AGI. Diversos 22).

109. Marcos García a Polavieja, 7 de abril de 1892 (AGI. Diversos 16).

110. Comunicación de la Comandancia de la Guardia Civil de Puerto Príncipe (copia), 30 de enero de 1893 (AHN. Leg. 5.818).

111. Comunicaciones de la Guardia Civil y del Gobierno Civil de Puerto Príncipe, 1º de febrero de 1893 (AHN. Leg. 5.818).

    Una comunicación reservada de La Habana (del 7 de febrero de 1893), manifestaba que los gastos de confidencias, mientras no fueran extraordinarios, deberían pagarse de los 1.000 pesos anuales "que para tal concepto tiene asignado en su presupuesto ese Gobierno Civil" (AHN. Loc. cit.).

112. M. Poumier: Op. cit., p. 430.

Mirabal sembró el pánico entre los pobladores de la provincia. El periódico *El Vigilante* se refería, el 6 de diciembre de 1894, al doble secuestro de don Serafín Morgado y don Luis Gómez en la finca "Maniadero" y en "Los Ramblazos". La partida en cuestión estaba formada por Lino Mirabal (cabecilla); Jesús Mirabal (hermano del primero); Antonio Casola; Antonio Torres, (a) *El Holguinero*; Agustín Ramos, (a) *El Chiquito* y Braulio Batista, (a) *Pardo*. La suma solicitada para liberar a los secuestrados ascendió a 3.300 centenes, pero las víctimas consiguieron escapar y, dos días después, llegaron a Ciego de Ávila [113].

El citado autor asevera, además, que llegada la Guerra de Independencia la partida fue disuelta y "la mayoría de sus miembros se convirtieron en guerrilleros [114], inclusive el propio Mirabal" [115]. Pero esto es inexacto. Desde 1894, al menos, existía la convicción de que algunos bandoleros de Camagüey no eran meros delincuentes, "cuidan los de Mirabal de propalar que ellos no son bandidos sino agentes de Martí que verifican los secuestros para la causa cubana" [116].

El 10 de enero de 1895, fuerzas de la Guardia Civil a las órdenes del inspector de policía Latorre dieron muerte, cerca del ingenio "Congreso", "a los bandidos mulatos Basilio Baluta y el conocido por *El Holguinero*, de la partida de Mirabal" [117]. Además, durante la contienda Nicasio y Lino Mirabal se integraron en las fuerzas insurrectas. El primero alcanzó una notable reputación entre los mambises y sobrevivió a la guerra. El segundo también se integró en el Ejército Libertador, pero no obtuvo el prestigio militar de su tío. Fue muerto mientras dirigía un convoy entre San José y Tapaste el 30 de septiembre de 1896 [118].

113. R. Hernández Báez: *Guía general e historia de Ciego de Avila*, Publicidad Báez, Camagüey, 1956, pp. 44-45.
114. Con el término "guerrilleros" se definen, como es sabido, fuerzas irregulares de apoyo del Ejército colonial español. La definición implica, por sí misma, la acusación de traición entre los cubanos.
115. R. Hernández Báez: Op. cit., p. 45.
116. M. Poumier: Op. cit., p. 298 [Manuscritos de Rafael Montoro, t. XVI, nº 20).
117. "Bandolerismo", *Unión Constitucional*, 11 de enero de 1895, p. 2 (BNJM. Sección Cubana).
118. M. Poumier: Op. cit., p. 296.

3.2. EUSTACIO MÉNDEZ REY, COMANDANTE Y SECUESTRADOR

Eustacio Méndez Rey no fue un bandolero. Este Comandante de Voluntarios de las Vueltas (Las Villas), era en realidad un individuo sin escrúpulos cuya ambición le llevó al cadalso tras planear y ejecutar un secuestro en la persona de don Modesto Ruiz, Alcalde de Remedios y rico hacendado de la comarca, condueño del ingenio "Panchita". Polavieja, Vergara y otras influyentes autoridades de la Colonia vieron en el proceso de Méndez, que tuvo una gran repercusión en la prensa local y foránea por lo insólito del caso, la oportunidad que deseaban para demostrar ante el público que estaban dispuestos a llegar a sus últimas consecuencias en la represión del bandolerismo.

Méndez, militar y propietario de las Vueltas, adquirió, según se dijo, una fortuna durante la Guerra Grande, en buena parte mediante la venta fraudulenta de ganado y municiones a las fuerzas mambisas, algunos de cuyos miembros también protegió. Pese a ello, supo mantener de cara a sus superiores una aureola de defensor de los intereses de España en Cuba, de bizarro militar y de hombre de provecho. Terminada la guerra y cargado de una numerosa prole, hizo lo posible para sostener su posición social y pactó con numerosos delincuentes de la comarca la comisión de delitos como forma de lucro, mientras llevó a cabo en su población una política intimidatoria que le convirtió en un auténtico cacique de "horca y cuchillo", tal como recogen algunas informaciones publicadas en la prensa a raíz de su procesamiento [119].

Ahora bien, la caída de Eustacio Méndez comenzó, por así decirlo, a mediados de octubre de 1890. El jefe de Voluntarios aparece mencionado en la carta que don Modesto Ruiz dirigió a Vergara el día 10, en relación con los rumores sobre la preparación de una especie de asonada que coincidiría con el aniversario del Grito de Yara, como ya se dijo. "D. Eustacio Méndez estuvo ayer conferenciando largo rato con el Comandante Militar y hoy ha ido a La Habana, según mis noticias" [120].

Poco después, en una comunicación de Vergara al Capitán General, a la que se adjuntaba la anterior misiva, el primero indicaba que "los que habían invitado para ello eran don Eustacio Méndez y don Pastor Carrillo,

---

119. Colección de recortes de *La Lucha*, *La Discusión* y otros en AGI. Diversos 22.
120. Modesto Ruiz a Vergara, 10 de octubre de 1890 (AGI. Diversos 18, cit.).

ambos son malos, particularmente el primero, pero éste al ver que los muchachos que contaban no estaban dispuestos a ello pueden tratar de *susanarle*, particularmente Méndez que vive en las Vueltas", por lo que, bajo reserva, Vergara tenía dispuesto que, "al primer aviso, salgan de cada Escuadrón 25 números con sus correspondientes jefes. Yo creo mi General nada de esto creo suceda y si sucede nos cogerán preparados". Y, más adelante, añade: "Mi general, esta gente todo lo que están haciendo por bandolerismo y ver lo que pueden robar a ellos; deseos no les faltan, que no hay dinero para la guerra y sin dinero no hay guerra..." [121]. Se puede deducir en consecuencia, a pesar de la mala redacción de esta fuente, que existían en la comarca determinados vínculos entre el bandolerismo y la lucha emancipadora, lo que no debe extrañarnos; o, tal vez, pudo suceder que en el fondo se tratara de promover, por parte de Méndez y sus secuaces, una intentona con objeto de "pescar en río revuelto".

Sea como fuere, lo cierto es que las declaraciones de Santiago Álvarez [122], ya mencionadas en el epígrafe anterior, apuntaron más de cerca a la conexión de Eustacio Méndez con algunos bandidos villaclareños y, también, a sus prácticas poco ortodoxas en relación con el orden público en la zona donde ejercía una jurisdicción casi feudal. Su carta a Polavieja, del 10 de enero de 1891, en la que, de hecho, sólo reportaba su ignorancia supina sobre el paradero de Mirabal y del *Tuerto* Rodríguez y se permitía criticar la falta de unidad de las fuerzas perseguidoras [123], pudo ser la respuesta que esperaban en La Habana para darse cuenta que, en efecto, Méndez mentía como un bellaco.

El 2 de febrero de 1891, Emilio de Maraneda, oficial de la Guardia Civil en Remedios, como antes se apuntó, en carta al General segundo cabo, don José Sánchez Gómez, quien más tarde presidiría el consejo de guerra contra Méndez, exponía con lujo de detalles sus trabajos cerca de Santiago Álvarez, que, aturdido por el peso de sus propios delitos, buscaba la forma de salvar la vida mediante una contundente revelación a las autoridades.

---

121. Vergara a Polavieja, s. f. Existe el original, bastante poco legible, y una transcripción del Gabinete, pero se hace referencia en el texto a la carta de Modesto Ruiz y al hecho de que éste había pedido que se quemara su misiva (AGI. Diversos 18, fols. 1.354-1.355 y 1.362-1.363).
122. V., por ejemplo, la comunicación reservada del 20 de octubre de 1890 (AGI. Diversos 19, cit.).
123. Eustacio Méndez a Polavieja, Vueltas, 10 de enero de 1891 (AGI. Diversos 19, cit.).

Maraneda, a su vez, quería limpiar su imagen y su hoja de servicios pues, en 1889, había sido sumariado, "tan sólo porque el General Cavada quiso que se me encausase, obedeciendo a una idea preconcebida de hacerme daño", por ello se esmeró en sus gestiones, especialmente tras la absolución de su causa por el Consejo Supremo de Guerra y Marina. En su informe puso de relieve su disposición a colaborar, en todo momento, con su superior inmediato, García Rojo, Jefe de la Guardia Civil en Remedios, que, también, tendría un importante papel en el *affaire* de Méndez. Así, pues, según Maraneda [124]:

> *Llegué a convencerme que Méndez, un Comandante de Voluntarios de Vueltas, era el Jefe del bandolerismo de la provincia y que se hallaba en relación con todos los de la isla; y comprendí quienes eran sus principales secuaces y algunos de los autores materiales de los hechos.*
>
> *Lo difícil era procurarse y obtener pruebas, y formé un plan de averiguación que me ha dado excelentes resultados.*
>
> *Trabajé a Santiago Alvarez y conseguí que éste ofreciera revelaciones de importancia a cambio del indulto de la pena capital.*
>
> *Pero esto no era bastante; preciso era procurarse otros medios, que completasen sus revelaciones.*
>
> *Conseguí que la familia de otro preso, Juan Salazar Valdés se me ofreciera para la averiguación de los hechos; obtuve que Ramón Hernández se pusiera incondicionalmente a mi lado, para prestar servicios; y dos mulatos Pastor Barboso y Basilio Guerra han prestado su cooperación.*
>
> *Cuando tuve todo dispuesto, seguro del buen resultado, molesté a Vd. para que me sirviera de intermediario con el general Polavieja, y obtuve, gracias a Vd., el que éste aceptase el servicio; y envió aquí al Teniente Auditor Elizondo, al Capitán Cabrero y Teniente Sanmartín.*

Santiago Alvarez cumplió su promesa, prosigue Maraneda. Mediante sus declaraciones se obtuvieron datos concluyentes y precisos acerca del secuestro de don Modesto Ruiz, así como de otros secuestros como el de Rosete, el de don Pablo Figuerola y el de don Manuel Martínez. Además, aportó información valiosa "acerca de los encubridores de Mirabal y facilitado ancho campo para, por medio de los expedientes gubernativos, concluir de limpiar la jurisdicción" [125].

---

124. Maraneda a Sánchez Gómez, Remedios, 2 de febrero de 1891 (AGI. Diversos 19).
125. *Ibídem.*

Por su lado, Ramón Hernández "nos ha facilitado la detención de un individuo sobre el que hay sospechas de que pueda pertenecer a la partida de Manuel García. Actualmente se halla comisionado para ver si consigue la captura de un secuestrador llamado Matilde Vázquez"; y, a su vez, Basilio Guerra y Pastor Barboso habían aportado datos de interés sobre un hecho que correspondía a la jurisdicción ordinaria [126].

Mas, el trabajo más difícil que, aún, estaba dirigiendo Maraneda se centraba en conseguir que don Modesto Ruiz "descorra el velo de su secuestro. Tenía muchas dificultades para decir la verdad. Primero, tenía miedo a Méndez y a sus secuaces, pues verdaderamente su vida estaba amenazada; en segundo término el otro director del secuestro era Falcón, que está casado con la viuda de su hermano" [127], don Adolfo Ruiz.

La investigación, pues, estaba a punto de culminarse, pero existían dos contratiempos. "Uno que no hayan sabido en el Príncipe, capturar a los secuestradores José Mª. Pérez y Serafín Montero; y que aquí andan agachados Indalecio Rodríguez, Juan Bautista Benítez y Juan Evangelista Rodríguez". No obstante, Maraneda confiaba en obtener, con prontitud, resultados favorables y terminaba su informe recomendando la necesidad de que Méndez y Falcón fueran trasladados a La Habana, pues su presencia en Santa Clara podía entorpecer las indagaciones [128].

El 11 de marzo, Miguel Falcón, subordinado y, por la fuerza de las circunstancias, esbirro de Méndez, complicado, asimismo, en el secuestro de don Modesto Ruiz, escribía a don José Vergara para suplicar su influencia cerca de Polavieja [129]:

> *Estoy aquí sufriendo una prisión de quien nadie más que un hombre tan malvado y por lo malvado, tan terrible como M.[éndez] es responsable. El temor que me inspiraba como criminal protegido por la fortuna, tanto tiempo impune, con cuya impunidad no sólo contaba él, sino que se la atribuían todos sus inferiores en posición social, me hicieron callar en ciertos momentos lo que únicamente por la audacia y el descaro de ese hombre pude conocer: su intento de secuestrar a don Modesto; intento tan atrevido y extraordinario en quien no tenía necesidad de llevarlo a cabo para vivir que hasta dudé de que pudiera algún día realizarse; creyendo positivamen-*

126. *Ibídem.*
127. *Ibídem.*
128. *Ibídem.*
129. Miguel Falcón a José Vergara, Santa Clara, 11 de marzo de 1891 (AGI. Diversos 18).

te, por otra parte, que si no se realizaba por mi denuncia, había de costarme ésta la vida; amenazado de muerte, ya por medio de su satélite Wenceslao Alvarez (que después resultó ser Rosa Romero) ya directamente por el mismo director del secuestro, que llegó a decirme en una ocasión. "Si V. no calla no podré evitar que lo maten" y, en otra ocasión: "Vd. sabe que a mí no me falta gente que haga lo que yo quiera. Vd. es un desgraciado".

Falcón se mostraba arrepentido de su silencio culpable, aunque destacaba que "el callar" era obligado para el que vivía en el campo, como en este caso, rodeado de bandidos que, en ocasiones, llevaban salvoconductos del gobierno, "como Rosa Romero". Mas, "si se me inculpa por callar, ¿a cuántos no había que castigar por la misma falta? Llamado a declarar y sabiendo que M.[éndez] estaba ya en la Cárcel y acusado por otros, declaré la verdad y dije todo lo que sabía contra él: ¿esto no tiene un premio? Y, ¿qué hubiera sacado de los Tribunales si antes de cometerse el hecho le hubiera yo denunciado el proyecto de M.[éndez]?", éste habría negado su acusación y, absuelto por falta de pruebas, "yo bien pronto tal vez hubiera resultado muerto"[130].

Vergara, en efecto, remitió la carta a Polavieja, pero matizó el envío. "Adjunta hallará V. una carta de Falcón para nada más que V. vea que está muy arrepentido de todo lo hecho, pero ya es tarde y en no desapareciendo de la Isla semejantes hombres, no conseguiremos nada, sea mandándolos a los presidios de África, pero mejor que nada quitándoles la vida y yo estoy seguro que el mando de V. en este país será memorable, no sólo para los hombres de buen pensar de la Isla, sino también de las Naciones extranjeras y esto se lo digo a V. de todo corazón"[131].

Por su parte, el gobernador civil de Santa Clara, Carvajal, informó detalladamente, el 29 de abril, del impacto producido en la provincia por la detención de Méndez y sus colaboradores. Era preciso poner coto al bandolerismo que había crecido, como una planta siniestra, bajo la influencia protectora del comandante traidor. Por ello, se produjo una confluencia de intereses entre los hombres de orden de la comarca. El alcalde autonomista de Sancti Spíritus, Marcos García, Pastor Valera, José Vergara, García Rojo, don Modesto Ruiz y el propio gobernador civil celebraron una reunión para, sin diferencias políticas, aunar esfuerzos en contra del bandolerismo que amenazaba sus intereses más queridos. Todos estaban de

---

130. *Ibídem.*
131. Vergara a Polavieja, 15 de marzo de 1891 (AGI. Diversos 18, cit.).

acuerdo en que había que eliminar aquella plaga. El momento, desde luego, era oportuno, pues el "cabecilla" procesado era un "honorable" miliciano y propietario español, un individuo de la alta sociedad villaclareña y, ante esta certera realidad, la disyuntiva política quedaba atenuada ante los ojos de los cubanos. No se trataba, pues, de exterminar a unos bandoleros con ideas separatistas más o menos rudimentarias, sino de acabar para siempre con los protagonistas de la intranquilidad rural que perjudicaba a los intereses generales y escandalizaba las conciencias de los hombres de bien. Algo insólito que las autoridades coloniales trataron de aprovechar en su favor. Vergara consideró un triunfo que Marcos García volviera a ocupar la Alcaldía de Sancti Spíritus. Se creyó oportuno, además, reforzar el papel de las municipalidades en este sentido, como ya dijimos, y, sin ambages, el gobernador afirmó sobre García y sobre Valera, el otro edil autonomista [132]:

> Estos dos Señores, prescindiendo de sus ideas políticas e interesados hoy en la tranquilidad de estos campos donde se fomentan sus intereses particulares, me han ofrecido lealmente su valioso apoyo.

Asimismo, las autoridades coloniales en Santa Clara manejaron las listas de alcaldes con objeto de contar con elementos seguros en las poblaciones más peligrosas y, en fin, el gobernador insistió en la conveniencia de que se solventara, cuanto antes, el proceso de Méndez [133]:

> La terminación breve de la causa de Méndez, como no me cansaré de repetir a Vd. ha de producir efectos saludables en un grado que seguramente sorprenderá a Vd.
> Esa cuadrilla tenía importantísimas ramificaciones.
> Llamo a Vd. muy especialmente la atención sobre don Casimiro Álvarez, diputado provincial, concuñado de Méndez, que pretende influir para que sea trasladado el Jefe de esta Comandancia Sr. García Rojo a causa de lo mucho que trabajó este Jefe en la cuestión Méndez y lo que sigue trabajando. Ruego a Vd. tenga en cuenta que es el mejor Jefe que tengo en la Provincia por si se desarrollasen influencias para su traslación.
> Méndez ha mandado decir a sus amigos que sería trasladado y por eso se lo aviso a Vd.

---

132. Carvajal a Polavieja, Camajuaní e ingenio "Convenio", 29 de abril de 1891 (AGI. Diversos 16, cit.). El ingenio "Convenio" era propiedad de don José Vergara y en él radicaba su centro de operaciones.
133. *Ibídem.*

Hablé en la cárcel con Santiago Álvarez. Nos está prestando aquí servicio y García Rojo me dice que aplace su traslación a la Cárcel de Santi Spíritus como Vd. decía.

Polavieja contestó, el 17 de mayo, dando su bendición a las gestiones realizadas por sus subordinados y colaboradores de Santa Clara, y, al mismo tiempo, le indicó al gobernador que "la causa de Méndez se eleva a plenario en esta semana y su tramitación, para verla enseguida en Consejo de Guerra; será lo más rápida que la ley permita, pues no olvido la importancia que tiene para la tranquilidad de esa provincia" [134]. Méndez, aparte de su manifiesta implicación en una serie de delitos, fue también el "cabeza de turco" a cuyo ejemplarizador sacrificio Polavieja no estaba dispuesto a renunciar.

La opinión pública se dividió con respecto a este asunto. El letrado de Remedios José Valdés Cárdenas, "abogado de cuantas malas causas encuentra a su paso", según expresión de Arturo Lisana, enemigo de Méndez, vindicó la figura del comandante-secuestrador en carta a *La Discusión* publicada el 14 de mayo. Lisana, a su vez, atacó duramente al cacique de las Vueltas con otra misiva que se editó, en el mismo periódico, el día 30 [135]:

> *Era el terror de la sencilla gente de estos campos, por sus procedimientos siempre violentísimos y sangrientos las más de las veces. La opinión le señalaba como jefe del bandolerismo, a la vez que depositario influyente de la confianza del Gobierno. Si uno oía decir que le habían mandado matar, si el señor Méndez le aseguraba que no tendría novedad, bastaba esto para que el amenazado se retirase tranquilo a su hogar. ¡Infeliz el que despertaba sus iras y sus venganzas!...*
>
> *El Gobierno, según voz pública, vino a convencerse de que Méndez, el ex-sargento de Ejército, no correspondía leal y honradamente a su confianza en la última comisión que le diera para la persecución del bandido Mirabal. Formó una partida con fondos del Estado para dicha persecución, dio por muerto al referido bandido, que con una buena cédula con nombre supuesto vivía tranquilamente en Puerto Príncipe, y cobró una suma respetable que se hace llegar a 5.000 pesos.*

---

134. Polavieja a Angel M. Carvajal, 17 de mayo de 1891 (AGI. Diversos 16, copia).
135. A. Lisana: "El secuestro de Ruiz. El comandante Méndez. Una carta", *La Discusión*, 30 de mayo de 1891 (AGI. Diversos 22).

El autor de la carta, además, implicó a Méndez en gran parte de los secuestros realizados en la comarca villaclareña, incluido el del comerciante asturiano García Vigón, "cobardemente asesinado después de haberse enviado 2.000 pesos oro para su rescate", así como también en otros hechos delictivos como la muerte de Manuel Salazar Valdés, "su brazo ejecutivo" en el secuestro de Modesto Ruiz, sin olvidar su protección a los bandidos Rosa y Severino Romero [136], a quienes, "con sus queridas, les tenía puesta casa en Las Vueltas; de Indalecio y Juan Evangelista Rodríguez, un tal Pairol y otro de apellido Benítez, prófugos todos desde su prisión; de Benito Aguila, por el que se vio encausado y preso" y de otros. Además, Lisana rechazó el argumento de la supuesta riqueza de Méndez, pues se decía que éste no necesitaba los 9.000 pesos del rescate de don Modesto Ruiz para hacer frente a sus gastos personales. "Fortuna del señor Méndez en la actualidad: una pequeña finca rústica y dos casas en Vueltas, y unas 50 ó 60 reses. Total: 7 u 8 mil pesos; y para eso tal vez algunos créditos pendientes; pues seis meses antes de su prisión, es público en Remedios que fue objeto de un cobro de 3.000 pesos que negó; cobro que le hiciera un

---

136. Rosa y Severino Romero eran hermanos de Manuel Romero Guzmán, *Lengue Romero*. Ambos, bandidos de armas tomar, fueron muertos en Manicaragua (Las Villas) el 22 y el 23 ó 24 de febrero de 1891.

En efecto, según una comunicación del comandante de la Guardia Civil en Santa Clara, que daba a conocer un parte telefónico del teniente y jefe de la Línea de Manicaragua, al ir a capturar, el 22 de febrero de 1891, a los bandidos por orden del fiscal que instruía la causa de Méndez, ambos se resistieron y mataron a dos números de la Guardia Civil. En la refriega resultó muerto Rosa Romero y herido el oficial de Manicaragua que, no obstante, redujo a prisión a Severino (Comunicación del 22 de febrero, y recorte de *La Lucha* del 23 de febrero de 1891, en AGI. Diversos 18 y Diversos 22, respectivamente).

Además se cruzaron algunos misteriosos telegramas cifrados entre Capitanía y el Gobierno Civil de Santa Clara, sobre recogida de ciertos "documentos" que portaban los insumisos (v. Telegrama oficial cifrado del 23 de febrero de 1891, AGI. Diversos 18), y, asimismo, el día 24, a las 9.40 a.m., el gobernador civil remitió a Polavieja el siguiente telegrama: "El bandido Severino Romero, que era conducido a esta ciudad por fuerzas de Guardia Civil intentó fugarse por lo que se vieron precisados a hacerle fuego, resultando muerto. Los documentos de ambos a que se refiere en su telegrama de ayer me serán entregados por el Jefe de la Comandancia" (Telegrama cifrado del 24 de febrero de 1891. AGI. Diversos 18).

pariente político y que se transó por la entrega de 1.000 pesos más o menos, cantidad exigua que se vio apurado Méndez para suscribir"[137].

El abogado defensor de Méndez, Antonio Montero Sánchez, salió a la palestra para señalar que su defendido, "como bizarro militar y respetable ciudadano", tenía asegurada "en derecho la reivindicación más cumplida y satisfactoria"[138]. Montero llevó a cabo, durante el Consejo de Guerra, una encendida defensa de su patrocinado y, una vez condenado, movió cuantos hilos estuvieron a su alcance para conseguir el indulto. Además, confirmada su sentencia de muerte, procuró consolarle en sus últimos instantes y le acompañó hasta el cadalso. Su trabajo fue plenamente reconocido por la opinión general.

Mas, ni la brillante defensa de Montero, ni las gestiones de algunos colectivos como sociedades regionales, estudiantes de la Universidad habanera –en dos de cuyas facultades estaban matriculados sendos hijos de Méndez y de Falcón–, así como de otras organizaciones públicas, como los bomberos de La Habana, algunos periódicos e individualidades representativas de la mejor sociedad habanera, pudieron cambiar el rumbo de los acontecimientos.

En la persona de don Modesto Ruiz, como resumía la petición del ministerio fiscal, encomendado al capitán Benigno Cabrero Rodríguez, se habían cometido dos secuestros, "uno frustrado y otro consumado". En relación con el primero –que no pudo efectuarse por encontrarse ausente la víctima–, se hallaron responsables a don Eustacio Méndez Rey, Indalecio Rodríguez Pérez, Nonnato Pérez Múgica, Juan Evangelista Rodríguez (a) *Dimas*, Miguel Falcón Morales, Cayetano Pairol, Benito del Aguila y Severino y Rosa Romero; mientras que, en segundo lugar, "el delito consumado de secuestro" se había cometido –el 15 de febrero de 1889–, con las circunstancias agravantes de detención bajo rescate y por más de un día, de haberse realizado con premeditación conocida y, también, con auxilio de gente armada, en despoblado y en cuadrilla. En este sentido[139]:

> *Méndez fue autor del delito, porque tomó parte directa en todos los preparativos de él, en los detalles de cómo se había de ejecutar y porque*

---

137. A. Lisana: "El secuestro de Ruiz...", cit.
138. "El proceso de Méndez. Un incidente", carta de Montero Sánchez en *La Discusión*, 1º de junio de 1891 (AGI. Diversos 22).
139. Expediente de Eustacio Méndez, "sentenciado a muerte por bandolerismo", AGI. Diversos 19, fols. 1.105-1.109.

indujo directamente a que lo realizaran todos los demás, por lo que tuvo conocimiento de todas las circunstancias agravantes...

Circunstancias que, en su caso, eran más graves por haber facilitado las armas, por abusar de su carácter de comandante de voluntarios y por dirigir, en sentido contrario al lugar donde se encontraban los secuestradores, a las fuerzas perseguidoras, "luego, no cabe duda de que debe imponérsele la pena de muerte lo mismo que a Indalecio Rodríguez Pérez, Juan Bautista Benítez (a) *Acosta* y Juan Evangelista Rodríguez (a) *Dimas*, que con Manuel Salazar Valdés (que fue muerto por la Guardia Civil y por tanto no hay que juzgarlo), fueron los ejecutores materiales del hecho" [140].

Por su lado, Miguel Falcón Morales y Nonnato Pérez Múgica, "pueden estar en diversa condición a pesar de ser calificados como autores: el primero concertó con Méndez el secuestro; indujo directamente a otros a ejecutarlo; se deduce que se aprovechó de cantidades del mismo, y hasta se proponía obtener los más pingües resultados si hubieran muerto a don Modesto Ruiz; pero las circunstancias agravantes descritas no se relacionan con la disposición moral del delincuente, ni se demuestra palpablemente que tuviera conocimiento de ellas en el momento de la acción y detalles que acontecieron en el delito". Respecto a Pérez tampoco aparecían datos probatorios para solicitar la pena de muerte, por ello se pidió cadena perpetua para ambos.

Además, "debe advertirse que ni a Severino ni a Rosa Romero hay que juzgarlos, porque habiendo muerto se sobreseyó oportunamente", y, por último, en relación a Pablo Machado Castellón, que ocultó los caballos de los secuestradores en una finca de su propiedad y colaboró en la comisión del delito, se pidió una pena bastante aminorada de privación de libertad [141].

El 1º de octubre de 1891 una adición a la "orden de la plaza" disponía los preparativos para el fusilamiento de Méndez que debería realizarse, el

---

140. *Ibídem.*

141. *Ibídem.* En síntesis, la petición fiscal se resumió así: pena de muerte para Eustacio Méndez, Indalecio Rodríguez, Juan Bautista Benítez y Juan Evangelista Rodríguez; cadena perpetua para Miguel Falcón y Nonnato Pérez; 17 años de prisión para Cayetano Pairol y Benito del Águila y 14 años, 8 meses y 1 día de presidio para Pablo Machado. Unicamente se hallaban presos Méndez, Falcón, Pérez y Machado, los otros procesados se encontraban alzados o muertos. Machado estaba enfermo en Santa Clara y no pudo acudir a La Habana para ser juzgado.

día 3, en los fosos del castillo de La Cabaña. De nada sirvió el panfleto que, como suplemento gratuito, repartió *El León Español* pidiendo justicia, esto es, que se extendiera el indulto a Méndez, una vez confirmado para Falcón y Pérez, pues fue mandado a recoger por las autoridades y procesados los redactores del periódico [142]. Al amanecer del día 3, un pelotón de fusilamiento puso fin a la vida de Eustacio Méndez Rey, "comandante de voluntarios de Camajuaní y teniente coronel de milicias, con grado de coronel, dos veces benemérito a la patria" y cuyo pecho se cubría con diversas medallas y condecoraciones. En los instantes finales ordenó que dieran un centén a cada uno de los soldados que pondrían fin a su vida y, a los requerimientos espirituales de su confesor, respondió que perdonaba a todos, excepto a Cabrero, el fiscal de su causa. La historia del comandante-secuestrador había terminado.

3.3. JOSÉ FLORENTINO RODRÍGUEZ, *EL TUERTO RODRÍGUEZ*

A mediados de diciembre de 1890, "El *Tuerto Rodríguez*, o por lo menos, uno que se aficiona a tomar la representación del bandido de ese nombre, ha vuelto a escribir al Administrador del Ferrocarril de Sagua, exigiéndole dos mil pesos". La carta, según *La Lucha*, obraba en poder del Capitán General, y añadía el periódico: "por lo visto ya hasta los bandoleros, de verdad, se ven plagiados y son víctimas de usurpaciones de estado civil" [143].

En efecto, José Florentino Rodríguez, más conocido por su célebre

---

142. "Justicia", Suplemento a *El León Español*, 1º de octubre de 1891 (AGI. Diversos 19). "¡Se sentencia a muerte a Méndez, que ni ha asesinado, ni ha secuestrado y no hace mucho fue indultado el célebre asesino e infame secuestrador Alemán! ¿Dónde está la Justicia?..."

143. "A la brava", *La Lucha*, 12 de diciembre de 1890 (AGI. Diversos 22). No obstante, según otro recorte del 17 de diciembre –"Disparos a un tren. El 'Tuerto Rodríguez'"–, cuatro hombres montados a caballo tirotearon un tren de pasajeros de la línea de Remedios, en el Jobo Rosado (Las Villas), sin causar daños. "Nosotros,..., teníamos conocimiento de la existencia de una partida capitaneada por el *Tuerto Rodríguez* que hace ya días viene exigiendo dinero a la empresa de Remedios y Caibarién, como también a la de Sagua" (en loc. cit.).

apodo, fue un bandolero de los "de verdad". Acosó, durante años, a los hacendados de las jurisdicciones de Remedios, Sancti Spíritus y Morón, escapó de las autoridades y de los confidentes y, al cabo, unido inicialmente a la insurrección emancipadora, fue ejecutado por los mambises bajo la acusación de continuar practicando el bandidaje. Al *Tuerto Rodríguez* no le "regeneró" la revolución, o, tal vez, pudo más su tentación depredadora que la disciplina del Ejército libertador.

El 14 de diciembre de 1890, Severo Pina, propietario de Morón, escribía, en nombre propio y en el de otros hacendados, al Jefe del Gabinete Particular, a raíz de la comisión de un secuestro en Yaguajay, para proponerle un típico plan de captura. "En el territorio que comprenden las jurisdicciones de Remedios, Sancti Spíritus y Morón hay cuatro bandoleros que pueden perjudicar mucho ahora en la próxima zafra, y que tienen amenazados a varios hacendados; para evitarlo tengo un plan: echar dos hombres de confianza al campo para que los maten. Todo lo tengo preparado, sólo falta el dinero para pagar, si éstos que mando cumplen su cometido" [144].

El Capitán General, tras pedir informes al comandante militar de Sancti Spíritus [145], aceptó la oferta para capturar al *Tuerto Rodríguez* y sus acompañantes, vivos o muertos, a cambio de "cuatro mil duros oro" y manifestó que "por la muerte del *Tuerto Rodríguez* sólo se entregarán mil quinientos oro" [146].

Empero, mientras se realizaban los trámites para dotar a los comisionados de los correspondientes permisos, el *Tuerto Rodríguez* dirigió, el 31 de diciembre, una de sus cartas de extorsión a don Francisco Rasco, en la jurisdicción de Sancti Spíritus [147]:

> *Tomo la pluma por tercera vez para manifestarle que estoy enterado de que V. puso soldados en el paradero, tal vez con el fin de hacerme prisionero, pero yo no sufría [sufriría] nada sino algún desgraciado sitiero que mandaría, pero, sin embargo, yo no quiero partir con la primera, quiero*

---

144. Severo Pina al Jefe Gabinete Particular, 14 de diciembre de 1890 (AGI. Diversos 18).
145. Telegrama del comandante militar de Sancti Spíritus al Capitán General, 18 de diciembre de 1890 (AGI. Diversos 18).
146. Telegrama del Capitán General al comandante militar de Sancti Spíritus, 19 de diciembre de 1890 (AGI. Diversos 18).
147. El *Tuerto Rodríguez* a don Francisco Rasco, s.l., 31 de diciembre de 1890 (AGI. Diversos 18). Hemos corregido la ortografía y la puntuación.

estar bien seguro de que no me manda el dinero y entonces le aseguro, como hombre que soy, que a V. le pesa y le hago más perjuicio que el que V. se cree; de modo que por ser esta la última le pongo que, el día cinco de enero de tres a cuatro de la tarde, mande al Guarda-almacén de Tuinicú por el camino de Paso Real con rumbo a la Sierra, que yo mandaré dos o tres hombres para que le entregue dicho señor el dinero; o lo que crea más conveniente o a otra persona de su confianza que lleve el sombrero negro y un pañuelo al cuello para conocerlo. Sin más soy de V.

El paisano encargado de llevar a cabo la persecución del bandolero, según todos los indicios, fue un tal Rafael Jurado, personaje de poca confianza para el comandante de la Guardia Civil de Remedios, García Rojo, quien, el 15 de enero de 1891, informó desfavorablemente a García Aldave [148].

Poco después, de acuerdo con el Jefe del Gabinete, le retiró el encargo, pues "el tal Jurado no es más que un vividor, y que no es capaz de hacer servicio alguno en que exista algún peligro, es un ratero de baja ralea y nada más". Además, indicó que no tenía noticias del *Tuerto Rodríguez*, aunque se decía que había penetrado en la provincia de Puerto Príncipe "por la parte de Morón", y añadió que, "ahora que remito a V. el pase dado a Jurado por el Alcalde de Santi Spíritus [149], debo decirle que sé con bastante seguridad, que el dicho Alcalde, que es médico, ha curado o está curando de una enfermedad a la mujer del *Tuerto Rodríguez*, llamada María López ..., y se me ha asegurado que el Alcalde está en buenas relaciones con el *Tuerto* y que nada hace el Alcalde contra aquel, con tal de que el *Tuerto* no haga fechorías en su jurisdicción lo que efectivamente sucede" [150].

García Rojo, en definitiva, prefirió utilizar los servicios del celador de policía Jaime Morera para que, bajo sus órdenes, se dedicara a "conseguir algunas confidencias" sobre el bandolero, de quien también se decía que merodeaba por las jurisdicciones de Cienfuegos o de Colón (Matanzas) [151].

En marzo, el comandante de la Guardia Civil en Remedios, seguía ignorando el paradero exacto del bandido, pero informó que Manuel Gon-

148. García Rojo a García Aldave, 15 de enero de 1891 (AGI. Diversos 16).
149. Se refiere a la persona que ocupaba el cargo, antes de que la Alcaldía volviera a ser regida por Marcos García.
150. García Rojo a García Aldave, 22 de enero de 1891 (AGI. Diversos 16).
151. García Rojo a García Aldave, 24 de febrero de 1891 (AGI. Diversos 16).

zález, uno de los miembros de su partida, se le había separado, por lo que habían quedado solos "el *Tuerto* y un hermano" [152].

A principios de abril, la partida del *Tuerto Rodríguez*, de la que no se había separado Manuel González, fue acusada del secuestro de dos hermanos apellidados Escobar Arrechavaleta [153]. Una información periodística añade que el suceso acaeció en Mayajigua, que se trataba de dos jóvenes, Antolín Arrechavaleta, de 19 años, estudiante de medicina recién llegado de Valladolid y Antonio o Amador Escobar, de once años no cumplidos. Ambos jóvenes, pertenecientes a familias acomodadas de Mayajigua, fueron trasladados, desde la casa de baños medicinales de la población, hasta la Loma del Mamey, donde se entablaron negociaciones con el padre del segundo. Al día siguiente fueron puestos en libertad, previo pago de treinta onzas [154].

Por estas fechas la Capitanía General recordaba al gobernador civil de Santa Clara, Ángel M. Carvajal, la conveniencia de acelerar la persecución no sólo de los bandoleros más nombrados como el *Tuerto Rodríguez*, *Matagás* y otros, sino que había que dejar fuera de circulación a insumisos de segunda fila como Lico Quintana, sentenciado a muerte por secuestro; Cayetano Pairol; Indalecio Rodríguez, "captura que sería importantísima"; Juan Bautista Benítez y Juan Evangelista Rodríguez, que andaban por Paso Real y estaban implicados, junto a los dos anteriores, en el secuestro de don Modesto Ruiz; Saturnino Pérez y Celestino Borges, que solían ir a Encrucijada y eran "autores del delito de secuestro"; *Pepillo* Torres y su partida, "anda entre Remedios, Santa Clara y Sagua", y, en fin, otros bandidos cuyo número ascendía a 24 ó 30, "que es de todo punto indispensable vea V. el modo de que caigan en poder de la justicia o sean castigados por la fuerza pública" [155].

Algún tiempo después, el 28 de noviembre de 1891, Marcos García, el solícito alcalde de Sancti Spíritus, adquirió un especial protagonismo en la persecución del *Tuerto Rodríguez*. En la citada fecha escribió a Polavieja para darle a conocer su estrategia y sus instrucciones sobre la persecución del bandolero. En su opinión [156]:

---

152. García Rojo a García Aldave, 10 de marzo de 1891 (AGI. Diversos 16).
153. M. Poumier: Op. cit., p. 296.
154. "Detalles de un secuestro. En Mayajigua", recorte en AGI. Diversos 22.
155. Copia de comunicación de Capitanía a Carvajal, 23 de abril de 1891 (AGI. Diversos 16).
156. Marcos García a Polavieja, 28 de noviembre de 1891 (AGI. Diversos 19).

Para la extinción de la partida de malhechores capitaneada por el Tuerto Rodríguez, sólo bastan dos grupos de vecinos cuyos movimientos se ajustarán a las instrucciones que en copia adjunto a la presente carta. Por ellas verá Vd. que me propongo una persecución constante y eficaz, cuyo objetivo ha de ser precisamente el bandido y sus encubridores. Para perseguir el bandolerismo en este país no hay más camino que hacer la vida del bandolero y acampar en sus mismas madrigueras, dejándoles una zona libre en donde no debe penetrar fuerza alguna sino en el momento en que deban ser muertos o capturados.

El *modus operandi* de Marcos García, pues, consistió en la creación de dos grupos armados de unos diez hombres, uno de los cuales dirigía por sí mismo, mientras que el otro le fue encomendado a don Domingo Muñoz, vecino de Meneses. A tal efecto, el Alcalde, en representación del Capitán General, dictó unas *Instrucciones* [157], mediante las que se proponía llevar a cabo una meticulosa persecución en una serie de puntos claves de la provincia y de la fronteriza Camagüey, por lo que convenía evitar que la Guardia Civil y otras fuerzas de seguridad realizaran acciones por su cuenta en las zonas señaladas. Se trataba, en este sentido, de llevar a cabo una persecución sistemática e ininterrumpida cuyo resultado sería, sin duda, el éxito de la empresa. Además, Marcos García contaba con otros colaboradores e insistió en que las fuerzas de seguridad no deberían penetrar en los lugares acotados, entre otros, los montes de San Nicolás (Puerto Príncipe), "en donde no debe entrar fuerza alguna, pues en estos montes debe serme entregado el Tuerto y sus compañeros, si antes no hubiesen caído, por Bernardino Fernández y sus dos compañeros" [158].

Sin embargo, la parafernalia represiva del alcalde espirituano no dio los resultados apetecidos. El 16 de febrero de 1892, Mariano C. Artis, "dueño de la más importante finca azucarera de la Jurisdicción de San Juan de los Remedios", el central *Narcisa* de Yaguajay, escribía preocupad a Polavieja por las amenazas y las acciones incendiarias del *Tuerto Rodríguez* [159]:

---

157. "Instrucciones para la persecución de bandidos que observará al pie de la letra, bajo su responsabilidad ante la Autoridad que representa, D. Domingo Muñoz, vecino de Meneses" (AGI. Diversos 19).
158. Marcos García a Polavieja, 28 de noviembre de 1891 (AGI. Diversos 19, cit.).
159. Mariano C. Artis a Polavieja, Yaguajay, 16 de febrero de 1892 (AGI. Diversos 19).

Desde hace dos o tres años merodea por estos contornos un bandido
que se firma Florentino Rodríguez (a) El Tuerto. Hasta ahora se había
limitado a hacer alguno que otro secuestro, y a robar cada vez que se le
presentaba ocasión. Diferentes veces me había amenazado y también a mis
colonos; pero por fortuna nunca pasó de ahí. Pero este año, desde antes de
comenzar la molienda, ya de público se decía que iba a poner a tributo a
todos y que al que no se lo pagase le quemaría lo que tuviese. Y en efecto,
así viene sucediendo, y no solamente me lleva ya quemadas seis colonias, si
que también me amenaza con el batey, aun cuando tengo la seguridad de
que esto último nunca lo realizaría. Pero es lo cierto que tiene a este Valle
consternado, y que el desaliento cunde no solamente entre los colonos, sino
aun entre los mismos trabajadores por que se cansan de trabajar con tanta
caña quemada y se marchan a otra parte.

Desgraciadamente para nosotros, este Valle está muy apartado del
resto de la jurisdicción, y sus comunicaciones son difíciles,... Por manera
que el campo se presta a las hazañas de esos malvados, que saben además
que no tienen quien les persiga.

En situación tal, acudo ante V.E. en súplica de que me preste su valioso
auxilio dictando las disposiciones que estime oportunas...

La respuesta de Polavieja fue cortés pero no demasiado eficaz, sobre
todo si tenemos presente que, una de las razones alegadas por el Capitán
General para justificar sus fracasos en la persecución del bandolerismo,
era la falta de colaboración de los hacendados, como señalamos al principio
de este capítulo. Le indicó, pues, que se habían tomado las medidas adecuadas para "evitar suceda cuanto en su carta me expone", y le pidió que
le comunicara, en forma reservada, cuantas noticias adquiriera sobre bandolerismo para dictar "las disposiciones necesarias" [160].

Marcos García, por su lado, continuaba tras la pista del bandolero.
El 23 de febrero informó a Polavieja que el *Tuerto Rodríguez* y su partida
desconfiaban a la hora de penetrar en la jurisdicción, pues, se habían
sentido perseguidos de veras, "por lo que se han pasado cerca de dos meses
en Bartolomé (Remedios), corriéndose últimamente a Yaguajay, en donde
han quemado unos campos de caña, y a Jobosí (Puerto Príncipe), en donde
asesinaron cobarde y alevosamente al octogenario don José Mª. Hernández,
tío de Bernardino Fernández (Manuel Hernández) a quien también parecen haber asesinado" [161].

---

160. Polavieja a M. C. Artis, 25 de febrero de 1892, copia en AGI. Diversos 19.
161. Marcos García a Polavieja, 23 de febrero de 1892 (AGI. Diversos 19). Los
    paréntesis son del original.

Por otro lado, "según confidencias de buena fuente, el Manuel González que acompaña al Tuerto es o Luis Machín o Manuel Hernández, jefe que fue de la extinguida partida de los Machín". Asimismo, Marcos García solicitó que el teniente de la Guardia Civil de Remedios, Vicente Gómez Mir, le acompañara en sus tareas, y, por último, adjuntó la copia de una misiva remitida al gobernador civil de la provincia en la que se defendía de las acusaciones del alcalde de Yaguajay, con relación a la persecución del bandolerismo [162]. "Puede abrigar ese Centro Superior el convencimiento pleno de que si el Sr. Alcalde Municipal de Yaguajay secundara los esfuerzos del de Sancti Spíritus, los bandidos no tendrían tiempo de concebir ni poner en práctica sus planes de destrucción, ni habría que buscar a los encubridores de los mismos en aquellos términos donde se les persigue sin descanso y con eficacia y en donde si llegan a penetrar pueden ser sorprendidos" [163].

En efecto, según una comunicación de Modesto A. Ruiz, desde Remedios, el *Tuerto* y dos acompañantes se presentaron, el 1º de abril, en la finca de don Francisco Hernández, cerca de Yaguajay, y le hicieron entrega "a un hijo de éste varias cartas dirigidas a comerciantes y hacendados de Centeno en Yaguajay, llevándose a otro hijo de dicho Hernández, con la amenaza de que no lo soltaría interín no le llevara contestación de las aludidas cartas. El joven secuestrado regresó a su casa como a las nueve de la mañana del día dos". La persecución llevada a cabo por fuerzas del Regimiento de Camajuaní y por la propia policía no había dado resultados, pero, además, Ruiz abonó las afirmaciones del alcalde espirituano sobre el bandolerismo en la comarca [164]:

> *Por consecuencia de la constante persecución que se hace al pillaje en Santi Spíritus y Remedios, afluyen los malhechores al territorio de Yaguajay, campo que ellos parece que consideran neutral, toda vez que no se les persigue con verdadero interés, bien sea por incuria y abandono de los llamados a emprender dicha persecución, ya por otras causas que yo no acierto a comprender. El único que en aquella zona he podido observar que se interesa por extirpar el bandidaje, es don Manuel Carrerá, persona que goza de gran popularidad en aquel vecindario y que tiene una magnífica colonia de caña en sociedad con el Sr. don Pablo Gómez.*

---

162. *Ibídem.*
163. Copia de la comunicación de Marcos García al gobernador civil, 23 de febrero de 1892 (AGI. Diversos 19).
164. Modesto A. Ruiz a Polavieja, Remedios, 6 de abril de 1892 (AGI. Diversos 18).

El día 7, Marcos García comunicaba a Capitanía que, en los últimos tres meses, no había penetrado el *Tuerto Rodríguez* en su jurisdicción, aunque no por ello descuidaba la vigilancia [165]. Y, el día 22 del mismo mes, insistía en el asunto [166]:

> *Manuel González, compañero del Tuerto, vive con la mujer de Rafael Navarro en La Legua (Hondones), cuya casa tengo muy vigilada y mi gente ha estado veinte días en el monte emboscándose en las cruzadas que tienen los bandidos entre Las Llanadas, Yaguajay y La Legua. Crea Vd. que yo no les doy tiempo aquí a que piensen en cosas malas, y el día que más contentos se levanten pueden caer.*

3.4. JOSÉ TORRES CABALLERO, *PEPILLO TORRES*

La persecución desatada por las fuerzas de seguridad de Las Villas, especialmente a raíz del sumario de Méndez, arrojó otros resultados favorables durante 1891. A finales de abril de este año cayó, en Remedios, Ramón Hernández Peña, "natural de Sancti Spíritus, soltero, de campo, de 25 años", quien había estado preso con anterioridad por cuatrero y estaba reclamado por idéntico delito. El bandido, conocido también por Gonzalo Prado y otros nombres, se dio de bruces, en las afueras de la población, con un grupo de policías mandado por Casimiro Fernández, quien había recibido un aviso de que Hernández y otro bandolero conocido por *Pepillo Torres* iban a penetrar en Remedios. Ambos insumisos se defendieron ardientemente, pero el primero murió a las pocas horas en el hospital con seis heridas de proyectil, tres de ellas en la espalda. Su compañero, no obstante, consiguió fugarse gracias a la oscuridad de la noche [167].

Esta información, publicada en la prensa habanera, es una de las escasas noticias que poseemos sobre *Pepillo Torres*, quien, con Ceferino Ruiz (a) *Veguita*, cierra el censo de protagonistas relevantes del bandolerismo social villaclareño durante esta época.

Fue, desde luego, una época difícil para estos bandoleros menores.

---

165. Marcos García a Polavieja, 7 de abril de 1892 (AGI. Diversos 16).
166. Marcos García a Polavieja, 22 de abril de 1892 (AGI. Diversos 16).
167. "Muerte de un bandido" y "Muerte de un criminal en Remedios", *Unión Constitucional* y *Tribuna*, Habana, 29 de abril de 1891 (AGI. Diversos 22).

Pocos días después, el 10 de mayo, le tocó el turno a "Fernando Rojas, temible bandido y compañero del célebre José Torres", acusado de "infinidad de delitos penados por la vigente ley de secuestros" [168]. A raíz de esta captura, Carvajal remitió a Capitanía una nota en la que se ponían de relieve, una vez más, las órdenes de exterminio dadas a las fuerzas de seguridad [169]:

En este momento recibo telegrama de haberse capturado a Rojas, el compañero de Pepillo Torres. Es una nueva torpeza pues tengo dada orden de que no traigan vivo a nadie.

Ya estoy tomando las medidas oportunas para corregir esta falta y daré a Vd. cuenta oportunamente.

Por si fuera poco. A finales de junio o principios de julio también cayó prisionero, en una acción de la Guardia Civil de Encrucijada (Sagua), Francisco Silva Rivero, otro compañero de Torres [170].

Al parecer, una de las causas que explican esta sangría entre los seguidores de *Pepillo Torres*, estaría relacionada con la escasa movilidad geográfica de la partida, cuyas depredaciones se realizaban en una zona relativamente reducida entre Santa Clara, Camajuaní y Remedios [171], donde, a principios de agosto, se movía nuestro protagonista junto a Saturnino Pérez y Antonio Pino [172].

En torno al 8 de octubre de 1891, pues, fue muerto en el ingenio "Purio", por fuerzas de la Guardia Civil de Calabazar (Sagua), el citado Saturnino Pérez Mena [173], y, a partir de estos instantes, el cerco se cerró de manera irreversible sobre José Torres Caballero.

---

168. "Captura de Rojas", "Del Gabinete Particular" y "Captura de un bandido", *La Discusión, La Lucha* y *La Tribuna*, 11 y 16 de mayo de 1891 (AGI. Diversos 22).

169. Carvajal a Capitanía, s. f., pero, sin duda, 10 de mayo de 1891 (AGI. Diversos 16). Subrayado en el original.

170. "Captura de un bandido", *Unión Constitucional*, 2 de julio de 1891 (AGI. Diversos 22).

171. V. nota sobre Torres Caballero en AGI. Diversos 19 y recortes de prensa en Diversos 22, y, también, Carvajal a García Aldave, 2 de septiembre de 1891 (Diversos 16).

172. Andrés Martínez, vecino de Santa Clara, a García Aldave, 5 de septiembre de 1891 (AGI. Diversos 17).

173. V. recortes de prensa s.f. en AGI. Diversos 22.

En efecto, un mes después de la última fecha, el 10 de noviembre, *Pepillo Torres* cayó en una celada que le puso el comandante de la Guardia Civil de Tibisial (jurisdicción de Remedios), en el poblado de Sabanilla, cerca de la casa de don Juan Espino o Espinosa, hacendado de la comarca, uno de cuyos empleados, un tal don Manuel Vergel, individuo de malos antecedentes, había ofrecido al Alcalde de Remedios, Modesto Ruiz, la delación que, según el edil, costó la vida al bandolero. Como premio a esta traición, Vergel recibió una determinada cantidad de dinero de varios hacendados y, además, gracias a las gestiones realizadas con Polavieja, se le retiró la vigilancia a la que estaba sometido por su comportamiento sospechoso [174].

Pepillo Torres resultó "con una herida de bala en el costado y dos machetazos en la cara". El cadáver fue conducido a Placetas, donde fue identificado y se instruyeron las diligencias del caso. Había nacido en Santa Isabel de las Lajas (Santa Clara), "oficio del campo, soltero, de 23 años de edad", y "era desertor del Presidio de La Habana, donde sufría condena −desde el 27 de mayo de 1890−, impuesta por Consejo de Guerra celebrado en Santa Clara, por heridas a un Guardia Civil" [175].

Así, pues, de esa forma terminó la breve carrera insurgente de este joven bandolero, que tuvo la osadía de rebelarse contra el orden rural. La prensa destacó su habilidad para realizar sus depredaciones contra los ricos propietarios de la comarca, pero, al cabo, las circunstancias eran en extremo desfavorables para estos jóvenes e inexpertos rebeldes agrarios.

Tras su muerte fueron detenidos otros miembros de la partida, como Tomás Morales, que fue capturado, en Santa Clara, el 20 de noviembre, y se realizaron activas pesquisas para el total exterminio del grupo. En este sentido, como afirmó el capitán Benigno Cabrero, el acusador en el caso de Méndez, como ya se dijo, las perspectivas eran muy favorables para la represión [176]:

---

174. Modesto Ruiz a Polavieja, Remedios, 13 de noviembre de 1891 (AGI. Diversos 19), y varios recortes de prensa en Diversos 22. V. también: Polavieja a M. Ruiz y al gobernador de Santa Clara, copias del 17 de noviembre de 1891 (Diversos 19).

175. Recortes de prensa en AGI. Diversos 22: "Muerte de Pepillo Torres"; "Muerte de dos bandidos"; "Dos menos", etc.

176. Benigno Cabrero a Schmid, Santa Clara, 20 de noviembre de 1891 (AGI. Diversos 16).

Muertos Pepillo y Saturnino; presos Tomás Morales y Jacinto Silva,
casi preso Catalino [Hernández], pues no ha querido aún hacerlo el Capitán
de la Guardia Civil de Camajuaní por temor a que se le escape, según hace
un momento me dijo por teléfono, sólo queda de la partida de Pepillo, el
Isleño Antonio Pino, cuya persecución está encomendada a Félix Broche,
uno de los dos que Garí –[un jefe de guerrilla]– tiene a sus órdenes.

3.5. CEFERINO RUIZ VILLAVICENCIO, *VEGUITA*

Contemporáneo de los bandoleros villaclareños que acabamos de
mencionar fue también Ceferino Ruiz Villavicencio, más conocido por *Veguita*. Lo mismo que *Pepillo Torres* su vida fuera de la ley y, de hecho, su
propia existencia fue sumamente breve. En carta del 21 de abril de 1891,
el gobernador civil Carvajal, que había comisionado al Alcalde de Cruces
para la persecución del bandolero, lo definió como "un cuatrero al que
siguen dos o tres y que merodea por Cruces, Camarones y Lajas"[177].

El 17 de mayo, fuerzas de la Guardia Civil del puesto de Lages
(Cienfuegos), capturaron a Mateo Espinosa Vigil, compañero de *Veguita*,
acusado de perpetrar, con el resto de la partida, un robo a don Manuel
Rivero[178].

El robo fue, en efecto, la actividad fundamental de Ceferino Ruiz y
sus acompañantes. Según una *Relación* reservada del Gabinete Particular,
los bandidos poseían diversos encubridores en la comarca, en especial en
el pueblo de Lajas, entre otros, don José Gorí, que trataba con ganado
robado; don Hilario Barroso, encubridor y tratante; don Antonio Mora; don
Pablo Pedraza, guardia municipal y, principalmente, don Juan López Ba-
llina, gallego, al que se consideraba "el sostén del partido autonomista y
el que manipula en el Ayuntamiento cuantos asuntos se tratan en él y a
quien siguen los concejales", además, "tenía oculto y protegía al moreno
Manuel López, de la partida de Veguita"[179].

Sin embargo, la opinión de algunas autoridades sobre Ceferino Ruiz
denotaba, aparentemente, un perfil poco violento, en relación a otros informes de la época. Así, por ejemplo, el citado capitán Benigno Cabrero, el

---

177. Carvajal a Polavieja, 21 de abril de 1891 (AGI. Diversos 16).
178. "Bandolerismo", *La Lucha*, 21 de mayo de 1891 (AGI. Diversos 22).
179. "Relación de individuos encubridores y de mal vivir del poblado de Lajas,
anotados en el libro" (AGI. Diversos 19).

duro fiscal de la causa de Méndez, indicaba, el 21 de mayo de 1891, al referirse a *Veguita*, que estaba realizando gestiones con el padre del bandido para conseguir que se entregase [180]:

> *Todo iba bien, pero amigo Schmid se han empeñado en hacer célebre a Veguita y lo van a conseguir. No se come nadie una mosca, que no haya sido Veguita; no hay cualquier pequeño robito que no sea Veguita; no hay una reyerta entre los cañaverales, producida por la gente que juega al prohibido, que no digan que fue un asalto de Veguita; no se coge a un blanco, negro o chino que sea o se suponga criminal que no sea de la partida de Veguita y, amigo, esto lo tiene tan soliviantado que si él pudiera coger al que tanto bombo le dá, sería capaz de teñir en sangre sus manos por primera vez; fíjese bien, por primera vez. Me consta que no ataca a nadie y que si alguna vez lo sorprenden lo que hace es correr como alma que lleva el diablo. Sé que no se dedica a robar porque no lo necesita. Antes robaba caballos y reses, porque había no sólo quien se los compraba, sino que le instaba a ello; pero hoy se dificulta el negocio y no quiere aventurarse. Según noticias está dedicado a guarda candela, así por el estilo de Matagás y le dan lo que le hace falta. Es escamoso pero es de buena índole y muy francote. Valiente como pocos; casi es temerario y lo prueban los hechos que conocemos. Tengo puestos mis cinco sentidos en él, pero es tal el miedo que le meten y el temor de que lo engañen que no se fía ni aun de su padre.*

Con posterioridad, Cabrero nos dará la clave de su "admiración" por el joven bandolero. El día 26 de mayo volvió a escribir a José Schmid, un destacado integrante del Gabinete Particular, para informarle que Ceferino Ruiz estaba presto a entregarse si se le concedía el indulto, de acuerdo con las negociaciones entabladas con el padre del bandolero, y, también, que éste carecía de partida organizada "y sí muchachos que, jóvenes como él, le siguen a todas partes", por ello Benigno Cabrero creía en la posibilidad de emplear, en favor de la represión, los servicios de *Veguita*, "no será la primera vez que lo haga, pues, hace algún tiempo este fue su oficio" [181].

A partir de estos momentos, sin embargo, los hechos jugaron en contra de Ceferino Ruiz. A finales del mes de mayo, el bandido y sus acompañantes tuvieron un encuentro con el alcalde de Lajas y policías a

---

180. Benigno Cabrero a Schmid, Santa Clara, 21 de mayo de 1891 (AGI. Diversos 16). Subrayados en el original.
181. B. Cabrero a J. Schmid, 26 de mayo de 1891 (AGI. Diversos 16).

sus órdenes, en el que, al parecer, resultó herido Lutgardo Herrera, miembro de la partida [182].

Pero, además, fueron descubiertos y procesados, poco después, varios encubridores en una operación que el gobernador civil de Santa Clara, con evidente exageración, denominó "la 2ª edición de la 'Empresa Méndez'" [183], y, por lo tanto, se reforzaron las medidas coercitivas. El teniente Fernando Castiñeyra, buen conocedor del bandido y de la comarca por la que se movía, fue encargado, junto a otras fuerzas, de la persecución, aunque sus resultados iniciales fueron poco vistosos, pues *Veguita* consiguió escapar, con bastante soltura, a una de sus acometidas cerca de Manacas [184].

Por su lado, la Comandancia General de Las Villas nombró al teniente coronel de la Guardia Civil de Santa Clara, don Patricio Gutiérrez del Álamo, "Jefe de operaciones de esta jurisdicción, para que con la fuerza de su Comandancia y las guerrillas de Tarragona y Alfonso XIII, que al efecto pongo a su disposición, proceda con la mayor energía y actividad a la captura o exterminio de los citados malhechores" [185].

La prensa de La Habana daba a conocer, por entonces, algunas breves noticias sobre el bandolero villaclareño. Se dijo que, "tras la muerte de Lutgardo Herrera, su segundo", *Veguita* estuvo en La Esperanza, en un establecimiento de Esteban Cuervo, iba armado de "rifle relámpago, revólver y machete; monta un magnífico caballo moro de más de siete cuartas de alzada y de una ligereza asombrosa. Debido a las condiciones de su caballo, que se llama 'Niño', ha escapado muchas veces". Pero, poco después, se anunció que Ceferino Ruiz había sido herido, en el Jucaral (Santa Clara), por una pareja de la Guardia Civil [186].

Benigno Cabrero aseguró, por su parte, que "desde que mataron a Lutgardo Herrera" se ignoraba el paradero de *Veguita*, que seguía en negociaciones con su padre, al que había extendido un pase para las jurisdicciones de Cienfuegos, Sagua y Remedios, en nombre del Gabinete

---

182. "Del Gabinete Particular" y "El bandido Veguita", *La Lucha* y *La Discusión*, 1º de junio de 1891 (AGI. Diversos 22).

183. Carvajal a Polavieja, 6 de junio de 1891 (AGI. Diversos 16).

184. F. Castiñeyra Ruiz a García Aldave, Manacas, 7 de junio de 1891 (AGI. Diversos 16).

185. Comandancia General de Las Villas al Capitán General, 21 de junio de 1891 (AGI. Diversos 17).

186. "Veguita", "El bandido Veguita" y "Persecución", *La Discusión* y *Unión Constitucional*, 29 de junio, 1º y 2 de julio de 1891 (AGI. Diversos 22).

Particular y que, en su opinión, sería conveniente la presencia de un representante cualificado de la Capitanía en la zona para conseguir más información sobre el paradero del bandido y sus colaboradores o encubridores [187].

No obstante, Fernando Castiñeyra, que citaba al padre del bandolero, aseguraba, en septiembre, que el rebelde estaba dispuesto a entregarse con tal de que le asegurasen el indulto [188]. Pero a las autoridades represivas se les hacía interminable la espera. Patricio Giral, comandante de Infantería y Alcalde de Lajas, presionó a tres supuestos encubridores para que, en el plazo de dos meses, le entregaran al bandolero [189].

A mediados de noviembre, sin embargo, Benigno Cabrero celebró una de sus últimas entrevistas con el padre de *Veguita*, "le hice comprender –dijo– el gran daño que esto le hacía a su hijo y la conveniencia que a éste le redundaría si se sometiese a los tribunales, puesto que de las 6 ó 7 causas que se le siguen, casi todas ellas por hurto, sólo tenía una seria y ésta era por resistencia a fuerza armada, de la cual nunca podría resultarle tanto como podrá resultarle de la campaña que contra su hijo estamos emprendiendo". El padre del bandolero prometió hacer todo lo posible para conseguir que su hijo se entregase a las autoridades, pero era demasiado tarde, sobre todo porque día a día parecían incrementarse las depredaciones atribuidas, falsamente, a *Veguita*, y realizadas de hecho por "uno de tantos colonos de los que hay por aquellas colonias y que, a imitación de otros muchos y en vista del buen resultado que obtienen, piden dinero a nombre de los que saben que están alzados" [190].

Por último, el 20 de enero de 1892, Cabrero informó a Polavieja de la muerte, en la finca "El Baño" de Mayajigua (Santa Clara), de Ceferino Ruiz Villavicencio. El protagonismo de esta acción represiva recayó en el jefe de guerrilleros Juan Garí, quien, el día 18, consiguió acabar con la vida del joven bandolero. "Las gratificaciones ofrecidas y los gastos hechos en

187. B. Cabrero a J. Schmid, Santa Clara, 25 de julio de 1891 (AGI. Diversos 16).
188. F. Castiñeyra a García Aldave, Manacas, 1º de septiembre de 1891 (AGI. Diversos 16).
189. P. Giral a García Aldave, Santa Isabel de las Lajas, 23 de septiembre de 1891 (AGI. Diversos 17).
190. Cabrero a Schmid, 20 de noviembre de 1891 (AGI. Diversos 16, cit.).

esta importante captura ascendieron a 530 pesos oro" [191], cantidad de la que, gustoso, se hizo cargo el Gabinete Particular [192].

Un periódico de la Isla había publicado, algún tiempo antes de su muerte, un suelto en el que criticaba el sobrenombre de "Rey de las Villas" con el que un colega en la prensa había bautizado al bandolero. "Hay que decir lisa y llanamente las cosas: ni *Veguita* es rey, ni jefe, ni nada más que un diestro ratero de caballos y bueyes que corre más que un gamo y que es incapaz de hacer frente al último guardia municipal" [193].

Tal vez este último juicio fuera demasiado parcial o interesado, pero, en el fondo, se aproximaba a esa realidad histórica que tan de cerca vieron los contemporáneos: en el bandolerismo social y revolucionario de Cuba durante esta época, sólo había un rey indiscutible, cuyo reinado se extendía, en especial, por determinados enclaves de la provincia habanera, Manuel García Ponce, y, al mismo tiempo, destacaban en un plano secundario, pero relevante, otros bandoleros como Andrés Santana Pérez, José Álvarez Arteaga y Regino Alfonso que, frente al acoso constante de las autoridades encargadas del orden público, extendían su dominio sobre los campos matanceros, tal como veremos a continuación.

191. Cabrero a Polavieja, Santa Clara, 20 de enero y Juan Garí a Cabrero, 22 de enero de 1892 (AGI. Diversos 19).
192. Comunicación de Capitanía (borrador), s.f. (AGI. Diversos 19).
193. "Ni Rey ni Roque", recorte s.f. en AGI. Diversos 22.

C. JUAN RUZ, General del Ejército Libertador de Cuba y General en Jefe de las fuerzas en operaciones.

En virtud de los poderes extraordinarios de que estoy investido, y en atencion á los méritos y servicios prestados en campaña á la causa de la independencia de Cuba por el .C *éi* _____ le confiero el *Grado de Capitán* con todas las atribuciones y deberes que señalan á este cargo las Ordenanzas del Ejército.

Dado y sellado en este Cuartel General á los *27 dias* ———— dias del mes de *Setiembre* de mil ochocientos ochenta y siete.

El General en Jefe

Felez Ruz

Anotado al folio. *2.º* del Escalafon.

Grafica No 1. REPRESION DEL BANDOLERISMO
(1890–1892). MANDATO DE POLAVIEJA

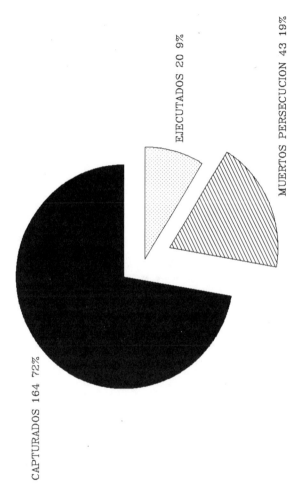

EJECUTADOS 20 9%

MUERTOS PERSECUCION 43 19%

CAPTURADOS 164 72%

TOTAL: 227 BANDIDOS

ESTADO comparativo de los crímenes perpetrados en la isla de Cuba por las partidas de bandoleros durante los dos períodos de Abril de 1885 á igual mes del 86, y desde éste hasta Abril del año 1887.

PROVINCIAS	PRIMER PERÍODO							SEGUNDO PERÍODO						
	Robos.	Asaltos.	Se-cuestros.	Muertes.	Heridas.	Capturas de bandidos.	Muertes de bandidos.	Robos.	Asaltos.	Se-cuestros.	Muertes.	Heridas.	Capturas de bandidos.	Muertes de bandidos.
Habana............	4	3	1	1	2	8	3	3	1	2	3	»	7	5
Pinar del Río......	25	4	»	3	5	1	2	10	»	4	3	2	»	1
Matanzas........	29	11	5	4	2	»	10	14	3	2	6	3	23	1
Santa Clara.......	28	7	8	4	3	18	10	22	9	9	5	10	43	4
Puerto Príncipe....	»	»	»	»	»	»	»	»	»	»	»	»	»	»
Santiago de Cuba...	»	»	»	»	»	3	4	»	»	»	»	»	»	»
Totales........	88	25	14	12	12	30	29	49	13	17	17	15	73	11

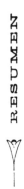

RESUMEN

Suma total de toda clase de delitos cometidos por los bandidos en el primer período........	151
Idem íd. íd. en el segundo...........	111

Suma total de las capturas y muertes de bandidos ocurridas en el primer período.........	59
Idem íd. íd. en el segundo...........	84

GOBIERNO GENERAL DE LA ISLA DE CUBA.

DECRETO.

Promulgada y publicada la Ley contra el bandolerismo en 27 de Junio de este año, complementaria de la de 8 de Enero de 1877 hecha extensiva á esta Isla por Real Decreto de 17 de Octubre de 1879, y considerando: que, apesar de la disminución del bandolerismo en las provincias á que fué aplicada por decretos de este Gobierno General de 21 de Julio de 1882 y 2 de Junio de 1887, subsisten todavía las causas que determinaron su aplicación; usando de las facultades que me competen, oída la Junta de Autoridades y de conformidad con ella, vengo en decretar lo siguiente:

Art. 1º Sigue rijiendo la Ley de 8 de Enero de 1877, en las provincias de la Habana, Pinar del Río, Matanzas y Santa Clara, complementada con la de 27 de Junio de este año.

Art. 2º Las Autoridades á quienes corresponde, procederán á su ejecución y cumplimiento.

Art. 3º Dése cuenta de este Decreto al Gobierno de S. M.

Habana, 3 de Julio de 1888.

Sabas Marín.

Ley de 8 de Enero de 1877.

Artículo 1º Tan luego como se verifique el secuestro de una ó más personas con objeto de robo de un provincia, se aplicara en ella y en las mas provincias que se consideran en el caso análogo, previa declaración del Gobierno, la penalidad y el procedimiento que son objeto de esta ley.

Art. 2º Los que promuevan ó ejecuten un secuestro, y los que concurran á la comisión de este delito con artos útiles que no haya podido evitar, serán del Código penal, serán del pena de cadena perpetua á muerte.

La aplicación de las penas se ajustará en lo que á lo dispuesto en el Capítulo IV del Título III y Capítulo III y IV del Título I del Código penal vigente, considerando como circunstancia agravante la de haber sido detenido el agraviado bajo rescate por más de un día.

Art. 3º El conocimiento de estos delitos corresponderá exclusivamente á un Consejo de Guerra, permanente que se constituirá, llegado el caso, en cada provincia. El Consejo continuará la causa hasta su terminación, no obstante la ausencia y rebeldía, de los reos, sin perjuicio de oírlos siempre que se presenten ó fueren habidos.

Art. 4º El Consejo de Guerra podrá autorizar la excención del servicio de las armas de la persona que hubiere detenido á cualquier procesado por estos delitos, contribuyendo eficazmente á su captura. Esta gracia puede otorgarse á favor de personas en ella ó que se grado que designe dicha persona.

Art. 5º El Gobernador de la misma provincia actuará, y proveerá el gozar de una junta compuesta del Gobernador de la misma, presidente, comandante militar, Juez decano de 1ª instancia, Jefe de la Guardia Civil y diputados provinciales, podrá fijar durante un año el domicilio de los vagos y penados de mal vivir, entendiéndose por tales los comprendidos en el párrafo 9 del art. 8 del Código penal, desde su promulgación en la provincia ó jurisdicción de distrito militar de Andalucía y Granada y en las de Badajoz, Ciudad Real y Toledo.

Real Decreto de 17 de Octubre de 1879.

"Ministerio de Ultramar.—Número 1221.—Excmo. Sr.:—S. M. el Rey (q. D. g.) se ha servido expedir con esta fecha el siguiente Decreto:—En virtud de lo que propone el Ministro de Ultramar, de acuerdo con el Consejo de Ministros, Vengo en decretar lo siguiente:—Artículo único. La ley de 8 de Enero de 1878 sobre represión del bandolerismo se aplica de la Isla de Cuba, y sus ocho artículos serán aplicables á la referida Isla.

Artículo 2º Tan luego como se verifique el secuestro de una ó más personas en cualquier punto de las provincias de la Isla, se aplicará en ella y en las demás de la misma, la penalidad y el procedimiento que son objeto de esta ley, declarado por el Gobierno General, de acuerdo con la Junta de Autoridades y dando cuenta á su Gobierno.

Art. 3º Los que promuevan ó ejecuten un secuestro y los que concurran á la comisión del delito con artos en los cuales no hubiere podido realizarse, serán castigados con pena de cadena perpetua ó muerte. La aplicación de las penas se ajustará en lo que á lo dispuesto en el capítulo cuarto del título tercero y capítulos tercero y cuarto del Código penal de las Antillas, considerando como circunstancia agravante la de haber sido detenido el agraviado bajo rescate y por más de un día.

Art. 4º El conocimiento de estos delitos corresponderá exclusivamente á un Consejo de Guerra permanente que se constituirá, en cada provincia. El Consejo continuará la causa hasta su terminación, no obstante la ausencia y rebeldía de los reos, sin perjuicio de oírlos siempre que se presenten ó fueren habidos.

Art. 5º Toda persona se considerará investida de autoridad pública para proceder á la captura de los reos á quienes por el Consejo de Guerra se hubiere impuesto la última pena, empleando medios prudentes y racionales.

Art. 6º El Consejo de Guerra podrá autorizar la excención de los efectos destinados á la explotación de las Corporaciones ó particulares ofrecían para la captura de los reos de secuentro considerados á la última pena.

Art. 7º Se autoriza al Gobernador General para que oyendo el parecer de una junta, compuesta en cada provincia del Gobernador de la misma, presidente, Comandante General, Juez decano de primera instancia, Jefe de la Guardia Civil y dos Diputados provinciales, previa fijar durante un año, el domicilio de los vagos y penos de mal vivir, entendiéndose por tales los comprendidos en el párrafo vigésimo quinto del artículo 10 del Código penal citado.

Art. 7º El Gobierno dará cuenta á las Córtes del presente decreto.

Ley de 27 de Junio de 1888.

Art. 1º La jurisdicción de los Tribunales especiales y el procedimiento establecida en el Decreto de 17 de Octubre de 1879, haciéndolo extensivo á la Isla de Cuba la Ley de 8 de Enero de 1877, serán aplicables en todo el territorio que comprende la Capitanía General de la Isla, á los autores, cómplices y encubridores de los delitos siguientes:

Robar en un despoblado, siendo cualquiera el número de la cuadrilla, en poblado, siendo cuatro ó más; incendiar en despoblado, kalamiento de ralá de los ferrocarriles, interceptación de la vía por cualquier medio, ocasionando incendios en despoblado, kalamiento ó destruir á mano armada, ya se encuentren ó mercancías, amenaza de cometer los puentes, ataque á los trenes, á mano armada, interceptación de los efectos destinados á la explotación de los daños causados en las vías férreas, que puedan perjudicar á la seguridad de mercancías, amenaza de cometer los anteriores delitos, y cualquiera otra que, ya impuniendo cualquiera otra cantidad constitutiva de delito grave, previsto en el Código penal.

Art. 2º No obstante lo dispuesto en el título 2º de la ley de Enjuiciamiento militar, respecto al procedimiento contra reos ausentes, se observará lo prevenido en el artículo y el artículo del título antes referido al conocimiento exclusivo por los Consejos de guerra de la Isla; á los efectos, cómplices y encubridores de los delitos á que el artículo anterior de esta ley, y la terminación de las causas correspondientes. Las Córtes del Consejo de Guerra, serán que quiten cuando lo aprecie definitivamente, el Capitán General de la Isla de Cuba.

Art. 3º El Decreto de 17 de Octubre de 1879, ha sido extensivo á la Isla de Cuba la Ley de 8 de Enero de 1877, continúa en toda su fuerza y vigor, en cuanto no se oponga á los artículos precedentes, y será indispensable á la Isla de Cuba, con las modificaciones que se expresan y aparece á juicio de la presente Ley, que á juicio del Gobernador General se hallen en el caso de la presente ley, que á juicio del mismo se amplían sobre y ya sean unos que por lo persona como juez de la Isla como de los delitos en las amplían antes y cuando se ha puesto en planteamiento, de Autoridades, se considere necesario en el caso de cualquier punto de la Isla como de los delitos en la misma Ley y el procedimiento indispensable además, siendo indispensable además, para que surta sus efectos la publicación del acuerdo del Gobierno General en la Gaceta de la Habana.

Grafica No 2. BANDIDOS ORIENTALES (1891)
PROFESIONES DE BANDIDOS Y COLABORADORES

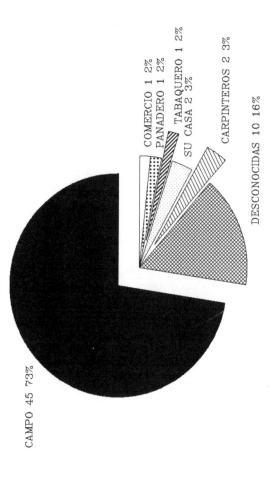

CAMPO 45 73%

COMERCIO 1 2%
PANADERO 1 2%
TABAQUERO 1 2%
SU CASA 2 3%
CARPINTEROS 2 3%

DESCONOCIDAS 10 16%

FUENTE: Cuadro sinoptico..., AGI. D-19.

CAPÍTULO VI

LOS BANDIDOS DE LA TREGUA (IV): 1890-1895 BANDOLEROS DE MATANZAS

Luego el sueño, el reposo bajo los mosquiteros;
el calor que achicharra la noche de la Ciénaga;
el olor de propicias hierbas medicinales;
el crepitar ruidoso de las resinas secas;
el ensueño confuso de un bien que se ha perdido,
el sacrificio estéril, hijo de la pobreza;
el no saber qué día la cárcel de agua y monte
les abrirá sus puertas.

Agustín Acosta: *La Ciénaga de Zapata.*

EN EL PRESENTE capítulo estudiaremos las andanzas de un interesante grupo de bandoleros cubanos, los bandidos de Matanzas, en el período inmediato al estallido de la Guerra de Independencia. José Álvarez Arteaga, *Matagás*, que señoreó una extensa comarca entre las jurisdicciones de Colón y de Cienfuegos y que, como siempre, tuvo en el manigual inmenso de la Ciénaga de Zapata su mejor refugio para los tiempos difíciles; Andrés Santana y los Cruz que, unidos inicialmente a Manuel García Ponce, adquirirán cierta independencia forzados por las circunstancias y, bajo el mandato de Polavieja, serán abatidos, víctimas de la delación y del soborno; Regino Alfonso, que emprende, en la jurisdicción de Cárdenas, su historia de rebelde que desemboca en el Ejército mambí; Luis Santana, que se alzó en la misma zona, y, entre otros muchos, nos referiremos a la presencia en Matanzas de un conocido rebelde que también integrará las filas de la fuerza libertadora a partir de 1895, José I. Sosa Alfonso, *Gallo Sosa*, bandolero-insurrecto de más que probable origen canario, como recuerda la décima que canta el desembarco de Manuel García en 1887 [1]:

> *En Paso del Medio, a él*
> *se une cada compañero*
> *y rehace el grupo entero*
> *la incorporación valiosa*
> *del isleño Gallo Sosa*
> *y el bravo Lengue Romero.*

Porque, en efecto, sería en las provincias occidentales, particularmente La Habana y Matanzas, donde la presencia canaria en el seno del bandolerismo se hace más abrumadora. Así, al indiscutible origen isleño de Manuel García Ponce, habría que añadir, durante esta época, los ancestros canarios de los Santana y, con casi total seguridad, de los Cruz, los Sosa y los Alfonso, apellidos de indudable arraigo y tradición en las islas Canarias. Estas familias ampliadas de sitieros que, como en tantos otros aspectos, denotan la impresionante actividad del isleño en el mundo rural de la Perla del Caribe, actuaban, en numerosas ocasiones, de forma solidaria con sus parientes insumisos y, gracias a ello, los bandidos pudieron hacer frente al gran empuje represivo. Los mejores o, tal vez, los más afortunados sobrevivieron a la innumerable caterva de confidentes y perseguidores.

Este origen isleño de tantos bandoleros cubanos no es un hecho casual ni meramente anecdótico, aunque sí, profundamente lógico, a tenor de lo que ya hemos apuntado más arriba. Negros e isleños conformaron en grandes proporciones la población rural del Caribe español y, en el ámbito concreto de la sitiería, destacó siempre el humilde poblador blanco procedente del Archipiélago Canario. Una sitiería que convive con la actividad especulativa del gran cultivo exportador, la caña de azúcar, y que, con infinitos sacrificios, consigue, después de años de trabajo, la propiedad de un pequeño fundo con el que el isleño apenas puede hacer frente a una vejez desamparada. En este sentido constituyen un buen ejemplo los padres del bandolero Andrés Santana Pérez, los canarios Juan y Ana, que vieron como uno de sus hijos se echaba a la manigua y se rebelaba contra un

---

1. Ch. Isidrón: *Manuel García. Rey de los Campos de Cuba*, Pról. de V. López Lemus, Ed. Letras Cubanas, La Habana, 1989, p. 62.

292

sistema que le cerraba las puertas del futuro, y, más tarde, abjuraron de su vástago para evitar el prolongado destierro a la isla de Pinos, por orden de la Capitanía General, de otro de sus descendientes. Otro ejemplo es la familia Cruz, relacionada, tal vez por virtud de cierta endogamia migratoria e isleña, con los Santana y los Alfonso, entre otros, y cuyo patriarca, el anciano *Pancho* Cruz, marrullero y avispado, al decir de las autoridades coloniales, se ve obligado a abandonar su sitiería en Los Alpes (Jagüey Grande) y a marchar hacia Cienfuegos, para, entre otras razones, alejarse del constante acoso de los agentes del Gobierno y sus colaboradores.

Por otra parte, en la caída de algunos de estos significados bandoleros está bastante clara la colaboración con las fuerzas represivas de ciertos hacendados y "hombres de bien", cuyo doble juego no podía garantizar, en el climax de la acción represiva de Polavieja, su seguridad personal o sus deseos de obtener determinadas prebendas del régimen colonial, ello aparte de sus propios intereses económicos. Álvarez Arteaga, el bandolero pardo, señor de la Ciénaga y sus aledaños, fue, en este sentido, la excepción que confirma la regla, como veremos a continuación.

1. EL SEÑOR DE LA CIÉNAGA

José Álvarez Arteaga, *Matagás*, continuó con sus correrías entre Matanzas y Cienfuegos durante el mandato de Polavieja. En octubre de 1890 se sospechó que el bandido podía estar oculto en Miró (costa de Cienfuegos), en un sitio propiedad de Ricardo Zayas, "antiguo capitán de insurrectos", quien despertó los recelos de las autoridades coloniales por el excesivo tamaño de su vivienda, ubicada estratégicamente, y por sus frecuentes compras de víveres en Cienfuegos, con el pretexto de revenderlos. "Se sospecha que en su casa se cobija alguno de los bandidos que fueron de la partida de Manuel García y se presume que *Matagás* reside de ordinario en este sitio". Además, se sabía que el segundo tenía espías en el poblado de Castillo de Sagua, entre los que destacaba el propio alcalde Faustino Álvarez [2].

La organización de un amplio equipo de colaboradores y espías fue, como recordaremos, una de las claves de la supervivencia y de la resistencia de Álvarez Arteaga y, en general, de todos los grandes bandoleros-insu-

---

2. Diego Méndez a Polavieja (copia), Habana, 20 de octubre de 1890 y Libro de historiales de bandidos y encubridores, fol. 1.458, AGI. Diversos 19.

rrectos de Cuba. Algunos encubridores, se aseguraba, residían en el ingenio "Juraguá" y se comunicaban con el paradero de Alvarez, y, asimismo, se añadía que eran muy numerosos, no sólo entre los hijos del país, sino también entre los peninsulares: "*Matagás* tiene un espionaje perfectamente organizado, y le sirve para este fin gente de todas las esferas, no siendo quizá en menor número las personas que ocupan eso que se llama una buena posición social, y entre éstos, casi con toda seguridad, los dueños de cañaverales por el temor que naturalmente han de tener de que les quemen su propiedad". En consecuencia se hacía imposible que un agente del gobierno, extraño a la localidad, tratara de capturar al bandolero, por lo que se pensó en don Luis Ramos Izquierdo, militar con grado de teniente, que se encontraba a la sazón empleado en la Aduana de Cienfuegos y quien parecía reunir las condiciones adecuadas [3].

Pero, otra de las claves de la invulnerabilidad de *Matagás* y de sus hombres era, igualmente, su movilidad. El 27 de noviembre, Enrique Parodi, activo y polémico celador de policía de Colón, que acababa de tomar posesión de su cargo, informaba al Capitán General que "*Matagás*, el *Tuerto* Matos y el mulato Guillermo [Fonseca], andan por Yaguaramas y Ensenada de Cochinos. Aquí hay personas que saben sus movimientos y a estos les he hecho entender que pueden contar con toda seguridad, con la suma ofrecida por V.E. por la captura de esos bandidos y otros" [4].

---

3. *Ibídem.*
4. Parodi a Polavieja, 27 de noviembre de 1890 (AGI. Diversos 19). Se refería Parodi a la "Adición a la Orden General del Ejército" del día 14 de noviembre de 1890 que decía textualmente: "El Excmo. Sr. Capitán General de esta Isla, haciendo uso de la autorización concedida por el artículo 5º del R.D. de 17 de octubre de 1879, que pone en vigor en estas provincias la ley de secuestros, en vista de que por el expresado delito se hallan condenados en rebeldía a la pena de muerte los paisanos Manuel García Ponce, José Álvarez Arteaga (a) *Matagás*, Vicente García Ponce, Domingo Montelongo, José Alfonso (a) *Gallo Sosa*, Sixto Varela Monteagudo y José Plasencia; ha tenido por conveniente acordar se recompense con la cantidad de diez mil pesos oro, al que consiga la captura y entrega o facilite las medidas para lograr con resultado la prisión del citado Manuel García Ponce, y cinco mil pesos por cada uno de los demás individuos que se mencionan, ofreciendo también al que realice el servicio, en caso de hallarse perseguido por los tribunales como delincuente, que se influirá cuanto sea dable en el ánimo del Gobierno Supremo para que, previos los trámites y solemnidades..., aconseje a S.M. que se digne a otorgar el indulto de la pena o penas que le fueron impuestas por los delitos

En opinión de Parodi, convendría que Polavieja comisionara a un agente de confianza que "agitara" la captura de *Matagás* y de Matos, mediante el ofrecimiento de las recompensas señaladas, "pues esta gente ignorante cree que luego de verificada la captura no le pagarán; recordando lo que pasó con Prendes y Ordóñez en épocas del General Sr. Fajardo; que se les ofrecieron a esos hombres 200 onzas por la muerte de Agüero y Morejón y después no les dieron más que veinte onzas. El resto de 180 se quedó en manos del capitán que las llevara" [5].

El 1º de diciembre, además, Parodi apuntó algunos indicios sobre corrupción de la justicia, a raíz de la detención de don Eleuterio Alvarez (a) *Cepero* [6]; información de la que se deduce que los insumisos pagaban con más rigor y esplendidez a sus colaboradores. Y, por si fuera poco, el comportamiento de las fuerzas encargadas de la represión del bandolerismo dejaba, con demasiada frecuencia, mucho que desear. Parodi, sin ir más lejos, criticó la actuación del capitán de la Guardia Civil Luis Pérez Riestra, que tenía "horrorizados a los campesinos con sus amenazas constantes de mal género, viendo en cada uno de ellos y tras de cada árbol o choza un bandido; hijo todo de su fantasía extraviada por los efectos del alcohol". Al celador de policía le preocupaba, en este sentido, la dificultad que existía para obtener confidencias en este contexto de amenazas [7].

Por otra parte, Parodi vio reforzado su crédito con la captura, a mediados de diciembre, de Modesto Rodríguez, uno de los hombres de *Matagás*, acusado de asesinato y desertor del Presidio de La Habana [8], que, como ya se apuntó, había sido apresado por última vez en agosto de 1889 [9].

---

cometidos con anterioridad a la fecha en que se efectúa el servicio de que queda hecho mérito" (ANC. Donativos, Leg. 525, nº 5).

5. Parodi a Polavieja, 27 de noviembre de 1890, cit.
6. Parodi a Polavieja, 1º de diciembre de 1890 (copia en AGI. Diversos 18).
7. Parodi a García Aldave, 22 de diciembre de 1890 (AGI. Diversos 18).
8. "Captura", *La Lucha*, 20 de diciembre de 1890 (AGI. Diversos 22).
9. V. *Capítulo IV*. Según un recorte de prensa ("Banda de Matagás. Modesto Rodríguez", AGI. Diversos 22), Modesto Rodríguez utilizaba el nombre supuesto de Manuel Martínez y fue capturado la última vez en Colón el 21 de agosto de 1889 por el señor Martí, capitán de la guerrilla de San Quintín. Al parecer el bandido se apeó del tren en Colón y fue identificado por el soldado Lorenzo Rosario, quien fue en busca del capitán Martí y, a continuación, ambos militares se pusieron en contacto con Parodi para que pidiera a Modesto los documentos, pues entendían que el pardo estaba en presidio, y entonces

En carta del 23 de diciembre, el celador de Colón informaba a Polavieja que *Matagás* y sus compañeros Matos y Guillermo [Fonseca] se habían ausentado de Yaguaramas y que Modesto Rodríguez, "aunque esté preso, pertenece a la partida citada, la cual ha hecho grandes sacrificios por salvarle". En opinión de Parodi, convenía nombrar un fiscal de toda confianza que instruyera el nuevo proceso contra Rodríguez, quien seguramente iría al patíbulo y "se descubrirá quienes son los que protegen el bandolerismo en esta comarca". Añadía, también, que el detenido había tomado parte en el secuestro del niño Roig y que se podía demostrar "que él fue quien asesinó a Juan Pérez en unión de *Matagás* y Matos, lo mismo que mutiló horriblemente a un soldado cortándole las partes pudendas", y, tras enumerar algunos robos, afirmó: "crea V.E. que este bandido es tan malo, por lo menos, [como] *Matagás*" [10].

Por otro lado, Parodi mostraba sus esperanzas en la posibilidad de capturar a *Matagás* cuando éste se dispusiera a "cobrar su impuesto a los ingenios que tiene igualados", previo acuerdo de las autoridades con la media docena de hacendados en "quienes *Matagás* fía resguardado por el temor que ha infundido" [11].

El día 30, el celador de Colón remitió a la primera autoridad de Cuba una lista de los hacendados del distrito que, con más frecuencia, eran extorsionados por la partida de *Matagás*, y propuso el nombre de don Justo Carrillo, propietario del ingenio "Mercedes", que residía en La Habana, para que, de acuerdo con las autoridades, diera empleo a un grupo de

fue capturado. Entre sus antecedentes penales destacaba su participación, en 1888 y en La Laguna del Negrito (Santa Fe de Sarabanda), junto a *Matagás*, en el ataque a una fuerza comandada por el teniente Quesada, "haciéndole 4 bajas... y después, él en persona, cortándole la mano a uno de los muertos, dio de bofetadas con ella a los otros cadáveres". Rodríguez también "robó en la tienda 'Dos Bocas', en unión de Casimiro Sotolongo; registró la casa de Filomeno Zamora y secuestró al hijo de Sardiña". Pero, además, según esta fuente periodística, "el día del encuentro con la tropa mandada por el teniente Quesada, fueron a comer los bandidos de Matagás a la finca 'Cocodrilo', donde hicieron prisionero al soldado Rosario con la idea de fusilarlo, siendo salvado de la muerte y puesto en libertad por la intervención de un tal Arrondo, que hoy se encuentra en el extranjero. De ahí que Lorenzo Rosario conociese a Modesto Rodríguez, por ser éste el encargado por *Matagás* para vigilarle mientras estuvo detenido por la partida".

10. Parodi a Polavieja, 23 de diciembre de 1890 (AGI. Diversos 18).
11. *Ibídem*.

guerrilleros que "podrán estar en la finca como trabajadores". Esta elección se basaba en que el ingenio citado tenía monte y "en él ha esperado, otras veces, *Matagás* la contribución del Sr. Carrillo y la de don Francisco Varona y don José Hernández" [12].

El proyecto de atrapar a *Matagás*, mediante una celada, fracasó como tantos otros ideados por Parodi. En carta del 14 de enero de 1891 comunicó a García Aldave la captura, llevada a cabo en Río Piedra el día anterior, del negro Ángel Barnuevo, autor de robos de animales y de carretas a diversos hacendados de la jurisdicción. Angel era hijo de Cristóbal Barnuevo, ex-insurrecto y hombre temido en la comarca, representante de una dinastía de bandoleros que ya mencionamos más arriba. En este sentido, el policía de Colón planteó la necesidad de "quitar de en medio" a los cuatreros y "bandoleros mansos" que infestaban la zona, "para que *Matagás* no pueda contar con ese otro elemento", por lo que manifestó que tenía medios para hacer "que desaparezcan estos criminales empedernidos y desearía saber de V. si S.E. lo encontraría conveniente para empezar la obra sin que deje el menor rastro" [13].

Asimismo, Parodi informó de sus gestiones más recientes en la persecución de Álvarez Arteaga, que se encontraba por Jibacoa y Rodas, a través del seguimiento de Rafaela Rojas, esposa de Modesto Rodríguez, y de su acercamiento a la familia de Desiderio Matos, el *Tuerto* [14], mediante sus trabajos en Aguada de Pasajeros. Se trataba de conseguir, por lo que parece, que el *Tuerto* Matos entregara a *Matagás* a cambio de su indulto [15]:

---

12. Parodi a Polavieja, 30 de diciembre de 1890 (AGI. Diversos 18). La lista de hacendados remitida por Parodi fue la siguiente:

Nombres	Lugar de Residencia
Serafín Mederos	Matanzas
Tirso Mesa	En su ingenio (Colón)
Francisco Varona	Ingenio "Mercedes"
José Hernández	Ingenio "Mercedes"
Justo Carrillo	La Habana
Manuel Carreño	En su ingenio (Colón)
Conde de Diana	La Habana
Francisco Rossell	La Habana.

13. Parodi a García Aldave, 14 de enero de 1891 (AGI. Diversos 18).
14. *Ibídem*.
15. Parodi a García Aldave, 21 de enero de 1891 (AGI. Diversos 18).

Tengo la íntima persuación de que la hermana hará todo lo posible con el fin de que Desiderio ejecute la obra y se pueda marchar a politiquear a Cayo Hueso al lado de su compañero, Rosendo García.

Al mismo tiempo, Parodi protestó por la puesta en libertad de los "cuatreros" Ángel Barnuevo e Ignacio Gil García, tras el pago de las fianzas establecidas por el juez de instrucción. "Así es que estos dos bandidos mansos, cuya historia de robos conocen aquí hasta los niños, prosiguen en sus fechorías impunemente, contando con hombres como don Tirso Mesa y don Lorenzo López, siempre dispuestos a prestar esas fianzas a los bandidos mansos" [16].

Ante esta situación y, también, por temor al fracaso de su proyecto contra Álvarez Arteaga, Parodi ideó un nuevo plan que consistía en secuestrar a un joven llamado Ignacio, hijo del mulato Justo Castellanos, hombre de buena fama, pero, al parecer, uno de los principales encubridores del jefe bandolero entre Jagüey Chico y Cocodrilo, con el fin de extorsionar al padre y obligarle a entregar a la partida de *Matagás*. Este plan, que contó con las bendiciones del Gabinete Particular, cuyo jefe ordenó el auxilio de la guerrilla de San Quintín, fracasó también por el magnífico espionaje insurgente, que puso sobreaviso al muchacho, quien escapó [17].

Las autoridades coloniales y, en particular, el citado Parodi, se vieron frustradas ante este nuevo descalabro. La Capitanía General, atenta a todos los indicios que pudieran ser de utilidad contra el bandolerismo, prestó atención a una carta de Mariano Ruiz, que, desde la Cárcel de Cárdenas, se ofrecía a facilitar la captura de *Matagás* y de otros bandoleros relevantes de la comarca. En tal sentido, fue comisionado el Gobernador Civil de Matanzas para que se entrevistara con el preso, sin que estas gestiones, hijas del ansia de libertad de muchos desgraciados, dieran resultados apetecibles [18].

En esta búsqueda rápida de resultados, donde las fuerzas represivas tenían que atender a diversos frentes de actuación, como en una verdadera guerra, todos los ojos se fijaron en Modesto Rodríguez, cuya esposa, resi-

---

16. *Ibídem.*
17. Parodi a García Aldave, 25 de enero, 3 y 5 de febrero de 1891 (AGI. Diversos 18).
18. Mariano Ruiz al Capitán General y Telegrama cifrado (copia) del Gobernador Civil de Matanzas a Capitanía, 16 y 22 de febrero de 1891 (AGI. Diversos 18).

dente a la sazón en Rodas, en casa del negro brujo Perico Triana, era vigilada estrechamente por orden de Parodi. Pérez Riestra, el capitán de la Guardia Civil antes citado, aseguraba, el 18 de febrero, que Rodríguez prometía revelar importantes secretos al Capitán General, pero sólo a él en persona, y, mientras tanto, buscaba el cobijo de influyentes ciudadanos de Colón, como don Lorenzo López, cuyo hijo, Ramón López, "suele avisar a la partida de Matagás cuando en algún potrero hay ganado que conviene robar y ellos lo conducen al punto que aquel les indica" [19].

Se trataba, pues, de una compleja amalgama de intereses económicos y, seguramente, políticos, la que actuaba en torno a las acciones de los bandoleros-insurrectos de Colón, sin olvidar la solidaridad campesina. Parodi temió, en efecto, que el traslado de Modesto Rodríguez a la cárcel de Santa Clara y la actuación del fiscal no desembocara en la condena de este bandido, quien, en efecto, interesó a las autoridades de La Habana para conseguir la caída de *Matagás* [20]. Y, al mismo tiempo, el celador de Colón insistió en la necesidad de "matar unos cuantos bandidos, de estos agachados, para que sirva de saludable escarmiento", aunque García Aldave le aconsejó paciencia "y procurar reventar a la gente esa, pero sin escándalos" [21]. La opinión de Parodi, en cualquier caso, es relevante [22]:

> *En este Distrito y el de Santa Clara se pueden calcular más de mil hombres ejercitados solamente al robo de animales.*
> *Estos malvados, tan prácticos ya, y audaces, serán los mejores auxiliares si volviere a estallar la revolución en este país.*

Y, al final de su informe, añadió: "Estamos casi al terminar la zafra y *Matagás* no ha querido pasar el Hanábana. Me dicen que el *Tuerto* Matos anda solo. Tengo deseos de que salga Modesto para ver si cumple lo ofrecido" [23].

Modesto Rodríguez, pues, fue puesto en libertad en Santa Clara para cumplir sus promesas de traición. Parodi recordó las testificaciones de la causa incoada contra el delincuente e indicó a García Aldave que convenía que Polavieja tuviera una copia de las declaraciones de los testigos, "para

---

19. Pérez Riestra a Emilio Delgado y nota adjunta, Colón, 18 de febrero de 1891 (AGI. Diversos 18).
20. Parodi a García Aldave, 20 de febrero de 1891 (AGI. Diversos 18).
21. Parodi a García Aldave, 12 de marzo de 1891 (AGI. Diversos 18).
22. Parodi a García Aldave, 15 de marzo de 1891 (AGI. Diversos 18).
23. *Ibídem.*

que vea la clase de criminal que habían puesto en libertad en Santa Clara", donde procuraron "salvar a un malvado que había mutilado horriblemente a cuatro soldados". Según Parodi, "el testigo, ocular, Pilar Corrales, confesó que había visto a Modesto Rodríguez dando machetazos a los cadáveres de los soldados, desprender un brazo y correr con él a caballo, llevándolo como un trofeo, y que *Matagás* y sus compañeros le daban vivas a Modesto Rodríguez" [24].

Mientras tanto, miembros del puesto de la Guardia Civil de Jibacoa (Rodas, Santa Clara), dieron muerte en "La Culebra" al bandido Manuel Gajano, de la partida de *Matagás* [25].

Mas, pese a estos pequeños éxitos de las fuerzas represivas, el cerco contra el bandolero pardo no acababa de definirse. A principios de marzo, fuerzas de guerrillas al mando de Manuel Cantarero, practicaron un reconocimiento por Laguna Potrero (Yaguaramas), "donde ellos tienen su campamento, por vivir allí cerca el mulato Mauricio Quintero, que es el hombre de confianza de *Matagás* y el que les buscó aquel sitio para refugio", pero sólo encontraron un rastro reciente [26].

La persecución, empero, se incrementó notablemente. López Mijares [27] y, sobre todo, Tomás López Sola que, como jefe de la Guardia Civil, actuó de forma paralela a Parodi desde Colón, adquirieron, junto a otros, un notable protagonismo en los intentos de captura de Álvarez Arteaga. Pero los resultados, como decíamos, dejaron mucho que desear. "De *Matagás*, nada. Dijeron que había estado por Palmillas y estos alrededores hace

---

24. Parodi a García Aldave, 20 de mayo de 1891 (AGI. Diversos 18).
25. "Bandolerismo", *La Lucha*, 26 y 28 de febrero de 1891 (AGI. Diversos 22). Según una primera versión, Manuel Gajano era natural de Puerto Príncipe, donde había nacido hacía unos 32 años. "Se le supone alzado desde el mes de octubre de 1889, por haber herido al pardo Carlos Triana, incorporándose desde aquella fecha a la partida de *Matagás*, de que era confidente, creyéndose hubiese pertenecido antes a la de Francisco Castro, que en los años de 79 y 80 merodeaba entre Colón y Cienfuegos". Más adelante se añade, sin embargo, que Gajano se había unido al jefe bandolero "a consecuencia del robo de unos caballos", y se especifica, según telegrama fechado en Rodas a 26 de febrero, que "disparó su rifle contra la fuerza, haciendo uso del machete y del cuchillo que portaba".
26. Manuel Cantarero a García Aldave, Yaguaramas, 8 de marzo de 1891 (AGI. Diversos 16).
27. Ambrosio Cabeza a Ángel M. Carvajal, Santa Clara, 16 de abril de 1891 (AGI. Diversos 16).

muchos días", indicaba López Sola en carta del 19 de mayo, y añadía: "No por eso me desanimo porque sigo siendo el hombre de las *ilusiones*... Muchos años está dándose *Matagás* y es lo racional que quiebre el juego de un momento a otro" [28].

Y, desde luego, se necesitaba mucha ilusión para proseguir en la brega, porque, un mes después, López Sola volvía a escribir, esta vez desde Jagüey Grande, en similares términos. "Sobre *Matagás*, hay un profundo silencio, desde el mes pasado en que supimos había dado un cruce por términos de Palmillas... Se me asegura no sale del lado de allá del río, lo que me ha sido confirmado por una noticia que tuve (tardía como las que a dicho bandido se refieren, por regla general), de que el pardo Modesto Lajorichere [Lasunsé] Castañeda, que como especie de edecán le acompaña hace mucho tiempo, estuvo tres días acomodado con el nombre de José García en el ingenio 'San Luis' de Montalvo", al parecer con objeto de extorsionar al dueño [29].

El 13 de julio, Parodi informaba de la captura de los cuatreros Pancho Díaz y Jacinto Vega, y de que andaban prófugos Ángel Barnuevo, Alfredo Pérez y Gil González, mientras que otros como Máximo Varela, Jacobo Campos y Aurelio Sánchez se habían establecido en otros lugares o estaban muy inquietos. Según el celador de Colón, se había llevado a cabo un verdadero golpe contra la "cuatrería" en el término [30]. A falta de pan... Se trataba, en fin, de ofrecer a toda costa resultados positivos en la lucha contra el bandolerismo.

Parodi y López Sola entraron en una especie de competencia. El segundo trató, a su vez, de infiltrar en la partida de Álvarez Arteaga a un confidente que actuaba por Jagüey Chico [31]. El 24 de julio indicó, además,

---

28. López Sola a José Schmid, Colón, 19 de mayo de 1891 (AGI. Diversos 17). También indicaba que Modesto [Rodríguez] era un elemento interesante para la persecución: "...ese pájaro sabe más de lo que todos nos figuramos; ahora está en la muda, pero quizás se le pueda por V. hacer cantar de firme y por lo menos descubrirse y castigar cómplices y abrigadores..." Parece que el ejemplo de Santiago Álvarez, en relación al comandante Méndez de las Vueltas, trataba de imitarse, también, en este caso.

En otro orden de cosas, el segundo apellido del comandante de la Guardia Civil de Colón también figura, en algún documento, como *Solá*.

29. López Sola a García Aldave, 16 de junio de 1891 (AGI. Diversos 17).
30. Parodi a García Aldave, 13 de julio de 1891 (AGI. Diversos 18).
31. López Sola a García Aldave, Jagüey Grande, 13 de julio de 1891 (AGI. Diversos 17).

que había indicios de que el negro Modesto [Lasunsé] y otro de la partida se encontraban "agachados" por la parte de Cienfuegos, por lo que se proponía intentar su captura y, asimismo, que no tenía noticias sobre el "individuo que sabe V.S. teníamos trabajando para ver de reventar a *Matagás*,..., ignoramos su paradero así como del *Tuerto* Matos y *Matagás*" [32].

El 5 de agosto, el jefe de la Guardia Civil de Colón continuaba sin noticias relevantes, "ando a ver si consigo algo por Palmillas sobre *Matagás*, pero la gente es de oro con respecto... y cuando nos dan las noticias es a tiempo pasado, y con mucho" [33], aunque se rumoreó que el bandido podía ir a Cayo Guineo, cerca de Palmillas, por lo que se alertó a una guerrilla que estaba acantonada en el ingenio "Aguedita" [34].

Poco después, López Sola insistió en que *Matagás* no había estado por la zona en los últimos meses, y "únicamente el tonto de Parodi anduvo diciendo como cosa cierta a Riestra que estaba por el ingenio 'Conclusión' en días pasados, nada más que por hablar pues la noticia partía de mí mismo... Hoy no se sabe de ese tal *Matagás*, pero en la semana pasada me dicen estaba por Medidas con el *Tuerto* Matos, no habiéndose atrevido a entrar en esta jurisdicción por causa del movimiento de fuerzas", aunque, al parecer, trataba de hacerlo [35].

El 31 de agosto, una vez más, López Sola repetía el sonsonete sobre el bandolero pardo. "De *Matagás* no se sabe nada por ahora y la última noticia que hubo fue la escapada que dio por Turquino a las fuerzas que le perseguían" [36].

Por todo ello, a mediados de septiembre, el jefe de la Guardia Civil de Colón confesó su desesperación, "...yo lo que deseo más que todo es poderle echar la vista a *Matagás*, que es el mito por estas partes y a quien abriga todo el mundo, y sobre el que todos ofrecen y ninguno cumple".

---

32. López Sola a García Aldave, 24 de julio de 1891 (AGI. Diversos 17).
33. López Sola a García Aldave, 5 de agosto de 1891 (AGI. Diversos 17).
34. López Sola a García Aldave, 8 de agosto de 1891 (AGI. Diversos 17).
35. López Sola a García Aldave, 12 de agosto de 1891 (AGI. Diversos 17). Además, en carta del día 14 (a García Aldave, loc. cit.), el "tonto" de Parodi le indicó que, por orden del Gabinete, le iban a enviar un guardia que era "querido de una parienta de *Matagás*" y que conocía al bandolero. López Sola solicitó la ayuda, por serle de suma falta, según dijo, y afirmó que el bandido había tomado rumbo a Mordazo, hacia el interior de Cienfuegos, que es la vuelta que suele dar".
36. López Sola a García Aldave, 31 de agosto de 1891 (AGI. Diversos 17).

Además, según dijo, el bandido, que había estado por Jagüey Chico, desistió de su intención de marchar a las Charcas, cerca de Colón [37].

Por aquellas fechas, las fuerzas represivas creían contar con los servicios de un significado colaborador, José Federico Santana, hermano del bandido Andrés Santana, que ya había muerto, como luego se dirá. José Federico Santana y el mulato Jesús Román estaban en contacto con Manuel Cantarero, quien, en carta del 20 de septiembre, ponderaba su idoneidad por el conocimiento que ambos poseían de la zona de Yaguaramas y de los colaboradores de *Matagás*, cuya partida se encontraba, al parecer, en los Hoyos, cerca de Jabacoa, donde habían enviado "dos cartas a dos hacendados del Lechuzo, pidiendo dinero" [38].

Más tarde, *Matagás* y el *Tuerto* Matos fueron vistos en las colonias del ingenio derruido Tínima, "hacia la parte de Cienfuegos". López Sola ordenó diversas operaciones de guerrillas y de otras fuerzas, pero no se consiguió nada. En su informe aseguraba que el miedo de los sitieros al jefe bandolero era fingido y que las noticias sobre el mismo seguían llegando con gran retraso, "se sigue husmeando a ver si algún desdichado de esos tiene un momento de buen deseo y puede facilitarnos algún buen servicio" [39].

La lista de encubridores y colaboradores de *Matagás* en la comarca era, a la sazón, bastante amplia [40]:

---

37. López Sola a García Aldave, 14 de septiembre de 1891 (AGI. Diversos 17).
38. Cantarero a García Aldave, 20 de septiembre de 1891 (AGI. Diversos 16). El portador de la carta era el propio José *Federico* Santana. Existe cierta confusión entre José Federico y Perico o Pedro Santana, otro hermano del bandolero Andrés Santana residente cerca de Yaguaramas, pero en nuestra opinión el confidente del Gabinete fue el citado José Santana.
39. López Sola a García Aldave, Colón, 8 de octubre de 1891 (AGI. Diversos 17).
40. "Relación de los individuos que se tienen en el concepto de ser abrigadores de Matagás y su cuadrilla, según datos confidenciales", elaborada por López Sola, Colón, 18 de noviembre de 1891 (AGI. Diversos 19). Se mencionan también en la lista los nombres de los sitieros Francisco [González] Perera, Manuel Gras y Marcial Cruz, en tanto que "abrigadores" de los bandidos Víctor Cruz, hermano del último, y, al parecer, de *Gallo* Sosa, como luego se dirá.

Nombres	"Clases"	"Oficios"	Residencia
D. Santos Montero	Blanco	Arrendatario	Palmillas
Vicente Núñez	Blanco	Bodeguero	Palmillas
Cristóbal Barnuevo*	Negro	"Del campo"	Colón
Eligio Borges	Blanco	Sitiero	Palmillas
Pablo Falcón	Blanco	Sitiero	Palmillas
Tomás Borges	Blanco	Sitiero	Palmillas
Simón Manes	Blanco	"Del campo"	Palmillas
Rafael Jiménez	Pardo	"Sabanero"	Palmillas
Aurelio Sánchez	Mulato	Mandadero	Colón
Juan Sotolongo	Mulato	Peón de ganado	Colón
Germán Ordóñez	Mulato	Peón de ganado	Colón
José Álvarez**	Pardo	"Vago"	Colón
Manuel Guerrero	Blanco	Sitiero	Colón
Nicolás Carmona	Blanco	"Desmochador de palmas"	Palmillas
Matías Sotolongo	Blanco	Sitiero	Amarillas
Justo Barrios***	Pardo	Sitiero	Jagüey Chico.

* (a) *Negro*, ** (a) *Malula*, *** Justo Castellanos.

Aunque, desde luego, estos individuos no eran los únicos que protegían a Álvarez Arteaga. López Sola, siguiendo directrices del Gabinete Particular, trató de privar al bandolero de sus apoyos en la jurisdicción de su mando y, al parecer, se procedió a erradicar a algunos de los sospechosos mediante el traslado a otras poblaciones, como Vicente Núñez que fue "desterrado" a Batabanó, aunque trató de eludir la orden fingiéndose enfermo. El jefe de la Guardia Civil de Colón expresó, entonces, una opinión que, en sí misma, indicaba la confesión de su impotencia para acabar con la tupida red de intereses y solidaridades tejida en torno a *Matagás* [41]:

> *Lo que le digo a V., mi Coronel, que este es un pueblo que en masa lo mandaba yo a las Carolinas, porque es sin duda alguna el más contaminado de la Isla, y es claro, se tocó al pillo de Vicente Núñez, el cual nos consta de*

---

41. López Sola a García Aldave, Colón, 26 de diciembre de 1891 (AGI. Diversos 17).

una manera tan cierta que es por demás que está en relaciones con Mata-
gás... Pero aquí lo que temen es que se empiece a dar palos por la cabeza.

En enero de 1892 se produjo un hecho de singular importancia. Según informes obtenidos por el teniente coronel Guillermo Tort, jefe de operaciones del Gabinete Particular, especializado en la persecución de Manuel García Ponce y de sus hombres, el *Rey de los Campos de Cuba* se había puesto en contacto con *Matagás* mediante una carta, con objeto de buscar un refugio seguro, por algún tiempo, en la zona de Cienfuegos. Ambos jefes bandoleros, cuya connivencia con el ideal emancipador era obvia, tenían sus propios espacios vitales, como ya hemos indicado e iremos viendo, por ello esta información sobre contactos entre los dos grandes insumisos es relevante.

Así, pues, en carta del 11 de enero, Tort aseguraba que la partida de García se había diseminado y sus integrantes se proponían distraer la fuerza por distintos puntos para eludir mejor la persecución, y que, además, "tratan de ponerse de acuerdo con Matagás y al efecto le ha escrito Manuel García a Cienfuegos" [42]. Y, en otra epístola del día 13, añade Tort [43]:

> *Hablé hoy con Lavín en el tren desde Güines a Palos, pues venía de La Habana esta mañana, y hablando de la carta de Cienfuegos, que supe fue llevada a mano, sospechamos haya sido el portador o Antonio Alfonso o Antonio Plasencia, hermano del bandido, que falta de Palos hace cuatro o cinco días y cuyo extremo ha quedado en averiguar. En dicha carta pedía Manuel García a Matagás le dijera si tenía por allí un punto donde ocultarlo por algún tiempo con seguridad.*

Asimismo, el 4 de febrero, Estanislao Palacios, un celador que colaboraba estrechamente con Tort, informaba desde Palos acerca de ciertos rumores sobre la presencia en la zona de *Matagás*, junto con dos acompañantes, quienes, según suponía, habían venido a entrevistarse con Manuel García, pero no se paraban en ningún lugar por estar muy desconfiados [44]. Esta importante noticia, sin embargo, no parece tener confirmación ulterior, pero, junto a las aseveraciones de Tort, constituye un indicio interesante sobre supuestas relaciones entre los dos grandes bandoleros-insurrectos de Cuba. Sin embargo, Manuel de Azcona Parreño, capitán de

---

42. Tort a García Aldave, Madruga, 11 de enero de 1892 (AGI. Diversos 19).
43. Tort a García Aldave, Madruga, 13 de enero de 1892 (AGI. Diversos 19).
44. Estanislao Palacios a Tort, Palos, 4 de febrero de 1892 (AGI. Diversos 18).

la Guardia Civil, opinaba, desde Rodas (Cienfuegos), que *Matagás* no tenía contactos con García, "y aún cuando los tuviera que nunca lo apadrinaría aquí" [45].

El periódico *La Discusión* publicó, seguramente a raíz del bando, ya citado, que ponía precio a las cabezas de los dos insurgentes, una larga carta fingida de García a *Matagás*, escrita por algún redactor del diario, en la que, en tono irónico, hacía que el primero reflexionara sobre la elevada suma, diez mil pesos oro, en la que había sido tasada su cabeza y sobre el poder del dinero [46]:

> *¡Quién me iba a decir, cuando yo era chiquillo y me pasaba el día haciendo mandados a la bodega, que veinte años después valdría, yo solo, tanto como una cuadrilla de lucumíes de primera...!*
>
> *Por cierto que ahora se me ocurre que por ti no dan más que cinco mil, de donde deduzco que te consideran en la mitad menos que a mí, por donde verás que tenía razón cuando te dije que tú no eras Emperador y yo sí era rey hecho y derecho.*
>
> *El gobierno que, como tú sabrás, nunca se equivoca, te ha cotizado en la bolsa de la piratería terrestre con un 50 por ciento de descuento, dejándote por debajo de mis valores que se cotizan sin premio.*
>
> *Nada, hijo, que te han disminuido, pero debes conformarte y alegrarte, porque también hay la mitad menos de peligros que correr porque habrá más gente dispuesta a ganarse diez que cinco.*

Por su lado, Cánovas, comandante militar de Colón, terciaba, a principios de febrero, en el suministro de información sobre *Matagás*. Según sus confidentes, el bandolero pardo había dirigido una misiva a [Pancho] Infante, en Real Campiña, pidiéndole dinero. El portador de la misma fue don Felipe Marrero (a) *Pontequieto*, quien residía, lo mismo que don Francisco Matos –primo de Desiderio Matos, el bandolero–, en las inmediaciones de las Yeguas, y ambos eran agentes antiguos de Álvarez Arteaga [47].

El otro vector de la acción represiva contra *Matagás* se situaba, obviamente, en Cienfuegos, pues, en este y en otros aspectos, la estrategia de la persecución fue bastante rutinaria y poco original. Bien es verdad que

---

45. Azcona a García Aldave, 16 de febrero de 1892 (AGI. Diversos 16).
46. "Manuel I a Matagás. Entre compañeros. ¡Estamos perdidos!", recorte en AGI. Diversos 22.
47. Antonio Cánovas a García Aldave, Colón, 1º de febrero de 1892 (AGI. Diversos 16).

el bandolero contaba, como queda dicho, con innumerables apoyos directos e indirectos, pero sus principales aliadas eran las fuerzas de la naturaleza: el tupido bosque, el paisaje virgen sin apenas senderos, y, sobre todo, el infinito manigual de la Ciénaga de Zapata y sus aledaños, inapropiado para el cultivo y la ganadería y útil solamente para los carboneros que se dejaban la piel en el fragor del trabajo, acosados por miríadas de insectos. Aquí encontraron siempre refugio los bandidos matanceros, los únicos capaces de entrever inexistentes veredas y de levantar improvisados escondites.

Las autoridades represivas, en efecto, pese a las recompensas, las amenazas, los castigos, las promesas, la contratación de prácticos y de reconocidos confidentes, nada pudieron hacer verdaderamente eficaz, y, de continuo, los bandidos se les escaparon entre las manos. Además, no pocos militares y guardias de valía chocaron con las incapacidades de sus propios compañeros. Se produjeron, con frecuencia, encontronazos y celos profesionales entre las fuerzas de la represión; la confusión generada por un sempiterno avispero de rumores aceleraba los fracasos, y, por si fuera poco, los movimientos de tropa, rutinarios e inútiles, alarmaban a los perseguidos y les servían de referencia segura para arbitrar sus estrategias de ataque y de huida, pues la desconexión y la lentitud en el cumplimiento de las órdenes superiores y en la transmisión de las confidencias, devaluadas por la frecuencia de los rumores, hicieron fracasar numerosas celadas. En la zona de Cienfuegos y en la de Colón abundaban también cuatreros y delincuentes rurales, generados, más de una vez, por la propia espiral de violencia rural. Entre ambas jurisdicciones cruza el río Hanábana, que se convirtió en referencia frecuente en los informes sobre la persecución de la partida de Álvarez Arteaga.

No faltaba tampoco, en estas comarcas abiertas a la inversión o a la actividad pionera y complementaria de los sitieros, la acción arbitraria de caciques rurales, como los Díaz, sospechosos de connivencia con bandidos y cuatreros. "Los Díaz –afirmaba un informe reservado–, por sostener una especie de Cantón hacen que el término de Yaguaramas pertenezca al Ayuntamiento de Cienfuegos, quien con la larga distancia poco puede ocuparse, logrando con ello estos señores erigirse en caciques, teniendo como patrimonio el Juzgado y la Alcaldía de Barrio". Miguel Díaz, comerciante y miembro destacado de esta saga familiar, había tratado a Carlos Agüero y, parece que más tarde, mediante su intervención, se indultó a Toribio Sotolongo y a otros cinco bandoleros, "quedando como guerrilleros", mas, como quiera que se descubrió la complicidad entre los bandidos y Miguel Díaz, éste consiguió, junto con un oficial guerrillero llamado Borroto, que fueran asesinados varios insumisos [48].

Tanto Miguel Díaz como su hermano Tomás eran sospechosos de propiciar diversas fechorías y asesinatos, de guardar dinero de *Matagás* y de otras actividades similares, al estilo del comandante-secuestrador Eustacio Méndez Rey, pero no les tocó la misma suerte, tal vez porque la coyuntura no era apropiada. El primero era capitán y el segundo teniente de la Compañía de Voluntarios de Yaguaramas [49].

A medida que transcurría el tiempo la impaciencia de los encargados de la represión fue en aumento. Desde la misma Habana y, por supuesto, desde las capitales provinciales, parece que se bloquearon las subvenciones y las solicitudes de diversos ayuntamientos y poblaciones de mayoría autonomista o sospechosos de simpatía hacía el "elemento hostil a la nacionalidad", con ello se pretendía ejercer una especie de escarmiento, pero lo que se consiguió, en realidad, fue que la natural incuria y apatía de los ediles encontrara una virtual justificación en la dejación del Gobierno.

Todo contribuyó a fraguar un malestar generalizado que, durante los últimos meses del mandato de Polavieja, se puso especialmente de relieve. Los bandoleros de la comarca, pues, actuaban con cierta comodidad en este ambiente. *Matagás*, al decir de algún periodista, hasta llevaba una vida plácida en comparación con la de Manuel García Ponce, más perseguido dada su envergadura, su proximidad a la capital y otras peculiaridades de su zona. Las exacciones, las "igualas" de *Matagás* sobre los hacendados de la amplia comarca que cruzaba el Hanábana y de la que era señor indiscutible, no fueron, por lo que parece, muy onerosas. Además, Alvarez Arteaga no parece recurrir al secuestro ni a otras acciones de mayor importancia. Interesaba a los revolucionarios en la medida en que podía interesar cualquier elemento que acelerara las contradicciones con la Me-

---

48. "Reservado. Notas que conviene tener presente como convenientes al servicio", s.f., AGI. Diversos 19.

En el "Libro de historiales" del Gabinete Particular (AGI. Loc. cit.), aparece la siguiente nota junto a los nombres de Julio, Juan y Matías Sotolongo: "El 1° es el que crió a Toribio y Casimiro que estuvieron con Agüero y hoy con Matagás; les facilita todo lo que necesitan, se halla en buena posición, considerándosele robado todo lo que tiene, fue depositario de Agüero, haciéndose dueño del dinero a la muerte de éste. Siempre ha sido tildado de ladrón; los otros son hijos y hermanastros de Toribio y Casimiro Sotolongo, viven en la Entrada".

49. "Reservado. Notas que conviene...", cit.

trópoli, pero su caso presenta matices diferentes al de otros bandoleros occidentales y al del propio *Rey de los Campos*, porque, entre otras cosas, en su vida no parece que existiera ningún Julio Sanguily.

Así, pues, entre febrero y junio de 1892, las gestiones para la captura de *Matagás* y sus hombres, de modo particular el *Tuerto* Matos, que le acompañará casi siempre, tienen como protagonistas a diversos oficiales y jefes del Ejército y de la Guardia Civil, y, junto a ellos, a numerosos confidentes, guerrilleros y colaboradores, algunos de especial nombradía como los Prendes, artífices directos en la muerte del rebelde Agüero. Otra cosa son los resultados objetivos.

Uno de los grandes frustrados fue el teniente coronel de la Guardia Civil Pedro Costa y Barros. Desde Cienfuegos escribía, el 5 de febrero, en respuesta a una orden de García Aldave acerca de la persecución de *Matagás* en la zona, que también fue encomendada a un tal Palenzuela. Este individuo no merecía su confianza, y desconfiaba, igualmente, de las buenas intenciones de los hacendados que, unos meses antes, habían ofrecido a López Mijares reunir dinero para premiar la captura del célebre bandolero, pues, en su opinión [50]:

> *El bandido de cierta talla en este país, que V. conoce mejor que yo, llega a hacerse un tipo legendario y las personas de mayor posición, en vez de denunciarle, le ocultan y ayudan. Así creen que están más seguras.*
>
> *La casualidad es la que nos ha de entregar a Matagás, cuya sagacidad y astucia exceden a toda ponderación.*

En días sucesivos, no obstante, confió la responsabilidad de la persecución al sargento Jaraba, en colaboración con el citado Palenzuela, según comunicó al Gabinete. Y, además, recogió un rumor, desmentido casi de inmediato, sobre la supuesta muerte de Álvarez Arteaga, en los alrededores de Aguada de Pasajeros, a causa de unas "fiebres perniciosas" [51]. A partir de entonces y hasta finales de marzo, sus informes no aportan nada de interés, excepto la desaparición del propio Palenzuela [52].

Mientras tanto, en La Habana, el auditor del Ejército daba los últimos

---

50. Costa a García Aldave, Cienfuegos, 5 de febrero de 1892 (AGI. Diversos 16). No se trata de Pedro Palenzuela, bandido de la partida de García que murió en octubre de 1891.

51. Costa a García Aldave, 7 y 16 de febrero de 1892 (AGI. Diversos 16).

52. Costa a García Aldave, 23 y 28 de febrero; 6, 12 y 23 de marzo de 1892 (AGI. Diversos 16).

retoques a la sentencia de muerte de Modesto Rodríguez [53]. La ejecución la llevó a cabo el verdugo Valentín Díaz, en Santa Clara, el 23 de febrero. "Modesto Rodríguez Sánchez es hijo de Crisóstomo y Juana, natural de Palmira, partido de Colón,... Es de color pardo claro, soltero, de 27 años, tabaquero, ojos pardos, de fuerte complexión, estatura regular, barba poblada, de mirada audaz y desenvuelto en el decir". Se le procesó por robos en Copeyes (Colón) y en Palmillas, por la muerte de dos soldados en un encuentro entre la partida de *Matagás* y la fuerza del teniente Quesada, ya mencionado; como autor del asesinato de Juan Pérez en Yaguaramas y por ser uno de los secuestradores del niño Roig, en Calicito, el 20 de noviembre de 1886. "Es hombre de instintos feroces y era el brazo derecho de *Matagás*" [54]. En sus últimos momentos mostró gran empeño en que también ejecutaran a "un tal Sotolongo, que dice anda suelto por Colón, y que fue quien cortó el brazo al soldado en Corralillo", almorzó tranquilo acompañado por otro preso, según su última voluntad, y afirmó [55]:

> *No temo que me maten,..., pero me llevan los diablos cuando pienso que esos gordos ricachos que dirijen los secuestros se escapan.*

Tal vez no fueran del todo ciertas sus acusaciones, pero, como apuntábamos, tampoco la coyuntura era tan propicia para escarmientos como el de Méndez Rey.

Por su lado, otro de los protagonistas de la acción perseguidora en la comarca cienfueguera, fue el ya citado Manuel de Azcona, capitán de la Guardia Civil. Sus gestiones se realizaron entre Cartagena y Rodas, pues en ésta última población contaba con la ayuda del Alcalde, Braulio de la Flor, quien poseía amigos que también lo eran del famoso bandolero. A mediados de febrero, el Alcalde aseguraba que *Matagás* hacía unos tres meses que se encontraba ausente de la zona, pero existía la posibilidad de que, a su regreso, aceptara una entrevista "pues desea que lo indulten" [56].

Mas tarde se supo que el bandido había abandonado la Ciénaga, donde le acompañaban Matos, un moreno y dos hombres blancos desco-

53. Mariano Giménez a Polavieja, Habana, 9 de febrero de 1892 (AGI. Diversos 19).
54. "El Cadalso en Santa Clara", "Otra vez el garrote" y "De hoy", *La Discusión* y *La Lucha*, La Habana, 22 y 23 de febrero de 1892 (AGI. Diversos 22).
55. *Ibídem*.
56. Azcona a García Aldave, Cartagena, 19 de febrero de 1892 (AGI. Diversos 16).

nocidos, para desplazarse hacia Colón y, luego, suponían, hacia Cienfuegos [57]. Azcona había ofrecido cuatro mil pesos por la muerte de *Matagás*, pero, añadió en la misiva, "siempre habrá tiempo de modificar" [58].

Sin embargo, pese a las promesas de sus amigos y a sus ofrecimientos dinerarios, Azcona acabó confesando su impotencia: "Aquí todo es para mañana, y el mañana nunca llega" [59]. Por ello, como él mismo diría, se limitó a "alimentar el fuego sagrado como los Druidas" [60].

Mucho más activo, sin duda, fue el citado Comandante Militar de Colón, Antonio Cánovas, que a mediados de febrero gestionaba los servicios de un capacitado colaborador, en estrecho contacto con el *Gabinete Negro* [61]. "El hombre de confianza que tenemos –dirá en carta posterior–, es el pardo Luciano Prendes, que fue quien mató a Agüero. Creo que se le unirá su hermano Federico, hombre de gran valor y astuto". Informó, además, que, según uno de sus confidentes, *Matagás* y Matos se habían separado. El primero, protegido por dos *señores* de Cienfuegos, había cambiado de aspecto y, provisto de documentos falsos, "está encargado de las colonias nombradas la Nueva Habana"; mientras que el segundo "anda por la Ensenada, donde tiene parientes y amigos que lo protegen". Añadió, también, que *Matagás* estaba acompañado casi de continuo por "un tal Goyo Peñalver, bastante conocido, y que ha estado preso en la cárcel de esta Villa" y quien, además, conocía a los Prendes, por lo que se dificultaba un acercamiento de éstos a *Matagás* [62].

Luciano Prendes sería inscrito como guerrillero en la Guerrilla de San Quintín, con el nombre supuesto de Joaquín Pérez Gómez, "partiendo las órdenes de alta de ese Gabinete, para que nadie pueda sospechar que lo tenemos empleado". Al mismo tiempo, Cánovas indicó que para obtener la ayuda de los Sierras, una familia residente en la Ensenada de Cochinos, contra el *Tuerto* Matos, era conveniente proponerles el indulto de uno de sus miembros que había sido condenado y encarcelado por homicidio [63].

57. Azcona a García Aldave, Rodas, 6 de marzo de 1892 (AGI. Diversos 16).
58. Azcona a García Aldave, Cartagena, 13 de marzo de 1892 (AGI. Diversos 16).
59. Azcona a García Aldave, Rodas, 4 de abril de 1892 (AGI. Diversos 16).
60. Azcona a García Aldave, Rodas, 3 de mayo de 1892 (AGI. Diversos 16).
61. Cánovas a García Aldave, Colón, 15 de febrero de 1892 (AGI. Diversos 16).
62. Cánovas a García Aldave, Colón, 27 de febrero de 1892 (AGI. Diversos 16).
63. *Ibídem.* A Luciano Prendes también se le mencionará como Joaquín Gómez Pérez. Por otra parte, el encargado de realizar los contactos con los Sierras sería el capitán Martínez Sirvent.

Cánovas aseveró, con posterioridad, que Luciano Prendes había conseguido la colaboración del compañero que buscaba, no sabemos si su propio hermano, que sería registrado en la misma Guerrilla con el nombre de Antonio López Sánchez [64].

A finales de marzo, Prendes informó que *Matagás*, el *Tuerto* Matos y dos pardos se encontraban en las cercanías de Cienfuegos. "Los dos pardos cree son Wenceslao Alonso y Goyo Peñalver, este último primo del *Matagás*" [65].

Por aquellas fechas se aseguraba, según una confidencia proveniente de isla de Pinos, que Alvarez Arteaga trataba de embarcarse para Santo Domingo y que esperaba su salida entre las colonias de los ingenios "La Vega" y "Carrillo", en Guareiras, "así como la terminación de la zafra para llevar lo más que pueda" [66].

Poco tiempo después, se supo que tanto el jefe bandolero como Matos y los otros dos, Alonso y Peñalver, según se creía, se movían de Cocodrilos a Cayo Espino y Jagüey Chico. Cánovas aseguraba, igualmente, que *Matagás* tenía "una nueva querida, hija de un tal Borges, viuda", que vivía en los montes de Jagüey Chico, y que los bandidos acababan de llegar a las inmediaciones de Cienfuegos, donde residía un tal *Buen Mozo*, amigo de Matos. El comandante militar de Colón propuso, en este sentido, dirigir los trabajos al soborno del viejo Borges, para asegurar el "golpe contra *Matagás*", pues "V. sabe que esta gente a la vista del dinero venden a su padre" [67].

Pero, el jefe bandolero sabía esconderse, sobre todo teniendo tan próximo el incomparable refugio de la Ciénaga. "Sabe V., mi Coronel, que esta jurisdicción por su situación y extensión y el estar lindando con la Ciénaga, ha sido, es y será el refugio de los criminales de las provincias de La Habana, Matanzas y las Villas", afirmaba Cánovas en carta del día 7 de abril [68].

Poco después, sin embargo, los bandidos tuvieron un encuentro con

---

64. Cánovas a García Aldave, Colón, 9 y 21 de marzo de 1892 (AGI. Diversos 16).
65. Cánovas a García Aldave, Colón, 27 de marzo de 1892 (AGI. Diversos 16).
66. Nota del celador Antonio Lago, según declaración de Ignacio Arias y del moreno Cristóbal Barnuevo, desterrados en Isla de Pinos, 29 de marzo de 1892 (AGI. Diversos 19).
67. Cánovas a García Aldave, Colón, 4 de abril de 1892 (AGI. Diversos 16).
68. Cánovas a García Aldave, Colón, 7 de abril de 1892 (1ª carta de esta fecha. AGI. Diversos 16).

fuerzas de la Guardia Civil de Cumanayagua (Colón) en Cayo Majá (Palmillas), del que salieron ilesos, como luego se dirá. Cánovas manifestó el día 11, basándose en indicaciones del guerrillero de nombre supuesto, López Sánchez, compañero de Prendes, que un detenido, Bernardo Padrón Cabezas, era agente de *Matagás*, pero que no sería fácil probarlo. Además, en aquellos momentos, todas las fuerzas represivas de la comarca se dividieron en pequeños grupos y realizaron una intensa búsqueda. Se aseguraba que los bandoleros habían cruzado, el día 9, la Sabana de Jagüey Grande. "Si es así, creo deben dirigirse a la montaña de Prendes, o quizás al Sinú para volver a sus madrigueras. Si en efecto se meten en Prendes, allí los encontrará Gómez Pérez, que conoce aquel terreno como criado en él" [69]. Pero no sucedió nada. Cánovas, desorientado, suponía, dos días más tarde, que los bandidos habían "repasado el Hanábana" [70].

El responsable de la Comandancia Militar de Colón, que había prometido a La Habana la captura de Alvarez Arteaga y de Matos como objetivo prioritario, solicitó entonces del Gabinete que se nombrara un Alcalde militar para Palmillas, pues el primer edil de este pueblo, pese a su fama de honrado, había mostrado una inexplicable pereza en lo relativo a la persecución del bandolero pardo [71]:

> *Desgraciadamente, como el Sr. López hay muchos Alcaldes y hacendados, y yo tengo esperanzas de que aquí se tire de la manta cualquier día y se pueda sentar la mano a los que por falta de civismo y de moralidad pactan con los bandoleros y criminales de todas clases.*

El citado José López, además, era cuñado del detenido Bernardo Padrón y, según se aseguraba, las tiendas del primero en Cumanayagua y Palmillas habían "surtido a los bandidos" por mediación del segundo.

Por otro lado, Cánovas indicó que, posiblemente, Matos se había separado de Álvarez Arteaga y estaba por Yaguaramas, mientras que desde Jagüey Grande aseguraban que *Matagás* no estaba en la zona, aunque se creía que podía encontrarse oculto, en casa de un hacendado, cerca de Corral Falso, por ello el comandante de Colón ordenó que, en los Algarro-

---

69. Cánovas a García Aldave, Colón, 11 de abril de 1892 (AGI. Diversos 16).
70. Cánovas a García Aldave, Colón, 13 de abril de 1892 (AGI. Diversos 16). El comandante militar de Colón confiaba, no obstante, en que la causa abierta a raíz del incidente con los bandidos arrojara algún resultado positivo, por confesión de los detenidos.
71. Cánovas a García Aldave, Colón, 18 de abril de 1892 (AGI. Diversos 19).

bos, "punto importante para la entrada y salida de la Ciénaga", se situara un destacamento de la Guardia Civil [72].

La rutina habitual de la persecución se incrementó, también, de forma casi repentina a partir de la recepción de una carta anónima, que llegó a las manos del capitán Antonio Martí el 20 de abril. Un ex-guerrillero comunicaba que *Matagás*, junto con su partida, se proponía llevar a cabo una campaña en Cienfuegos y, más tarde, en la comarca yumurina, para lo que había adquirido cartuchos para rifle, y que los bandoleros iban a realizar algunos secuestros de hacendados, como el del Sr. Pérez de Amarillas y el de Pancho Infante en Real Campiña (Cienfuegos). Además, como primera advertencia, el bandolero habría provocado sendos incendios en el ingenio de Miguel Díaz y en la colonia de Infante. En tal sentido, se redujo a prisión a Gumersindo Domínguez en Real Campiña, acusado de ser el encargado de obtener las municiones para el bandido [73].

Se supo, unos días más tarde, que los bandoleros habían dormido, el día 22, en San José (Cienfuegos), en la casa de Adriano Cepero, hermano de un estrecho colaborador de *Matagás*. Al mismo tiempo, pesquisas realizadas por Luciano Prendes, o sea, por el guerrillero Gómez Pérez, descubrieron otros enlaces de la partida, como el pardo José Aldoña (a) *El Pelón*, residente en Palmarejo y miembro, por temporadas, de la gavilla; Felipe Matos, primo de Desiderio Matos; Paulino Ordóñez, pariente de Aldoña, que vivía en un sitio entre Cayo de la Yaya y los Horcones, en cuyos lugares celebraban sus entrevistas los bandoleros; José Valenzuela, del ingenio "Aguirre" (Palmarejo), y, entre otros, un individuo blanco, ya mencionado, conocido por *Buen Mozo*, residente en el Guano, abrigador constante de los insumisos, en cuya casa se habían hospedado a comienzos de abril, cuando regresaban de las inmediaciones de Cienfuegos acompañados por un numeroso grupo de auxiliares, "hasta diez" –por lo que se deduce que la partida seguía empleando su antigua estrategia de unirse o separarse según las circunstancias–, y a cuya vivienda habían vuelto, el día 19, otros miembros de la cuadrilla como Desiderio y Felipe Matos, Casimiro Sotolongo y otros dos, y desde allí pasaron a las Piedras, a la casa de Nieves Morejón y de su hermano, "que son sus amigos y auxiliares, en ocasiones, para dar algunos golpes" [74].

---

72. Cánovas a García Aldave, Colón, 20 de abril de 1892 (AGI. Diversos 16).
73. Cánovas a García Aldave, Colón, 22-23 de abril de 1892 (copia) y Cantarero a García Aldave, Yaguaramas, 24 de abril de 1892 (AGI. Diversos 16).
74. Cánovas a García Aldave, Colón, 25 de abril de 1892 (AGI. Diversos 16).

La pista de *Matagás*, sin embargo, volvió a perderse seguidamente. Cánovas se quejaba, una vez más, de la falta de colaboración de sitieros y hacendados: "Ninguno dice una palabra, ninguno sabe nada...", pero, en cuanto prendían a un "individuo cualquiera por delitos de bandolerismo, se presentan a justificar al detenido", así había sucedido, entre otros, con el sospechoso Gumersindo Domínguez. El comandante militar de Colón expresó, asimismo, una observación que refuerza la visión donjuanesca del bandolero pardo –"Tenorio manigüero"–, quien, en efecto, tuvo numerosas amantes [75]:

> *Por buen conducto sé que Matagás es poco consecuente con su joven querida la Borges, pues tiene ya otra por la Hanábana, cuyo nombre y punto de residencia han quedado en averiguar. Luego que lo sepa estudiaré la manera de que caiga en una emboscada el Tenorio manigüero, ya que tan feliz estuvo con la de Cayo Majá.*

La última carta de Cánovas es del 24 de mayo. En ella aseveraba que tanto Álvarez Arteaga como Matos se encontraban solos en los montes de Jagüey Chico, pues no se fiaban de nadie. Por otra parte, Prendes aseguraba que ambos bandoleros proyectaban abandonar la Isla, "embarcándose en las costas de Cárdenas o Cienfuegos", con cuyo objeto estaban reuniendo fondos. Asimismo, según Prendes, los bandoleros contaban con la estrecha colaboración del pardo Severino Juvier, residente entre el Indio y la Aguada, y del blanco José Fuertes, que vivía cerca de Jagüey, por lo que Cánovas sugirió que se establecieran emboscadas en lugares próximos [76].

La presión contra los insumisos adquiriría, no obstante, un cariz más llevadero a partir de la marcha, ya cercana, de Polavieja y, tal vez por ello, *Matagás* y sus hombres pudieron cambiar de planes. Pero, antes de comentar este asunto, debemos retomar los trabajos de otro significado protagonista de la lucha contra el bandolerismo desde Colón, el ya mencionado Tomás López Sola, porque a través de su huella conoceremos, también, algo más de la rebelde labor de Álvarez Arteaga y de sus hombres.

En lo tocante a la persecución del jefe bandolero, aparte de las acciones rutinarias [77], lo más significativo es el encuentro que tuvo lugar en

---

75. Cánovas a García Aldave, Colón, 6 de mayo de 1892 (AGI. Diversos 16).
76. Cánovas a García Aldave, Colón, 24 de mayo de 1892 (AGI. Diversos 19).
77. López Sola a García Aldave, Colón, 26 de febrero, 3 y 29 de marzo y 5 de abril de 1892 (AGI. Diversos 17).

Cayo Majá (término de Palmillas), enclave perteneciente a la jurisdicción de Colón.

López Sola se desplazó a la cercana Cumanayagua e informó de lo ocurrido al Gabinete. *Matagás* y el *Tuerto* Matos habían concurrido tres o cuatro veces, durante los dos últimos meses, a la casa de la viuda Regina Manés y Borges, quien convivía con su hija Dolores y con otros dos hijos. Ambos bandoleros mantenían relaciones amorosas con las mujeres y se refugiaban en la vivienda y en sus selváticos alrededores, por espacio de tres o cuatro días en cada ocasión [78].

El encuentro se produjo el día 8 de abril, en horas de la mañana, cuando fuerzas del puesto de la Guardia Civil de Cumanayagua, mandadas por el sargento Ugarte, preparaban una emboscada en las cercanías de la casa. *Matagás* y Matos, que se apercibieron de la maniobra, atacaron a los guardias por un flanco con disparos de rifle y se internaron en el espeso bosque de malezas circundante, sin que pudiera seguirse su rastro. La confidencia que motivó la emboscada fue dada, seguramente, por un tal Julio Coba, colono de Palmillas, sobre el que, más tarde, cayeron las críticas y amenazas de sus convecinos. A raíz del encuentro fueron detenidos y sumariados algunos individuos sospechosos de colaborar con los bandidos, como don Santos Montero, Narciso Román, hijo de la Borges, los pardos Daniel y Miguel Díaz y, al parecer, Bernardo Padrón. En la casa se encontraron diversos objetos y dinero pertenecientes a los bandidos, así como dos caballos con sus monturas, cartas y otros documentos [79].

López Sola disimuló este fracaso ante García Aldave, que le pidió explicaciones, lo atribuyó a las circunstancias específicas de la confidencia, una de tantas; rechazó la acusación de egoísmo, al no dar participación a fuerzas del Ejército en la maniobra; aseguró que él había sido el primero en exigir explicaciones, "para que otra vez cuenten por lo menos conmigo", y, en fin, culpó de todo a la improvisación del caso. Además, respecto a la pérdida del rastro de los bandoleros, el jefe de la Guardia Civil afirmó que se estaban realizando minuciosos reconocimientos, pero, como de costum-

---

78. López Sola a García Aldave, Cumanayagua, 10 de abril de 1892 (AGI. Diversos 17).
79. Pérez Riestra a García Rojo, Colón, 14 de abril de 1892 (AGI. Diversos 18). V. "Matagás batido", "Encuentro con el Tuerto Matos" y "El encuentro con Matagás", *La Discusión*, 9, 11 y 12 de abril de 1892, y "Bandolerismo", *Diario del Ejército*, 13 de abril de 1892 (recortes en AGI. Diversos 22).

bre, añadió: "lo que es muy antiguo es que todos tienen a *Matagás* endiosado. Que lo tapan desde el más alto al más bajo" [80].

Entre los papeles recogidos a los bandoleros se encontró una lista que, bajo el título de "Reales de José", contenía una probable relación de cantidades "donadas" por numerosos individuos, entre ellas la más elevada era la de don Manuel Carreño del ingenio "Santa Facunda", que ascendía a unos once centenes, "y todas las partidas distribuidas entre dos (que supongo Matos y *Matagás*)". Aparecieron, asimismo, entre los citados documentos, unas décimas del *Tuerto* Matos, "que funge de poeta", en las que el bandido afirmaba que tenía "en Colón una casa donde girar centenes, y mucho ganado en el potrero Forcada,..., lo que confirma las noticias que aquí se tenían desde tiempo inmemorial" [81].

Por otra parte, mientras proseguían las detenciones de encubridores, como Ignacio Arias, se sospechaba que Álvarez Arteaga estaba escondido cerca de Colón, "al abrigo de una persona rica", y que Matos se ocultaba en la jurisdicción de Cienfuegos. Al mismo tiempo, López Sola se escandalizaba, una vez más, por la contrariedad y sorda protesta que había levantado, en Palmillas, el intento de captura del jefe bandolero en Cayo Majá [82].

La obsesiva búsqueda de Álvarez Arteaga deparó también alguna que otra anécdota. Patricio Giral, comandante de Infantería y Alcalde de Lajas (Cienfuegos), había saltado de la cama pese a encontrarse enfermo, ante la confidencia de que *Matagás* había sido visto en una fonda del pueblo "tomando una copa de coñac", aunque, por supuesto, los registros practicados no arrojaron resultado alguno [83]. Y, aunque menos espectaculares, también fueron infructuosas las gestiones del comandante de la Guardia Civil de Cienfuegos, José García Rojo, quien, a principios de mayo, planificó diversas emboscadas [84].

A finales de mes recibía el capitán Pérez Riestra su nombramiento como Alcalde de Palmillas, con cuyo motivo prometió concentrar todos sus esfuerzos en la destrucción de los bandidos [85]. Sin embargo, poco después

---

80. López Sola a García Aldave, Colón, 13 de abril de 1892 (AGI. Diversos 17).
81. López Sola a García Aldave, Colón, 14 de abril de 1892 (AGI. Diversos 17).
82. López Sola a García Aldave, Colón, 18 de abril de 1892 (AGI. Diversos 19), y 24 de abril de 1892 (AGI. Diversos 17).
83. Giral a García Aldave, Lajas, 17 de abril de 1892 (AGI. Diversos 17).
84. García Rojo a García Aldave, Cienfuegos, 8 de mayo de 1892 (AGI. Diversos 16).
85. Pérez Riestra a García Aldave, Colón, 26 de mayo de 1892 (AGI. Diversos 18).

se produciría el cese de Polavieja y, a partir de entonces, la tensión en la persecución del bandolerismo cedió algo. No es que desaparecieran los deseos de exterminar a los insumisos, sino que ni las estrategias ni las formas –en cuanto al papel del Ejército, la supresión de hecho del *Gabinete Negro*, etc.–, de llevar a cabo la labor perseguidora iban a ser las mismas.

El General insurrecto Francisco Pérez Garoz sintetizó, de la siguiente manera, la evolución del mítico bandolero durante estos años [86]:

> *Matagás, José Álvarez Arteaga, fue el rey de una extensa zona que comprende la Ciénaga de Zapata, desde Cienfuegos hasta Jagüey Grande. Internado en aquellas selvas se puede decir que era la única autoridad, como no llevaba a cabo secuestros ni robos y sólo vivía de las contribuciones que alrededor de la Nochebuena le pagaban los hacendados de la comarca, el Gobierno colonial lo dejaba tranquilo. Adherido a la Revolución, se alzó junto con Joaquín Pedroso y Charles Aguirre en Jagüey Chico el 24 de febrero [1895]. Se le reconoció el grado de comandante por el número de hombres y armas que aportó y más tarde fue ascendido a teniente coronel.*

2. LA CUADRILLA DE SANTANA

En enero de 1892, Juan Santana Fleites y Ana Pérez, "ambos naturales de Canarias", mayores de 65 años y residentes en la montaña del Sopapo, término de Cabezas (Matanzas), se dirigían al Jefe del Gabinete Particular, García Aldave, en súplica de que levantara la residencia forzosa en isla de Pinos a su hijo menor José Santana, pues, tras la muerte de Andrés, ya no tenía sentido que el más pequeño de los hermanos continuara en el destierro, y, sobre todo, porque los ancianos isleños necesitaban a su hijo para que se ocupara de las tareas agrícolas del sitio que, desde hacía no menos de veinte años, les permitía subsistir. Los padres de Santana no se explicaban la vocación delictiva de su hijo Andrés, criado con temor de Dios, y aplaudían, sin duda forzados por las circunstancias, la política represiva de las autoridades coloniales [87].

Andrés Santana Pérez había muerto, en efecto, el 10 de agosto de

86. "Diario del General Francisco Pérez Garoz", *Diario de la Marina*, Habana, 13 de noviembre de 1949.
87. Exposición de Juan Santana y Ana Pérez a García Aldave, enero de 1892 (AGI. Diversos 18). La instancia fue redactada por un amanuense que, incluso, firmó por los interesados, seguramente analfabetos.

1891, víctima de una emboscada en terrenos del ingenio "Mercedes", cuyo protagonismo fue atribuido al teniente Jerónimo Cuvertoret del Regimiento de Caballería de Pizarro. Los últimos tiempos de este bandolero-insurrecto, "jefe de la fracción que Manuel García trataba de sostener en territorio de Alfonso XII y Cabezas", según expresión del Capitán General [88], y, al parecer, antiguo camarada, también, del mismísimo *Lengue* Romero, habían sido bastante difíciles. En carta a don Antonio Martínez, vecino de Alfonso XII, el bandido expresaba su perentoria situación [89]:

> *Muy señor mío y amigo: En días pasados le escribí a V. una carta donde le decía que, ya que V. se oponía a que Severino me sirviera con la cantidad que yo le he pedido, lo tenía que hacer V., así es que haga lo mejor que le parezca porque yo me encuentro muy necesitado y estoy dispuesto a hacer cualquier cosa porque yo no me voy a dejar morir de hambre, asi es que quince días le doy de plazo. Si le parece enséñele la carta a Campillo.*

Este Ceferino G. del Campillo era el alcalde de Alfonso XII a finales de 1890 hasta que fue sustituído poco después, tal vez, según se afirmaba, por su mala gestión y por su presunta connivencia con bandoleros [90]. En oficio a Polavieja, del 15 de noviembre de este año, sin embargo, Campillo

---

88. "Isla de Cuba. Partes de novedades en la persecución del bandolerismo. 1890-1891", Parte de Polavieja del 20 de agosto de 1891, Sección III, Ultramar, SHM de Madrid. Según Polavieja, "desde el 31 de diciembre del año próximo pasado, por efecto de la persecución que se le ha hecho, y bajas causadas, no sólo no ha podido imprimir dirección a su gente, sino que ni le ha sido fácil, con los pocos hombres que le quedan, cometer ninguno de aquellos delitos que tanta celebridad dieron aquí al bandolerismo".

89. Carta de Andrés Santana a Antonio Martínez, s.f. (AGI. Diversos 18). Hemos corregido la ortografía.

90. Así se deduce de una carta anónima en la que se pedía al Jefe del Gabinete que solicitara del Capitán General el nombramiento de un alcalde-corregidor para Alfonso XII, "pues son intolerables los desaciertos de Campillo". El citado alcalde tenía como espías a dos cuatreros que eran más bandidos que los propios bandidos y, según este anónimo, "aquí se le llama el *loco* pues su afán es hacer creer que hay bandidos en la zona, tanto que las cartas de pedidos que le han hecho a don Antonio Martínez son falsas, hechas únicamente para alarmar" ("Campillo. Alcalde de Alfonso XII. Noticias", anónimo, s.f., AGI. Diversos 16). Pese a éstas últimas afirmaciones no hay evidencias para creer que la misiva de Santana a Martínez, reproducida anteriormente, sea falsa.

indicaba que, con motivo de haberse recibido varias cartas entre los vecinos suscritas por Andrés Santana, en las que se les exigía que depositaran ciertas cantidades de dinero en un determinado punto, había ordenado diversas emboscadas en dicho lugar, así como en otro enclave que frecuentaba "el 2º de la partida de Santana, Tomás Cruz, sin que dichas emboscadas diesen resultado alguno", hasta que, un par de días antes, se hizo fuego contra un desconocido que no había obedecido la orden de "alto" y se oyeron lamentos de dolor, por lo que se suponía que el herido estaba oculto. Campillo se quejaba, finalmente, de la impunidad que disfrutaban "los cómplices y encubridores de los bandidos, que no obstante ser bien conocidos se hace muy difícil, si no imposible, probarles ese delito" [91].

Esta última opinión era compartida por el teniente Guerrero, quien aseguraba que "ya no se puede hablar con los encubridores para requerirlos, no señor, primero hay que matarlos, porque están envalentonados y dándose aire de que le perdonan a uno la vida". Unos encubridores que, como uno de la familia "Cruz, hermano de los Cruces bandoleros, anda a caballo vendiendo billetes, pero es por recoger noticias para llevar" [92], una actividad, por cierto, la de vendedor de lotería, bastante común y tradicional entre un sector de los inmigrantes isleños que no se dedicaban a las actividades agrícolas.

Ahora bien, el análisis del presente apartado ha de enfocarse, al menos, desde dos perspectivas diferentes pero, lógicamente, complementarias, a tenor de lo que venimos apuntando. En primer lugar, las características fundamentales de la partida o fracción comandada por Andrés Santana Pérez, que incluye el estudio de los mecanismos de supervivencia del grupo de insumisos, basados, según nuestra hipótesis, no sólo en la simpatía que los rebeldes despertaban en las áreas rurales sino, también, en la existencia de vínculos de parentesco entre personas con un probable origen geográfico común, y, en segundo término, las peculiaridades y el desarrollo de la actividad bandolera y, sobre todo, de la respuesta represiva que desembocó en el aniquilamiento de varios miembros de la cuadrilla.

La colección de *historiales* elaborada por el *Gabinete Negro*, la prensa y, en general, los distintos partes y oficios de los encargados de la represión, permiten reconstruir una partida bastante numerosa, aunque, como

---

91. Campillo a Polavieja, Alfonso XII, 15 de noviembre de 1890 (AGI. Diversos 16).
92. Antonio Guerrero al General E. Marcero, ing. "Luz", 14 de noviembre de 1890 (AGI. Diversos 17).

solía suceder, salvo un pequeño grupo de alzados, la mayoría de sus componentes se sumaba de manera coyuntural al núcleo principal para llevar a cabo determinadas acciones, o bien, pertenecía a la categoría de encubridores, protectores y colaboradores secundarios más o menos eventuales.

Así, pues, entre los miembros "fijos" de la cuadrilla encontramos, entre finales de 1890 y agosto de 1891, en que es abatido Andrés Santana, nombres como los siguientes [93]: Víctor Cruz Alonso [94]; Tomás Cruz Barroso [95]; Pablo Gallardo, (a) *Escuela*; Antonio Ponce Ponce [96] y José Rosales o José Cruz Rosales, mulato, (a) *Nario* [97]. Estos hombres poseían una notable experiencia en el seno del bandolerismo, pues se habían alzado, como, en parte, hemos visto, desde antes de la llegada de Polavieja como Gobernador General y, al parecer, el último de los citados, José Rosales, ya había pertenecido, en 1884, a la partida de Carlos Agüero [98].

Por otra parte, respecto a los numerosos miembros eventuales, colaboradores y "padrinos", cabe mencionar a José Santana, hermano menor

---

93. Cfr. "Libro de historiales" en AGI. Diversos 19, y "La partida de Santana", *La Discusión*, 15 de julio [de 1891] (AGI. Diversos 22). A principios de 1891, según una carta de Jerónimo Cuvertoret, la partida ascendía a unos ocho o nueve hombres: "A las 3 de la madrugada de hoy, salgo con el celador Arredondo para emboscarnos y permanecer ocultos en el monte todo el día de mañana, para ver si podemos coger in fraganti, alguno de los ocho que están con Santana y según noticias suelen ir a cierta casa..." (Cuvertoret a J. Schmid, Josefita, 4 de enero de 1891. AGI. Diversos 16).

94. También se le denomina Victor Abad Cruz Alonso y Víctor Cruz Barroso, (a) *Maravilla*, casado, natural de Cabezas, de unos 25 años. Bajo, grueso, ojos y pelo negros, barba saliente.

95. Según unas fuentes hermano del anterior, según otras primo hermano, apreciación más lógica, a juzgar por su segundo apellido, Barroso, pues el segundo apellido de Víctor Cruz fue, realmente, Alonso. Natural de Cabezas, de 26 años.

96. Junto a su nombre figura la siguiente nota en los *historiales* de García Aldave: "Bandido de la partida de Santana". Como se indicará seguidamente, era hermano de don Manuel Ponce, quien también aparece registrado como encubridor y tío de los bandidos Manuel y Vicente García Ponce (AGI. Diversos 19), por lo que queda demostrado el parentesco de Antonio Ponce con el *Rey de los Campos de Cuba* y, naturalmente, el origen canario de este bandolero de la cuadrilla del también isleño Santana.

97. Natural de Unión de Reyes y de 30 años de edad.

98. Según el suelto de *La Discusión*: "La partida de Santana", cit. (AGI. Diversos 22).

del jefe de la partida, "encubridor" y colaborador; Pedro Núñez, residente entre el Sopapo y el potrero "Desquite"; Antonio Cáceres, colono del Sopapo, desterrado a isla de Pinos; los Betancourt, padre e hijos, que vivían próximos al potrero "La Lima"; Juan Andrés García, residente en las colonias de La Margarita (Alfonso XII) [99]; Patricio Cabrera, de la misma comarca de Alacranes [100]; Facio, Serapio y Julio Hosta, residentes en La Margarita y el Sopapo; José Marichal, encubridor que vivía cerca del Sopapo; Francisco Alayón, vecino próximo al "Desquite" en la provincia habanera; Fulgencio Cruz, hermano de Tomás Cruz, cómplice, vendedor de lotería; Marcial Cruz Alonso, sitiero de Los Alpes (Jagüey Grande), hermano de Víctor Cruz Alonso, obligado, más tarde, a residir en isla de Pinos; *Tello* Cruz, colono del ingenio "Carmen Hernández", tío de los bandidos [101]; Manuel Quevedo, colono del ingenio "Babiney" [102]; Anastasio Rodríguez Alemán, amigo de Santana [103]; José Mirabal Prado, de Unión de Reyes, aunque sin residencia fija; Mauricio, Antonio, Domingo, Francisco y Joaquín Horta, residentes en Jagüey Grande y en otros puntos de la jurisdicción de Colón y de la provincia, entre otros [104].

Unas *Notas sobre bandolerismo*, de febrero de 1891, relativas a la comarca de Alfonso XII, describen, con bastante precisión, los enclaves geográficos concretos por los que merodeaba la partida de Santana, y, al

---

99. Aparece su nombre, como encubridor, en una "Relación de individuos encubridores y de mal vivir del término de Alfonso 12, anotados en el libro" (G.P., reservado, s.f. AGI. Diversos 19). Se indica, asimismo, que era el padre de José García, encubridor y sitiero de Las Lombrices, lugar del que se había ausentado, según parece, hacia Santo Domingo o a Cienfuegos o Sagua, aunque otros informes decían que había ido "al lado del Teniente Salgado".

100. Había asistido con la "partida de Santana" a un robo cometido cerca del ingenio "Conchita", próximo a Unión de Reyes (Nota del G.P. sobre Patricio Cabrera, s.f., AGI. Diversos 17).

101. Se sospechaba que había tomado parte en "algunas fechorías".

102. Era compañero de Luciano Miranda y provenía del Aguila (Los Palos), poseía "malos antecedentes" como cuatrero y encubridor, una de sus hijas había sido "querida de Félix Jiménez" y dos de sus hijos, según se creía, estaban con los bandoleros.

103. Vivía cerca de Manuel Quevedo y "tiene trato con los bandidos, particularmente con Santana".

104. "Libro de Historiales...", cit. AGI. Diversos 19.

mismo tiempo, aportan datos de interés sobre encubridores y colaboradores de los bandidos, algunos de los cuales ya han sido mencionados.

Se relaciona así, en primer lugar, el potrero La Lima, con una extensión aproximada de "media legua de circunferencia" [105], donde existían sitierías, y se precisa, además, que distaba tres cuartos de legua de Alfonso XII. Era, según esta fuente, un "lugar muy transitado por los bandidos y especialmente por Santana y los Cruz", quienes encontraban el abrigo, entre otros, de Antolín Fundora y Desiderio Zamora, así como de Tiburcio y Florentino Cruz, "parientes de los alzados" [106].

Le sigue La Margarita, definida como "sitiería" y ubicada "como a dos leguas de Alfonso XII", tenía cuarenta caballerías de tierra, lindaba con la provincia de La Habana y era, asimismo, un "lugar estratégico y frecuentado por los bandidos". En este punto existían "varios abrigadores pero se hace especial mención de Domingo La Rosa" [107].

A continuación figura, con idéntico valor estratégico, el ingenio demolido "Casaleiz", que comprendía setenta y cinco caballerías de tierra, de las que veinticinco estaban sembradas de caña y el resto era monte. En las labores de protección de los insumisos destacaba, en este caso, Miguel Díaz [108].

Otras "sitierías" de relevancia para el caso eran las de Riobó o La Escalera y Tinajitas o Júcaro Quemado, con veinte y con cinco caballerías de tierra, respectivamente. En la primera, definida como lugar sospechoso y cruce de insumisos, eran tildados como abrigadores José Lorenzo y Antonio Vale, mientras que la segunda fue considerada "el foco de los bandoleros" y un lugar de refugio para los mismos, que contaban con las simpatías, entre otros, de don Pedro Betancourt y sus tres hijos [109].

Seguía El Cuzco. Con este nombre, se aclara en el informe, era conocida una gran propiedad, pero que pertenecía a dos dueños. En primer lugar estaba el Cuzco de doña Rosalía Cervantes, que poseía cuarenta

---

105. Sobre la peculiar estructura física de la propiedad agraria en Cuba, puede verse el reciente texto de J. Le Riverend Brusone: *Problemas de la formación agraria de Cuba. Siglos XVI-XVII*, Ed. de Ciencias Sociales, La Habana, 1992.

106. "Notas sobre bandolerismo. Febrero de 1891", AGI. Diversos 19.

107. *Ibídem*. En Cuba, una caballería de tierra equivale a 1.343 áreas.

108. *Ibídem*. Casaleiz es equivalente a Casaley, como se indica en otros documentos de la época.

109. *Ibídem*.

caballerías de tierra con sitierías y monte escabroso, y donde actuaban en favor de los insumisos don Juan García y don Alejo Suárez. Y, en segundo término, el Cuzco o La Corina, una extensión de doscientas caballerías, de las que noventa y seis estaban sembradas de caña y el resto era monte agreste, pero pertenecía todo al ingenio "Conchita". "Es terreno muy escabroso y a propósito para el albergue de los bandidos", que tenían el apoyo de don Luis de la Concepción, residente "en lo que llaman Asiento de La Lanza" [110].

A continuación figura, con todos los honores, Galeoncito, un punto geográfico cuya referencia merece ser reproducida textualmente [111]:

> *Sitiería. Comprende treinta caballerías de tierra. Tienen fincas en dicho punto y son de los más pudientes don José Hernández y don Bartolo Lanuez, los cuales abrigan a los bandidos especialmente a Santana. Don Pío Sabatier y su yerno Simón son sitieros y abrigadores por simpatía, existiendo unas cuevas en terrenos del segundo donde han permanecido los bandidos en épocas anteriores.*
>
> *Manuel Ponce, tío de los bandidos Manuel y Vicente García, tiene un gran potrero rodeado de monte, donde también existen cuevas; éste individuo es hermano del bandido Antonio Ponce. Tiene un hijo que le dicen Polo, que es en la actualidad vendedor ambulante y se asegura que es el confidente de Santana. Galeoncito confina con la costanera de la Ciénaga por los potreros San Agustín y Cocodrilo, existiendo un camino real antiguo por el centro de la costanera que empieza en el asiento del Cuzco y termina en el hato de Rivero. El Pío Sabatier arriba mencionado tiene un hermano cojo que es de los mejores espías de que se valen los bandidos.*

Se describen, seguidamente, el ingenio demolido "Ayala", que lindaba por el Sur con el potrero La Lima; el potrero Valera, ubicado al Norte de la Bermeja y perteneciente a Cabezas; los también potreros Espinosa y Quevedo, el primero al Oeste de La Corina y al Este del Cuzco, y el segundo al Norte del primero, y la colonia de caña Cantón, al Oeste de Espinosa, lugares todos de tránsito de los bandidos y sospechosos [112].

---

110. *Ibídem*. Este importante enclave, antiguo Hato según el mapa de Pichardo (cfr. E. de los Ríos: *Nomenclator geográfico y toponímico de Cuba, 1860-1872*, BNJM, La Habana, 1970), era conocido como El Cusco, pero decidimos respetar la ortografía del informe que venimos comentando.
111. *Ibídem*.
112. *Ibídem*.

Por último, se relacionan la sitiería de Farradás, que lindaba al Norte con La Margarita y al Sur con el potrero La Ruda, y la tienda del Sopapo, situada al Este de La Margarita y al Sur de la sitiería mencionada. Ambas localizaciones, colindantes y pertenecientes al término de Cabezas, constituían lugares donde los bandoleros encontraban la protección, entre otros, de un hijo del señor Farradás [113], sin olvidar los parientes y amigos con los que los Santana contaban en el Sopapo.

El potrero La Ruda, que comprendía unas treinta caballerías de tierra, y el ingenio y potrero Bagaez, igualmente colindantes, pertenecían, en cambio, al municipio habanero de Nueva Paz. La Ruda lindaba por el Este con Alacranes (Alfonso XII) y por el Oeste con Los Cocos, y Bagaez estaba al Este de La Ruda y al Oeste de Guanamón, "lugar muy frecuentado por los bandidos". Se mencionan, también, la colonia de caña El Aguila, donde eran habituales los bandidos Plasencia y Pablo Gallardo, (a) *Escuela*, y Los Cocos, pero se aclara que no se poseían detalles de estos últimos puntos "por pertenecer a otra provincia" [114].

La fracción de Santana tenía, pues, su núcleo originario en distintos enclaves del actual municipio matancero de Unión de Reyes [115], fronterizo, al Oeste, con el de Nueva Paz, que pertenecía y pertenece, como queda dicho, a la provincia de La Habana, y al Norte y al Este, con los también municipios matanceros de Limonar, Pedro Betancourt (Corral Falso de Macuriges) y Jagüey Grande, en estrecho maridaje con la Ciénaga de Zapata. Los integrantes de la partida, en su mayoría de raza blanca, eran, pues, paisanos y, en algún caso, parientes de Manuel García Ponce y, en general, parecen provenir de troncos familiares con una misma procedencia inmigratoria: las islas Canarias, tal como indican, entre otros datos, no pocos de los apellidos que acabamos de enumerar. Andrés Santana Pérez, Víctor y Tomás Cruz, Antonio Ponce y, también, el mulato José Rosales,

---

113. *Ibídem*.
114. *Ibídem*. Bagaez figura como Bagaes en el mapa de Pichardo y en otros documentos, pero hemos respetado, como en ocasiones anteriores, la ortografía del informe.
115. En una nota del G.P. se indica: "Deben ponerse emboscadas desde la Margarita a Valladares y de aquí a las Colonias de Cristina en dirección al Estante, pues son unos caminos muy trillados por la partida" (V. "G.P. Reservado. Relación de individuos encubridores de la partida de Santana anotados en el libro", s.f., AGI. Diversos 19).

reunían, por sí mismos, no menos de medio centenar de parientes en las zonas donde operaban [116].

El padre de Víctor Cruz, Francisco –*Pancho*– Cruz residía, a comienzos de 1891 [117], en un sitio ubicado en Los Alpes [118], cerca del ingenio "Australia" (Jagüey Grande), cuyo dueño, don Antonio Álvarez, aseguró al celador Parodi, a principios de febrero de aquel año, que en los alrededores del ingenio "merodeaban dos individuos de la partida de Manuel García", y que, en dichos aledaños, vivía la "querida de *Gallo* Sosa". En opinión de Parodi, los dos bandoleros pudieran ser el citado José Sosa Alfonso y Víctor Cruz, "en razón a que éste es hijo de Francisco Cruz, y éste padre de la querida de Sosa", y a que también vivía "en el mismo sitio Juana Echavarría, querida de Víctor Cruz" [119].

Pronto se supo que la familia de *Pancho* Cruz trataba de mudarse a la jurisdicción de Cienfuegos [120], y, más tarde, se apuntó que Andrés Santana y Víctor Cruz se habían dirigido a la citada casa cercana al ingenio "Australia", y que era "querida del primero una hermana del segundo",

---

116. V. "La partida de Santana", *La Discusión*, cit. También la relación de encubridores del término de Alfonso XII, ya mencionada (AGI. Diversos 19), incluye los nombres de José Jesús Cruz, primo hermano de Tomás Cruz, y de Casimiro Cruz, hermano de este bandido, así como los de Marcos Ramos y de su yerno, un tal Manuel García.

117. Provenía de Bermeja (Unión de Reyes), de donde marchó en 1889.

118. Según una nota del capitán Pérez Riestra existían en la comarca otros vecinos que, también, habían venido de Alfonso XII (Unión de Reyes), eran "honrados" y habían prometido colaborar. Un segundo grupo de "buenos" vecinos no procedían de la citada población, mientras que otros como un tal Aguilar y don Manuel Gras, sí resultaban sospechosos. La casa de Cruz, añade Riestra, "está situada en terreno limpio hasta Jagüey, y tiene el monte que va a la Ciénaga como a unos tres kilómetros y las maniguas de los Alpes al kilómetro./. Tiene a uno de sus hijos viviendo cerca de su casa, el cual dice que no quiere seguir a su padre si se muda para la parte de Yaguaramas, según dice que lo hará dentro de unos 15 días" (Nota de Pérez Riestra adjunta a comunicación de López Sola a García Aldave, Colón, 5 de junio de 1891. AGI. Diversos 17).

119. Parodi a García Aldave, Colón, 12 de febrero de 1891 (AGI. Diversos 18). La documentación oficial, por otra parte, suele tildar indiscriminadamente de "queridas" a las mujeres de los bandidos, al margen de que exista o no vínculo matrimonial.

120. Parodi a García Aldave, Colón, 10 de marzo de 1891 (AGI. Diversos 18).

que estaba a punto de dar a luz [121]. La confusión en este asunto es evidente, como puede verse, y corre paralela al habitual desconcierto de los encargados de la represión en Matanzas.

A principios de junio, Jerónimo Cuvertoret, gran conocedor de la zona, informó que los citados Andrés Santana y Víctor Cruz habían marchado, en efecto, a Jagüey Grande, pero no a la vivienda del viejo Cruz, sino al cercano sitio de Mauricio Horta, "con objeto de trabajar en él y evitar el que sean entregados por los demás compañeros" [122], asunto, el de la traición desde dentro de las mismas partidas, sobre el que luego volveremos.

Por otra parte, según López Sola, con *Pancho* Cruz convivían sus hijas Carmela y Norberta, "la primera querida del bandido Andrés y la segunda (que me han asegurado vino también con su padre), querida del Sixto Varela, muerto por la fuerza del Ejército en emboscada. La Carmela es la que según me han dicho llaman Pepé en su casa y la que dio a luz hace unos ocho días". El citado *Pancho* Cruz, añade la misma fuente, "es un hombre tan astuto, tan malicioso y tan desconfiado que por esa astucia y demás fue que emigró de Bermeja" [123], aunque, como hemos apuntado, no fue el único que emigró desde el actual municipio de Unión de Reyes, por lo que puede plantearse, desde este momento, la existencia de un proceso de "expulsión" de sitieros de ciertas zonas de gran desarrollo azucarero, recuérdese, en este sentido, el ya citado ejemplo de Alacranes y el hecho de tratarse, toda la comarca de referencia, de una gran zona azucarera, que destaca dentro de la misma provincia de Matanzas.

Otro testimonio, en este caso el del teniente Antonio Guerrero, insistía, el 7 de junio de 1891, en que Carmela o Carmelina, hija de *Pancho* Cruz, era la querida de Andrés Santana, y que con ellos convivía la mujer de Víctor Cruz, "que creo tienen un hijo" [124].

Sin embargo, al día siguiente, Pérez Riestra, que había sido encar-

---

121. Nota de Benito Roig Fullana, Güines, 30 de mayo de 1891 (AGI. Diversos 18).

122. Cuvertoret a J. Schmid, Vieja Bermeja, 3 de junio de 1891 (AGI. Diversos 16). Horta residía, en realidad, a unas tres leguas de los Cruz, en la demarcación de Prendes, pero, éstos, recién llegados de la Bermeja, habían vivido en unos terrenos de don Antonio Vega, a media legua de Horta, con quien don *Pancho* Cruz tenía gran amistad.

123. López Sola a García Aldave, Colón, 4 de junio de 1891 (AGI. Diversos 17).

124. Guerrero a J. Schmid, Paraiso, 7 de junio de 1891 (AGI. Diversos 17).

gado por López Sola para vigilar al viejo Cruz, informaba desde Jagüey Grande que un confidente, vecino de éste y colaborador del comandante de voluntarios don Ramón Núñez, del cuartón de López, estaba en excelentes disposiciones para entregar a los bandidos Víctor Cruz y *Gallo* Sosa, "por lo que hay que creer algo a pesar de nuestra creencia en que debía ser Santana, y además, bien pueden ser los tres operando entre esto y Yaguaramas, con motivo de la mudada del don Pancho". El confidente en cuestión estaba en tan buenas condiciones que, incluso, había comido en la tarde del día anterior con la familia Cruz, y, en tal sentido, aseguró que "la mesa era espléndida, y como pocas en el campo", pues había "carne fresca de res, ave, vino y en fin una mesa de dueño de finca en vez de ser la de un sitiero como parece ser el tal viejo marrullero". Además, "a presencia del citado convidado, la mujer de Cruz apartó una gallina frita, un plato de arroz, plátanos fritos, pan y vino, y llamando a su hijo el menor le preguntó que si estará buena así; contestando el muchacho que sí, que alcanzaba. La comida parece que la llevan diariamente y desde la casa del Cruz, la lían en una servilleta y luego la meten en un saco de esos grandes y la llevan como si fuesen viandas al punto convenido, dejándola colgada en un árbol para que los bandidos la recojan después de ver que en la conducción y regreso no hubo novedad" [125].

López Sola añadió, por su parte, que Santana tenía un hermano en Guayabales (Yaguaramas) y que, desde hacía tiempo, se estaba trabajando en este sentido [126], a lo que respondió García Aldave reafirmándose en la

---

125. Pérez Riestra a López Sola, [Jagüey Grande], 8 de junio de 1891 (AGI. Diversos 17). Añade que don Francisco Cruz quería mudarse en pocos días, "porque dice que lo traen muy potreado la Guardia Civil y el Alcalde de barrio y que se va por eso..."

126. López Sola a García Aldave, Colón, 9 de junio de 1891 (AGI. Diversos 17). Sobre la familia de Andrés Santana existen, como se irá viendo, algunas divergencias. Según un suelto de *La Discusión* ("Muerte del bandido Santana", 10 de agosto de 1891. AGI. Diversos 22), "tiene dos hermanos llamados Pedro y José y tres hermanas que viven cerca del Sopapo. Su padre es un hombre honrado, natural de Canarias", mientras que una información publicada por Varela en *La Lucha* ("Bandolerismo", *La Lucha*, 11 de agosto de 1891, loc. cit.), especifica: "Sus padres, sus hermanos José y Manuel y una hermana casada con don Juan Cáceres, residen en el barrio de La Lima. *Su otro hermano Pedro vive en Yaguaramas./*. Todos estos familiares trabajan en el campo en diferentes sitios de labor". Además, sobre Manuel Santana especifica el libro de *historiales* antes mencionado: "Veci-

noticia de la marcha hacia Jagüey Grande, a la casa del viejo Cruz, de Andrés Santana y de Víctor Cruz, y asegurando que ambos bandidos paraban también en "Soledad de Cartagena, en casa de don Marcos Pérez, creyendo que tratan de llevarse las mujeres de casa de Pancho Cruz para la de Marcos Pérez", por lo que hizo responsable al jefe de la Guardia Civil de Colón del éxito de las operaciones [127].

La dinámica represiva, como ya se indicó, será analizada seguidamente, pero, ahora, lo que nos interesa es terminar, en la medida de lo posible, la reconstrucción de la partida en todas sus ramificaciones y apoyos. Tenemos, en consecuencia, tres enclaves en los que se refugian los bandoleros y que son sometidos a vigilancia, los aledaños de la vivienda de la familia Cruz, la sitiería de Mauricio Horta y la propiedad de Marcos Pérez en la demarcación de Yaguaramas, ello sin olvidar el núcleo originario de Alfonso XII y comarcas vecinas y, también, la sitiería de Pedro Santana en Cienfuegos.

En carta del 22 de junio y en otras posteriores, López Sola insistió, pues, en que los bandoleros que se movían por Jagüey Grande eran tres: Andrés Santana, *Gallo* Sosa y Víctor Cruz [128]; pero, Francisco Gutiérrez, alcalde de Alfonso XII, aseveraba, por el contrario, que "si hay un tercero deben ser Francisco o Juan Franco que hace tiempo están alzados y el Francisco suele a veces unirse con Santana" [129]. Dilucidar este extremo es importante por varias cuestiones, entre otras, porque demuestra la confusión existente entre las fuerzas perseguidoras, porque nos ayuda a conocer mejor las características de la partida, sus enlaces y su distribución geográfica y porque abona nuestro aserto sobre el origen isleño de este sector del bandolerismo cubano.

En efecto, en un significativo parte del 10 de julio, López Sola remitía a García Aldave una copia de la "partida de bautismo de la hija de Gallo Sosa (según nuestros confidentes), cuyo bautizo se hizo el 6 del corriente,...., y lo mejor es que el padre de la criatura que dice la partida José Horta, se desconoce y según me dice Riestra, ni es vecino de Australia, ni se le conoce,

no de Nueva Paz, vive con la mujer de Pedro Palenzuela a quien desea entregar si se le recompensa" (cit. AGI. Diversos 19).

127. García Aldave a López Sola (copia), 10 de junio de 1891 (AGI. Diversos 17).

128. López Sola a García Aldave, Colón, 22 de junio de 1891 (AGI. Diversos 17).

129. Gutiérrez a García Aldave, Lima, 27 de junio de 1891 (AGI. Diversos 17).

ni ha ido nunca por casa del viejo ni de la Regla su hija". El documento en cuestión reza así [130]:

> *Nació la hembra María Regla el día primero de Junio de 1891 a las dos de la madrugada, hija legítima de don José Horta y Pérez, natural de Nueva Paz, término municipal de idem, provincia de La Habana, casado, labrador, mayor de edad y vecino de los terrenos del Ingenio Australia y de su mujer doña Regla Cruz y Alonso, natural de Cabezas, término municipal de idem, provincia de Matanzas y domiciliada en el de su marido.*
>
> *Abuelos paternos*
>
> *Don José Manuel Horta y Rodríguez, natural de Canarias, difunto, y doña Remigia Pérez Mato, natural de Madruga, también difunta.*
>
> *Maternos*
>
> *Don Francisco Cruz y Cuesta, natural de Cabezas, casado, labrador y vecino en el punto de su naturalidad y doña María Plácida Alonso, natural de Nueva Paz y vecina también de Cabezas.*
>
> *Padrinos*
>
> *Don Francisco González Perera y Doña Juana Echavarría y Fuentes de esta vecindad.*
>
> *Jagüey Grande, 6 de Julio de 1891.*

Se deducen de esta fuente y del informe de López Sola un par de cuestiones relevantes. En primer lugar la remota posibilidad de que, por razones de seguridad, José Sosa Alfonso, *Gallo* Sosa, o, en su caso, Andrés Santana Pérez, autorizaran la utilización de un nombre supuesto, real aunque no avecindado en Jagüey Grande, para bautizar a su hija, y, en segundo término, sobresale el origen isleño y el probable comportamiento endogámico de estas familias de sitieros procedentes –expulsados– de Nueva Paz y Cabezas. En este sentido, puede constatarse que los Horta son descendientes de un inmigrante canario, José Manuel Horta Rodríguez, y que los abuelos maternos, el matrimonio Cruz-Alonso, que, obviamente, no residían a la sazón en Cabezas, es posible que también descendieran de otros inmigrantes isleños. Mas, para abonar nuestro aserto, resulta asimismo muy significativa la siguiente afirmación de López Sola respecto al padrino, Francisco González Perera [131]:

---

130. López Sola a García Aldave, Colón, 10 de julio de 1891 y copia de partida de bautismo, adjunta (AGI. Diversos 17).
131. *Ibídem.* Juana Echavarría sería la mujer de Víctor Cruz, como ya se apuntó.

El padrino que es el Francisco González Perera, es un canalla de Isleño; gran abrigador de pillos, cínico, y espía que es un portento todos los movimientos que puede espiar.

Poco después, en la madrugada del día 12, una parte de la familia Cruz inició su traslado a Guayabales (Yaguaramas), viajaron el matrimonio Cruz-Alonso, la hija Regla, Juana, la mujer, "que dicen", de Víctor Cruz, "la hija más pequeña y el hijo pequeño", mientras que "aquí nos han quedado Marcial y su mujer (dicen) Norberta, y la Carmela, que fue la querida de Andrés Santana y que, en víspera de la marcha de su gente, se ha amancebado (o fingido el amancebamiento) con un tal Juan García", de lo que se deduce que Norberta era, en realidad, nuera del viejo Cruz, y que, en efecto, no fue Carmela Cruz (a) *Pepé*, la que dio a luz, sino su hermana Regla [132]. El motivo de la partida de *Pancho* Cruz, afirmaban, se debía a una riña entre Andrés Santana y el viejo, "por causa de Carmela". Además, añade el jefe de la Guardia Civil de Colón [133]:

Los bandidos dícenme no han marchado y yo he lanzado al monte tres perros de presa que los busquen, entre ellos Lozano. Ha sido mucha la escama de esa gente y más la mala fe de los vecinos de ese trozo, entre los

---

132. La confusión persiste, no obstante, en este punto. Si Regla Cruz Alonso fue, realmente, la que dio a luz, no se entiende que el padre de la niña pudiera ser Andrés Santana, puesto que éste fue el amante de su hermana Carmela Cruz Alonso. Además, otros datos indican, como luego se dirá, que Andrés Santana tenía una hija con una hermana de Víctor Cruz Alonso, aunque esta hija pudo haber nacido con anterioridad. La posibilidad de que Andrés Santana y José Sosa Alfonso tuvieran relaciones con dos mujeres de la familia Cruz-Alonso, pese a ser bastante dudosa, no puede ser descartada del todo.

La compleja genealogía de parte de esta familia pudiera resumirse, con los datos disponibles, en la siguiente forma:

Francisco Cruz y Cuesta = María Plácida Alonso
Víctor Cruz Alonso = Juana Echavarría
Marcial Cruz Alonso = Norberta
Carmela Cruz Alonso = Andrés Santana Pérez
Regla Cruz Alonso = J. Sosa Alfonso o Andrés Santana?
María Regla *Horta* Cruz.

133. López Sola a García Aldave, Jagüey Grande, 13 de julio de 1891 (AGI. Diversos 17). *Pancho* Cruz pidió, por favor, al dueño del ingenio "Australia" un "auxilio de marcha y le entregó éste cincuenta pesos".

que hay infinitos venidos de la parte de esa zona donde estuvieron siempre los bandidos [Unión de Reyes], que como es natural si allí los encubrían aquí [Jagüey Grande] siguen el mismo sistema, sin embargo allá [Yaguaramas] veremos qué resultados dan nuestros trabajos que sea práctico.

Tal vez sin pretenderlo, López Sola justificaba, una vez más, sus fracasos por los imponderables y la "mala suerte", y en esta ocasión su testimonio contribuye a constatar la existencia de "infinitos" vecinos (colonos y sitieros), procedentes de los núcleos fundamentales del bandolerismo occidental cubano, las jurisdicciones fronterizas entre las provincias de La Habana y Matanzas, aquellas que conocieron el orto del desarrollo azucarero y que, durante esta época, vivían momentos de recuperación productiva en relación con el mercado y el capital norteamericano.

2.1. LA CAÍDA DE LA "FRACCIÓN" DE MATANZAS

¿Por qué fueron abatidos, en tan corto espacio de tiempo, bandidos de armas tomar como Antonio Mayol o Mayor, Andrés Santana Pérez, Tomás Cruz, Pedro Palenzuela y Víctor Cruz Alonso?, ¿existió alguna diferencia singular en los mecanismos represivos en relación con la persecución de Alvarez Arteaga o del propio Manuel García Ponce, por citar los dos ejemplos más significativos?

En las páginas precedentes hemos visto cómo eran aniquilados, desde los inicios del bandolerismo, multitud de rebeldes primarios en los campos de Cuba. Hemos analizado no sólo el devenir del bandolerismo durante la primera mitad de la centuria sino, también, en torno a la Guerra de los Diez Años, la década de 1880 y parte del tenso quinquenio 1890-1895 que venimos estudiando, y, en consecuencia, hemos tenido oportunidad de comprobar cómo eran eliminados numerosos bandidos en todas las comarcas insulares, por lo que la respuesta al primero de los interrogantes propuestos parece obvia: por la misma dinámica de la represión.

Mas, sucede que, de manera especial durante el citado quinquenio, que concentra el momento represivo más intenso de la historia del bandolerismo decimonónico en Cuba –la etapa de Polavieja–, algunos de los principales bandoleros-insurrectos cubanos como Mirabal o Álvarez Arteaga, sin olvidar lógicamente a Manuel García Ponce y a otros significados insumisos, consiguen sobrevivir, y no sólo eso, ellos y otros, como Regino Alfonso, de quien luego nos ocuparemos, llegarán, incluso, a participar en la misma guerra emancipadora. Así, pues, ¿fueron más eficaces, aquí y ahora, los mecanismos represivos?, o, simplemente, ¿entraron en juego otros factores peculiares, en las comarcas objeto de estudio, que explican la rápida destrucción de buena parte de la denominada "fracción" en Matanzas de Manuel García Ponce?

En primer lugar, pues, describiremos las muertes secuenciales de estos bandidos, en segundo término estudiaremos la actividad bandolera y la dinámica propia de la represión, entendida, esta última, tanto desde el punto de vista de las acciones militares o policiales convencionales como desde el análisis de otras estrategias complementarias (delaciones, sobornos, etc.), que entrañan en el presente contexto una especial relevancia, y, por último, nos aproximaremos a la interesada colaboración, con las fuerzas represivas, de unos determinados propietarios y "hombres de orden", hecho que explica, en última instancia, la acelerada desaparición de, al menos, una parte de estos insurgentes, la más ligada a la "fracción" de Santana.

En efecto, "trabajos de larga preparación y algo costosos, por entrar en ellos por mucho la confidencia", como diría Polavieja, permitieron que, a altas horas de la noche del día 14 de abril, tuviera éxito una emboscada, organizada por el celador Palacios al frente de un pequeño grupo de guardias civiles, en el potrero "Esperanza" (Alfonso XII), contra "cinco bandidos de la fracción de Santana,..., dando muerte al conocido bandolero Antonio Mayol Delgado, e hiriendo a otro llamado Tomás Cruz". El bandido Mayol, indicó el Capitán General, "había asistido a diferentes encuentros con la partida de Manuel García y tenía importancia entre los suyos, siendo compañero antiguo de aquel bandolero, al que se unió cuando en 1887 desembarcó procedente de Cayo Hueso" [134]. Las noticias disponibles sobre los integrantes de la cuadrilla son, como casi siempre, contradictorias, pues aparte de la identidad del bandido muerto, Antonio Mayor o Mayol, originario del famoso cuartón del Aguila, en Nueva Paz, y de Tomás Cruz, herido efectivamente en la refriega, los escapados serían, según las fuentes, Andrés Santana o *Gallo* Sosa, Pablo Gallardo, Víctor y Vicente Cruz [135] y Plasencia o Palenzuela [136]. Mas, los éxitos de la represión sólo acababan de empezar.

---

134. Parte de Polavieja del 20 de abril de 1891, en loc. cit. (SHM).
135. Las noticias sobre este Vicente Cruz son muy escasas. Se le menciona de pasada en la prensa y en algún documento, como luego se dirá. Pudo ser, en efecto, un pariente de Víctor o de Tomás Cruz, pero, en ocasiones, parece confundirse con José Cruz Rosales o José Rosales, *Nario*.
136. V. "Batida de bandidos", "Ultimo telegrama", "Bandolerismo", "Los Su-

Andrés Santana Pérez, a su vez, fue abatido, como queda dicho, en horas de la madrugada del 10 de agosto de 1891 en terrenos del ingenio "Mercedes", cerca de Cabezas. Informes oficiales y periódicos coinciden en atribuir el protagonismo de esta acción represiva al teniente del Regimiento de Caballería de Pizarro, Jerónimo Cuvertoret, quien, acompañado del cabo segundo Santiago Gabino de la Cruz y de los soldados Mercedes López, José Aliaga Martínez y Ramón Pedrols, preparó la emboscada en los cañaverales de una colonia cercana y aguardó, pacientemente, la llegada de los bandoleros. Santana fue herido de un disparo que le atravesó el maxilar superior y, además, se le remató de varias puñaladas [137].

Pese a las evidencias de que el citado bandolero estaba acompañado por otros miembros de su grupo, no se encontraron indicios de otros heridos. La prensa recordó el *curriculum* del rebelde, aspecto en el que se detectan varias inexactitudes. En cualquier caso, se destacó que había sido compañero de *Lengue* Romero, que era uno de los hombres significados de la partida de Manuel García, que dirigía la consabida fracción de Matanzas, que tenía una hija con una hermana de su camarada Víctor Cruz Alonso, que sus padres y sus hermanos José y Manuel y una hermana casada con Juan Cáceres residían en el barrio de La Lima y que tenía otro hermano, Pedro, viviendo en Yaguaramas, como ya se apuntó. Se mencionó, igualmente, que era hijo de campesinos canarios, y, además, el redactor de *La Lucha* destacó su ferocidad y su relevancia, al indicar que "Santana, aunque no era de los que se hallaba comprendido en el pregón publicado por el Gobierno General poniendo precio a la vida de algunos bandidos, era de más importancia que Valera y Vicente García, pregonados. Su omisión en aquel documento fue un olvido, que luego, en privado, se trató de subsanar, porque ha llegado a ofrecerse por su cabeza $ 5.000 oro" [138].

---

cesos de Alfonso XII", "Una cabeza pregonada. El bandido Mayol" y "Bandolerismo", *La Discusión*, *La Lucha* y *La Tribuna*, 15, 16 y 18 de abril de 1891 (AGI. Diversos 22). Según el recorte de *La Lucha*, del 16 de abril, Mayol "era uno de los que más acompañaban a Santana y en estos últimos días se dice que era inseparable de Pablo *Escuela*".

137. V. "Importantísimo", Varela: "Bandolerismo", "Muerte del bandido Santana", "La muerte de Santana", "El bandolerismo se acaba", *El Correo de Matanzas, Diario de la Marina, Unión Constitucional, El Español, La Discusión* y *La Lucha* –algunos de los titulares se repiten–, La Habana, 10 y 11 de agosto de 1891 (AGI. Diversos 22). También se conserva una fotografía del cadáver del bandolero.

138. "Bandolerismo", *La Lucha*, 11 de agosto de 1891, AGI. Diversos 22, cit.

Apenas una semana más tarde, el 17 de agosto, hacia la una del mediodía, caía en los montes del potrero "Valera", en las inmediaciones de Bermeja, Tomás Cruz, considerado el lugarteniente de Andrés Santana, que había sido herido en un brazo en el encuentro de "La Esperanza", donde fue muerto Antonio Mayor, como ya se dijo, y que iba acompañado por otro bandolero que huyó. En esta ocasión correspondieron los honores del caso al teniente Guerrero del Regimiento de Caballería de Tacón, que mandaba una pequeña fuerza. Tomás Cruz había nacido, en 1866, en la Montaña (Cabezas), y se había alzado pocos años antes, tras la comisión de un robo, para unirse a Santana. El cadáver, que fue conducido a Alfonso XII donde llegó a las cinco de la tarde, presentaba dos heridas de arma de fuego, una en el pecho y otra en la cabeza, "detrás de la oreja izquierda, quedando el proyectil clavado en la quijada derecha" [139].

El Capitán General Polavieja, aunque equivocó la fecha del óbito de Cruz, pues la situó el día 18, entonó un canto triunfal. En su opinión, la partida podía considerarse eliminada, pues "los tres bandidos restantes de la ya disuelta fracción de Santana, hace tiempo que se corrieron, dos de ellos hacia la provincia de Santa Clara, llevando cédulas con supuestos nombres que me son conocidos,..., y encontrándose el otro, por trabajos que he realizado, en condiciones de no tomar participación en delitos de ninguna clase" [140].

El 21 de octubre le tocó el turno a Pedro Palenzuela y Palenzuela, en los montes de "San Juan" del término municipal del Roque (Matanzas), "hacia donde se había corrido con Antonio Alfonso, huyendo de la persecución que se les hacía en la de La Habana" [141]. El responsable directo, al

---

139. V. "Muerte del bandido Tomás Cruz" y "La Partida de Santana", 17 y 18 de agosto de 1891, recortes en AGI (Diversos 22), se conserva, también, una fotografía del cadáver del bandolero.

Las diligencias de identificación del cadáver fueron remitidas por Domingo Lomo a García Aldave al día siguiente. Aparte de algunas referencias a las fotografías del cadáver, así como a otras que se hicieron al teniente Guerrero y a la tropa, indicó que el "cadáver hubo necesidad de enterrarlo después de terminada la autopsia, pues además de oler algo, en ella la parte de la cara y cabeza quedó muy desfigurado, [pues] para hallar una bala se la destrozaron toda, así es que la prensa no hubiese podido sacar retrato alguno" (D. Lomo García a García Aldave, Alfonso XII, 18 de agosto de 1891. AGI. Diversos 17).

140. Parte de Polavieja del 20 de agosto de 1891, en loc. cit., SHM.

141. Parte de Polavieja del 30 de octubre de 1891, en loc. cit.

menos en teoría, de esta acción represiva fue el celador Julio del Castillo, al mando de una pequeña fuerza de guerrillas del Regimiento de La Habana. Pedro Palenzuela era natural de Nueva Paz, habiendo ingresado en "el bandolerismo a fines del año de 1889, juntamente con Eulogio Rivero, muerto a bordo del *Baldomero Iglesias*", como veremos en el siguiente capítulo. El bandido había sido práctico de guerrillas, según se dijo, y poseía un gran conocimiento de la costa sur de la provincia capitalina. Además, según fuentes periodísticas, "Palenzuela estaba, últimamente, agregado a la fracción que mandaba Andrés Santana y, a las muertes de éste y de Tomás Cruz, que operaban en los límites de la provincia de Matanzas, se internó más al centro de la referida provincia, junto con Víctor Cruz y algún otro", este otro era Antonio Alfonso, quien, efectivamente, "acompañaba a Palenzuela" y la misma prensa aseguró que estaba herido, a juzgar por un supuesto rastro de sangre [142]. En el lugar de los hechos se ocuparon varios objetos y algunos documentos, calificados éstos por Polavieja como "de importancia" y de utilidad para las operaciones que se estaban llevando a cabo [143].

Por último, en la tarde del día 14 de abril de 1892, fue muerto Víctor Cruz Alonso. Según un parte de Polavieja, del día 20, "este individuo que se hallaba condenado en rebelión a la pena de muerte en varias de las causas que se le siguieron, era uno de los que formaron la primitiva partida de Manuel García; al ser esta disuelta, continuó cometiendo desmanes con Santana, y al morir éste último se ocultó en la provincia de Santa Clara, donde permaneció hasta el expresado día en que fuerzas de la Guardia Civil de la Comandancia de Sagua y guerrilla afecta al Regimiento de Alfonso XIII pretendieron capturarlo, mas como fuera armado e hiciera resistencia, tuvo aquella que darle muerte" [144].

El encuentro tuvo lugar en los montes de La Palma, a dos leguas de

---

142. V. "Bandolerismo. Importante servicio. Muerte de Palenzuela", "Bandolerismo. Muerte de Palenzuela", "Palenzuela. Un bandido menos" y Machado: "Un bandido menos. Muerte de Palenzuela", recortes de *La Discusión* y otros en AGI. Diversos 22.
143. Parte de Polavieja del 30 de octubre de 1891, cit. Según la información publicada por el corresponsal Machado ("Un bandido menos...", cit.), entre los efectos ocupados, donde destacan –aparte de un caballo–, las armas de fuego y los útiles personales y para la supervivencia en el campo, estaban los siguientes documentos "una oración del Justo Juez; otra idem en latín con una imagen de la Vírgen del Carmen" y una "carta importante".
144. Parte de Polavieja del 20 de abril de 1892, en loc. cit., SHM.

Mordazo, en la jurisdicción de Sagua la Grande. Mandaba la fuerza, integrada, en efecto, por guardias civiles y guerrilleros de Manacas, el Jefe de la línea de Mordazo José Garrido Díaz, cumpliendo órdenes del Jefe de la Comandancia de Sagua la Grande, José Canut y Coll. "A las 5 de la tarde... encontraron al bandido... Víctor Cruz hizo tres disparos de revólver a la fuerza, pero el guardia Luis Baró y el guerrillero Clemente Rierola, le dieron muerte" [145]. La prensa destacó el papel jugado por Canut y Coll, aunque García Aldave no se mostró muy satisfecho [146].

Además, como era habitual, se ponderó la importancia del bandolero muerto. Víctor Cruz Alonso, conocido por *Maravilla*, natural de Cabezas y que aparentaba unos 28 años, se había alzado "cuando asaltaron el poblado del Estante, en 1888, uniéndose a la partida de Manuel García". A partir de ese momento había tomado parte en los secuestros de Remigio Roff, en la finca "Guanamón" de Nueva Paz y en el de don Antonio Alentado en Bainoa (provincia de La Habana), ambos en marzo de 1888, así como en el de don Rafael Maurí Barté, acaecido en Batabanó, "el 18 de diciembre del propio año", sin olvidar el de don Manuel Campillo, en San Nicolás, el 20 de junio de 1890. Víctor Cruz también había participado, como miembro de la partida del *Rey de los Campos*, en "el descarrilamiento de un tren de la línea de Matanzas cerca del Empalme, el día 8 de agosto de 1890, matando al conductor don Abelardo Rodríguez", y "en el asalto y robo, el día 18 del propio mes, en la finca *Rosa*, ubicada en la provincia de Matanzas" [147]. Sería éste el último éxito de Polavieja antes de dejar su mando en Cuba.

Por otra parte, como apuntábamos más arriba, el estudio de la documentación sobre la dinámica represiva nos permite obtener algunos datos sobre las acciones de estos bandoleros de Matanzas y, sobre todo, nos acerca al análisis de las actividades rutinarias de las fuerzas perseguidoras y de sus estrategias complementarias como la utilización de colaboradores,

---

145. "Bandolerismo. Muerte de Víctor Cruz", recorte de *La Lucha* en AGI. Diversos 22.

146. Canut y Coll a García Aldave, Sagua la Grande, 26 de abril de 1892 y García Aldave a Canut y Coll, Habana, 29 de abril de 1892 (copia), AGI. Diversos 16. Canut se mostraba disgustado al contestar una comunicación de García Aldave en que éste criticaba su gestión, y protestaba tener la "conciencia tranquila".

147. "Bandolerismo. Muerte de Víctor Cruz" y "Muerte del bandido. Víctor Cruz (a) 'Maravilla'", recortes en AGI. Diversos 22.

confidentes y delatores que, pertenecientes en no pocos casos al propio círculo del bandolerismo, eran incitados u obligados a colaborar mediante el premio, el engaño o el chantaje, lo que, como hemos visto en páginas anteriores, constituía una práctica habitual.

Así, pues, el año 1891 se abre con las destacadas gestiones del nuevo alcalde, en comisión, de Alfonso XII, el comandante Francisco Gutiérrez, que, a mediados de enero, trató de infiltrar a un confidente en la "partida de Santana, pero aún no sé si quedará o no con ellos porque están muy desconfiados" [148]. Gutiérrez se lamentaba de la muerte de su colaborador Francisco Valladares –"mucha, mucha falta me hace Balladares [sic], y no se me ocurre qué oficial de su clase pudiera ser aquí útil"–, acaecida en horas de la madrugada del día 18 [149], de resultas de las heridas producidas, en un enfrentamiento cerca de Los Palos, con "miembros de la banda de Manuel García" [150], como se indicará después.

A finales de enero, "la partida mandada por Andrés Santana" tuvo un encuentro con fuerzas del teniente Salgado en los montes de La Lima, cerca del bohío de don Domingo Padrón, en el que, al parecer, fue herido uno de sus miembros, un mulato [151]. Poco después fue asesinado Padrón y, según el periódico *La Lucha*, el bandido José Plasencia remitió, por mediación de un isleño residente en la zona, una carta a Jiménez, capitán de guerrilleros, en la que le indicaba que "había matado a Padrón porque había denunciado a la partida". En el lugar del hecho, a cierta distancia de la vivienda de la víctima, se encontró otra misiva, dirigida en este caso al alcalde de Alfonso XII, en la que el citado José Plasencia –bandolero-insurrecto y miembro, desde luego, de la partida de García, que llegaría a participar en la Guerra de Independencia–, deploraba el asesinato, "pero manifiesta al Alcalde que se ve obligado a hacerlo porque Padrón ha querido vender a la partida; y le aconseja al Gobierno que ya que no puede dar seguridad personal a los campesinos, no los comprometa a dar confidencias, porque tendrá, el que lo haga, el mismo fin que Padrón". Además,

---

148. Gutiérrez a José Schmid, Alfonso XII, 18 de enero de 1891, AGI. Diversos 19.
149. *Ibídem*.
150. M. Poumier: Op. cit., p. 428.
151. "Del encuentro que Salgado tuvo anteayer, sé que salió un mulato de la partida con un balazo, pero no he querido decirlo oficialmente hasta que vengan a decirme quién es y si es o no grave" (Comunicación de Gutiérrez, Alfonso XII, 2 de febrero de 1891, 1890 por error, AGI. Diversos 17).

según rumores recogidos por el corresponsal del periódico en la comarca, Manuel y Vicente García estaban unidos a Santana desde hacía pocos días. La partida merodeaba por los montes del Cuzco y estaba compuesta por Andrés Santana, los hermanos García Ponce, Pablo Gallardo y Plasencia, a quien se apoda como *Nario*, apodo que, como hemos visto, correspondía a José Rosales o José Cruz Rosales, miembro, en efecto, de la fracción de Santana, como ya se apuntó [152].

En marzo, según un parte de Gutiérrez, los bandidos se movían por el Sur-SE de Alfonso XII, entre El Galeón y el antiguo Hato de Zapata, aunque, al parecer, realizaban desplazamientos hacia el cuartón del Aguila, en Nueva Paz [153]. En esos días, el alcalde desmintió una información relacionada con un presunto robo a unos sitieros, atribuido a Santana y Palenzuela. Al comandante Gutiérrez le pareció extraña la noticia, pues "Santana no hace más que pedir dinero, de cierta manera, a quien tiene mucho y los sitieros que nombraron no tienen ni un centavo", y fue el sargento de Zapata quien ratificó que los indicados sitieros "ni han salido de su casa ni era cierto que los hubiesen robado". Gutiérrez, que así contradecía las afirmaciones de otros implicados en la persecución, se desplazó a la zona y "sólo saqué en claro que Santana estaba desde Zapata a Galeón", aunque confiaba en obtener resultados mediante los trabajos del

---

152. "Bandolerismo", *La Lucha*, 12 de febrero de 1891 (AGI. Diversos 22).También el periódico *La Discusión* ("La partida de Santana", 15 de julio de 1891, cit.), indica que Víctor Abad Cruz Alonso, entre otras acciones delictivas, "acompañó a Plasencia en el asesinato de don Domingo Padrón, cometido en febrero de 1891 en el término de Alfonso XII, cuya causa la formó el teniente don José Calvet, de la guerrilla de 'María Cristina'". Sin embargo, una nota sin fecha, conservada en el AGI. Diversos 19, indica que "la muerte de Padrón la ha hecho el querido de la mujer que es Plasencia y la ha hecho solo".

153. Gutiérrez a García Aldave, Alfonso XII, 25 de marzo de 1891 (AGI. Diversos 17). Domingo Lomo García apuntaba, el día 17, que "entre Cabezas y Bermeja hay distribuidos en la sitiería algunos individuos de la partida de Santana" (Lomo a G. Tort, Aguacate, 17 de marzo de 1891. AGI. Loc. cit.), noticia que provenía del celador Enrique García, a través de un sitiero de Cabezas que le había dicho que "Santana, Antonio Ponce y José Cruz y otro que no conoce están trabajando como tales sitieros en unos sitios que están saliendo de Cabezas para la Bermeja..." (E. García a Lomo, Aguacate, 17 de marzo de 1891. AGI. Diversos 16).

"Señor de que hablé a V., que es persona lista, con bastantes intereses por allá, e interesado en hacer desaparecer a Santana" [154].

A principios de abril, Gutiérrez continuaba sus pesquisas [155], y, aunque confesaba no saber nada a ciencia cierta respecto a los bandidos, afirmó que Santana "estuvo hace días en una colonia del ingenio 'Las Cañas' [Alfonso XII], y creo no andará muy lejos" [156]. A lo largo de ese mes se llevaron a cabo, también, algunas detenciones de posibles colaboradores o encubridores y se movilizaron nuevas fuerzas, como la guerrilla de Calunga, personaje traído de isla de Pinos para recorrer los montes de la comarca en busca de la gente de Santana [157].

---

154. Gutiérrez a García Aldave, Alfonso XII, 29 de marzo de 1891 (AGI. Diversos 17). Gutiérrez realiza una interesante descripción de la comarca de marras: "Siempre que le hablen de Zapata o de Galeón, entienda el Cuartón de [los lugares citados], que contiene muchos potreros, monte maniguas y sitios, pues del antiguo *Hato de Zapata* sólo quedan unos ciruelos donde estuvo la casa, a unos trescientos metros del principio de la Ciénaga por donde se entra para el río Hatibonico. *Este hato, o más bien el terreno donde estuvo, lo mismo que el potrero Jicarita y otras fincas, creo pertenecen hoy a los dueños del ingenio Jicarita que está cerca de Bolondrón*; pero potreros y sitios llenos de monte y manigua, caña ninguna./. El sitio donde está la Guardia Civil que llaman *Puesto de Zapata*, es la tienda y potrero de Manzaneda a dos leguas del hato y de la Ciénaga por aquella parte". Y añade: "Por allí entró a la Ciénaga, hace unos quince días, la guerrilla de San Quintín y nada hallaron, creyendo yo que los bandidos no se meten a vivir allá con tanto mosquito y tanta humedad (aunque sea en terreno alto), cuando tienen fuera donde esconderse". Subrayado por nosotros.

155. "El 31 del pasado me dijeron que los tres Cruz andaban por casa de una prima que tienen viviendo en terrenos de Casaley, entre Bango y La Margarita, por lo que salí a las doce de aquella noche con toda la fuerza de las Escuadras, la del Sopapo, la de Bango y la de Alfonso XII,... rodeando la porción correspondiente de montes, sitierías y caña,..., y al amanecer entré yo en medio registrando todas las casas, etc., procediendo luego a identificar a todos los que los distintos grupos habían detenido; pero ningún resultado se obtuvo..." (Gutiérrez a García Aldave, 5 de abril de 1891. AGI. Diversos 17).

156. Gutiérrez a García Aldave, Alfonso XII, 7 de abril de 1891 (AGI. Diversos 17).

157. Entre otros, fueron detenidos Celedonio Ferradá y Clemente Rodríguez y se ordenó la de Julio Marichal y, al parecer, también la del "hermano de Santana" –¿José?–, que, a la sazón, estaba en "Yaguaramas con un her-

Además, Lavín envió una lista de "auxiliadores acérrimos" de los bandoleros, entre ellos Evaristo, Gervasio y Agapito Morales, Bernardo y Cecilio Aportela, Andrés y Manuel Campa y Juan García, residente éste en el Cuzco. El primero de los citados, Evaristo Morales, tenía varias yuntas de bueyes "que las compró con dinero que le dio Andrés Santana, porque le consiguiera una parienta suya que es hoy querida de Santana, vive cerca del ingenio 'La Esperanza' en Cabezas" [158].

Tras el incidente del potrero "Esperanza", que costó la vida a Antonio Mayor Delgado, parece que una parte de estos bandidos de Matanzas –Tomás Cruz, Víctor Cruz, Pablo Gallardo y, tal vez, José Rosales, *Nario*–, se refugió en los montes de la Ruda, que "están situados próximos a las montañas de Alfonso XII" [159]. Una información posterior aseguraba que, después del mencionado encuentro, se habían unido Pablo Gallardo, Tomás Cruz y José Rosales, y que Andrés Santana y Víctor Cruz, "andaban juntos" [160]. Sin embargo, el día 16 de mayo se cruzaron, en el monte "La Lombriz", entre Casaley y La Margarita, unos disparos con dos sospechosos que, en principio, fueron identificados como Andrés Santana y Pablo Gallardo [161].

El comandante Gutiérrez desmintió, también, unos rumores sobre la supuesta muerte de Tomás Cruz y no ocultó su perplejidad ante una órden de García Aldave, en el sentido de promover un movimiento de fuerzas hacia la costa sur "en combinación con las que han salido de Colón y Yaguaramas porque para ello había de pasarse al otro lado de la Ciénaga a buscar la finca que V. indica, yendo muy lejos de aquí, y separando por lo tanto y por algunos días elementos que me hacen falta aquí". Se trataba, por lo que se deduce, de "peinar" la Ciénaga de Zapata, mediante un movimiento de fuerzas que abarcaría los sectores occidental y oriental de aquel enorme manigual [162].

---

mano que tiene por allá" (García Aldave a Schmid, San Felipe, 26 y 27 de abril de 1891 y Gutiérrez a García Aldave, Alfonso XII, 27 de abril de 1891. AGI. Diversos 18 y 17, respectivamente).

158. Domingo Lavín a García Aldave, Los Palos, 30 de abril de 1891 (AGI. Diversos 17).

159. "Combate de la Esperanza", *La Discusión*, 4 de mayo de 1891 (AGI. Diversos 22).

160. "Manuel García", *La Discusión*, 20 de mayo de 1891 (AGI. Diversos 22).

161. Gutiérrez a García Aldave, Alfonso XII, 16 de mayo de 1891, AGI. Diversos 17.

162. Gutiérrez a García Aldave, Alfonso XII, 20 de mayo de 1891 (AGI. Diver-

Al otro lado del famoso pantano se llevaban a cabo, en efecto, movimientos de tropas, a raíz de la aparición de dos bandidos en San Lorenzo. "Yo tengo la fuerza en la costanera según interesó López Mijares, pero como dicen que no son de *Matagás*, supongo por las señas de uno de ellos pueda ser *Gallo* Sosa...", indicaba López Sola. Al mismo tiempo, el responsable de la Guardia Civil en Colón puso de relieve sus indagaciones sobre el hermano de Andrés Santana residente en una sitiería de Guayabales, cerca de Yaguaramas. En este sentido, afirmó que no se llamaba José Pedro, como se indicaba en un despacho del Gabinete, sino que se le conocía por Federico, Ferico o Perico y que estaba vigilado [163].

Durante la primera quincena de junio, los informes provenientes de la explosiva zona sur de Matanzas se acumularon sobre las mesas de Schmid y de García Aldave. Jerónimo Cuvertoret, en su ya citada carta del día 3, indicaba que las noticias sobre la marcha de Andrés Santana y Víctor Cruz a Jagüey Grande, las había obtenido de Clemente [Gallardo], hermano de Pablo Gallardo, (a) *Escuela*, "porque le han dicho que tan pronto lo vea Santana lo va a matar y tiene empeño en que se coja de cualquier modo,

---

sos 17). Además, solicitó la libertad de un tal Vázquez, "pues esta gente de los alrededores de la Rua se va haciendo necesaria por más que tarden en dar resultado y por más que sean malos y que nos hayan engañado".

163. López Sola a García Aldave, Colón, 19 de mayo de 1891, cit. El tal José Pedro era, pese a ciertas confusiones, Pedro o Perico Santana, como se indicó más arriba. Precisamente, el día 24, Roig Fullana informaba, desde Nueva Paz, de sus sospechas sobre el hermano de Santana [José] que, pese a estar de acuerdo con el teniente Salgado, pudo poner sobreaviso a los bandidos (B. Roig Fullana a Tort, Nueva Paz, 24 de mayo de 1891. AGI. Diversos 18).

López Sola también aporta diversos datos sobre una familia de sitieros y artesanos, presunta encubridora de Andrés Santana, que había emigrado, en 1889, del término de Nueva Paz, concretamente de Bagaes, y pasó a residir en las cercanías de Aguada de Pasajeros. Se componía la familia "del padre José Antonio Tagle y Quintero, cuatro hijos y dos hijas (una de ellas dicen era querida de Andrés)". Los hijos habían trabajado, durante algún tiempo, en Jagüey Chico, "fabricando yugos y labrando maderas" y, a principios de noviembre de 1890, sacaron un "pase de tránsito para Santo Domingo (Sagua), para las cuatro caballerías que de Nueva Paz trajeron y se largaron viento en popa, sabe Dios para donde, aunque dicen que para la sitiería de los montes de Santiago, entre Cascajal y Santo Domingo" (en su carta del 19 de mayo, cit.).

y en caso que vuelva Santana por el Águila, está dispuesto a ir en persona conmigo para cogerlo" [164].

Clemente Gallardo señaló, también, que su hermano estaba "muy disgustado con Santana y que tal vez lo pueda convencer a que preste algún servicio, pues lo ve muy abatido y con deseos de salir de esa vida hoy más que nunca al verse casi solo, pues le acompañan los dos Cruces y Rosales pero el llamado Tomás dice que está inútil del brazo y que no es cierta su muerte como se dijo; yo lo animo lo que puedo para que convenza a Pablo", subrayó Cuvertoret [165].

Enrique Parodi, por su lado, aseguraba, en carta del día 4, que Santana y Víctor Cruz estaban cerca del ingenio "Australia" y de la sitiería de *Pancho* Cruz, por ello se permitió ofrecer "cinco mil pesos por cada uno" a un colono de la zona [166].

A su vez, Domingo Lavín, conocido alcalde de Nueva Paz e informador de confianza del Gabinete, señalaba, el mismo día, que durante la víspera habían estado Pablo Gallardo, Tomás Cruz y el mulato Antonio Cruz Rosales [167], en el potrero de don Antonio Ramírez. Además, Clemente Gallardo, el hermano del bandido, le había pedido a Campa, dueño de la tienda "El Patrón", cien pesos billetes "para darle a su hermano Pablo, que dicen que están sin una peseta" y "que Pablo piensa unirse a Manuel García". Asimismo, aseguraba Lavín que Andrés Santana y Víctor Cruz,

164. Cuvertoret a Schmid, Vieja Bermeja, 3 de junio de 1891, cit. La relación de Cuvertoret con Clemente Gallardo era, por lo que parece, bastante antigua. En enero de 1891 el oficial estimaba que Pablo Gallardo estaba herido, entre otras razones "por lo triste que encuentro a su hermano Clemente en estos días, por más que dice que está bueno y muy sano". Pablo Gallardo estaba curándose, según rumores, en el "sitio de los Pinos o en el de un tal Molina, cuya hija de éste es la querida de Pablo", aunque los registros practicados fueron infructuosos. Existían, además, dos individuos dispuestos a entregar al bandolero a cambio de la recompensa (J. Cuvertoret a García Aldave, Josefita, 14 de enero de 1891. AGI. Diversos 16).

165. *Ibídem*. Cuvertoret protegía, también, a Manuel Fragoso, que era buscado por el alcalde de Madruga. Este Fragoso, hermano del bandido Víctor Fragoso, "el que mataron", trabajaba, a la sazón, en el cercano ingenio "Zayas" y, con frecuencia, daba noticias al teniente, que estimaba podrían ser útiles a corto plazo. Muy pronto se uniría a Clemente Gallardo en sus tareas confidenciales.

166. Parodi a García Aldave, Colón, 4 de junio de 1891 (AGI. Diversos 17).

167. Debe referirse en este caso a José Rosales o José Cruz Rosales.

"desde los tiros en casa de don Antonio Ponce, en la Rua [Alfonso XII], que fue a los pocos días de la muerte de Mayol, se fueron para Vuelta Arriba y tienen sus mujeres en casa de don Francisco Cruz, que vive en Jagüey Grande, este es padre de Víctor, y paran también en Soledad de Cartagena, en casa de don Marcos Pérez" [168].

Gallo Sosa y el mulato Plasencia, añadía Lavín, "vinieron esta semana de vuelta de San Nicolás y estuvieron en este término, en un sitio en el Combate que está junto al ingenio 'La Conchita', casi en cueros estoy averiguando a ver que rumbo llevan" [169].

El mismo día 4 de junio, el Jefe de la Guardia Civil de Colón, el tantas veces citado López Sola, comunicaba también al Gabinete sus gestiones, a través de Parodi y de Pérez Riestra, en Jagüey Grande, tras la pista de Andrés Santana y de Víctor Cruz, quienes, según se suponía, podrían acercarse, en efecto, a la vivienda del padre del segundo [170].

Al día siguiente informaba que el capitán Pérez Riestra había conseguido entrar en la casa de *Pancho* Cruz, pues, "haciéndose el médico vacunador, estuvo vacunando en algunos sitios de los alrededores", y, con la disculpa de la viruela, había inoculado a la mujer de Víctor y a dos hijas del viejo Cruz, en cuya visita se había enterado del próximo traslado de la familia, como ya se apuntó. Además, el Jefe de la Guardia Civil temía emprender reconocimientos a gran escala que pusieran sobreaviso a los bandoleros y, en relación con Parodi, estimaba su proyecto de conseguir cuatro guerrilleros para controlar, también, a Mauricio Horta y tender una celada a los insumisos [171].

El 6 de junio don Francisco Vasco, juez del distrito norte de Matanzas y estrecho colaborador del Gabinete, como luego se dirá, transmitía una confidencia según la cual, "Santana con el mulato José *Nario*, Víctor Cruz y guardia civil desertor nombrado Agapito (que dice confidente quedó manco en una refriega en el potrero Esperanza), merodean y se los ha visto por los puntos que indicaré". Tales puntos abarcaban una extensa zona del actual municipio de Unión de Reyes [172], pero su información no parecía muy relevante.

Precisamente, al siguiente día, Antonio Guerrero indicaba que "casi

---

168. Lavín a García Aldave, Los Palos, 4 de junio de 1891 (AGI. Diversos 17).
169. *Ibídem.*
170. López Sola a García Aldave, Colón, 4 de junio de 1891, cit.
171. López Sola a García Aldave, Colón, 5 de junio de 1891, cit.
172. Vasco a Polavieja, Matanzas, 6 de junio de 1891 (AGI. Diversos 19).

es seguro que Andrés Santana y Víctor Cruz se han marchado de la montaña, para Vuelta Arriba", mientras que Pablo Gallardo y "los otros dos Cruces", o sea, Tomás Cruz y, probablemente, José *Cruz* Rosales, "también creo han salido de la montaña hacia el Norte de la línea férrea, y se trabaja por conocer sus guaridas" [173].

El día 8 de junio, como ya se apuntó, Pérez Riestra introducía la hipótesis de la estancia en Jagüey Grande, según sus confidentes, de *Gallo* Sosa, en lugar de Andrés Santana, aunque, como se recordará, también se planteó la posibilidad de que fueran los tres: Sosa, Santana y Víctor Cruz [174]. Aspecto que tampoco descartó López Sola, pues, "afirman los confidentes que los que se han visto son Víctor Cruz y *Gallo* Sosa. Y por más que de éste último no se sabía nada, quizás se haya corrido a agacharse por aquí, huyendo de la persecución que por allá se le hace. Lo que sí es cierto [es] que no llevan armas como bandidos cuando se les ha visto" [175].

Ese mismo día, sin embargo, Benito Roig Fullana recogía, en San Nicolás, una confidencia según la cual le aseguraban que podían "acabar con los de la partida de Santana, que se hallan (menos él y Víctor Cruz) a corta distancia del punto donde los vi y además con Vicente García, mulato Plasencia y *Gallo* Sosa, que están en las inmediaciones de Las Vegas, con objeto de hacer una recolecta, que hasta la fecha por cierto les ha dado poco resultado" [176].

Fue entonces cuando García Aldave insistió en la ida, hacia Jagüey Grande, de Andrés Santana y de Víctor Cruz, información que, desde luego, le era confirmada, "con los mismos detalles", por "infinidad de conductos", y destacó las noticias aportadas, aunque sin mencionarlo, por Lavín [177].

---

173. Guerrero a J. Schmid, Paraiso, 7 de junio de 1891, cit. Se refiere a la línea férrea que enlazaba, y enlaza, Güines (en la provincia de La Habana) con Unión de Reyes y Alacranes en Matanzas (cfr. O. Zanetti Lecuona y A. García Álvarez: *Caminos para el azúcar*, Ed. de Ciencias Sociales, La Habana, 1987, pp. 83-87).

174. Pérez Riestra a López Sola, [Jagüey Grande], 8 de junio de 1891, cit.

175. López Sola a García Aldave, Colón, 9 de junio de 1891, cit.

176. B. Roig Fullana a G. Tort, San Nicolás, 8 de junio de 1891 (AGI. Diversos 18). Añadía que tenía preparadas algunas emboscadas, "pero no me hago visible, por no espantarlos", y que estaba seguro de que no le engañaban. Asimismo, comunicó que, el día anterior, le había indicado a Lavín que se entrevistase con "un moreno, que de no conquistarlo, habría que quitarlo, pero me acaba de manifestar el primero, que se presta a todo".

177. García Aldave a López Sola (copia), 10 de junio de 1891, cit.

En horas de la noche del día 12, fuerzas de guerrillas y guardias civiles, dispuestos en emboscada cerca de Los Alpes (Jagüey Grande), abrieron fuego contra dos o tres individuos sospechosos, pero con resultado negativo. López Sola se lamentó de este fracaso y trató de convencer a sus alarmados confidentes de que se trataba de una operación rutinaria, pues se habían establecido acuerdos sobre evitar acciones de la tropa para no levantar sospechas. En su opinión, no obstante, no había peligro de que los bandidos "se marcharan otra vez a Alfonso XII, y me alegro porque así y en la situación en que estamos quizás podremos darles un buen golpe". El Jefe de la Guardia Civil jugaba, en efecto, un doble juego. Por un lado prometía a sus espías que esperaría el momento oportuno para actuar, y, por otro, movía a sus hombres casi a tientas disparando a todo objetivo sospechoso. Además, puso en estado de alerta a los puestos de Claudio y Tramojos, para evitar que "esos tunantes se corran hacia Matanzas" [178].

Hacia mediados de junio, López Sola contrató los servicios de un confidente muy práctico en la zona, Filomeno Lozano, que residía en Corral Falso, con familia y "sumamente pobre", y, además, como ya se dijo, insistió en la presencia en Jagüey Grande de Santana, Sosa y Víctor Cruz [179],

---

El comandante Leopoldo Ortega, sin embargo, tenía una pésima opinión del alcalde de Nueva Paz, Domingo Lavín. En una amplia carta del 27 de junio aseveró que el único objetivo de Lavín era congraciarse con los bandidos, tras el "suceso de la bahía" (el asunto de la matanza de bandidos en el buque "Baldomero Iglesias"), y que el alcalde "por estar bien con los bandoleros y conservar la alcaldía que le engorda, nadará, guardará la ropa y lejos de ayudar a V., estorbará bajo cuerda todo lo que pueda" (L. Ortega a García Aldave, Nueva Paz, 27 de junio de 1891, AGI. Diversos 18).

Por otra parte, el día 12 del mismo mes, el citado comandante Gutiérrez, alcalde en comisión de Alfonso XII, informó que José Santana había ido a Manicaragua (al Sur de Santa Clara), y que, más tarde, convertido ya en confidente del teniente Salgado, tomó un pase que le dio el oficial, "montó a caballo y sin apearse llegó a donde estaban *Escuela* [Pablo Gallardo], Tomás y José Cruz; les dijo que había ofrecido a Salgado ayudarle a exterminarlos y les enseñó el pase, agregando que le serviría para hacer lo que le diese la gana, sin que la tropa le molestase" (Gutiérrez a García Aldave, 12 de junio de 1891. AGI. Diversos 17).

178. López Sola a García Aldave, Jagüey Grande, 14 y 16 de junio de 1891 (AGI. Diversos 17).

179. López Sola a García Aldave, Colón, 20 y 22 de junio de 1891 (AGI. Diversos 17). El Gabinete autorizó, el día 24, la contratación de Lozano por dos onzas mensuales (Nota del G.P., en loc. cit.).

pese a las opiniones contrarias. "Estamos jugando un juego difícil –dirá–, pues los señores que nos ayudan creen obrar solos, pero de este modo confrontamos los datos de unos y otros y podemos ver más claro en estos asuntos enredosos de confidencias" [180].

Pero, el Jefe de la Guardia Civil en Colón se movía en un mar de confusiones. Ni supo con certeza si en Jagüey Grande había estado en algún momento, junto a Andrés Santana y Víctor Cruz [181], el gran bandolero José Sosa Alfonso, ni parece que, a pesar de su ejército de confidentes, sus movimientos de tropa y sus reiterados informes al Gabinete, tuviera las cosas bien amarradas. Insistió, más tarde, en que Santana no estaba por la zona y dedujo que los que merodeaban por allí eran Sosa Alfonso y Víctor Cruz. "Yo, mi coronel, he creído sin dificultad los dichos de nuestros confidentes sobre la no estancia de Santana en ésta, porque vi eso afirmado al enterarme de la escapada que le dio el bandido [Santana] al Teniente Guerrero entre Güira y Bolondrón (Ingenio 'Deseado'), y las demás versiones de que Víctor había estado con *Gallo* en una fonda en Matanzas y no los cogió la policía no sé porqué..." [182].

Se deduce, no obstante, de comunicaciones posteriores, que López Sola era consciente de la posibilidad de que tanto Santana como Víctor Cruz estuvieran, en efecto, por la zona sur de Matanzas, desplazándose a lo largo del extenso corredor fronterizo con la Ciénaga de Zapata, esto es, desde la zona de Yaguaramas (Cienfuegos), hasta Bolondrón, Alacranes (Alfonso XII) y Cabezas, pasando por Jagüey Grande y sus aledaños [183].

Una misiva de Jerónimo Cuvertoret, fechada en Vieja Bermeja a 21 de julio, aclaró bastante la situación. Cuvertoret se enteró por su "compadre", Clemente Gallardo, de la entrevista celebrada entre éste y Andrés Santana, a petición del bandido, quien se encontraba en "la montaña" [Sopapo] en compañía de Tomás Cruz. El objeto de la citada entrevista era averiguar el paradero de Pablo Gallardo, pues Santana quería "reunirse con él", a lo que respondió Clemente que ignoraba donde se encontraba su

---

180. López Sola a García Aldave, Colón, 26 de junio de 1891 (AGI. Diversos 17).

181. Francisco Gutiérrez aseguraba (en parte fechado, en Alfonso XII, el 30 de junio y dirigido a García Aldave, AGI. Diversos 17), que "Santana y Víctor no han venido, y los otros tres tampoco sé que estén aquí".

182. López Sola a García Aldave, Colón, 10 de julio de 1891, cit.

183. López Sola a García Aldave, Jagüey Grande y Colón, 13 y 24 de julio de 1891, respectivamente, cit.

hermano pero que, en cuanto lo supiera, se lo avisaría. "El plan que Clemente me expone es el siguiente. Quiere ver a su hermano en estos días, para ver si lo convence de que mate a Santana con tal que se le indulte, pues según me dice parece que su hermano no tiene hoy los escrúpulos que tenía antes, siempre que haya seguridad en lo ofrecido" [184].

Pero, además, según Cuvertoret, si Pablo Gallardo no estaba dispuesto a colaborar, Clemente se proponía atraer a Santana al "cuartón del Águila con el pretexto de que en este punto viene a reunirse con Pablo y una vez conseguido, bien sea por la noche o por el día, piensa llevar a cabo lo prometido, contando con la ayuda de Manuel Fragoso". Asimismo, Clemente había asegurado que Santana le "manifestó que antes de abandonar la montaña, pensaba matar a un chota que lo quiere vender y sospechan sea Julio Marichal y su hermano que viven en la tienda del Sopapo" [185].

Unos días después, López Sola recogía una confidencia sobre la presencia en terrenos de la Sirena y de Yuca de Andrés Santana, *Gallo* Sosa y [Pedro o Perico] Palenzuela [186], que, como siempre, estaba envuelta en las tinieblas de la duda, pero, a partir de estos momentos, será la intervención de ciertos personajes, como luego se dirá, la que decantará la caída de Andrés Santana y de Tomás Cruz.

Paralelamente, empero, continuaron las operaciones oficiales y los informes de los agentes de la autoridad. "Hoy me dicen –afirmaba Domingo Lavín en carta del 30 de julio–, que Andrés Santana, Víctor Cruz, Tomás Cruz y Pablo *Escuela* se hallan en el barrio Aguila..., el pardo José Cruz Rosales ya se fue para más allá de Cienfuegos y Pablo también se va, no lo ha hecho antes porque dijo que tenía que ver a Andrés y por orden de éste lo fue a buscar a la Sierra de Cabezas su hermano Clemente y ya se reu-

---

184. Cuvertoret a García Aldave, V. Bermeja, 21 de julio de 1891 (AGI. Diversos 16).

185. *Ibídem.* Una anotación manuscrita de García Aldave, en la misma misiva, reza: "Se contestó aceptando muerte M.G. o A.S. [Manuel García o Andrés Santana] y si no Isla Pinos Clemente". Ese mismo día Cuvertoret escribió a Schmid (AGI. Loc. cit.): "Hoy le escribo al Señor Coronel Aldave y si no está en esa conviene abra V. la carta y se fije en el último párrafo [el que hacía alusión a la venganza contra Marichal y su hermano], por si tiene que dar alguna orden para evitar se lleve a cabo el propósito de Santana caso de ser verdad como así lo creo; de lo demás de la carta no se lo repito puesto que V. se enterará de ella".

186. López Sola a García Aldave, Colón, 27 de julio de 1891, AGI. Diversos 17.

nieron ayer, y dice que también se va para Vuelta Arriba a trabajar..." [187].
Lavín, desde luego, solía estar bien informado, aunque no siempre sus
noticias fueran del todo exactas.

Al día siguiente, Cuvertoret solicitaba de García Aldave que se detu-
vieran los movimientos de fuerzas en la montaña, pues debido a ello "no
se atreven a sacar a S... [Santana] de dicho punto, para traerlo a la zona
de Cabezas donde está P. [Pablo Gallardo] y efectuar lo ofrecido, por cuyo
motivo, me avisan en este momento para ver si se puede hacer de modo
que estas fuerzas se dirijan dos o tres días para Alfonso XII y el Estante,
para que dejen en libertad a los que han de moverse con S...[Santana]" [188].

Se trataba, pues, de entregar, al menos, a los bandidos Santana y
Tomás Cruz, de acuerdo con el plan urdido por Clemente Gallardo y Cuvertoret, con la colaboración explícita de Manuel Fragoso y, seguramente,
del propio Pablo Gallardo. La clave de esta operación se obtiene de la
siguiente carta de Cuvertoret, dirigida a García Aldave el día 9 de agosto,
pues, como se recordará, sería el citado oficial el artífice, en teoría, de la
muerte de Andrés Santana, acaecida, precisamente, en horas de la madrugada del día siguiente [189]:

> *Ayer estuvo en esta Fragoso y me dijo que el fuego que tuvo la Guardia
> Civil el otro día en la Navarra fue con Pablo, Santana y Tomás Cruz, que
> venían al cuartón del Aguila para en este punto efectuar lo convenido, pero
> el encuentro hizo que se internaran en la montaña y el que hayan estado*

---

187. Lavín a García Aldave, Los Palos, 30 de julio de 1891 (AGI. Diversos 17).
188. Cuvertoret a García Aldave, V. Bermeja, 31 de julio de 1891, AGI. Diversos 16. Nota marginal de García Aldave: "Agosto 1/91. Se dieron las órdenes por telégrafo".

El 5 de agosto, por otra parte, López Sola informó de la detención, en
Jagüey Grande, de Alejo Suárez Rodríguez, blanco y vecino de Alfonso XII,
"comisionado por los bandidos para exigir contribuciones". Fue detenido
cuando exigía ciertas cantidades a vecinos del cuartón de López, en nombre de la partida de Santana (López Sola a García Aldave, Colón, 5 y 8 de
agosto de 1891, cit.).

189. Cuvertoret a García Aldave, V. Bermeja, 9 de agosto de 1891 (AGI. Diversos 16).

Una carta de Domingo Lomo García, del 8 de agosto, indica que se llevaban a cabo diferentes detenciones por aquellas fechas y habla de intentos para capturar a Santana mediante confidentes (Lomo García a García
Aldave, Alfonso XII, 8 de agosto de 1891. AGI. Diversos 17).

349

todos estos días sin saber de ellos, pero me dice Fragoso que hoy mismo los vería y trataría de conseguir su objeto en esta semana que entra sin falta, pues de lo contrario, se separa por completo del asunto porque le da vergüenza el que puedan creer que lo hace de mala fe al ver que pasan tantos días sin realizar su propósito, sin ser suya la culpa de esta demora.

Para que no lo detenga ninguna fuerza, me pidió una orden que presentará en caso extremo; yo se la di, en nombre de V.S. con mi firma, expresando que caduca el día 14 de este mes y contando con su superior aprobación.

Las fuerzas de esta zona o sea Alfonso 12 creo se pondrán hoy en movimiento y esto, como V.S. comprende perfectamente, imposibilita la operación preparada y lo propio sucede con la fuerza destacada en la finca de José Cruz que se mueve diariamente por el terreno escogido para el caso; esto me lo hace presente Fragoso y yo lo hago a V.S. para que determine lo más conveniente.

Una nota marginal del Gabinete, escrita seguramente por García Aldave, contribuye a clarificar, aún más, la situación: "Se contestó y remitió salvoconducto para Fragoso, valedero hasta el día 15. Se dijo que si Pablo no cumplía antes del 15, el 16 se embarcaba la familia" [190]. Esta última frase la interpretamos como una garantía o una especie de chantaje por parte de las autoridades coloniales. Pablo Gallardo, aunque sus intenciones fueran las de entregar a sus compañeros no pudo hacerlo, de hecho, porque se le adelantaron ciertos personajes, como luego se verá. Sin embargo, el Gabinete cumplió lo prometido, pues el bandolero y, más tarde, oficial del Ejército Libertador, fue indultado algún tiempo después [191].

A raíz de la muerte de Andrés Santana se produjeron nuevas detenciones, entre ellas la de su hermano José, que, luego, sería puesto en libertad y, dado el previsible fracaso de sus labores como confidente, desterrado a isla de Pinos [192], como sabemos. Los principales periódicos enviaron co-

---

190. *Ibídem*. Entendemos que "la familia" sería embarcada para Isla de Pinos o para otro punto de destierro, aunque no tenemos constancia de ello.

191. Parte de Polavieja del 30 de diciembre de 1891, en loc. cit. SHM. "El veinticuatro, se presentó a mi autoridad el conocido bandolero Pablo Gallardo y Gallardo (a) Escuela, sometiéndose al fallo de los tribunales en las causas que se le han seguido por delitos de bandolerismo. Dicho individuo, *que es el mismo a quien se refiere la Real Orden reservada de veintisiete de septiembre último*, sección 7ª, ha quedado a disposición de los jueces militares nombrados en las causas respectivas" (subrayado por nosotros).

192. El 26 de mayo de 1892 escribió José Santana a Domingo Lavín desde isla

rresponsales que, en la fiebre del acontecimiento, reclamaban fotografías del cadáver [193].

López Sola, por su lado, no pudo disfrazar su livor, y, aunque felicitó también a García Aldave por tan destacado triunfo, afirmó, "si hasta ahora no hemos logrado un éxito completo en nuestros trabajos, es, como V.S. comprenderá mejor que yo, porque *no es lo mismo tirar al vuelo que a una pieza posada y aquí los bandidos andan al vuelo*. Yo creo que otra cosa hubiera sucedido si esos pillos hubieran tenido estas zonas como bases de sus asuntos". Informó, además, que había enviado a un sargento vestido de paisano al ingenio "Diana", en San Miguel de los Baños, porque le habían asegurado que estaban por allí dos sospechosos, uno de ellos herido en un brazo por lo que podría ser Tomás Cruz, y que era posible que también se ocultase por las lomas del indicado término el bandido José Rosales [194]. Tras realizar algunas indagaciones se apuntó que, en la colonia de un tal Francisco García González, ubicada en Palo Seco, "entre los puestos de Guardia Civil de Corral Falso de esta Comandancia y Navajas o San Miguel de la de Matanzas", habían estado, efectivamente, dos individuos sospechosos, cuyas descripciones no coincidían con las de Víctor Cruz y Rosales [195]. Aunque, más tarde, se dijo que uno de ellos podría ser Palenzuela y el otro un tal Julián, y que ambos habían sido vistos, posteriormente, en el potrero "Castillo" (Navajas), donde también estarían Víctor Cruz y, tal vez, Tomás Cruz, por lo que fueron alertados los puestos de la Guardia Civil y se realizaron movimientos de fuerzas [196]. El propio co-

---

de Pinos, solicitaba su intervención para obtener la libertad y se le ofrecía para colaborar en lo que Lavín ordenase. Según su carta "a más del tiempo que llevo aquí, llevo ya como seis meses enfermo, lo cual no he querido mandárselo a decir a mi padre por no disgustarlo más de lo que está" (J. Santana a D. Lavín, Nueva Gerona, 26 de mayo de 1892, AGI. Diversos 17).

193. E. Lomo García –hermano de D. Lomo García– a García Aldave, Alfonso XII, 11 y 12 de agosto de 1891 (AGI. Diversos 19). "Sólo me resta felicitar a V.S. por el importantísimo servicio que se acaba de prestar, y que por aquí se supone sea el principio de la agonía de los que por estas tierras merodean".

194. López Sola a García Aldave, Colón, 12 de agosto de 1891, cit. Subrayado por nosotros.

195. López Sola a García Aldave, Colón, 14 de agosto de 1891, cit.

196. López Sola a García Aldave, s.f., pero del 19 de agosto de 1891 (AGI. Diversos 17).

mandante de Colón, sin embargo, llegó a la conclusión de que los dos sospechosos de marras eran, en realidad, los hermanos "Pedro y Rafael Plasencia", blancos que, según él, no pertenecían a "la familia del Plasencia bandido", quienes, al parecer, servían de guías a dos bandoleros y trataban de buscar la ayuda de otro gran práctico en la costanera de la Ciénaga, Filomeno Lozano, que, como sabemos, estaba al servicio del mismo López Sola [197].

A la muerte de Andrés Santana sucedió, con inusitada rapidez, el día 17, la de Tomás Cruz; ambas muertes, como luego diremos, tuvieron un mismo origen. En este sentido, además, las palabras de Polavieja, expresadas en su parte, ya citado, del 20 de agosto, permiten deducir que era Pablo Gallardo el supuesto bandolero que se encontraba, "por trabajos que he realizado, en condiciones de no tomar participación en delitos de ninguna clase", esto es, aguardando el premio a su traición imposible, su propio indulto [198].

Poco después, Domingo Lomo, desde Jovellanos, habló de la presencia, "en la colonia del Júcaro", de Antonio Alfonso y de Rafael Plasencia, quienes, "unidos de algunos vecinos de ésta o Corral Falso fueron a hacer el robo del potrero 'Brioso', pues las señas que de ellos dan concuerdan mucho, las de uno, con Antonio Alfonso" [199]. López Sola también se refirió

---

197. López Sola a García Aldave, Corral Falso, 19 de agosto de 1891 (AGI. Diversos 17). La primera carta de esta misma fecha fue escrita por la mañana, según afirma el propio interesado: "El danzante del confidente que me dió la noticia de Palenzuela y Julián que le decía a V.S. esta mañana, el muy estúpido oyó campanas y no se molestó mucho en ver donde sonaban".

198. Se deduce también, desde ahora, que los integrantes, con el carácter de "fijos", de la fracción o partida de Andrés Santana en Matanzas serían: Andrés Santana Pérez, Pablo Gallardo, Víctor Cruz Alonso, Tomás Cruz y José Rosales o José Cruz Rosales. Con ellos colaboraban estrechamente otros individuos de la comarca como Antonio Ponce y otros, y al grupo podían unirse, asimismo, eventualmente, otros bandoleros (Mayor, Palenzuela, Plasencia, etc.), que, en aquellos momentos, merodeaban o se refugiaban por distintos enclaves de la zona fronteriza entre Matanzas y La Habana, pues, como luego apuntaremos, también la partida de García se subdividía en fracciones y, por consiguiente, en el climax de la persecución, diferentes bandoleros coincidían en unos espacios definidos por una intensa actividad depredadora y represiva.

199. D. Lomo a García Aldave, Jovellanos, 30 de agosto de 1891 (AGI. Diversos 17).

a este asunto, alegando que los autores habían sido "los Plasencia" [200], pero, acto seguido, indicó que Lozano había detectado a Antonio Alfonso por la zona, y que sabía lo de su participación en el robo, aunque no se había podido averiguar la identidad de su acompañante [201]. García Aldave le contestó que "Rosales y Víctor Cruz los tienen Vdes. por ahí" y que se esmerase en la captura de "los Plasencias, *Matagás* y el *Tuerto* Matos" [202].

El día 3 de septiembre, sin embargo, el teniente Justo Pardo recogía una confidencia de sus colaboradores Ceferino Marrero y Dionisio Llanes, según la cual Antonio Alfonso y Víctor Cruz estaban por Melena (provincia de La Habana), en estrecho contacto con Manuel García Ponce. Ambos confidentes aseguraban, además, que el *Rey de los Campos* había estado "tanto en la muerte de Santana como en la de Tomás Cruz..., por cuyo motivo y a pie logró atravesar esos términos sin ser visto, guardando una reserva absoluta en todos sus movimientos, y no se presenta en ninguna finca donde pueda tener la más mínima sospecha de que le puedan vender" [203].

Esta sorprendente noticia contrastaba con una información de Lavín, obtenida, casi al mismo tiempo, de "la gente de la montaña", en el sentido de que tanto Víctor Cruz como José *Cruz* Rosales estaban en Aguada de Pasajeros (Cienfuegos), "donde vive don Francisco Cruz" [204].

En relación con lo que antecede, el día 14, López Sola informaba que su confidente Lozano estaba investigando por Corral Falso y San Miguel para descubrir a "Antonio Alfonso (de quien es muy conocido) y al otro que le acompañaba, que dicen andan por las Lomas de San Miguel". Asimismo, el Jefe de la Guardia Civil en Colón subrayó que, en Jagüey Grande, no se había producido ninguna novedad, pero que persistía "en tener vi-

---

200. López Sola a García Aldave, Colón, 31 de agosto de 1891, cit. Añade que "Mauricio Horta salta de Jagüey y ha pedido traslado de domicilio para el barrio Este de esta Villa; según ha dicho va a ver si se coloca por la Agüica y ya le aburriremos también en esa parte, hasta que reviente".

201. López Sola a García Aldave, Colón, 1º de septiembre de 1891 (AGI. Diversos 17).

202. Comunicación (copia) al comandante López Sola, Habana, 2 de septiembre de 1891 (AGI. Diversos 17).

203. Justo Pardo a Guillermo Tort, Alquízar, 3 de septiembre de 1891 (AGI. Diversos 18). Tort, sin embargo, daba poco crédito a estas afirmaciones (Tort a García Aldave, San Felipe, 4 de septiembre de 1891. AGI. Diversos 19).

204. Nota del Gabinete Particular, referida a carta de Lavín del 5 de septiembre de 1891 (AGI. Diversos 17, fol. 710).

gilada la casa donde está Carmela la que fue querida de Santana y la de Perera, compadre de *Gallo* [205], por si se ruedan por ahí y hay suerte descalabrándolos". Y también indicó que había enviado al teniente Llorente a Amarillas, tras la pista de José Rosales [206].

El teniente Llorente no encontró a Rosales, como era de esperar, porque además no lo conocía, pero sí obtuvo referencias de que, el día 7, habían estado por la zona Víctor Cruz y otros dos, en casa de Adriano Cepero, residente en las cercanías de San José del Venero, entre Yaguaramas y Aguada de Pasajeros, "cerca de donde vive Pancho Cruz, el padre de Víctor, lo que indica que esa gente está agachada por los alrededores de la casa del padre" [207].

Por aquellos días se produjo, también, un pequeño incidente con la llegada de José Santana, junto a otro individuo, a Jagüey Grande, donde levantaron sospechas por su aspecto y porque portaban revólveres, por ello fueron identificados por el comandante del puesto de la Guardia Civil, al que enseñaron sendos pases del Gabinete. López Sola confiaba, no obstante, en las gestiones de Santana, porque se había criado con Víctor Cruz y era amigo de Rosales "allá por el año 88 ó 89". Santana visitó, antes de marcharse de la localidad, a Marcial y a Carmela Cruz [208], no tanto por cortesía, como por indagar la pista de Víctor Cruz, según había dicho a Cantarero [209].

Un rumor posterior situó a Víctor Cruz en una colonia del ingenio "Letrero", donde estaría "trabajando como manso", por ello un confidente, que operaba con el teniente Llorente y que conocía al bandido, estuvo recorriendo varias colonias y reconociendo a las cuadrillas de trabajadores, al tiempo que se realizaba un movimiento con fuerzas de Prendes, del Caimito y de otros lugares, en la zona fronteriza con Cienfuegos [210].

---

205. Insiste, en este punto, en sus asertos sobre la partida de bautismo analizada más arriba, donde el padrino de la supuesta hija de Sosa Alfonso era, ciertamente, el isleño González Perera.

206. López Sola a García Aldave, Colón, 14 de septiembre de 1891, cit.

207. López Sola a García Aldave, Colón, 18 de septiembre de 1891 (AGI. Diversos 17).

208. López Sola a García Aldave, Colón, 19 de septiembre de 1891, cit. López Sola se refiere a Santana como "José Santana, hermano del bandido".

209. M. Cantarero a García Aldave, Yaguaramas, 20 de septiembre de 1891, cit.

210. López Sola a García Aldave, Colón, 28 de septiembre de 1891 (AGI. Diversos 17).

Durante la primera quincena de octubre se produjeron robos por Rosario y las Nieves y se dijo que los bandidos Antonio Alfonso, "uno de los Plasencia" y un tercero, desconocido, eran "abrigados" por un tal Travieso del ingenio "Gabriela", por un "viejo que vive entre el ingenio 'Diana' y Palo Seco, lechero que fue del citado ingenio y además por el mayoral de la colonia Saladrigas". López Sola tenía el proyecto de encaminar hacia San Miguel de los Baños a su confidente Lozano, "pues siendo amigo de Alfonso hay probabilidades de que haga algo de provecho" [211]. Además, el día 16 se desplazó personalmente a Corral Falso, tras el paradero de la "canalla de Bolondrón", pues "en cuanto pueda salta a esta zona y es lo que desearía no sucediese sin antes darles un golpe" [212]. Pero, López Sola volvería a quedarse con las ganas.

En efecto, en la muerte de Pedro Palenzuela, acaecida el 21 de octubre, como ya se dijo, en los montes de "San Juan" (El Roque), intervino también, de manera decisiva, la traición desde dentro de la misma partida. En carta de García Aldave a Polavieja, fechada en San Felipe el 20 de octubre de 1891, se lee [213]:

> *Ayer recibí noticias del hombre que está en la partida, se encuentra en Bolondrón con Alfonso, Palenzuela y Víctor Cruz, los capitanea y son los que han hecho todos los robos por aquella parte, no habiendo salido de aquí Manuel García. Todo está preparado para acabar con los tres. El celador Castillo, que es con el que está en combinación, sale hoy para Jovellanos con cuatro hombres, allí esperará oculto en una fonda, en donde recibirá aviso para dar el golpe. La cosa se hará en la casa donde van a comer todos los de la partida, estando de antemano apostados el celador y los cuatro hombres, primero entrará el nuestro, luego los demás y al estar ya sentados a la mesa, concluirán con ellos, ayudando el que capitanea. El plan me ha parecido muy bueno y tengo gran confianza en el resultado. Lo que necesitamos es gran reserva.*

211. López Sola a García Aldave, Colón, 15 de octubre de 1891 (AGI. Diversos 17). Otro de los presuntos encubridores era el alcalde de Arroyo Blanco, "amigo de Plasencia".

212. López Sola a García Aldave, Corral Falso, 16 de octubre de 1891 (AGI. Diversos 17).

213. García Aldave a Polavieja, San Felipe, 20 de octubre de 1891 (AGI. Diversos 19). La carta termina: "Hace mucho tiempo, mi General, que no estoy tan satisfecho como hoy, pues parece que la cosa rueda. Si aseguramos el golpe de Jovellanos, será de muy gran efecto, pues son dos de ellos de los íntimos de M. García".

Como sabemos, la única víctima mortal en el encuentro de El Roque, no muy lejos de Jovellanos, fue el citado Palenzuela. Descartada, en principio, la colaboración de Alfonso y de Víctor Cruz con el celador Castillo, ¿quién fue este cuarto hombre, este bandolero y confidente? Dilucidar este extremo resulta interesante. Sabemos, en primer lugar, porque se deduce de la propia fuente que acabamos de transcribir que, quien fuera, tenía la suficiente influencia o capacidad como práctico para "capitanear" a Víctor Cruz, a Antonio Alfonso y a Pedro Palenzuela, y que, obviamente, contaba con la confianza necesaria como para no levantar sospechas entre los citados bandoleros. También queda claro que el proyecto inicial de capturar a los tres bandidos mencionados en la casa donde iban a comer se frustró por alguna circunstancia, pero, en cualquier caso, es evidente, como se verá a continuación, que estos trabajos confidenciales jugaron un papel fundamental en las muertes de Antonio Mayor Delgado y Perico Palenzuela.

Efectivamente, un segundo oficio de García Aldave a Polavieja, del día 23, que fue señalado como "muy reservado", arroja más luz sobre el óbito del segundo de los bandidos citados, su transcripción, aunque algo extensa, merece la pena [214]:

> *Acabo de hablar con el celador Castillo, la cosa va mucho mejor de lo que creímos. Palenzuela fue ya entregado muerto a Castillo, este vio a Plasencio y Alfonso, habló con ellos, Plasencio ha conquistado a Alfonso para unirse a Manuel y concluir con él, por eso no lo han matado, pero me dice Castillo que lo hará si se le manda, pero inmediatamente, le he dicho que no, que sigan los trabajos.*
>
> *Hoy estarán Plasencio y Alfonso por la Catalina, han prometido matar a Gallo Sosa, de hoy a mañana.*
>
> *El frasco que se le dio a Plasencio no causó efecto ninguno, se lo dio a Alfonso, a Palenzuela y a otro y se quedaron tan frescos y buenos. Piden otro pero de gran energía, pues reunidos a M[anuel] G[arcía], Alfonso que le hace la comida se lo dará, pero tiene que ser eficacísimo, pues sería el tercer fracaso.*
>
> *Mañana irá Castillo por él, conviene lo tenga Schmid ya preparado.*
>
> *Creo de gran efecto que se le regale a Castillo mil pesos oro, esto los animará y siempre se ahorran mil, pues eran dos mil los ofrecidos.*
>
> *Antonio Plasencio, cuya causa se vio ayer en Consejo de Guerra, es hermano de Rafael, yo le tengo ofrecido que al matar a Manuel se le dará*

---

214. García Aldave a Polavieja, San Felipe, 23 de octubre de 1891, "muy reservado", AGI. Diversos 19.

una buena cantidad y el indulto de su hermano y el de Alfonso, por Gallo
los dos mil pesos que se tienen ofrecidos.
Dios haga que no nos fracase lo de esta noche.
Creo que la cosa va bien.
Ruego mi General que esto en absoluto se sepa.

¿Quiénes fueron los hermanos Antonio y Rafael Plasencio? No existe bandido o encubridor alguno, en los *historiales* de García Aldave, con ese apellido, pero sí figuran varios *Plasencia*. El primero de las mencionadas listas es, precisamente, Antonio Plasencia, un pardo que vivía en el paradero de Los Palos, "confidente íntimo de Manuel García y Sixto Varela", por lo que se deduce que fue registrado con anterioridad al último día de diciembre de 1890, en que ocurrió la muerte del segundo de los mencionados, y se añade en su ficha que facilitaba armas, monturas y provisiones "a las partidas" y, finalmente, que había sido enviado a la isla de Pinos. Le sigue, en el registro del Gabinete Particular, José Plasencia, "hermano del anterior" y, según la misma fuente, "bandido de la partida de Manuel García, conocido por *Espeleta*" [215].

---

215. V. Libro de *historiales* en AGI. Diversos 19, cit. Se conserva, además, una carta de extorsión del bandido José Plasencia, dirigida a don Hilario Pascual y, por mediación de éste, a don Manuel Gajano, a quienes pedía 2.000 y 1.000 pesos de oro, respectivamente. Plasencia se quejaba del incumplimiento de una carta anterior y amenazaba a los citados propietarios a los que había tratado de incendiar, unos días antes, parte de sus cañaverales. Entre otros extremos de menor interés, el bandido afirma en su misiva: "Yo creo que Vdes. si no me lo han mandado es porque han oído decir que yo me voy a indultar, es verdad, pero antes de indultarme necesito recoger mucho dinero y si con esa no vale tendrán Vdes. dos que acompañarnos al monte, si no es de una manera de la otra, y de lo contrario ni yo pero ni Ustedes y otro disfrutará de esos bienes y entonces yo me conformaré aunque no coja nada, solamente con el ejemplo para que los que quedan me crean ya que Vdes. no me han creído, según por lo que he visto por la otra carta que les mandé. Así es que si me los mandan no sigo pero de lo contrario hasta Ustedes han de volar, porque si creído en su amigo Manuel García, porque tengan esa intimidad con el rey y dueño de los Campos de Cuba, yo no pueda cumplir lo que digo están muy equivocados. Sí, es verdad que es el rey, pero tiene muchos amigos, y como no tiene miedo se fía mucho de ellos que es lo peor, y yo tengo muy pocos y no me fío de ninguno, ni de la ropa que tengo puesta, así es que no podrán entregarme tan fácil como lo han entregado a él sus íntimos amigos que amigos, por eso

357

Antonio Plasencia escribía, el 30 de septiembre de 1891, a Domingo Lavín desde isla de Pinos, mencionaba una carta anterior, afirmaba que llevaba cerca de siete meses "sufriendo un destierro indebido" y le suplicaba que tomara "conocimiento en el particular, para ver si puede esclarecer mi inocencia y librarme de este martirio", y le ofrecía, a cambio, sus buenos servicios [216]. Es lógico, pues, conociendo otras gestiones similares de Lavín, que la demanda de Antonio Plasencia no cayera en saco roto [217].

En efecto, una semana más tarde, Lavín remitió la citada carta de Antonio Plasencia a García Aldave, por mediación de don Andrés Campa –a quien se había ganado para la causa de la represión–, con el encargo de negociar la libertad del desterrado en isla de Pinos, a cambio de que éste se entendiera con su hermano José Plasencia "para que mate a Gallo", asunto en el que, además, estaba implicada una hermana de ambos, "que vive en el Aguila y yo hice que el Campa la enamorara y vive con ella, y ésta dice que su hermano no está en Quivicán, que ella lo conquista para que lo indulten, que mate a Gallo. Esto dice, no sé si lo cumplirá, pues yo no tengo confianza más que en Tomás Cabrera" [218]. Ni el propio Lavín parece que supiera –lo que, por otra parte, es lógico–, la "calidad" del servicio que no tardaría en prestar Antonio Plasencia al responsable del Gabinete Particular [219].

---

me dicen a mi que yo soy raro, porque es porque yo sé hacer las cosas con más serenidad, mejor pensadas y mejor hechas, porque si no tengo indulto pienso vivir así muchos años, porque no es de necesidad tirarse al fuego como se tira Manuel, para hacer planchas como las que hizo ahora que Vdes. deben de estar bien enterados de eso". Añadía, por último, que la entrega del dinero debía hacerse, el día 19, por un solo individuo de color que iría desde Güines hacia la Catalina, en la provincia habanera (José Plasencia a Hilario Pascual, s.l., 12 de enero de 1891, AGI. Diversos 18. La ortografía ha sido corregida).

216. Antonio Plasencia a Domingo Lavín, Nueva Gerona, 30 de septiembre de 1891 (AGI. Diversos 17).

217. Y ello a pesar de que el mulato, Antonio Plasencia, nunca inspiró demasiada confianza a Lavín (Lavín a García Aldave, Los Palos, 5 de diciembre de 1891. AGI. Diversos 17).

218. Lavín a García Aldave, Los Palos, 7 de octubre de 1891 (AGI. Diversos 17).

219. Así se deduce de otra misiva del alcalde de Nueva Paz a García Aldave (Los Palos, 24 de octubre de 1891. AGI. Diversos 17): "Ayer vino a verme Antonio Plasencia, hermano de José, veremos a ver si hace algo, Dios lo quiera. No he podido aclarar los otros dos que pasaron con Palenzuela por

Otros José Plasencia fueron, según la indicada fuente, José Plasencia Montesinos, un encubridor que estuvo prisionero en isla de Pinos y que obtuvo su libertad el 27 de agosto de 1891, y, también, José Lázaro Plasencia, encubridor también, desterrado al mismo lugar y puesto en libertad con idéntica fecha [220], por lo que puede tratarse de la misma persona, o sea, José Lázaro Plasencia Montesinos. Aparece, igualmente, Rafael Plasencia Hernández, otro "abrigador" que fue "propuesto para mandarlo a Pinos", entre otros sujetos del mismo apellido [221].

En la primavera de 1891 se había perseguido a Rafael Plasencia o Plasencio, que pudo ser capturado a principios de julio [222], aunque, poco después, cuando era conducido por un grupo de guardias civiles –a las órdenes del sargento Cabrera– desde San Felipe a Batabanó, consiguió escapar de la fuerza que lo llevaba prisionero [223]. Se conserva una carta

---

esta el 12 por la noche, pues Gallo y José según le dice la hermana a Campa no están lejos, veremos a ver si lo engaña, el tiempo lo dirá. De los que me dieron candela faltan cuatro, que son Manuel y el hermano [Vicente García Ponce], Gallo y Joseíto, cuatro..." En esta y, por lo general, en todas las comunicaciones de Lavín que hemos citado se ha corregido la ortografía.

220. V. Libro de *historiales...*, cit.

221. *Ibídem.* Los otros individuos –registrados– del mismo apellido eran Francisco y Juan Plasencia, encubridores desterrados a Pinos; Marcial Plasencia, encubridor y prisionero en el mismo lugar, pero cuya órden de libertad fue cursada el 21 de septiembre de 1891; Narciso Plasencia, (a) *Chincho*, natural de Nueva Paz y de quien se decía que había "estado con los bandidos"; Juan Plasencia Cabrera, autor de robos contra José Rodríguez Rivera, Antonio Carballo y Víctor Díaz, y, finalmente, Clemente *Plasencia* Gallardo, "hermano del bandido. De Nueva Paz. Encubridor", aunque, en éste último caso, puede tratarse de una confusión porque también aparece registrado Clemente Gallardo con la siguiente anotación: "Vive en Bolondrón. Hermano del bandido".

222. García Aldave a Schmid, San Felipe, 26 de abril de 1891 (AGI. Diversos 18); G. Tort a García Aldave, San Felipe, 29 de mayo de 1891 (AGI. Diversos 19), y Félix Eusa a G. Tort, Melena, 7 y 10 de julio de 1891 (AGI. Diversos 16). F. Eusa también lo menciona como Rafael *Plasencio*, lo que en esta ocasión no hace García Aldave. Guillermo Tort, por su parte, indica que había "recomendado mucho a Eusa y Roig la captura de Plasencia y el primero me dice que V. le recomendó también la de Santiago Quiñones. El Rafael Plasencia no está en la provincia y convendría averiguar su paradero. El otro –[Quiñones]– es fácil se aprehenda pronto..."

223. G. Tort a García Aldave, San Felipe, 10 y 12 de julio de 1891 (AGI. Diver-

autógrafa y casi ilegible de este bandolero, fechada a 14 de agosto de 1891, y dirigida a un amigo, en la que desmentía su supuesta muerte y afirmaba que, aunque estaba en la manigua, nunca olvidaba a sus amigos ni tenía miedo, y pedía le remitieran su caballo [224].

El 22 de diciembre de 1891, sin embargo, García Aldave escribía a Polavieja en relación con una epístola que le había entregado Castillo, y que era remitida por Perico Plasencio, detenido y procesado, a su hermano Rafael, pero fue retenida por el Jefe del Gabinete. "Llamo su atención sobre el dicho del oficial defensor, en que hace todo lo posible para echar la culpa de la sentencia al Gabinete para obligar al hermano a que preste servicios. ¿Se puede conseguir algo cuando todos van en contra?" [225].

Se concluye, pues, que Rafael Plasencia se inclinó, al fin, en contra de sus colegas insumisos, tal vez por influencia de su hermano Antonio. En

---

sos 19). "Tengo un disgusto grandísimo con la fuga de Plasencio... No me explico como ha podido escaparse este hombre, pues llevaba esposas y al pasar el río, que venía crecidísimo porque hoy ha llovido torrencialmente, se tiró desde lo alto de la vía al agua./. Dicen que se le vio salir por la orilla izquierda y correr como en dirección para Quivicán y entonces le hicieron hasta cinco disparos, desapareciendo..."

Según un extracto de otra carta de G. Tort del 13 de julio, "Plasencio" había pasado por Rincón, iba herido y robó un caballo del ingenio "La Gía" (Nota del G.P. sobre el fugado Plasencio. AGI. Diversos 18).

224. Carta de Rafael Plasencio, 14 de agosto de 1891 (AGI. Diversos 18). Otra misiva, remitida por Rafael Plasencio al director de *La Discusión* (AGI. Diversos 22, s.f.), sin duda la misma persona, explicaba que había llegado el "feliz momento" de retirarse al campo para no ir a isla de Pinos, vindicaba su dignidad y hacía patente su determinación de "no trabajal más", por lo que no sería tan fácil prenderle. El resto de esta misiva, con casi toda su ortografía original, reza así: "Tan bien le publica al Teniente de Gerilla Sr. Marañona que está en la finca de San Manuel en Melena del Sul que se deje de estal asiendo papeles redículos en atropellar a los infelises sitiero y que me busque en el canpo que si tiene deseo de berse conmigo yo tambien los tengo de berme con el y que no atropelle a esos trabajadores que están todo el año buscando el [pan] para sus infelices hijos y que no estoi debajo de techo que la sombra que abriga son las de los frondosos alboles que da mi Cuba Querida y pienso estal bajo de ellos asta al final de la bida, sin más por hoi se despide de V. este que espera de su bonda la publicación de estas líneas".

225. García Aldave a Polavieja, San Felipe, 22 de diciembre de 1891 (AGI. Diversos 19).

marzo de 1892, con seguridad, figura Rafael Plasencia como agente del Gabinete Particular [226].

No sucedió lo mismo con su otro hermano o hermanastro José Plasencia, quien, en carta –larga y bella– a una tal Petra, tal vez su propia hermana, reprochaba la conducta de su hermano Antonio y desmentía, con esta actitud, sus iniciales intenciones de acogerse a un indulto [227]:

> *Petra me alegraré que al recibir esta, te halles buena en unión de la familia, la mía es buena hasta el presente. Petra, la presente es para manifestarte que he sabido que Antonio me procura para entregarme, y me lo han dicho muchos y personas verdaderas y así es que estoy completamente abochornado en ver que a un hermano que yo tanto he apreciado se ocupe de entregarme a mí y a los demás compañeros que los tengo en lugar de hermanos, y al ver que un hermano desea entregarme al Gobierno para que de mi pellejo hagan corsea y no tan sólo eso sino la dignidad y el amor propio y el bochorno que le tenemos arrastrado por el suelo, porque desde el momento que procure entregarme o no a mí a un particular que sea, no debe ningún hombre de ocuparse de tan ruin bajeza, porque primero deseo la muerte mía o de alguien de mi familia que ser denunciante, el hombre debe llevar consigo el honor de hombre hasta la muerte.*
>
> *Yo soy, sí, bandido por mi estrella o por mi mala suerte, pero encierro en mi pecho, aunque se me llama el bandido tengo todas las condiciones de un hombre de honor y vergüenza y así es que me es muy triste, tristísimo en extremo, de ver a un hermano metido en causas tan pobres, propio de gente ruin, y en contra de un hermano. Yo soy Escuela acaso que ha matado sus compañeros, así es que si está él dispuesto para perseguirme que coja las armas y pronto nos batiremos, pues yo en ese caso lo procuraría.*
>
> *Así es que si tú crees que no piensa hacer semejante bajeza, que se despreocupe por completo de eso y que diga al Gobierno que primero el garrote que entregar a un hermano, y me han dicho que se pasea mucho con Sanguily y con Escuela y con ambos viaja mucho a la Habana, y que se separe por completo de eso, que lo más que pueden hacerle es llevarlo para Isla de Pinos.*

---

226. Transcripción de telegrama oficial cifrado del comandante Lomo al Jefe del Gabinete, Quivicán, 21 de marzo de 1892 (AGI. Diversos 17): "Rafael Plasencia con su gente han estado en las tiendas de Unión y esta mañana en Güira; como llevan los rifles, llama mucho la atención, convendría recomendar no llegase así a los poblados".

227. "Carta de José a Antonio Plasencia", existe original y transcripción, aunque no está fechada es posible que corresponda a principios de 1892 (AGI. Diversos 17 y 19). Se ha corregido la ortografía.

Yo tengo dinero para él que viva allá, que mi demora ha sido para mandarle dinero, pero la situación no me ha permitido hasta ahora que vine a este partido y he sabido esto y he tenido que reservarme de él, pues desconfío de mi camisa porque los casos que he visto no son para menos.

Petrona, no dejes de aconsejar a Antonio que se desvíe de eso, que otros hombres que no son de nosotros nada más que amigos y están en Isla de Pinos por no entregarnos, contimás un hermano que debe de preferir la muerte no tan sólo por la cuestión de familia, sino por la dignidad y por el público que está hablando solo.

Sin más particular me despido de ti y demás familia, le darás memorias a todos y échame la bendición.

En consecuencia, resulta probado que los tales Antonio y Rafael Plasencio fueron, en realidad, los hermanos o hermanastros del bandolero-insurrecto José Plasencia, que eran parientes, además, de otros vecinos de la comarca de Los Palos, encubridores de confianza de la partida de Manuel García Ponce –recuérdese, entre otras referencias, el comentario sobre el envío de una carta de éste a José Álvarez Arteaga, a través de Antonio Plasencia–, y, por consiguiente, confidentes idóneos para el *Gabinete Negro*.

Los trabajos especiales de estos "agentes" encubiertos continuaron, sin tregua, a lo largo de las semanas siguientes. El 10 de febrero de 1892, García Aldave volvía a escribir a Polavieja [228]:

Uno de los confidentes, el que entregó a Mayol y que por torpeza de los nuestros no entregó a 4 más, se ha avistado con Víctor Cruz de acuerdo conmigo, ha conseguido de este bandido que mate a Manuel García, si a él y a José Nario [229] se les indulta como se ha hecho con Pablo Gallardo y se les da lo ofrecido (supongo que lo ofrecido será para el confidente).

Víctor y Nario están en punto (que todavía no conozco), desde que se mató a Santana y Tomás Cruz, hay que hacer que se echan de donde están para que se incorporen a la partida sin que Manuel sospeche, pues hasta ahora se han negado en absoluto a hacerlo, hoy se deciden por ver que el indulto de Pablo es una verdad.

---

228. García Aldave a Polavieja, San Felipe, 10 de febrero de 1892 (AGI. Diversos 19).

229. Pese a que el apodo Nario también se emplea con referencia a José Plasencia, las fuentes consultadas abundan en atribuírselo a José Rosales o José Cruz Rosales, como ya se apuntó.

El confidente me pide 60 pesos mensuales, cree que esto durará poco y un destino que le ponga al abrigo de todo..., pues por ningún concepto quiere ni que remotamente se sospeche nada del asunto. Exige que de esto sólo estén enterados Vd., él y yo. Una vez accedido a lo que propone, me traerá para que yo garantice lo que él ofrece, al pariente de Víctor en que éste confía y de quien se ha valido para ponerse de acuerdo con el confidente.

El confidente en cuestión se trasladó, en la mañana del día 12, a Alfonso XII, para contactar con un tío de Víctor Cruz, el mencionado pariente, y para reunirse después, en un indeterminado lugar, con García Aldave, con el objeto de que el Jefe del Gabinete ratificara la promesa de indulto, "y oír yo a mi vez de su boca lo que Víctor ofreció al confidente. Si esto, como espero, cuaja, considero la cosa hecha, pues estamos en mejores condiciones que con Alfonso, sobre todo de sigilo" [230]. Se refería, presumiblemente, con esta última observación, al ya mencionado proyecto de envenenar a Manuel García Ponce por medio de la comida que le prepararía Antonio Alfonso.

El día 18 de febrero, García Aldave enviaba una nueva misiva a Polavieja en los siguientes términos [231]:

El confidente que se entiende con Víctor Cruz ha estado a verme hoy después de conferenciar con éste. Ha aceptado todo lo que se le propuso, ha mandado a buscar a Yaguaramas al Rosales, tan pronto éste se le una se llevará a efecto la operación en el punto donde están, que ya lo sé, y entonces en la huida y con este pretexto se incorporarán a la partida. Creo la cosa dé resultado más que nada, por el sigilo con que se lleva. La mayor parte han fracasado y fracasan por la lengua.

Ahora bien, pese al optimismo de García Aldave, el plan no resultó. Muy pronto se reanudaron las pesquisas habituales para conseguir la captura de Víctor Cruz y de Rosales, a quienes ciertas confidencias recogidas por Antonio Lago en isla de Pinos, a donde fue desterrado el isleño Francisco Perera Denis, vecino del ingenio "Australia" de Jagüey Grande, situaban en las cercanías de la vivienda de Francisco Cruz, en la zona de

---

230. García Aldave a Polavieja, San Felipe, 12 de febrero de 1892 (AGI. Diversos 19).
231. García Aldave a Polavieja, San Felipe, 18 de febrero de 1891 (AGI. Diversos 19).

Cienfuegos. Además, se afirmó que el isleño Perera escondía en su casa un rifle con cien cartuchos, propiedad del bandolero Cruz [232].

Posteriormente, José Canut y Coll, jefe de la Guardia Civil de Sagua la Grande, negó que Víctor Cruz fuera "todas las noches a Mordazo con una carreta" [233]; Pedro Costa afirmó que el citado bandido trabajaba en el potrero "Palma", cerca de Cascajal [234], y Lavín comunicó, basándose en una gestión de Tomás Cabrera, que tanto Víctor Cruz como José Rosales estaban trabajando por las colonias de Santo Domingo [235].

Las anteriores indagaciones no iban desencaminadas. Costa y Barros puntualizó, una vez realizados nuevos trabajos, que don Francisco Cruz y la mujer de Víctor Cruz vivían a la sazón en Jobos Altos (demarcación de Yaguaramas), donde el primero estaba encargado de una colonia de don Francisco González, y que, en efecto, Víctor Cruz y Rosales estaban en la parte de Santo Domingo y Cascajal (Sagua la Grande), en un punto denominado Jobo Palma, donde residía don Juan Alvarez, "y se cree que con éste estén trabajando Víctor y Rosales; con don Alejandro Cruz o con un tal Tagles, abrigador de los mismos" [236].

Por su parte, López Sola manifestó, dubitativo como siempre, que era posible que ambos bandoleros estuvieran "agachados" por la indicada zona y que, desde Aguada de Pasajeros, le habían indicado que Víctor Cruz y Rosales usaban los nombres supuestos de José Pereda y José Hernández García [237], respectivamente.

---

232. Notas de Lago sobre Francisco Perera Dénis (no sabemos si es persona distinta a Francisco González Perera, mencionado más arriba), del 19 y 29 de febrero de 1892 y Lago a García Aldave, 1º de marzo de 1892 (AGI. Diversos 17). V., también, López Sola a García Aldave, Colón, 28 de febrero de 1892 (AGI. Loc. cit.). Según Lago, Francisco Cruz estaba por San José de Manacas.

233. Canut y Coll a García Aldave, Sagua la Grande, 5 de marzo de 1892 (AGI. Diversos 16).

234. Costa Barros a García Aldave, Cienfuegos, 6 de marzo de 1892 (AGI. Diversos 16).

235. Lavín a García Aldave, Los Palos, 11 de marzo de 1892 (AGI. Diversos 17).

236. Costa y Barros a García Aldave, Cienfuegos, 12 de marzo de 1892. AGI. Diversos 16. Alejandro Cruz era, al parecer, primo de Víctor Cruz.

237. López Sola a García Aldave, Colón, 19 y 23 de marzo de 1892 (AGI. Diversos 17).

En esta ocasión, además, tampoco están ausentes las gestiones para conseguir la captura de los bandoleros mediante la complicidad de individuos de su propio círculo. El 21 de marzo, en concreto, Antonio Cánovas informó a García Aldave que Fulgencio Cruz, preso en Colón, se le había acercado para proponerle la entrega de su primo Víctor Cruz a cambio del indulto, para ello debería simularse su fuga de la cárcel "a fin de que la familia y el mismo Víctor no sospeche nada de él" [238]. El comandante militar de Colón se mostró desconfiado al respecto, pero el asunto interesó al Gabinete que ordenó a Cánovas que se pusiera en contacto con el teniente Moreno, instructor de la causa.

En este sentido, Cánovas afirmaba, el día 24, que los cargos apuntaban, sobre todo, contra su compañero, y que era difícil probar que había sido "Cruz el agente de la partida de Santana" que se había "presentado armado pidiendo dinero"; por ello sugirió a García Aldave que se pusiera en contacto con Moreno, antes de que se dictara la resolución, para "venderle" a Fulgencio Cruz "la fineza del perdón a cambio del servicio que ofrece, y quizás dé resultado" [239].

No nos consta que en la muerte de Víctor Cruz Alonso, acaecida el 14 de abril, como ya se dijo, en los montes de La Palma, cerca de Mordazo (Sagua la Grande), tuviera alguna participación, directa o indirecta, su primo Fulgencio Cruz, pero tal posibilidad no puede ser descartada a juzgar por los antecedentes expuestos.

2.1.1. LA "CONSPIRACIÓN" DE LOS PROPIETARIOS

El otro gran eje de la labor represiva está constituido por la activa colaboración que, en estrecho contacto con el juez de primera instancia del distrito Norte de Matanzas, Francisco Vasco, y de sus celadores, prestará un significado grupo de hacendados y administradores de la zona de Alfonso XII y aledaños. Uno de estos personajes, integrante de una saga de hacendados y profesionales de indiscutible significación en la historia de Matanzas y en la ulterior historia de la Cuba republicana, Gabriel García

---

238. Cánovas a García Aldave, Colón, 21 de marzo de 1892 (AGI. Diversos 16).
     Fulgencio Cruz fue detenido, a principios de agosto de 1891, en Jagüey Grande, junto a Alejo Suárez, acusado de exigir contribuciones en nombre de los bandidos, como ya se apuntó.
239. Cánovas a García Aldave, Colón, 24 de marzo de 1892 (AGI. Diversos 16).

Menocal [240], escribía desde el ingenio "Las Cañas", el 13 de mayo de 1891, al citado Vasco, para darle esperanzas sobre los previsibles buenos resultados del plan que se tenían entre manos. "El amigo Núñez le impondrá de lo [que] hemos hablado, que ya le he dicho que no se desaliente, que nuestro proyecto [es] de posible realización". Y añadía: "Para facilitar la manera de trabajar nuestro plan, conviene que el Teniente Salgado sea relevado del puesto que ocupa y que a ese manden cualquiera otro que no esté relacionado en el lugar como lo está éste" [241].

Otro personaje con intereses en la zona era Aurelio Padilla, administrador del ingenio "Conchita" de Unión de Reyes. En carta a Vasco, del día 14, le aseguraba que conocía el proyecto a través de su amigo Capote y que sus propias observaciones, en relación con una conversación que había tenido con Núñez, se basaban en muchos años de experiencia, "tratando siempre con guajiros, y oyendo las impresiones y relatos de aquellos que sin estar fuera de la Ley, debían estarlo con mayor motivo". Afirmaba, asimismo, que uno de los principales inconvenientes era "no tener una persona de absoluta confianza para este caso", y que "esto es cuestión de ocasiones inesperadas, ni buscadas y si se me presentasen, puede Vd. confiar en que lo avisaré a Vd." [242].

Al día siguiente, el juez Vasco remitió copia de ambas cartas a don Enrique Amado Salazar, alto responsable de la Comandancia de Ingenieros en La Habana, quien actuaba de contacto entre el juez y el mismísimo Polavieja. Vasco le pidió que indicara al Capitán General la conveniencia

---

240. Gabriel García Menocal, como indicamos en el capítulo II, dirigió la conspiración revolucionaria en Jagüey Grande en 1869, siendo éste uno de los episodios de la insurgencia revolucionaria en la zona occidental durante la Guerra de los Diez Años. Fue, también, el padre de Mario García Menocal y Deop, futuro presidente de la República de Cuba, quien, junto a sus hermanos, participó en la Guerra de Independencia y, más tarde, durante la época mediatizada y la "dictadura" de los generales y los doctores, como más adelante se verá, escaló los más altos puestos del Estado semi-independiente.

241. Gabriel G. Menocal a Francisco Vasco y Vasco, ingenio "Las Cañas" [membrete], Alfonso XII, 13 de mayo de 1891 (AGI. Diversos 19). Se conserva también (en loc. cit.), copia de la carta. Menocal, según dijo, iba a dejar la finca en breve tiempo, aunque la zafra no había terminado, y anunció una próxima visita a Vasco.

242. Aurelio Padilla a Francisco Vasco, ingenio "Conchita", Unión [membrete], 14 de mayo de 1891 (AGI. Diversos 19). Existe, igualmente, copia de esta carta en loc. cit.

de que Salgado fuera trasladado, al menos por una temporada, y que le designase como celador a sus órdenes a Juan Quintana, que lo había sido de Alfonso XII y Limonar y podía ser valioso en la comarca. El juez, que estaba tejiendo una pequeña red de agentes y colaboradores, le advirtió también a Enrique Amado que "la única persona, además de nosotros, que puede saber de estos planes y trabajos es el Coronel Aldave" [243].

Unas semanas más tarde, Vasco recibió la visita de Menocal, quien le facilitó información sobre los individuos que protegían a los bandidos en la comarca y le expuso algún otro plan para la extinción de la partida, por lo que el juez creyó oportuno que Menocal fuera recibido por Polavieja [244]. Vasco puso de relieve, igualmente, la ayuda que aquel había obtenido de don Abraham Morejón para confeccionar la lista de encubridores, y solicitó, a petición de Menocal, un salvoconducto para Morejón, "para reclamar donde le convenga auxilio, pues teme que los relacionados o patrocinados de éstos le traten de hacer daño, y que no quitase V. la fuerza del ingenio [de] Morejón" [245].

---

243. Vasco a Enrique Amado Salazar, Matanzas, 15 de mayo de 1891 (AGI. Diversos 19). Enrique Amado Salazar remitió, el día 2 de ese mes, un oficio a Polavieja, con el que le adjuntaba un telegrama y una carta del juez Vasco. El oficio aparece con el siguiente membrete: "Comandancia de Ingenieros de La Habana. *Particular*" (en loc. cit.).

244. Esta recepción debió producirse hacia mediados de junio (Vasco a Polavieja, Matanzas, 15 de junio de 1891. AGI. Diversos 19).

245. Vasco a Polavieja, Matanzas, 9 de junio de 1891 (AGI. Diversos 19). La larga lista de protectores del bandolerismo, en lo que sería el actual municipio de Unión de Reyes y alrededores, así como en otros enclaves de la provincia, se inicia con Tomás Cabrera (Conconi) y finaliza con Andrés Campa (La Lima), incluye nombres como los hermanos Alfaya (Bermeja), José Santana, Clemente Rodríguez, José García Rivero, Elías Cruz, Jerónimo Cruz, Florentino Cruz, Patricio Cabrera, Sixto Cáceres, Antonio Ramírez, Coleto Cruz o Aguilar, José y Julio Marichal, Domingo La Rosa, Andrés Ayala, Serapio Cruz y Celestino Abreu.

Con el extrañamiento de estos individuos, se dice en la nota, el bandolerismo perdería todo su apoyo en la localidad, "se verían aislados y en completo desconcierto". Además, se matiza: "Para continuar el plan hasta la terminación de la partida me parece que deben seguirse entendiendo tres individuos, uno de la localidad, otro de fuera con éste, y el segundo directamente con el Capitán General que dictaminará las órdenes a oficiales que merezcan confianza" (Nota, s.l. y s.f., pero en el expediente de Francisco Vasco, en AGI. Loc. cit.).

El citado Abraham Morejón, médico, hacendado de La Margarita (Vieja Bermeja. Alfonso XII) y sobrino, según propia confesión, de Gabriel G. Menocal, se convertirá, a partir de entonces, en pieza clave del entramado contra la partida de Andrés Santana, de quien, al parecer, era "compadre" y, según una confidencia, también había curado en otro tiempo a los miembros de la cuadrilla [246].

En los últimos días de junio o principios de julio, Morejón también mantuvo una breve entrevista con Polavieja, según se desprende de comunicaciones cruzadas entre Vasco y Menocal, quienes, en esos momentos, colaboraban estrechamente, tanto que el segundo avisaba de la preparación de algún "servicio en el sentido que Vd. conoce", para la noche del 3 de julio [247].

El servicio en cuestión, según parece, fue una encerrona que se trató de tender a Santana mientras se escondía en una casa del batey del ingenio, "casi demolido", "Dichoso", no muy lejos de Bermeja, con objeto de reponerse, según publicó *La Discusión*, de heridas producidas en un encuentro que había tenido, días antes, en Jagüey Grande. Allí acudió el teniente Guerrero, con unos veinte guerrilleros del Regimiento de Tacón, pero, tras poner en práctica una elemental estratagema, el bandido consiguió burlar a sus perseguidores [248].

El día 8, Morejón escribió a Menocal y le pidió que se comunicara con el juez Vasco para que "dejen la cosa sin sumaria" y para que pusieran en libertad a un par de detenidos a causa del incidente –de cuya prisión se había enterado por el teniente Guerrero–, con el fin de "desvanecer y despistar el hilo de la confidencia" [249]. Menocal, por su parte, remitió a Vasco la misiva de Morejón y, al mismo tiempo, lamentó el fracaso del "servicio", por más "que fue bien preparado y que el lugar se prestaba" [250].

Abraham Morejón tenía, desde luego, sobradas razones para solicitar

---

246. Según el libro de *historiales*, ya citado, había realizado, con anterioridad, gestiones con un intermediario para entregar a los bandidos "Víctor y Vicente Cruz" (AGI. Diversos 19). V., también, la nota confidencial del G.P. "Morejón Abraham" en AGI. Diversos 17.

247. Vasco a Polavieja, Matanzas, 28 de junio de 1891 y Menocal a Vasco, ingenio "Las Cañas", Alfonso XII, 3 de julio de 1891 (AGI. Diversos 19).

248. "La audacia de un criminal. La sorpresa de Santana", recorte de *La Discusión* en AGI. Diversos 22.

249. Morejón a Menocal, Margarita, 8 de julio de 1891 (AGI. Diversos 19).

250. Menocal a Vasco, ingenio "Las Cañas", Alfonso XII, 9 de julio de 1891 (AGI. Diversos 19).

que se diera carpetazo al asunto, pues fue él mismo el que dio la confidencia. "Las cosas van mal por aquí –dirá en otra misiva dirigida a Menocal el día 27–. El espionaje es tan fino en esa gente que Santana sabe quien dio la confidencia del *dichoso* 'Dichoso', que me pesa mil y mil veces haberla dado". Se lamentaba de su situación y anunciaba, no obstante, que tenía una "combinación entre paisanos que tal vez dará resultado dentro de 3 ó 4 días. Si no lo diese entonces estaré verdaderamente mal. Yo creo que el General se irá convenciendo el porqué no se daban confidencias". Añadía que José Santana, Tomás Cabrera y Andrés Campa eran tres personas perniciosas en la localidad y que, debido a ellos, se hacía difícil "combinar planes"; y afirmaba también: "Santana lo acusa a Vd. y a mí como confidentes del Gabinete. ¿Qué le parece a Vd. esto?" [251].

Dos días después, Morejón insistió en el asunto de la "combinación entre paisanos", cuyo objetivo era acabar con las "bravatas de Santana". "Tanto lo deseo que me parece hasta irrealizable todo proyecto". Se refirió igualmente al teniente Luque, que en su criterio debía ser destinado al Sopapo, "lugar éste estratégico y es donde existe la mata del bandolerismo"; a Zamora, "que es un buen perro de busca"; a la opinión de Santana sobre él y sobre Menocal y, por último, a otros miembros de la partida: "El bandolero José Rosales se fue para Vuelta Arriba. Pablo Gallardo hace días se separó de la partida [de] Santana. No sé donde estará. Sólo quedan por aquí, Santana, Tomás y Víctor Cruz" [252].

Las opiniones de Abraham Morejón eran tenidas en cuenta por el Gabinete, pues una de las primeras gestiones de Domingo Lomo, al hacerse cargo de la subzona de Alacranes, fue enviar al teniente Luque a que hablase con "Morejón y sus demás amistades, para que decidiese donde quería colocarse y eligió el destacamento de los Montes de La Lima" [253].

---

251. Morejón a Menocal, Margarita, 27 de julio de 1891 (AGI. Diversos 19). También indica que el encargado de la Rua, don Ramón Zamora, que estaba custodiado por siete guardias civiles, "se encuentra hoy en situación desesperada a consecuencia de haber prestado servicios al Gobierno y sin resultado alguno. Zamora desea lo autoricen para ponerse al frente de esos civiles y perseguir a esa gente. Muy conveniente sería esto y daría gran resultado. El es listo y arrojado y conoce bien la zona. Trate de conseguirle esto mediante una pequeña asignación pues el vive de su trabajo; lo cual no puede hoy hacer".

252. Morejón a Menocal, Margarita, 29 de julio de 1891 (AGI. Diversos 19).

253. D. Lomo García a García Aldave, Alfonso XII, 29 de julio de 1891 (AGI. Diversos 17). Lomo solicitó, también, algunas latas de conservas de carne

En la madrugada del 10 de agosto de 1891 era eliminado Andrés Santana Pérez, como ya se ha indicado. Apenas cuatro días más tarde, escribía Morejón al juez Vasco, desde el hotel *Mascotte* de La Habana, donde solía hospedarse en sus viajes a la capital [254]:

> *Supongo se habrá enterado Vd. de la carta que dirijí a mi tío don Gabriel. En ella le hablaba del "proyecto" que afortunadamente se realizó en la noche del 10* [255]*, y con descanso manifiesto para todos los de esa Comarca. Cábeme el deber, ya que Vd. se interesa y ha contribuido a la extinción de esa plaga social, decir a Vd. que tenemos casi la seguridad de capturar al bandido Tomás Cruz, segundo de Santana. Es hombre de pésimos antecedentes y de instintos tan feroces como los que poseía Santana. A esta marcha creo quedará antes de un mes libre la zona de bandoleros, puede Vd. así comunicarlo al Sr. General.*

La profecía de Morejón, que no era tal porque el médico y hacendado sabía de lo que hablaba, se cumplió tres días después, y así se lo comunicó a Francisco Vasco [256]:

> *El sábado de la pasada semana dije a Vd. había una combinación para la captura del bandolero Tomás Cruz. Puedo hoy asegurar a Vd. que*

---

y pescado con "alguna sustancia venenosa fuerte, que no descomponga en algún tiempo en la lata".

254. Morejón a Vasco, Habana, 14 de agosto de 1891 (AGI. Diversos 19). La carta lleva el membrete del hotel y, aunque no está firmada, la caligrafía del autor es inconfundible. Además Morejón justificó la falta de su firma y le pidió disculpas a Vasco: "Disimule y perdone la falta de mi firma, pero como Vd. comprenderá, en asuntos tan delicados no debe uno confiarse al Correo, que por desgracia, no es del todo exacto". La rúbrica, empero, sí fue utilizada.

255. En realidad el óbito de Santana se produjo en horas de la madrugada de ese día, hacia la 01 a.m., según la mayoría de los periódicos. Además, E. Lomo García, en su citada carta a García Aldave del día 11 de agosto (AGI. Diversos 19), afirma: "A la una de la tarde de ayer se recibió en esta un despacho en el que ordenaba que un fotógrafo fuese a Cabezas a retratar al bandido Santana...", a sus restos mortales, lógicamente.

256. Morejón a Vasco, 17 de agosto de 1891 (AGI. Diversos 19). El lugar de emisión de la carta, aunque está tachado, puede ser "Margarita", pues es perceptible, sobre todo, el rasgo de la letra g. Morejón vuelve a disculparse por la falta de su firma, "pues así conviene".

*ya no existe dicho bandido y que fue muerto como a la una de esta tarde
por fuerzas al mando del Teniente D. Antonio Guerrero, en terrenos del
Potrero Valera. Tomás Cruz era el segundo de Andrés Santana. Era un
verdadero asesino, de muy malas entrañas y se había hecho terror de esta
comarca. Sólo nos queda en la extensa zona de Alfonso XII un bandolero
llamado Víctor Cruz, al cual se le persigue con el mismo interés que los ya
muertos. Se puede decir que el bandolerismo ha muerto en esta zona. Yo
tendré el gusto en tener a Vd. al corriente de lo que sucediese.*

Ahora bien, ¿se limitó la colaboración de los hacendados a facilitar
la destrucción de los bandoleros por parte de las fuerzas de seguridad, o,
se trata de una participación más activa? Leopoldo Ortega, oficial jefe y
alcalde de Cabezas, comunicaba, el 1º de octubre de 1891, la intención de
don Daniel Cuervo, administrador de un ingenio propiedad de su hermano,
de prestar un servicio contra el bandolerismo. El citado Cuervo, su hijo y
un colono se proponían matar a "tres o cuatro bandidos completamente
desconocidos..., haciéndonos después cargo de los muertos para descartar
a los matadores de la responsabilidad criminal". Ortega opinaba que este
servicio no era muy brillante y "hoy por hoy puede considerarse proble-
mático", aunque valoraba positivamente la actitud de los "señores" de
"ofrecerse a despachar unos cuantos pillos", por lo que entendía que podría
prestarse llegado el caso, "si no por mí, por un oficial de mi confianza y
con todos los visos de la más perfecta verosimilitud", a pesar de que por
ser los insumisos "completamente" desconocidos en el término, "su identificación será muy difícil, si no imposible, y podríamos vernos en gran
compromiso" [257].

García Aldave, sin embargo, no se mostró tan reticente y encargó del
asunto al teniente coronel La Jara. "Don Daniel Cuervo –aclara en una de

---

257. L. Ortega a García Aldave, Cabezas, 1º de octubre de 1891 (AGI. Diversos
18). Los Cuervo ya habían sido extorsionados por Manuel García Ponce y,
en un primer momento, Ortega creyó que se trataba de una petición de dinero del *Rey*, y, mediante ella, "combinar su captura".
Don Daniel Cuervo, además, había sido alcalde de Nueva Paz y, según
el libro de *historiales* de García Aldave, por su mediación logró Manuel
García "colocar a las órdenes del General Lachambre a Eulogio Rivero y
Perico Palenzuela". Se añade en la ficha, además, que Cuervo había "logrado sostener su crédito oficial con los Capitanes Generales, pero su presencia como autoridad en los Palos es un inconveniente, porque si no
auxilia a los bandidos, procura no hacerles daño" (AGI. Diversos 19).

sus valiosas misivas al Capitán General–, me ofreció que los matarían y entregarían a la fuerza pública *como se hizo con Santana y Tomás Cruz,* yo acepté y en este sentido se trabaja ¿Quiere Vd. que así se continúe?" [258].

Con los datos disponibles no puede demostrarse, pese a la anterior afirmación del Jefe del Gabinete, una implicación más directa de los hacendados y administradores en la muerte de Andrés Santana y de Tomás Cruz, pero sí quedan al descubierto algunos de los intereses que, en principio, les llevaron a entenderse con las autoridades represivas y a asumir como necesaria la eliminación de los bandoleros de la comarca.

Desde finales de agosto de 1891 Menocal solicitó de las máximas instancias del poder colonial ciertas prebendas, como la "colocación" de uno de sus hijos, al objeto de que se hiciera "bachiller" [259]. Mas, en lo sucesivo, sería especialmente Abraham Morejón el encargado de canalizar los favores del gobierno, al tiempo que se convertía en un verdadero guardián del orden, cacique local y colaborador del Gabinete para toda la comarca.

A principios de febrero de 1892 lo encontramos, pues, solicitando para su primo el abogado Narciso Menocal, ex-vicesecretario de la Audiencia de Matanzas, su permanencia en la Isla y, a la vez, un juzgado de primera instancia en la provincia yumurina; informando de la tranquilidad que reinaba en la zona: "los sitieros están dedicados a sus trabajos y se nota el cambio favorable dado a la comarca desde la extinción de la Partida de Santana"; expresando sus deseos de atender a las súplicas de algunas familias de sitieros, "pues estos me ayudarán al sostenimiento del orden", de cara a conseguir, como en efecto consiguió, la libertad de dos encubridores presos en isla de Pinos, Domingo y Manuel La Rosa, y suplicando, también, la puesta en libertad, pero con cambio de domicilio, del vecino de Casaley, José Gracia, detenido en Alfonso XII a causa de "informes de vecinos, etc., etc.", pues se trataba de un sitiero cargado de familia, cuyos hijos pasaban hambre [260].

---

258. García Aldave a Polavieja, San Felipe, 13 de octubre de 1891 (AGI. Diversos 19). Subrayado por nosotros.

259. Vasco a García Aldave, Matanzas, 25 de agosto y 12 de septiembre de 1891 (AGI. Diversos 18).

260. Morejón a J. Schmid, Margarita, 5 de febrero de 1892 (AGI. Diversos 17). José Gracia había sido acusado con anterioridad, siendo colono de una finca de don Matías Corso (o Corzo), de encubrir a los bandidos y de llevar, a la casa del "honrado" don Juan Milian, a los bandoleros "Tomás y Víctor Cruz y otro".

Paralelamente, Morejón, en plena colaboración con Vasco y con García Aldave, parece que enderezó sus trabajos confidenciales buscando, también, la connivencia de antiguos insurrectos, tal vez no sólo contra el bandolerismo sino, previsiblemente, contra los conspiradores revolucionarios. Así podría deducirse de las siguientes frases del Jefe del Gabinete en carta a Polavieja: "La persona a que se refiere el Señor Morejón, es un tal Macías, súbdito americano y ex-coronel insurrecto, se propone hablarle y conseguir mucho de él. El Señor Morejón me verá a mí antes de ver al Señor Macías, así me lo ha mandado a decir antes de ayer" [261].

Morejón visitó, en efecto, a García Aldave en San Felipe unos días después. El anuncio de la visita lo realizó Vasco el día 20, quien insistió en que era una persona de confianza, pues "por él se obtuvieron dos confidencias de éxito y por él se podrá, a juzgar por su conocimiento de cosas y personas, hacer algo" [262]. Morejón quedó encantado con la audiencia: "El martes tuve el gusto de conocer al Sr. Aldave, persona agradable, simpática y a quien estoy dispuesto a servir incondicionalmente. Doy a Vd. las gracias

---

261. García Aldave a Polavieja, San Felipe, 10 de febrero de 1892 (AGI. Diversos 19, cit.). A continuación añade García Aldave que le había indicado a Morejón que si quería verlo en otro punto que no fuera en San Felipe, pero que no había obtenido respuesta, y, luego, afirma: "No suelte, por ningún concepto, una peseta a Sanguily, si algo hace será por hambre, he obtenido, sin preguntar, muchos detalles de su conducta y que sé han llegado desfigurados a Vd. Cuando lo vea, si le sobra o puede destinarme algunos minutos le detallaré todo. Es una espada de dos filos que habrá que romperla a última hora". La singular figura de Julio Sanguily será tratada en el próximo capítulo, en cualquier caso parece oportuno, por la lógica interna del discurso, reproducir aquí este párrafo, que figura, como queda dicho, a continuación de las observaciones sobre el planificado contacto Morejón-Macías.

262. Vasco a García Aldave, Matanzas, 20 de febrero de 1892 (AGI. Diversos 18). "Ya él, a poco que V. le aprete, se explanará, pues está detalladamente enterado, pero tiene V. que irlo sondeando". Y, añade Vasco: "Me ha gustado verle pero yo quizá sea demasiado desconfiado". En principio, no obstante, las opiniones de Morejón, incluso con relación a los oficiales idóneos para seguir en la zona –Guerrero y Cuvertoret–, eran tenidas en cuenta. Además Morejón le había dicho que dos periódicos (*La Unión* [Constitucional] y el *Diario* [de la Marina]) iban a publicar un artículo ponderando el "cambio radical" que, en sentido favorable, había experimentado la comarca.

por su presentación, en la seguridad de que corresponderé cual merecen ambos" [263].

A partir de entonces, la colaboración entre Abraham Morejón y José García Aldave se hizo muy fluida. El 1° de marzo, Morejón le prometió un "trabajito" para la captura de un secuestrador, "que hasta ahora está en tinieblas, fue uno de los que fueron al secuestro de Ochotorena y de los que robaron a los empleados de la casa de Remenen... Prácticamente capturará Vd. uno perteneciente a la partida de Santana". Y, al mismo tiempo, solicitó un pequeño grupo de caballería para la vigilancia de los extensos campos de caña del ingenio "Gonzalo", en Bolondrón, en el que vivían su madre y sus hermanas, ingenio cuyos plantíos habían sido incendiados dos o tres veces, que, además, estaba sometido a arrendamiento hasta el mes de abril y donde, a la sazón, existía un destacamento de infantería, "que se comportan admirablemente", pero "a caballo se recorre mejor la finca e inspira más respeto a los malintencionados" [264].

Respecto a la anterior promesa, hacia el 12 de marzo se produjo la detención de un colono, Manuel García Espinosa, con quien Morejón parece que tenía tratos en relación con la colonia. El hacendado expresó su intención de ir a verlo a Matanzas y, luego, informar a García Aldave sobre el asunto. "Yo creo que las cosas se pondrán en claro. Es necesario hacerlo así, pues si dejamos las raíces los retoños serán seguros. La limpieza debe ser radical. ¿No lo cree Vd. así?" [265].

En un primer momento Morejón creyó oportuno demostrar "indiferencia" ante sus paisanos, con la idea, por lo que parece, de sonsacar a García Espinosa y conseguir no sólo que declarase lo que sabía [266], sino,

263. Morejón a Vasco, Margarita, 26 de febrero de 1892 (AGI. Diversos 17). "Hablé extensamente con el Sr. Aldave, quedamos de acuerdo en todo (lo que sabe Vd.). El Teniente Guerrero pasa ahora al 'Aguila', y allí se encargará de reorganizar la *gente* que tanto le sirvió antes".

264. Morejón a García Aldave, Margarita-V. Bermeja, 1° de marzo de 1892 (AGI. Diversos 17). "Le tengo conseguido un famoso gallo indio de buena ley, elegante y que ha hecho tres peleas. Pronto lo tendrá Vd."

265. Morejón a García Aldave, Margarita, 15 de marzo de 1892 (AGI. Diversos 17). El suegro de García Espinosa había acudido a ciertos vecinos de Alfonso XII para que influyeran en su causa, "y como quiera que los dueños de la 'Lima' se han venido ocupando de esto, he querido yo ser el último".

266. Morejón a García Aldave, Margarita, 26 de marzo de 1892 (AGI. Diversos 17). Aseguró, además, en su carta que "en el término de Bolondrón no hay bandoleros, y que las noticias que comunican a Vd. las veo ligeras. En esta

sobre todo, su testimonio para la condena de su "secuestrador en tinieblas", cuya identidad correspondía a P[atricio] Cabrera, miembro eventual, como apuntamos más arriba, de la cuadrilla de Santana. Morejón visitó, en efecto, al detenido y le sugirió que declarase que la partida le pidió de comer y que "supo que P. Cabrera había concurrido al robo de los dependientes de Remenen y secuestro [de] Ochotorena", asegurándole que el asunto quedaría en el más absoluto secreto, por lo que nada tenía que temer de los "parientes del Cabrera". Lo importante del caso, añadió, "es castigar al Cabrera. El Espinosa no pasa de ser un desgraciado que ha entrado en reflexiones y es hoy un padre trabajador que jamás volverá a tolerar semejantes actos" [267].

Morejón siguió colaborando, más tarde, con su amigo García Aldave. En carta del 10 de abril, le decía que no tenía información sobre "*Gallo* y *Plasencia*", como luego se verá, y que tampoco se sabía nada de Cruz y Rosales, "muy pendiente estaremos por aquí, si acaso llegasen". Indicó, sin embargo, que, según le habían asegurado al teniente Guerrero, había "en la localidad un Isleño que sabe de Víctor Cruz", y que, igualmente, le hacían al citado teniente una oferta "para la captura segura de M. García. El que propone esto es de Madruga, y pone como condición la venida del hermano de Sixto Valera y la querida de Vicente García. El que propone tiene su padre en isla de Pinos, y para mayor seguridad propone se deje su padre en esa Isla hasta verificar su plan" [268]. Pero, como ya se ha señalado,

---

zona, comprendida entre Palos y Alfonso XII, también la creo tranquila. Los campesinos trabajan de buena fe y se vé en los grandes desmontes que se llevan a cabo en terrenos precisamente antes abandonados a consecuencia de los bandoleros. Yo deseo ser para con Vd. leal y franco, así es que no puedo decirle sino la verdad y nada más".

267. Morejón a García Aldave, Margarita, 30 de marzo de 1892 (AGI. Diversos 17).

268. Morejón a García Aldave, Margarita, 10 de abril de 1892 (AGI. Diversos 17).

En relación con el bandolero-insurrecto José Plasencia —del que, como decimos, también escribiremos al hablar de Sosa Alfonso—, durante la primera quincena del mes de marzo anterior, se publicó en *La Discusión* que, junto a Hilario García, había escogido como campo de sus hazañas las jurisdicciones de Matanzas y Colón, "que conoce palmo a palmo". El 13 de marzo, según esta fuente, se presentaron ambos bandoleros en el ingenio "Flora" (Güira de Macuriges), donde tuvieron fuego con el sereno de la finca. Unos días antes, el mismo periódico publicó una noticia sobre el in-

de Manuel García Ponce nos ocuparemos, con más profundidad, en el siguiente capítulo.

Llegados a este punto se impone una reflexión sobre nuestras hipótesis acerca de la actitud de estos hacendados y de los sitieros, en gran parte de origen isleño. Los Menocal, los Padilla, los Cuervo y los Morejón, por citar sólo los casos de los que tenemos evidencias documentales, estaban interesados en la desaparición de los bandoleros y, de hecho, colaboraron activamente para borrar del mapa a Andrés Santana Pérez y a Tomás Cruz, jefe y subjefe, respectivamente, de la temida cuadrilla que señoreaba en la comarca de Alacranes y en el Sur de la provincia yumurina.

Esta actitud de los propietarios, en la presente tesitura, puede tener una explicación basada en el choque de intereses con los sitieros, de cuyo seno surgen, en gran medida, los bandidos sociales. Los sitieros ocupan, en la escala socioeconómica del mundo agrario de la época, un nivel inferior aún al de los colonos, pues su pequeña propiedad apenas les produce lo suficiente para subsistir. El grado de endeudamiento de la economía azucarera durante estos años, por el avance tecnológico y por otras razones, fue tal que numerosos ingenios pertenecientes a familias cubanas o hispano-cubanas de recio abolengo pasaron a manos norteamericanas. Además, las colonias pequeñas apenas podían sobrevivir debido a que, entre otros factores, tenían que hacer frente a las compras al menudeo, con el consiguiente encarecimiento de un 15 a un 30 por ciento en los productos [269].

En este sentido, la observación de H. Thomas sobre la "tradición de Cuba", que este autor equipara a la del resto de las Indias Occidentales sin diferenciar el Caribe español del inglés o del francés [270], respecto a la práctica de "comprar al norte o a Europa comida a granel" para alimentar a las dotaciones de las plantaciones y, una vez realizados los beneficios, volver a comprar, *"inter alia*, la comida"*, como una pesada herencia del

---

tento de secuestro del Sr. Mier, dueño del ingenio "Santa Rosa" y de su administrador, y sobre robos de dinero a don Antonio Galo y don Antonio Muñiz, "se cree sean estos bandidos, Plasencia e Hilario García, ambos de la partida de Manuel García. Visten de ralladillo azul y sombrero de jipijapa, montando buenos caballos" (V. "Secuestro frustrado. El bandido Plasencia" y "Encuentro con bandoleros. La partida de Plasencia", *La Discusión*, 9 y 14 de marzo de 1892, AGI. Diversos 22).

269. H. Thomas: Op. cit., t. I, p. 367.

270. Sobre estas diferencias y sobre el papel del inmigrante canario en el Caribe español véase el estudio, ya citado y publicado en esta misma colección, de M. de Paz y M. Hernández: *La esclavitud blanca...*

sistema esclavista [271], no parece ajustarse a la realidad. En Cuba, en esta zona de Matanzas y de la provincia habanera, los sitieros, canarios en un elevadísimo porcentaje [272], introdujeron su tradición secular de economía de subsistencia en la formación social cubana, ellos, por propia experiencia, sabían que todo modelo de economía exportadora tenía que completarse con el necesario sistema de autoconsumo. Así, pues, el espíritu de independencia personal del guajiro justificó, junto a la necesidad de proveerse de productos hortofrutícolas, la generación de una economía peculiar que, incluso, pudo conectar con la red de abastecimiento de las plantaciones y, sobre todo, con el sistema de trueque que caracterizó la relación económica entre los ingenios centrales y sus colonias cañeras.

¿Interesaba a los hacendados, en este contexto, la eliminación de los sitieros?, si la sitiería implicaba la carencia de mano de obra abundante y barata en época de zafra, si impedía la concreción de un, llamemos, ejército laboral de reserva y, al mismo tiempo, independizaba al campesino del almacén o economato del ingenio, la pregunta podría contestarse afirmativamente. Pero, en cualquier caso, lo que resulta evidente es que el gran desarrollo azucarero contribuyó a desquiciar las estructuras agrarias tradicionales. Al lado de la economía esclavista de plantación pervivió, durante decenios, la sitiería, de hecho hasta la liberación de los esclavos el pequeño agricultor pudo convivir, en condiciones siempre precarias y de ahí, entre otras causas, la persistencia del bandolerismo durante todo el siglo XIX, con un modelo económico cada vez más dominante, pero, a

---

271. H. Thomas: Op. cit., t. I, p. 362.
272. Según un trabajo, discutible en algunos aspectos, de I. Moliner Castañeda (*Estudio sobre la raíz española de la cultura popular tradicional en Matanzas*, Ed. Unidad de Divulgación Provincial de Cultura, Matanzas, 1988, p. 12), el porcentaje de representatividad para los siglos XVIII y XIX, en la población matancera, de las diferentes comunidades españolas se expresaría con las siguientes variables:

Pobladores	Valores en %
Canarios	34,5
Catalanes	24
Andaluces	18
Gallegos	9
Asturianos	7
Vascos y navarros	7
Resto	3,2.

partir de entonces, a raíz, sobre todo, de esta nueva etapa inversora y especulativa, las estructuras tradicionales tendieron a desintegrarse.

No importa, como veíamos más arriba, que toda la comarca de Alacranes no fuera un inmenso cañaveral, aunque casi lo era, pero lo cierto es que las tierras eran compradas ansiosamente por los nuevos especuladores, "geófagos" pre-republicanos, testaferros del capital estadounidense, cuyo mercado sería, desde estas fechas, absolutamente mayoritario en las exportaciones azucareras cubanas. Los sitieros, asfixiados por la presión de los inversores, emigran hacia el Centro y, lentamente, se desplazan más y más hacia Oriente, hacia las Villas y el Camagüey, escenario, en el siglo XX, de buena parte de la violencia rural, del bandolerismo social cubano, como se estudiará más adelante. Recuérdese lo sucedido con el antiguo Hato de Zapata, viejo enclave ganadero del que sólo quedaban, como recuerdo, unos pocos árboles frutales y cuyas tierras fueron compradas por los propietarios de ingenios.

La sitiería, las familias de humildes campesinos pobres pero independientes son, en efecto, las simientes del bandolerismo. Unos bandoleros que, tal como hemos tenido oportunidad de comprobar, presentan en numerosas ocasiones un indudable origen isleño. Ello es lógico por la propia caracterización de su grupo socio-económico originario. No constituyen la hez de la sociedad, sino su sector más humilde, un campesinado pobre que, desde luego, vio amenazado su futuro y protestó violentamente, ante la necesidad de re-emigrar. En este sentido, tampoco es fundamental demostrar la genealogía y el orígen socio-económico de todos y cada uno de los bandidos. Ellos estaban allí como rebeldes primarios, casi todos tenían algo que perder, no eran meros integrantes de un lumpen rural, sino defensores de una supervivencia conquistada con infinidad de sacrificios.

En este contexto, también la *isleñidad* concebida, casi, como una categoría socio-racial contribuyó a generar y a mantener la vigencia de los vínculos más que solidarios entre los campesinos canario-cubanos, la endogamia es una garantía de preservación cultural y, también, de supervivencia. En América y, sobre todo en el Caribe, el isleño siempre tuvo una identidad propia, definida y diferenciada del resto de los españoles, eran los criollos del otro lado del Océano [273]. Así, pues, el matrimonio y el padrinazgo, ejercido, v.g., entre los Santana, los Cruz, los Horta y los Gon-

---

273. M. Hernández González: "Reflexiones sobre la identidad canaria en América", en Varios Autores: *En el camino. Canarias entre Europa y América*, Edirca, Madrid, 1992, pp. 75-91.

zález Perera, puede resultar clarificador. Muchas páginas de historia escribirán aún los bandidos "isleños" de Cuba.

3. LOS BANDIDOS DE CÁRDENAS

Luis Santana, Regino Alfonso Bernal y Manuel Fundora fueron tres bandoleros de relieve en la comarca matancera de Cárdenas. Entre los tres destacó el segundo, tanto por la importancia de sus depredaciones como por la excelente hoja de servicios que ostentó, durante la Guerra de Independencia, en las filas del Ejército Libertador. Las noticias sobre estos insumisos, sin embargo, son fragmentarias, aunque nos permiten cierta aproximación a la envergadura de su historial rebelde.

Luis Santana había trabajado de "yerbero", con anterioridad a 1891, en una "finquita" inmediata a la ciudad de Cárdenas. Su padre, con quien el bandido mantenía estrechos contactos, vivía, en marzo del citado año, en la propia población, y a él se dirigieron unas gestiones del celador Parodi [274], a través de un amigo íntimo y confidente que actuaba en Jagüey Grande, pero que a nada condujeron.

El verdadero protagonista de las acciones perseguidoras contra los bandidos de Cárdenas fue, sin lugar a dudas, el capitán de la Guardia Civil don Miguel Arlegui, que, a principios de abril, se lamentaba del fracaso de una proyectada encerrona contra el "tan perseguido Luis Santana", basada en una confidencia obtenida, dos días antes, del alcalde de Lagunillas, "hombre muy adicto" pero que desaconsejó que las fuerzas se pusieran en movimiento el mismo día en dirección a un bohío del ingenio "San Juan", donde, a la sazón, se encontraba el insumiso. "Todo hubiera salido a pedir de boca, a no dar la casualidad de tener una riña en un Ingenio próximo dos individuos saliendo uno herido mortalmente, la misma tarde en que el Alcalde me traía la noticia, lo cual fue causa de que Santana levantase el vuelo..., presumiendo lógicamente que con este motivo iría por allí la fuerza" [275].

---

274. Parodi a García Aldave, Colón, 10 y 24 de marzo de 1891 (AGI. Diversos 18).
275. Arlegui a García Aldave, Cárdenas, 3 de abril de 1891 (AGI. Diversos 16). En el bohío de referencia fueron halladas 6 cápsulas de rifle y 4 de revólver "Smith" grande. El dueño confesó que, en efecto, el bandolero se había ocultado en su casa, por lo que fue amenazado por Arlegui, por ello le prometió al capitán que, si lo dejaba en libertad, le ayudaría a capturar al bandolero. "Como quiera que no se le hubiera podido comprobar la cosa, entendí más útil dejarlo en paz por ahora, y aceptar el ofrecimiento".

Se deduce, pues, entre otras cuestiones, que, por aquellas fechas, Luis Santana ya era un antiguo conocido de las fuerzas de seguridad. Su cabeza fue cotizada por el Gabinete Particular, "muerto por supuesto", en 30 onzas de oro [276]. Igualmente, aunque su persecución se encomendó sobre todo a Arlegui [277], no se despreciaron las ofertas de otros agentes de la autoridad, y, así, en septiembre, se aceptó, con la mediación de López Sola y del inspector de policía de Colón Tomás Aguirre, la oferta del ex-guardia gubernativo y vecino de Cárdenas, M. Jiménez Fuentes, de entregar al bandido a cambio de una plaza de celador [278].

Miguel Arlegui, mientras tanto, registraba en su haber algunos triunfos, más o menos pírricos, sobre el bandolerismo en la comarca cardenense. En la noche del día 1º de mayo de 1891, una emboscada de la Guardia Civil, bajo su mando, permitió la captura, en terrenos del potrero "Herrera", del "famoso bandido, uno de los más temidos secuestradores" –al decir de *La Discusión*–, Manuel Fundora, "ocupándosele el caballo que montaba, que resultó ser de la propiedad de don Quintín Mederos, un revólver Smith, de gran calibre, un machete y un puñal" [279].

---

276. [García Aldave] a Domingo Lomo, Habana, 10 de junio de 1891 (copia), AGI. Diversos 18. "Schmid diría a Vd. lo que se puede dar por Luis Santana, muerto por supuesto 30 onzas oro, en este concepto trabaje la cosa y contésteme". V., también, Domingo Lomo a García Aldave, Aguacate, 19 de junio de 1891 (AGI. Diversos 17). Además, el libro de "historiales" del G.P. (AGI. Diversos 19), contiene la siguiente nota sobre el bandolero: "Bandido de la provincia de Matanzas. Ha extremado sus exigencias de dinero por los alrededores de Cárdenas, le acompaña Manuel Rosales". Esta última referencia a Manuel Rosales no está confirmada por otras fuentes, así que puede tratarse de un error.

277. Manuel Reyes Rodríguez, Jefe de la Guardia Civil de Matanzas, a García Aldave, Matanzas, 15 de junio de 1891 (AGI. Diversos 18).

278. López Sola a García Aldave, Colón, 1º, 8 y 14 de septiembre de 1891 (AGI. Diversos 17). Jiménez aseguraba ser amigo de la familia de Luis Santana y, según dijo a López Sola, era "asunto de encontrarlo y tumbarlo, por que con un claro de luz que vea se escapa de fijo".

Sin embargo, Jiménez no parece que aprovechara las oportunidades pues, en febrero de 1892, estuvo "en conferencia" con el bandido y con su padre y no los mató "por falta de ocasión" (López Sola a García Aldave, Colón, 21 de febrero de 1892. AGI. Loc. cit.).

279. "El bandido Fundora. Su captura", recortes de *La Discusión* y de *La Lucha* del 4 de mayo de 1891 (AGI. Diversos 22). *La Lucha* afirma que Fundora estaba "complicado en varios delitos de bandolerismo". Es muy

El 30 de septiembre, Arlegui detuvo, en la zona de Cárdenas, a Regino Alfonso y a Gaspar Ortega, como sospechosos de haber participado en un asalto. Regino Alfonso también tenía cierto historial de rebelde agrario, pues, entre otros asuntos, se sospechaba que había tomado parte en el asesinato de Juan García Hernández, ocurrido en Lagunillas en diciembre de 1888, junto al moreno Marcial Unzueta y los blancos José Isabel Alfonso, su propio hermano como luego se verá, Ignacio Corso, José Valdés e Isaac Bayol [280]. Poco duró, sin embargo, la prisión de Regino Alfonso, dado que, el 13 de diciembre de 1891, se fugó, espectacularmente, con Manuel Fundora y con los morenos José Alemán y José Crespo, de la cárcel de Cárdenas, dando lugar a un alarmante tiroteo en la ciudad [281].

Según una confidencia recogida, en isla de Pinos, por el celador Antonio Lago, existía la posibilidad de que Alfonso y Fundora estuvieran escondidos en Madruga, en una cueva cercana a un horno de cal propiedad de Manuel Ojeda o de un tal Rodríguez, puesto que Fundora tenía familia en el término [282].

Arlegui, por su parte, volvió por sus fueros y, a finales de enero de 1892, trató de poner en práctica una de las habituales técnicas represivas,

---

probable que este Manuel Fundora fuera el mismo que, a principios de abril de 1884, desembarcó con Carlos Agüero en la expedición de la goleta "Schaver". Además, a juzgar por su segundo apellido –Vera– y por su amistad con Manuel García Ponce, entre otros indicios –según informes del celador de isla de Pinos, Antonio Lago, como luego se dirá–, debió pertenecer a la misma familia de Fidel Fundora, personaje singular en relación con la extraña muerte del *Rey de los Campos de Cuba*. En los registros de García Aldave (AGI. Diversos 19, cit.), empero, aparecen Manuel Mª. y Fidel Fundora: "Encubridores. Se mandaron a Pinos", el primero obtuvo su libertad el 27 de octubre de 1891 y el segundo el 25 de septiembre del mismo año, y, a continuación, figura otro Manuel Fundora con la siguiente anotación: "Bandido. Capturado en Jovellanos, pasó a la Cárcel de Cárdenas". No es posible, pues, a juzgar por estas observaciones, que Manuel Mª. y Manuel Fundora fueran la misma persona, pero resultan llamativas las aseveraciones de Lago y del cuatrero Machado sobre la amistad de Manuel Fundora con García Ponce, así como sobre la existencia, en Madruga, de familiares del Manuel Fundora fugado de la prisión de Cárdenas junto a Regino Alfonso.

280. J. Fernández Fernández y N. López Novegil: Op. cit., pp. 197 y 200.

281. Op. cit., p. 197.

282. Nota reservada de Antonio Lago del 26 de diciembre de 1891 (AGI. Diversos 18).

la utilización, como traidores, de individuos del propio círculo del bandolerismo; estrategia que, en lo tocante a Cárdenas, no daría, durante esta época, resultado alguno. El elegido fue, precisamente, Luis Santana, quien, "después de muchos trabajos, a consecuencia de lo desconfiado que está", accedió a mantener una entrevista con el capitán de la Guardia Civil, en la que prometió "unirse a Regino Alfonso y Manuel Fundora..., para entregármelos; pero a este efecto me exije un salvo-conducto que lo garantice ante la fuerza pública". Arlegui afirmó que era muy conveniente acceder a la petición del bandido, pues, "a más de ser como criminal el más inofensivo", podía ser útil para ulteriores servicios y, además, Alfonso y Fundora eran los principales bandidos de la comarca. Santana, lógicamente, anhelaba, "como fruto de sus obras, el que se le proporcione el indulto; para lo cual se hará acreedor a ello por todos le medios que estén a su alcance" [283].

García Aldave, en nombre de Polavieja, aceptó el negocio y prometió el indulto, "siempre que preste los servicios que a Vd. le ofrece". Le incluyó, con la misma celeridad, el salvoconducto para Santana; le aconsejó que el bandido fuera parco en usarlo, "pues de lo contrario, tan pronto como se sepa queda por completo inutilizado", y le llamó la atención sobre la forma en que estaba redactado, "única que al Santana garantiza y a nosotros nos libra de cualquier cosa que intente con el volante" [284]:

> *Las fuerzas del Gobierno, tanto de Ejército, como de Guardia Civil; no harán daño alguno al portador de este volante y al detenerlo, guardarán la mayor reserva, avisando inmediatamente al Capitán de la Guardia Civil D. Miguel Arlegui, que se encuentra en Cárdenas, para que reconocido por éste, si es la persona para quien se da, lo ponga inmediatamente en libertad, pues tiene misión especialísima que llenar.*

---

283. Arlegui a García Aldave, Cárdenas, 25 de enero de 1892 (AGI. Diversos 16).
284. García Aldave a Arlegui, Habana, 27 de enero de 1892 (copia) en AGI. Diversos 16. La copia del salvoconducto, que reproducimos, tiene la misma fecha y está firmada por García Aldave, en La Habana, como Jefe del Gabinete (AGI. Loc. cit.). La celeridad se explica porque la misiva y el salvoconducto fueron entregados, en mano, por un guardia (Arlegui a García Aldave, Cárdenas, 29 de enero de 1892. AGI. Loc. cit.).

Santana, según García Aldave, se había comprometido a entregar muertos a Alfonso y a Fundora, y, más tarde, a *Matagás* [285]. Por estas fechas, además, aparecían implicados en la causa abierta contra Regino Alfonso, el abogado Figueras y dos "compañeros" del bandido, los citados José Valdés e Ignacio Corso, "que sobre todo el primero es hombre terrible y conviene asegurarle" [286].

El día 29 de febrero, un vecino de Cárdenas, oculto en el anonimato, denunció al Gabinete la ineficacia de la policía en la ciudad, y aseguró que Luis Santana estaba en la casa de su padre, "algo trastornado y enfermo de una llaga en la pierna", y que Regino Alfonso "se pasea por la población y se le puede capturar también con sus compañeros" [287].

Arlegui, sin embargo, negó la anterior denuncia. Afirmó, en primer lugar, que Santana había tenido un "motivo racional para demorar el servicio que le está encomendado, pues ha estado con un golondrino muy rebelde que le imposibilitaba de toda faena", y, en consecuencia, el capitán de la Guardia Civil consideraba razonable darle un nuevo plazo de diez días, y, una vez transcurrido este tiempo, "le retiraré el salvo conducto, y si tiene entrevista conmigo en esa ocasión, trataré de dejarlo en ella". Arlegui se refirió también a Joaquín Machado, un astuto cuatrero del que luego se hablará, y, en segundo término, señaló que Regino Alfonso no entraba en la población, sino que él y su único compañero, Manuel Fundora, estaban "agachados en las carboneras de la costa, sin atreverse a dar un paso fuera de ellas". Además, transmitió su confianza a García Aldave, "ambos, Manuel Fundora y Regino, fueron como V. sabe presos por mí y por tanto los conozco personalmente, así es que ni el Comandante Militar ni nadie aquí, podrá hacer nada contra ellos porque no los conocen, y nadie los vende como carneros, por el miedo que les tienen" [288].

---

285. García Aldave a Polavieja, San Felipe, 12 de febrero de 1892 (AGI. Diversos 19, cit.).

286. Arlegui a García Aldave, Habana, 9 de febrero de 1892 (AGI. Diversos 16). Elizondo había mostrado interés en la causa, en conversación con Arlegui.

287. Anónimo fechado en Cárdenas a 29 de febrero de 1892 (AGI. Diversos 16). El padre de Santana vivía al lado de la Quinta de los Dependientes.

288. Arlegui a García Aldave, Cárdenas, 5 de marzo de 1892 (AGI. Diversos 16). Añade, como prueba de su aserto, que, tras su fuga de prisión, Alfonso y Fundora no habían robado ni siquiera un caballo y que no habían salido de las citadas carboneras, y ello a pesar de que "Regino daría cualquier cosa por asesinar al que lo sacó en rueda de presos, y a los que le han sostenido careos, sobre todo a un tal Romero".

Ese mismo día, empero, Luis Santana estuvo a punto de ser capturado por orden de las comandancias militares de Cárdenas y de Colón. En este sentido se conservan las transcripciones de dos telegramas cifrados de ambas comandancias, pero con idéntico texto: "con urgencia suplico diga si puedo coger a Luis Santana o si hay alguna razón para dejarlo, pues la ocasión de ahora se presenta pocas veces" [289]. García Aldave respondió, rápidamente, a la solicitud: "No haga nada contra Santana hasta nuevo aviso" [290], y, luego, presumiblemente, matizó: "Santana tiene ofrecido servicios al Capitán Arlegui. Consulte a éste hoy por telégrafo. Sin embargo, caso prestar servicio hay que capturarlo muerto y recoger volante que tiene" [291].

Al día siguiente, el comandante militar de Cárdenas, a la sazón Francisco Gutiérrez, expresaba su desconfianza en los trabajos de Luis Santana, pues, "lo lógico es que Santana nada pueda contra Regino porque tiene a su lado a Fundora, a veces a un negro, y además marchan de acuerdo con él sus hermanos Pedro y Pablo, un tío suyo y, caso que llegue a escaparse de la cárcel, a su otro hermano José", y, por si esto fuera poco, "me consta, además, que Regino no quiere unirse a aquel, por más que ha prometido concluir con los que hay en el campo por aquí, es decir me lo ha mandado decir así". Por todo ello, Gutiérrez insistió en la conveniencia de capturar a Santana, "antes de que cambie la situación especial en que se halla, que será dentro de unos tres días", y, por último, ante una previsible visita de García Aldave a la zona, expresó su regocijo, porque "hablando V. mismo

---

289. Transcripciones de telegramas cifrados de los comandantes militares de Cárdenas y de Colón, 5 de marzo de 1892 (AGI. Diversos 16, fols. 173 y 174). En principio, aunque lo lógico sería un papel protagonista de la comandancia de Cárdenas, parece que el mismo le tocó, por alguna razón, a la de Colón.

290. Copia de telegrama al comandante militar de Colón, San Felipe, 5 de marzo de 1892 (AGI. Diversos 16).

291. Copia de telegrama al comandante militar de Colón, San Felipe, 5 de marzo de 1892 (AGI. Diversos 16). Un telegrama de Arlegui a García Aldave de la misma fecha (AGI. Loc. cit.), reza: "Esta noche me veré con Santana y daré a V.S. cuenta. Acabo llegar de Matanzas de cobrar haberes para la compañía y me entregan su carta que se recibió ayer. Arlegui". Se refiere a la carta, que acabamos de citar, donde daba cuenta de la indisposición (golondrino) de Santana y hacía referencia al anónimo y a la situación de Alfonso y Fundora.

con un hermano de Regino puede hacer mucha fuerza en que esta jurisdicción quede limpia, y ver un plan para resolver el final de esto" [292].

Poco después se produjo un robo en las cercanías de la población, hurto del que fueron acusados, al parecer, Alfonso y Fundora. Arlegui desmintió este extremo, repitió que ambos bandidos se encontraban "trabajando en carboneras de esta costa" y añadió que, en la noche anterior, Santana le había ofrecido llevar a cabo "el servicio el lunes próximo" [293], ofrecimiento que, desde luego, no cumplió.

Miguel Arlegui, al sentirse engañado una vez más, se entrevistó, el día 21, con el padre del bandido, "para que le buscase y hablásemos por última vez", a fin de evitar que Santana se "pasee con impunidad". Además, en una sabrosa carta que dirigió a García Aldave, al tiempo que trataba de calmar las iras de su jefe, para lo que ponderó la forma en que estaba redactado el salvoconducto y su disposición a verse con Santana para "hacerle pagar su informalidad" y recogerle el documento, arremetió contra el comandante militar de Cárdenas, quien, en carta a la misma autoridad, según decía Arlegui, aseguraba que podía coger a Santana en cualquier momento y se lamentaba de no haber aprovechado la ocasión en que el bandido se encontraba con el golondrino, "esto último –subrayó el capitán de la Guardia Civil–, puede haber sido exacto y ningún mérito hubiese tenido, aunque lo dudo", pero, en cuanto a la supuesta facilidad del comandante para capturar al bandolero, la cosa era diferente [294].

En efecto, Arlegui descargó su artillería sobre el responsable militar de Cárdenas. En su opinión, "este señor tiene tan poquísimas condiciones para esta clase de servicios que hasta la fecha no ha llevado a cabo ninguno, y en cambio ha tenido siempre la habilidad de ser juguete de sus confidentes dificultándonos a los demás todo trabajo". Tales confidentes eran un cuatrero apodado "El Vizco"; Luis Icart, ex-alcaide de la cárcel cuando la huida de Regino Alfonso, y Luis Cortés, guardia municipal y concuño de "El Vizco". Tanto Icart como Cortés, subrayó Arlegui, "son un par de granujas de tomo y lomo, que siempre han estado en inteligencia con Santana, Fundora, Regino, José Isabel Alfonso, José Barrios –muerto en el

292. Gutiérrez a García Aldave, Cárdenas, 6 de marzo de 1892 (AGI. Diversos 17).
293. Transcripción de telegrama de Arlegui, Cárdenas, 11 de marzo de 1892 (AGI. Diversos 16).
294. Arlegui a García Aldave, Cárdenas, 24 de marzo de 1892 (AGI. Diversos 16).

Potrero Maribona por mis trabajos– y demás compañeros, sin que nunca le hayan proporcionado elementos para su captura, puesto que excepto el 1º todos los demás han sido cazados por mí" [295].

Por otra parte, el capitán de la Guardia Civil de Cárdenas significó que, durante varios días, había estado muy ocupado en preparar una "buena caída al compañero de fatigas del abogado Figueras", apellidado Ibarra. Este último personaje, propietario y coronel de Voluntarios de Caballería, era, según Arlegui, junto con el citado Figueras, "un abrigador de pillos, y su nombre figura envuelto en la causa de Regino Alfonso, por haber respondido por éste con engaño siendo causa de que lo pusieran en libertad los guardias que lo conducían preso. También consta acompañaba a Figueras en ocasión de estar buscando testigos falsos para hacer la coartada de Isaac Boy –causa Regino, crimen Pilderó– porque era íntimo amigo de ambos". Asimismo, Ibarra, contra el que el propio Figueras estaba dispuesto a testificar, fue procesado por estafa a los Sres. Belaunzarán, por sustracción de efectos del ingenio "Aurrerá" y por desacato a la autoridad en la persona del juez de primera instancia, y convenía, en consecuencia, acelerar su expulsión del Cuerpo de Voluntarios, porque, además, su descaro llegaba al extremo de pasearse por toda la ciudad en un caballo de "alta escuela", la misma tarde en que obtuvo su libertad bajo fianza [296].

La extensa misiva de Arlegui testimonia no sólo los frecuentes enfrentamientos entre los agentes de la persecución, sino, de manera especial, la existencia de conexiones entre determinados individuos pertenecientes a la burguesía cardenense y los insumisos. Es posible, en este sentido, que el origen de estos vínculos se encuentre en el prosaico interés de la codicia, mediante el beneficio que tales personajes pudieran obtener del robo y la cuatrería, pero no puede negarse la posibilidad de que existieran otros intereses de carácter socio-político. Y, al hilo de lo expuesto, tampoco puede obviarse el hecho de que algunos de estos delincuentes más osados, como el propio Regino Alfonso, evolucionaran hacia posturas más acordes con el bandolerismo social o con la insurgencia protorrevolucionaria a partir de su antiguo historial de meros delincuentes rurales.

Arlegui, por su parte, demostró que no era inmune a la candidez e ineficacia, dos defectos de los que acusó al comandante militar de Cárdenas. El 17 de abril escribió a García Aldave para informarle que no había podido obtener pistas sobre Luis Santana, "por lo que he podido vislum-

---

295. *Ibídem.*
296. *Ibídem.*

brar, parece que alguno de los consejeros que esta gente tiene le ha dicho que no se fíe de ofrecimientos"; aseguró, no obstante, que había tenido la posibilidad de capturar a Regino Alfonso "en la finca donde solía estar, pero la buena suerte que tienen estos mozos le favoreció, aconsejándole no dormir allí aquella noche", y añadió que sabía, a través de un confidente, la situación del bohío "de donde les llevan la comida" y, por lo tanto, había preparado una emboscada en una manigua inmediata [297].

Dos días después, el capitán de la Guardia Civil hizo constar su entrevista con el cuatrero Machado, quien se le había presentado con una carta de García Aldave, y comprobó que, "efectivamente, conoce los puntos por donde se mueve la gente, y por lo tanto, confío en que le daremos a V. el gusto de anunciarle pronto beneficiosos resultados" [298]. Empero, aparte de su natural inutilidad, dado el arraigo de sus aficiones a delinquir, como luego se verá, Machado tampoco resultó muy útil, pues era conocido en el término y, al ser identificado por un guardia que lo había detenido anteriormente, le mostró su salvoconducto del Gabinete [299], por lo que sus poco probables labores confidenciales fueron un secreto a voces.

El asunto de Machado, sin embargo, no era lo más grave. Por aquellos días, Luis Santana estaba "unido a Regino y Fundora, y ya se mueven de un lado para otro; no sé si tendrá intenciones buenas, o realmente estará con ellos para ayudarles". De esta forma confesaba Arlegui su fracaso. Quizá para calmar su frustración obligó a "levantar campo de esta Ciudad, por no poder ya sacar partido de ellos", a Antonio García y a Pancho Ramos, "ambos pájaros de mucha cuenta, que figurando trabajar, eran perpetuos jefes de cuatreros y abrigadores decididos de Regino y Fundora". El primero, particularmente, era un "hombre de empuje" que, según sus averiguaciones y por confesión de Luis Santana, "fue uno de los que tomaron parte con los Amaros el año 86, en la muerte del Guardia Civil Graña, entre Andarivel y Camarioca". En su opinión, pues, "si se pudiera mandar a alguno para Isla de Pinos, podríamos quitar los pocos abrigadores que tienen Regino, Fundora y Luis; y al ver que la cosa va de veras, alguno de ellos se prestaría o decidiría a entregarlos en forma; porque como

297. Arlegui a García Aldave, Cárdenas, 17 de abril de 1892 (AGI. Diversos 16).

298. Arlegui a García Aldave, Cárdenas, 20 de abril de 1892 (AGI. Diversos 16).

299. Arlegui a García Aldave, Cárdenas, 27 de abril de 1892 (AGI. Diversos 16).

es gente que trabaja en las faenas del campo y tienen su pequeño modo de vivir, optarían por su tranquilidad mejor que por el destierro" [300].

Arlegui, además, recuperó algo sus esperanzas cuando, poco después, recibió la visita de Machado, que le manifestó "que había hablado con la gente y que los encontraba dispuestos a seguir sus planes", pero, al mismo tiempo, expresó sus preocupaciones sobre "Perico Alfonso, que es otro como el que ahorcaron en Matanzas [301] y el más temerario e inteligente de los hermanos", el cual se proponía "alzarse y unirse a Regino", por lo que el oficial de la Guardia Civil se propuso evitar tal incidencia "a toda costa" [302].

Pero las dificultades de Arlegui no se disiparon. Uno de los dos individuos a los que había dado plazo para que abandonaran la población, Antonio García, demostró su "empuje" y se presentó "en queja" contra el oficial en la Capitanía General, contó una versión que le favorecía y consiguió que el mismísimo Polavieja exigiera explicaciones a Arlegui, quien, en carta del 5 de mayo, aseguraba a García Aldave que tal persona era "altamente inconveniente" en la localidad y uno de los que más merecía el destierro a isla de Pinos, pues, insistió, "cuando en la época de los Amaros secuestraron al niño Castillo, se vigilaba a este mozo tan de cerca, que la policía de aquí tenía orden terminante de prenderlo en el momento que se cometiera un secuestro en los alrededores de esta ciudad". La reclamación del citado individuo, sin embargo, le obligaba a dejarlo en paz mientras no se le indicase lo contrario, mas, Arlegui argumentó que tenía que vigilarlo para que no robase más y, al mismo tiempo, para no convertirse en objeto de burla, "porque de lo contrario el temor sin límites que aquí me tiene todo aquel que marcha torcido, se vendría a tierra" [303].

Ciertamente, Arlegui tenía razones para defender su prestigio como

---

300. *Ibídem.*

301. En los registros tantas veces mencionados de García Aldave (en este caso bajo el epígrafe: "Antecedentes de personas sospechosas del término de Colón", AGI. Diversos 19), figura, precisamente, la siguiente anotación sobre Regino Alfonso: "Hermano del fusilado Alberto, es sobrino de Rocío, tomó parte en la muerte Guardia Graña y secuestro del niño Castillo". Alberto Alfonso Bernal se había casado con Matea Bernal Hernández, de cuyo matrimonio nació, el 24 de octubre de 1888, Rafaela de la Caridad (Parroquia de Cárdenas, Libro 30 de bautizos, fol. 456, t. 583).

302. Arlegui a García Aldave, Cárdenas, 1º de mayo de 1892 (AGI. Diversos 16).

303. Arlegui a García Aldave, Cárdenas, 5 de mayo de 1892 (AGI. Diversos 16).

martillo de delincuentes, sobre todo después del fracaso de la operación Machado. ¿Quién era este personaje? Antonio Lago, desde isla de Pinos, afirmaba en una larga nota, a principios de febrero de 1892, que lo conocía desde hacía unos cuatro años. Joaquín Machado Rodríguez, "cuatrero consumado", era amigo, por ello, de todos los bandidos, "pues su primer ensayo es robar y vendían y muchas veces se entendían con Machado", pero éste nunca se ejercitó como salteador de caminos ni como chantajista, por su cobardía y por su temor a la justicia. El susodicho era, continuó Lago, amigo de Manuel Fundora Vera, de Regino Alfonso, recién fugados de la cárcel de Cárdenas, y de Luis Santana, que también había escapado de la misma prisión "hace como dos años". Machado, que estaba en el secreto de la fuga de los dos primeros, dada su gran amistad con Fundora, se encontraba en buenas condiciones para entregar en pocos días, según había ofrecido, a los tres bandoleros, o sea, a Alfonso, Fundora y Santana, eso sí, con todas las garantías de sigilo y con el aval de su propio padre, único familiar que poseía. "Don Joaquín Machado es joven y serio, tiene bastante instrucción, pidió pase para México, le fue negado, y está resuelto por su libertad a sacrificar a aquellos tres que a la verdad son sus amigos, casi se puede asegurar el buen resultado...", y, además, añadía Lago que Machado aseguraba la "amistad de Manuel García con Manuel Fundora y que no es dudoso estén juntos" [304].

Las halagüeñas palabras del celador de isla de Pinos suscitaron la codicia represiva de García Aldave que, no obstante, no parece que las tuviera todas consigo. En una carta posterior, Lago insistió en las posibilidades de Machado a la hora de fraguar, por ejemplo, una encerrona contra Fundora y "comparsa" con motivo de algún robo de ganado, y encareció, en nombre del interesado, la conveniencia de que no se supiera nada por Matanzas, "pues don Tomás Aguirre, hijo, es Jefe de la Policía Municipal y es muy amigo de un hermano de Fundora y tiene la seguridad que si Aguirre sabe algo se pierde todo" [305].

Asimismo, en carta adjunta a la anterior epístola de Lago, Machado

---

304. Nota de Antonio Lago del 2 de febrero de 1892 (AGI. Diversos 17).
305. Lago a García Aldave, Nueva Gerona, 9 de febrero de 1892 (AGI. Diversos 17). "Por mi parte mi coronel –añadió Lago–, me consta que el Sr. Aguirre (hijo) ha sido cuatrero y hoy es protegido del Sr. March, yo le suplico mucho esto la reserva pues él es amigo del Sr. Schmid, pero es seguro que no conoce sus defectos, y yo digo a V.S. siempre cuanto sepa". Conviene recordar que Schmid era el subjefe del Gabinete Particular.

ratificaba su disposición a colaborar con García Aldave, indicaba que conocía a los bandidos, que los había visto huir de la cárcel de Cárdenas, que era conveniente la máxima discreción, que era probable, en efecto, que Manuel García estuviera con Fundora, "pues son íntimos", y, en fin, solicitaba un documento de seguridad y de tránsito libre en el ferrocarril, así como una entrevista personal, en San Felipe, con el responsable del Gabinete Particular [306].

García Aldave consultó el asunto con Polavieja, pues, al fin y al cabo, ya estaba en marcha la operación Santana, con la intervención de Arlegui [307], pero acabaron aceptando la colaboración de Machado, aunque, según parece, con la amenaza de desterrarlo a Fernando Poo en caso de fracasar en su labor confidencial. Lago volvió a ponderar su idoneidad, dado que, en definitiva, Machado no era un auténtico bandolero, sino que conocía a los bandidos por sus adquisiciones de ganado robado, porque las primeras letras de los bandidos eran tales robos [308].

Machado, en libertad y con su salvoconducto bajo el brazo, no tardó en hacer de las suyas. Se presentó a Arlegui, como ya sabemos, y trató de mantenerlo confiado por algún tiempo. López Sola, mientras tanto, trataba de acabar con los cuatreros de su demarcación y, el 26 de marzo, comunicaba que, en cuanto lograra capturar a Manuel Díaz Cabrera, sólo quedarían por la zona unos pocos "cuatreros vergonzantes", y ello "por más que me han dicho –confesaba en su ignorancia–, que anda por Jovellanos el célebre Machado, el cual con Gil González de Cárdenas y los de aquí forman las grandes raterías. Todos irán cayendo provisional o definitivamente" [309].

Algunos cayeron, en efecto, pero por mano de Arlegui. Éste respondió con "sentimiento", el 31 de mayo y a petición de García Aldave, que Machado "en lugar de cumplir con lo que a V. y a mí ofreció se dedica a robar ganado en unión de Roberto Bermúdez –antiguo amigo de Bemba que me hizo correr el otro día para prenderlo–, y con su no menos amigo Gil González que también metí en la cárcel el 27". Un tercer detenido fue

306. Joaquín Machado a García Aldave (Juan Aldabe por error), Nueva Gerona, 9 de febrero de 1892 (AGI. Diversos 17).
307. García Aldave a Polavieja, San Felipe, 12 de febrero de 1892, AGI. Diversos 19, cit.
308. Lago a García Aldave, Nueva Gerona, 16 de febrero de 1892 (AGI. Diversos 17).
309. López Sola a García Aldave, Colón, 26 de marzo de 1892 (AGI. Diversos 17).

Bernardino Navarro y los tres resultaron autores del robo de no menos de veinte cabezas de ganado vacuno, entre toros y bueyes, por lo que fueron encarcelados por orden del juez. Machado, efectivamente, era cómplice del delito, pero, por intervención de Arlegui, no fue detenido, aunque se acercó a la cárcel para indagar de sus compinches noticias sobre el hurto y, cuando le dijeron que sus amigos estaban incomunicados y que se había descubierto todo, "salió en dirección de las afueras de la ciudad al gualtrapeo largo"[310].

Arlegui, en realidad, albergaba pocas esperanzas sobre la verdadera utilidad de Machado como confidente, pero, tal vez, no quiso poner en evidencia a García Aldave. Según afirmó en su misiva, la mayor parte de las reses robadas procedían de las cercanías de Bemba (Jovellanos), y los "dueños que han estado aquí para recogerlas por llamamiento mío, se me lamentaban de haber vuelto a ver aparecer por allí a un tal Joaquín Machado –yo me hacía el desentendido– que lo creían en isla de Pinos y que según se ha dejado decir volvía como confidente del Gabinete". Pero, la cosa era todavía más divertida, "desde que V. lo mandó a verme no ha estado en mi casa más que tres veces, y como en una de ellas me indicase la conveniencia de que le facilitara tres cédulas con nombres que él había convenido con Regino y Fundora, así lo hice, y hasta la ocasión presente no ha vuelto por aquí. Desconfío que haga lo ofrecido, pues ya ha tenido tiempo sobrado...", y, por lo tanto, el oficial solicitó órdenes concretas sobre el tema. Su carta terminó con una postdata no menos jocosa, pero referida al antes citado Antonio García, (a) *Camarioca*, a quien no había manera de hacerle salir de la población, pues "en cuanto se le vigila, se va a La Habana y revuelve a Roma con Santiago"[311].

Tras la marcha de Polavieja y la consiguiente pérdida de efectividad del Gabinete hasta su disolución definitiva, los bandidos de Cárdenas prosiguieron sus actividades y, en particular, Regino Alfonso se consolidó como jefe bandolero y sus correrías tuvieron por escenario no sólo la comarca cardenense, sino otros puntos de la provincia yumurina como, por ejemplo, Jovellanos y la zona SE, en torno a Amarillas y a la frontera con Cienfuegos.

A finales de abril de 1893, según una comunicación de Francisco Morán fechada en Amarillas el día 29, Regino Alfonso, Rafael Madruga y otros dos bandoleros asaltaron la casa del propietario Antonio Zamora Govín, en la colonia "Foch" del ingenio "San Abraham", de cuya vivienda

---

310. Arlegui a García Aldave, Cárdenas, 31 de mayo de 1892 (AGI. Diversos 16).
311. *Ibídem.*

se llevaron joyas de oro y plata, dinero y otros efectos. Por estas mismas fechas fue detenido Antolín Armenteros, (a) *Santero* y *Habanero*, acusado de colaborar con los bandidos, a los que suministraba armas y pertrechos [312], y, también, Pedro Alfonso, hermano del jefe bandolero [313].

El 19 de mayo se produjo, en las afueras de Cárdenas, un encuentro entre dos hombres de Regino Alfonso y dos guardias, Luis Cortés y Pedro Méndez, del que resultó muerto el segundo de los agentes citados. En la persecución posterior, dirigida por Arlegui, fue abatido el joven bandolero natural de la comarca, Julián Sánchez [314]. Otras bajas de la partida de Regino Alfonso, durante este mismo año, fueron los detenidos Gonzalo Valdés Acosta y Santiago Noya Millet, en junio, y el antes citado Rafael Madruga, muerto en persecución en Colón, al mes siguiente [315].

Regino Alfonso, el último, cronológicamente hablando, de los grandes bandoleros-insurrectos de la provincia yumurina, transitó con bastante rapidez por los métodos clásicos del bandolerismo cubano. En 1894 secuestró, en El Placer (Recreo), a José María Arce Hernández. Alfonso y sus dos acompañantes se llevaron, en el acto, veintiocho centenes y el secuestrado fue obligado a escribir a su hermano Antonio para pedirle un rescate de tres mil pesos. Hacia mayo, además, los bandidos operaban por la zona de Cuevitas y, a finales de este mismo año, en noviembre, Regino Alfonso fue perseguido en la comarca de Colón, al descubrirse su escondite cerca de la casa de Domingo Danes, donde estaba acompañado por un blanco, Marcial Sepúlveda, cuatrero y vecino de Colón, y por un mulato desconocido. La acción policial permitió detener al dueño de la vivienda y al pardo José Agustín Cárdenas, reclamado por la justicia, pero Regino Alfonso y Sepúlveda consiguieron escapar [316].

Regino Alfonso, separado desde mucho antes de su antiguo camarada Manuel Fundora, disfrutaba a la sazón de un indudable prestigio como jefe bandolero. Hasta tal punto que, como era frecuente, su nombre fue utilizado por delincuentes de poca monta para realizar extorsiones, como sucedió con Félix Blandé García, que exigió dinero al dueño de la colonia "Esperanza" en Cárdenas y a Pedro Suárez, propietario del ingenio "Pro-

312. J. Fernández Fernández y N. López Novegil: Op. cit., pp. 197-198.
313. M. de Paz: "Bandolerismo social e intentonas...", cit., p. 66.
314. J. Fernández Fernández y N. López Novegil: Op. cit., p. 198 y O.Mª. de Rojas: *Para los anales...*, cit., t. I, p. 97.
315. M. de Paz: Art. cit., pp. 66 y 68.
316. J. Fernández Fernández y N. López Novegil: Op. cit., pp. 198-199.

greso", en nombre de Alfonso, pero fue muerto por la Guardia Civil. El auténtico bandolero realizó otras acciones de cierta envergadura durante 1894, como el asalto al ingenio "Saratoga", donde resultó muerto el paisano Benito del Valle, y, junto a sus hombres, entre los que se contaban José María Abreus, natural de Corral Falso de Macuriges, José Fuentes, Juan Delgado, Manuel Sepúlveda, (a) *El Colorado* y Alberto Zulueta, llevó a cabo diversas extorsiones y actividades similares en la zona del Río Auras y en otros puntos [317].

Ciertamente, hacia las vísperas de la "guerra necesaria", Regino Alfonso ya se encontraba en condiciones idóneas para conectar con la lucha emancipadora, si es que no lo había hecho con anterioridad. Esto explica, en cualquier caso, su rápida incorporación al Ejército Libertador, cerca de Aguada de Pasajeros, el mismo día 24 de febrero de 1895, en cuyas fuerzas ostentó las divisas de teniente coronel y ganó fama de honesto y valiente, antes de morir en diciembre de 1897.

4. *GALLO* SOSA EN MATANZAS

Un informe reservado, seguramente de finales de 1890, subrayaba que la partida de Manuel García Ponce andaba "generalmente dividida en tres grupos, que recorren las provincias de Habana y Matanzas, sin que se haya dado el caso de que penetre en la de Pinar del Río". El primer grupo, que se movía por los términos municipales de Quivicán, San Felipe, San Antonio de las Vegas, Bejucal, Güira de Melena y Güines, estaba al mando del propio *Rey de los Campos*, y lo componían, además, Vicente García Ponce, Sixto Varela [318] y *Gallo* Sosa [319].

El segundo grupo estaba a las órdenes de Domingo Montelongo, quien dirigía a sus compañeros José Plasencia, Antonio Mayor, Eulogio Rivero y [Pedro] Palenzuela en sus recorridos por los municipios habaneros de San Nicolás, La Catalina, Madruga, Aguacate y Nueva Paz. Mientras

---

317. Op. cit., pp. 199-200 y AHPM. Gobierno Provincial. Orden Público. Bandoleros-insurrectos, Leg. 1, nº 47.
318. En el documento aparece como Sixto Monteagudo, (a) *Valera*. La imprecisión en éste y en otros nombres, junto a otros datos, constituye un indicador de la cronología de la fuente.
319. "Capitanía General de la siempre fiel Isla de Cuba. Gabinete Particular. Bandolerismo", s.f., AGI. Diversos 19.

que el tercero, que actuaba en terrenos de Cabezas, Alfonso XII y Bolondrón, en la provincia de Matanzas, estaba compuesto por Andrés Santana, Pablo *Escuela*, José Nario, Víctor Cruz Alonso y Vicente Cruz Barroso [320].

Añade, asimismo, este informe que los tres grupos se refugiaban, indistintamente, en Guanamón, lugar al que acudían "siempre que por la persecución u otras causas tienen que *aplastarse*, como dicen ellos", pero, la fracción de García merodeaba por unas colonias situadas entre Quivicán y San Felipe, "y sabe siempre de dicho bandido un negro llamado Julián, que vive inmediato al ingenio 'San Agustín'". La gente de Montelongo, a su vez, se movía a la sazón por los montes de Madruga, en los límites con Cabezas y por "La Antonia" (Aguacate), y "le es fácil al señor de Otamendi saber de dicho bandido, si como generalmente se cree, es su protector". Por último, el "grupo de Santana" se encontraba, constantemente, "en terrenos de Vieja Bermeja, ingenios 'La Lima', 'La Luz' y 'Josefita'(Cabezas)" [321].

El documento que acabamos de comentar es importante porque pone de relieve, una vez más, la existencia de vínculos singulares entre la mayoría de los bandidos-insurrectos del Occidente insular, quienes, en conjunto, reconocerían la superioridad jerárquica o moral de Manuel García Ponce, *el Rey*. Además, nos permite deducir la existencia de una estrategia de supervivencia común en el bandolerismo cubano, esto es, la subdivisión de la fuerza insurrecta de acuerdo con las circunstancias objetivas de la acción depredadora y de la propia resistencia a la persecución. Los bandidos, pues, se moverían, libremente y/o bajo el empuje de la represión, por aquellos lugares donde sus posibilidades –conocimiento del terreno, existencia de apoyos populares basados en parientes, paisanos y amigos, lugares idóneos para el ocultamiento, etc.–, fueran mayores, y, en este sentido, uno de los hombres más próximos a Manuel García Ponce, José I. Sosa Alfonso, conocido desde los tiempos de *Lengue* Romero y de orígen canario, según la tradición popular, aunque, al parecer, nacido en Madruga [322], es

---

320. *Ibídem*. La imprecisión en los nombres también es obvia en esta ocasión. Pablo *Escuela*, como sabemos, es Pablo Gallardo; José *Nario* es, seguramente, José Rosales o José Cruz Rosales; Víctor Cruz Barroso es, en realidad, Víctor Cruz Alonso y Vicente Cruz Barroso puede ser, en realidad, Tomás Cruz Barroso o un hermano o pariente de éste, como ya se apuntó.

321. *Ibídem*.

322. Se conserva una nota en los papeles del Gabinete Particular que, bajo el título de "Gallo Sosa, llamado José Inocente Sosa Alfonso" (s.l., s.f., AGI. Diversos 19, fol. 1.580), dice lo siguiente: "Nació en Madruga el 28 de diciembre de 1864, es hijo de don Carlos Sosa y de doña Antonia Alfonso,

un buen ejemplo, porque, al igual que otros miembros de su misma partida, contó con numerosos apoyos en los municipios fronterizos de Matanzas, Limonar y Unión de Reyes, entre otros lugares, lo que, como decimos, constituye también un indicador fiable de que los bandidos occidentales compartían las mismas zonas de operación y de resistencia.

En efecto, según la información disponible, Sosa Alfonso tenía apoyos considerables no sólo en Madruga [323], su lugar de nacimiento, sino en otros puntos de la provincia habanera y, desde luego, en distintos lugares de la de Matanzas. En este sentido se apuntan, entre otros, los nombres de Antonio Pulido (Madruga-Aguacate) [324]; Manuel Sotolongo, del ingenio "Mogote" [325]; José Prieto, sereno del ingenio "Rosita" (Unión de Reyes) [326];

---

naturales de Madruga./. Señas particulares./. Estatura alta, grueso; barba negra poblada, afeitada de la parte de la barbilla; pelo negro, frente muy chica, ojos pardos, cara grande y redonda./. Sentenciado a muerte en causa por secuestro de don Manuel Campillo". Descripción ésta que no le favorece mucho, a juzgar por la fotografía que reproducimos, pues su frente no era, en absoluto, pequeña. Además, su orígen isleño, aparte de algunos indicios orales y documentales, parece evidente por sus apellidos, de amplio arraigo en Canarias.

A su vez, el libro de *historiales*, que hemos citado con profusión, indica que el bandido, miembro destacado de la partida de Manuel García Ponce, había sido visto, según una confidencia de Adolfo Moleiro, "disfrazado de sitiero" por Cayajabo, en noviembre de 1891.

323. Donde contaría con la ayuda de don Carlos Sosa León, su propio padre, campesino como todos sus hijos, y que residía, en febrero de 1891, en Cayajabo (Madruga), donde también vivían los hermanos del bandido Inocente, Eduardo y Abraham Sosa Alfonso, tildados de protectores y colaboradores de *Gallo* y de sus compañeros, y desterrados, más tarde, a Isla de Pinos, a donde fue a parar toda su familia, acosada por la persecución policial. Otros encubridores y compinches de la comarca eran los González Machado, emparentados con la familia de *Lengue* Romero (Lista de encubridores elaborada por el 1° teniente de Madruga, el 16 de febrero de 1891, AGI. Diversos 19).

324. D. Lomo a G. Tort, Aguacate, 25 de febrero de 1891 (AGI. Diversos 17).

325. Según su *historial* era hijo de "Desiderio el de N. Paz y son muy amigos de los bandidos sobre todo de Gallo Sosa y Escuela, se dice que fueron cómplices de dos secuestros en Nueva Paz. Se dice que el Gallo y otro estuvieron en su casa curándose" (AGI. Diversos 19).

326. Según el citado libro de *historiales* (AGI. Loc. cit.), "es hermano de los antiguos bandoleros de este apellido, suegro del bandido Francisco Sosa, her-

Julián Delgado, (a) *Butifarra*, pequeño colono residente cerca del ingenio "Nieves" y tío político del bandido [327]; Gustavo y Porfirio Martínez y Fernando Mena, residentes en el potrero "Calderón", cerca de Ceiba Mocha (Matanzas) y procedentes de Madruga [328]; *Fillo* Miranda, sitiero que vivió, durante algún tiempo, por la misma zona de Ceiba Mocha y se trasladó, después, a Los Palos, y también Domingo Medina, quien había sido detenido y preso en Matanzas por encubridor [329], sin olvidar a los Agudo, padre e hijo, residentes en Sabana Miranda (Madruga) [330].

Una "relación nominal" de sospechosos residentes en los términos de Cabezas, Ceiba Mocha, Santa Ana, Sabanilla y Unión de Reyes, incrementa, asimismo, la lista de encubridores y colaboradores especiales de Sosa Alfonso con los nombres de Antonio Robaina, encargado del ingenio demolido "Valdés" (Cabezas), "jugador, holgazán" y antiguo colaborador

---

mano de Gallo, el que también vivió con su hija, en su casa se entrevista Gallo con Isabel y su hijo. Es amigo de todos los bandidos y el que mejor les sirve en Unión, Alfonso 12 y Bolondrón. Tiene un hijo llamado Pancho que es igual a él. Es pariente de los Suárez que tienen sitio en Esperanza –[cerca del ingenio 'Rosita']–, todos de lo peor y abrigadores de Gallo. Tiene larga historia". Este Francisco Sosa, hermano de José Sosa Alfonso, *Gallo*, no aparece documentado en principio.

327. Su finca, situada en la falda de una colina, "donde domina gran extensión de terreno", distaba unos dos kilómetros de "Nieves", una legua del ingenio "Limones", unas dos leguas y media de San Miguel, tres leguas de Limonar y unas cinco de Sabanilla y Bolondrón (Reyes Rodríguez a García Aldave, Jovellanos, 15 de abril de 1891. AGI. Diversos 18).

328. Estos individuos, según un confidente del juez Vasco, estaban en "combinación con los bandidos, que a menudo suelen albergarse en dicho potrero, donde Gallo Sosa ha dejado un caballo que trajo de Los Palos, regalándolo a uno de los Martínez, que éstos tienen general mal concepto, observándose se ocupan poco del potrero" (Vasco a García Aldave, Matanzas, 1º de mayo de 1891. AGI. Diversos 19).

329. Reyes Rodríguez a José Schmid, Matanzas, 1º de mayo de 1891 (AGI. Diversos 18).

330. D. Lomo a Tort, Aguacate, 15 de mayo de 1891 (AGI. Diversos 17). Según una confidencia de un ex-guerrillero, desterrado en isla de Pinos por encubridor, el "Sordo Agudo", residente en el potrero "El Itabo" de Madruga, era cómplice y encubridor de Sosa Alfonso y de otros bandoleros (Cándido Hernández, alcalde-corregidor de Isla de Pinos, a García Aldave, Nueva Gerona, 9 de junio de 1891. AGI. Loc. cit.).

del bandido *Maravilla* [R. Fernández Delgado] [331]; del ya mencionado Manuel Sotolongo, encubridor de importancia del término de Ceiba Mocha [332]; de Bartolo Cruz, residente en el Purgatorio, "arrendador" del potrero "Providencia" [333]; de Juan Blanco, arrendatario de "una regular colonia a la entrada del Purgatorio, entre el pueblo y Calderón" [334], y, particularmente, en la zona de Santa Ana, de don Arcadio Romero, representante de una auténtica dinastía de rebeldes agrarios.

---

331. "G.P. Reservado. Relación de individuos encubridores y de mal vivir de la demarcación de Cabezas, Ceiba Mocha, Santa Ana, Sabanilla y Unión de Reyes, los cuales quedan anotados en el libro", elaborada por el responsable de la Guardia Civil en Sabanilla, Gerónimo Cordero, el 29 de junio de 1891 (AGI. Diversos 19). En Cabezas también residía un hermano del bandido *Maravilla*, llamado Antonio Fernández Delgado, (a) *Vuelta-abajero*, su cuñada era Lola Romero, residente en Cayajabo, y a quien había visto hacía pocos días, y, a raíz de esa entrevista, fueron a su casa cuatro supuestos bandoleros.

332. *Ibídem.* Vivía, como se dijo, en terrenos del ingenio "Mogote", "a la entrada del camino para el Purgatorio, en colonia que le cedió su cuñado don Manuel Escudero, sujeto también que había que vigilar, como encargado que fue del potrero Calderón, en cuya época –[Ver capítulo IV]– era la finca el mayor abrigo que tenían los bandidos. Recientemente se tuvieron confidencias de que en casa de Sotolongo estuviese el Gallo y algún otro bandolero herido; por efecto de la vigilancia que se le hace y que lo ha notado, anda con más cuidado y es de esperar no se abriguen en la casa y si acaso en las cercanías".

333. *Ibídem.* Había sido alcalde de barrio de Purgatorio, "en la parte que corresponde a Ceiba Mocha". Tanto Bartolo Cruz como su hermano Juan, "que vive en San Antonio (Madruga), cerca del primero, están tenidos y han sido amigos de los bandoleros. Don Bartolo tuvo en su casa curándose heridas al bandido Fragoso; tenía intimidad con los Romeros y hoy con el Gallo. Tiene tomados terrenos para colonias en el ingenio Vellocino (Sabanilla) y desde hace cerca de un año dice se muda o traslada", pero se creía que tal afirmación era para desorientar. "Es hombre astuto, aunque aparente lo contrario".

334. *Ibídem.* No sólo era tenido por abrigador, sino que en su casa se herraban los caballos de los insumisos, "y así lo hicieron los bandoleros cuando el hecho del 'Empalme'; con frecuencia se le ve a la entrada de 'Calderón' disimulando con el pretexto de que va a enseñar la finca a individuos procedentes de Madruga". Tuvo, en dicha finca, un caballo de Sosa Alfonso, curándose de una herida "que el mismo bandido le infirió".

Don Arcadio Romero, residente en el ingenio demolido "San Ignacio", próximo a la casa de su padre y de sus hermanos Perfecto y Víctor, era primo hermano de los bandidos Manuel Romero Guzmán, *Lengue Romero*, y R. Fernández Delgado, *Maravilla*, además, "tuvo dos hermanos en la partida, ya muertos por la fuerza pública", y, a la sazón, era gran amigo de los bandoleros de Occidente, "principalmente de Gallo y acompañó a éstos en el asalto al ingenio Valdivieso"[335]. Su vecino más próximo era José González Machado, (a) *Jimagua*, hermano de Joaquín, Mateo, Olayo y Vicente, esto es, los González Machado ya mencionados, sitieros de Cayajabo (Madruga) y sospechosos, igualmente, de proteger a los bandidos. Una hermana de los anteriores, Juana González Machado, era, a su vez, la viuda del famoso *Lengue Romero*, quien, "últimamente vivía con el hermano del Gallo, hoy en isla de Pinos"[336].

Resultan evidentes, pues, las conexiones familiares entre los Sosa Alfonso, los Romero, los Fernández Delgado y los González Machado, colonos y sitieros de la ardorosa frontera habano-matancera y troncos originarios de una amplia saga de insumisos. La madre de *Gallo* Sosa, Antonia Alfonso, residía, a mediados de 1891, en Focó, juntamente con la viuda de *Dengue* Romero, como diría el capitán Mesa, Jefe de la Subzona de Madruga[337].

---

335. *Ibídem*. Se añade que vivía con una hija de Ramírez, "prima también de los citados bandidos". Arcadio Romero, asimismo, amenazaba con alzarse e integrarse en la partida y, con su carácter altanero, se jactaba de sus parientes y amistades, intimidando a los vecinos. "Tiene una colonia bastante regular, la cual trabaja y asiste perfectamente, cumpliendo bien sus compromisos".

336. *Ibídem*. José González Machado había huido de Cayajabo para evitar el destierro a isla de Pinos, como le había sucedido a sus hermanos. Se dedicaba con asiduidad al trabajo en la misma finca que Arcadio Romero, "mas a pesar de todo continúa en sus amistades abrigándolos en unión del anterior (Arcadio Romero), sospechándose ha tomado parte en algunos hechos. Es hombre inconveniente en el punto que reside".

Según una nota de Antonio Lago, del 5 de abril de 1892 (AGI. Diversos 19), Vicente González Machado era cuñado de *Gallo* Sosa, pero no a través de su hermana Juana González Machado, pues se dice que, aunque Vicente, que había sido puesto en libertad en aquellos momentos, era honrado, "no es de fiarse mucho y *casi seguro que Gallo irá a ver a su hermana*, y a saber de sus padres, más cuando murió aquí la madre".

337. Según una nota del G.P., referida a una carta del capitán Mesa que co-

El día 30 de agosto, fuerzas a las órdenes del citado oficial practicaron un registro en la vivienda de la madre del bandido y en sus alrededores, incluyendo un pequeño bohío donde hallaron y destruyeron una caja con medicamentos. Doña Antonia Alfonso aseguró, entonces, que las medicinas eran para la familia y, en el transcurso del interrogatorio, Mesa averiguó que "una mujer que con ella vive es la viuda de Dengue Romero", y ambas le dijeron, además, "que pensaban abandonar la sitiería porque no las dejaba parar la tropa que a todas horas tenían por allí". Mesa, sin embargo, justificaba sus sospechas, pues "a mí me dijo la vieja que hacía ocho años que no veía a su hijo Gallo, y al oficial que tengo en Focó le dijo el día antes que hacía dos meses", por ello se dedicó a importunarlas. En consecuencia, al día siguiente, se le presentó la anciana para indicarle que "ella y la mujer que tiene en su casa, o sea la viuda de *Dengue* Romero y con sus hijas embarcan en primer vapor para la Isla de Pinos, a unirse con su marido" y sus hijos [338], y que traspasaban la finca a un tal José M. Fundora [339].

El capitán Mesa confirmó, en carta posterior, el traslado a isla de Pinos de la "familia de Gallo", pues la madre estaba vendiendo los animales y algunos efectos, y afirmó que marchaban con ella "un hijo que tiene 14 años y la mujer de *Dengue* Romero", así como también una hija "llamada Clotilde, mujer del Galbán que marchó a dicha isla días pasados" [340]. Además, una segunda hija, Sebastiana Sosa Alfonso, "casada con un tal Antonio Roque Galbán y que vivían en colonias de Cayajabos lindando con Viajacas, han vendido todo y se han venido a vivir a este pueblo" (Madruga). Y, por último, una tercera hija, "casada con otro Galbán", pero que residía cerca de su madre, también había decidido trasladarse a la cabecera municipal, pues, el 6 de septiembre, había estado el marido en la población "vendiendo una yunta y carreta" [341].

Según Antonio Mesa, "a todos los tengo espantados y les he hecho comprender que de no caer en todo este mes Gallo Sosa no va a quedar un

---

mentaremos a continuación, se confunde Jocó con Focó y, de acuerdo con la citada carta, *Dengue* con *Lengue*, (AGI. Diversos 18).

338. Tanto don Carlos Sosa, padre de *Gallo*, como sus hijos Abraham, Inocente y Eduardo Sosa Alfonso, de 27, 25 y 17 años de edad, habían sido desterrados, anteriormente, a isla de Pinos.

339. Antonio Mesa a G. Tort, Madruga, 31 de agosto de 1891 (AGI. Diversos 17).

340. Debe tratarse de José Galbán Pérez, desterrado por encubridor y que sería puesto en libertad en febrero de 1892.

341. Mesa a Tort, Madruga, 6 de septiembre de 1891 (AGI. Diversos 17).

vecino en todo Cayajabos y Callejón de Chapapote, haciéndoles entender que parece mentira que un solo hombre se imponga a un término entero, haciendo ver con todo esto al Gobierno que todos sin excepción de uno son encubridores y cómplices por lo que se han de tomar medidas enérgicas". Su sistema, pues, consistía en amedrentar a los campesinos: "La gente anda desorientada y al que sé que sabe lo aprieto, creo que este sistema nos ha de dar algún resultado"[342]; pero su testimonio nos ofrece, también, un claro ejemplo del alto grado de endogamia y de solidaridad de estas familias ampliadas.

Su jefe inmediato, Guillermo Tort, nos aporta otros datos valiosos. En el Cano, en un lugar próximo al camino que partía de Wajay, vivía Eugenio Fernández Delgado, "hermano del bandido que se ahorcó en Cienfuegos: (el célebre Maravillas)[,] hermano de Cristóbal, que ahorcaron en Jovellanos el año pasado y hermano del Rafael, que de San Antonio de las Vegas se embarcó para Isla de Pinos hace poco". Además, "en otro sitio próximo a este Eugenio, vive Perico Navarro, casado con una hermana de Lengue Romero a quienes conviene vigilar o mandar a Isla de Pinos, pues es seguro que no estarán extraños a la presencia por allí de la gente..."[343].

Las afirmaciones de Tort sobre los Fernández Delgado, aunque nos ratifican la práctica de una intensa endogamia, también nos plantean algunas dudas sobre esta familia. En los *historiales* del Gabinete tenemos un Rafael Fernández Delgado "encubridor", desterrado a Pinos y puesto en libertad a finales de enero de 1892; un Eugenio Fernández Delgado, considerado, igualmente, "encubridor" y "propuesto" para enviarlo a la citada isla, y, desde luego, un Antonio Fernández Delgado[344]. También sabemos, pues se apuntó más arriba, que Cristóbal Fernández Delgado fue ajusticiado en Jovellanos, en 1889, y no en 1890 como parece recordar Tort. ¿Es posible, pues, que el verdadero *Maravilla* fuera, en realidad, Ramón Fernández Delgado y que, por consiguiente, tuviera algo que ver con su

---

342. *Ibídem.*

343. Tort a García Aldave, Quivicán-San Felipe, 14 de septiembre de 1891 (AGI. Diversos 19). Añade Tort que F. Eusa le había dicho, tiempo atrás, al administrador del ingenio "Toledo" que no se fiara de "esos dos sujetos, porque se marcharon de Bejucal por lo vigilados que los tenía, sabiendo, como sabía, que el Eugenio y el Rafael, hermanos, habían tomado parte en todos los secuestros que hizo el Ramón y el Perico Navarro los tenía en su casa, camino de Bejucal a Managua, con frecuencia y donde comían lechones asados".

344. Libro de *historiales*..., cit.

homónimo *Ramón* García Solano, el *Maravilla* que también mencionamos en el capítulo IV? No tenemos, en estos momentos, constancia documental, pero tal posibilidad no debe ser desechada.

También es compleja, como no podía ser de otra manera, la genealogía de otros protectores de Sosa Alfonso y de los bandoleros de Occidente. Nos referimos a los Romero, ligados, como queda dicho, a los propios Fernández Delgado y a otras familias campesinas ya mencionadas. Don Antonio Romero, hermano de don Julián Romero y, por tanto, tío paterno de Manuel Romero Guzmán, *Lengue* Romero, continuaba viviendo, en febrero de 1892, en su colonia del demolido ingenio "San Ignacio", donde gozaba fama de honrado, aunque —insistía Cordero—, los Romero tenían acobardados a otros vecinos de la zona, a causa de su parentesco y sus amistades con los bandidos. "De los hijos de Romero —aseguraba el citado oficial—, se puede afirmar que ninguno es bueno, todos se las dan de *guapetones* y se dan importancia y se imponen en el campo; el peor de ellos es Arcadio, que vive al lado de la casa del padre"[345], y cuya ficha volvió a reproducir.

En las proximidades de los Romero no sólo residía, a la sazón, José González Machado, *Jimagua*, sino la familia de los Vázquez, "siendo el peor Eduardo, gran amigo de los bandidos y que ha tomado parte en algunos hechos, tales como el asalto al ingenio Valdivieso y robo de la tienda Chirigota, mas no se le ha podido probar fuera del terreno confidencial..." Las tres familias citadas tenían, en fin, una gran intimidad con

---

345. Genaro Cordero a M. Reyes Rodríguez, Sabanilla, 6 de febrero de 1892, "reservado" (AGI. Diversos 18).

En el libro de *historiales* figuran Rosa y Severino Romero, muertos por la Guardia Civil y "hermanos de José Isabel Romero y Silverio Romero, también bandidos", lo que es inexacto o, al menos, confuso, pues la misma fuente indica, en nota conjunta, sobre José Isabel y Silverio Romero: "De Madruga, preso por asesinato, y ha sido visto con la partida de bandidos armado, es hermano de Lengue Romero y sobrino de Silverio, ambos de pésimos antecedentes". Aparecen también Ramón y Francisco Romero Sánchez: "Sumariados por bandidos secuestro Galíndez", y, asimismo, don Antonio Romero, "hermano de don Julián Romero, deportado y padre de Lengue. Tuvo dos hijos bandidos y vive en Santa Ana, cerca de Matanzas. Está vigilado". E, igualmente, se menciona al propio don Julián Romero: "Encubridor. Se mandó a Pinos", y a Antonio, a Rafael y a Domingo Romero: "Vecinos de Cayajabos, están vigilados por sospechosos" (AGI. Diversos 19, cit.).

los insumisos y, sobre todo, con Sosa Alfonso, por ello era recomendable el destierro de sus elementos más significados, pues, "el punto en que viven éstos es llave para Cabezas, Madruga, Ceiba Mocha y Matanzas, y paso por monte para Cidra y Limonar" [346].

Precisamente, a unas tres leguas de Limonar, como ya se dijo, residía el citado Julián Delgado, más conocido por *Butifarra*. Este tío político de Sosa Alfonso, casado con una tía predilecta y madrina del bandido, doña Santos, había estado en prisión por el delito de secuestro "en la persona de León Torres". Expulsado de Madruga vivió, durante algún tiempo, en Punta Brava, "término de Corral Falso y demarcación de Navajas", y desde allí se trasladó a la pequeña colonia que explotaba, en unión de su yerno, don Manuel Sánchez Romero, primo, por más señas y para más endogamia, de *Lengue* Romero, en terrenos del ingenio "Nieves" –en las lomas de San Miguel de los Baños–, como ya se mencionó, ingenio que pertenecía, como otros, al Sr. Ferri, quien, a su vez, tenía fama de "protector decidido de los Romeros, bandidos, y de sus simpatizadores" [347].

Y, por último, para terminar la amplia, aunque incompleta, lista de protectores y parientes de *Gallo* Sosa, conviene hacer mención de don Rufino Armas Sosa, otro de sus primos, natural de Madruga, pero residente, en mayo de 1892, en la Cañada de los Quesos (Nueva Paz). Este individuo se dirigió a Lavín para solicitarle una nueva cédula de identidad, pues, según dijo, había perdido la que poseía, expedida en 1891. El alcalde de Nueva Paz percibió un halo de misterio en su conducta, y, además, como también se le presentó, con los mismos argumentos, el pardo Vicente Campos, cuya edad, 24 años, estatura y color coincidían con las características somáticas del bandido José Plasencia, sus sospechas arreciaron, por ello puso el caso en conocimiento de García Aldave [348], pero, al fin y al cabo, al Gabinete Particular no le quedaba mucho tiempo de vigencia efectiva.

---

346. Carta cit. de Cordero a Reyes Rodríguez, y Reyes Rodríguez a García Aldave, Matanzas, 9 de febrero de 1892 (AGI. Diversos 18).

347. Reyes Rodríguez a García Aldave, Matanzas, 10 de febrero de 1892, "reservada" (AGI. Diversos 18), y Nota del celador Antonio Lago del 29 de febrero de 1892 (AGI. Diversos 17). La colonia, según Reyes Rodríguez, era ciertamente pequeña, pues "no pasa de veinte mil arrobas lo que muele: su casa está situada frente a dicho Ingenio y es muy vigilada por la fuerza del Cuerpo desde el 5 de Abril del año pasado en que V. me dijo por telégrafo que el Gallo visitaba a esta Tía". Una arroba equivale a 25 libras, esto es, 11 kg. y 502 gramos.

348. Lavín a García Aldave, Los Palos, 24 de mayo de 1892 (AGI. Diversos 17).

Para finalizar este epígrafe conviene, asimismo, hacer algunas referencias a la estancia de José Sosa Alfonso en términos de Matanzas, de modo que podamos contrastar estos datos con los que ya poseemos sobre las andanzas del bandido en la provincia yumurina.

Así, pues, existen indicios sobre la presencia de nuestro hombre, junto a Pablo Gallardo, Antonio Mayor, José Plasencia y Víctor Cruz, al amanecer del día 8 de enero de 1891, en una finca del pardo Felipe Mayor, en el cuartón del Aguila, lugar en el que se produjo un encuentro con fuerzas del Ejército y de guerrillas, en el que resultó herido el teniente Valladares, que falleció pocos días después [349]. A partir de este momento los informes son contradictorios o, mejor dicho, lo lógico es que, para hacer frente a la persecución, los bandidos estuvieran en continuo movimiento, desplazándose indiscriminadamente de Oeste a Este y viceversa en la frontera entre las provincias de La Habana y Matanzas, en pos de las zonas donde podían contar con más ayudas y, por lo tanto, con mejores condiciones para resistir.

Trabajos realizados por el celador García Carchana y por el comandante Domingo Lomo, sustentan la hipótesis de que *Gallo* Sosa se encontrara, en marzo del citado año, refugiado en la zona de Calderón y Purgatorio [350]. Sin embargo, a comienzos de abril, Lomo confesó que no tenía noticias exactas, pues "si bien en dos partes se me ha dicho que el Gallo se halla por Vuelta Arriba, en otras me han afirmado que se hallan por los Palos" [351]. Posteriormente, empero, un confidente a las órdenes del citado oficial, se entrevistó con Julián Delgado –el colono del ingenio "Nieves" y tío político del bandolero–, a quien conocía, y "al hablar de José (refiriéndose a Gallo Sosa) le dijo Delgado que se había marchado hacia Matanzas". Según Reyes Rodríguez, Jefe de la Guardia Civil de Matanzas, "aunque pudiera ser cierta la noticia..., no he dado aviso a nadie porque además de lo vaga no se conocen las amistades que allí pueda tener, ni conviene se haga público, por ahora, se le persigue por aquí", de cara a tenderle una celada [352].

349. Cuvertoret a García Aldave, Ingenio "Josefita", 9 de enero de 1891 (AGI. Diversos 16).

350. E. García Carchana a D. Lomo, Aguacate, 17 y 26 de marzo de 1891 (AGI. Diversos 16).

351. D. Lomo García a García Aldave, Aguacate, 5 de abril de 1891 (AGI. Diversos 17).

352. M. Reyes Rodríguez a García Aldave, Jovellanos, 15 de abril de 1891, cit., y, también, D. Lomo a García Aldave, 20 de abril de 1891 (AGI. Diversos 17).

Reyes Rodríguez añadió, asimismo, que el ingenio "Nieves", por hallarse alejado de las vías de comunicación y de los puestos de la Benemérita, se había convertido en un refugio de "mala gente", pues, "según Lomo ha averiguado se halla allí Manuel Sánchez, que se dice ha pertenecido a partida y se halló en el fuego que tuvo Lomo en este punto cuando mataron a un guardia; Ricardo Romero que también procede de la parte de Madruga y el José Quevedo... acompaña a Gallo en sus excursiones por estos puntos" [353].

Es posible, en consecuencia, que, tras la muerte de Antonio Mayor Delgado, el 14 de abril y en el potrero "Esperanza" de Alacranes, como se recordará, José Sosa se desplazara hacia la comarca de San Miguel de los Baños. A principios de mayo, no obstante, el juez Vasco destacó la importancia, en relación con el bandido, del potrero Calderón, cerca de Ceiba Mocha, donde se encontraban los Martínez y Fernando Mena, como ya se dijo, y donde los primeros tenían un caballo que Sosa había traído de Los Palos [354].

El celador Ricardo Núñez, que cumplía órdenes de Vasco, descubrió poco después, en colaboración con el juez municipal de Ceiba Mocha, que una parda, concubina de *Gallo* Sosa, había trasladado su domicilio del potrero Calderón "a la montaña conocida por el Purgatorio, término municipal de Cabezas", puntos equidistantes cuatro o cinco leguas, "todo de montes, veredas y malos caminos". El pequeño bohío, de "talla de palma y guano", estaba situado en la "espesura de un monte virgen", y sus moradoras, una anciana y una joven parda, confirmaron las sospechas de connivencia con el bandido, "pues de otro modo no se concibe que haya persona honrada que se atreva a habitar en tales desiertos". Además, se deducía que el repentino traslado de la joven, obedecía a órdenes de Sosa Alfonso, "que temiese una sorpresa en el lugar anterior y al propio tiempo para facilitar más sus entrevistas con ella" [355].

A principios de junio, según Roig Fullana, "Plasencia y Gallo Sosa hace dos días que están por el ingenio Valera y se conoce que no lo han pasado bien en la excursión, pues además de estar ripiados, el primero llegó sin zapatos" [356]. Y, poco después, añadió que Vicente García estaba con los anteriores y, "desde esta noche, les tengo una emboscada, que me aseguran

353. *Ibídem.*
354. Vasco a García Aldave, Matanzas, 1º de mayo de 1891, cit.
355. Ricardo Núñez a Vasco, Ceiba Mocha, 5 de mayo de 1891 (AGI. Diversos 19).
356. Roig Fullana a Tort, San Nicolás, 2 de junio de 1891 (AGI. Diversos 18).

que dará resultado" [357], aunque, obviamente, no ocurrió así, pues, como ya se dijo, el día 8, Gallo Sosa y otros bandoleros estarían "por las inmediaciones de Las Vegas" [358].

Estas noticias, que coincidían con indagaciones paralelas de Lavín [359], poseían bastantes visos de credibilidad, y, por lo tanto, contradecían los asertos de Pérez Riestra y de López Sola acerca de la estancia, en Jagüey Grande, de Sosa Alfonso, aunque también la prensa se hizo eco de tal posibilidad [360]. Además, el alcalde municipal de Madruga, Manuel Ruiz, indicó, tras realizar un recorrido por las cercanías de Cabezas y el Purgatorio, que nada seguro se sabía sobre los bandidos, que "la familia de Sosa quiere o pretende correr la noticia de que ha muerto" y que, según un vecino, habían escrito de la isla de Pinos, "diciendo que pronto vendrán para aquí todos, que no fuera el resto de la familia como tenían proyectado" [361].

A comienzos de julio, la prensa recogió el rumor de un supuesto viaje de Manuel García Ponce a Matanzas, en busca de *Gallo* Sosa, con quien estaría disgustado [362]. Y, a fines de ese mes, Lavín informaba de la posibilidad de que tanto Sosa Alfonso como el mulato Plasencia y otro se encontraran por el ingenio "Guadalupe", situado entre Güines y San Nicolás [363].

A mediados de agosto, parece que Sosa y Plasencia estaban por la Cañada de los Quesos (Nueva Paz) [364], y que el primero también merodeaba por el potrero "San José" de Benavides (Limonar), y por el ingenio demo-

---

357. Roig Fullana a Tort, Nueva Paz, 5 de junio de 1891 (AGI. Diversos 18).

358. Roig Fullana a Tort, San Nicolás, 8 de junio de 1891, cit.

359. Lavín a García Aldave, Los Palos, 16 de junio de 1891 (AGI. Diversos 17): "Gallo Sosa, Vicente García y el mulato Plasencia los han tenido tres días en un sitio en las Vegas, don José Hernández Reyes y su hermano don Rafael y tenían subido en un árbol un vigilante. Ya estos tres andan a caballo, van en un caballo moro y dos dorados, ya se lo dije a Roig..."

360. V. "Bandolerismo", *Tribuna*, 12 de junio de 1891 (AGI. Diversos 22): "Se nos asegura que los bandidos Gallo Sosa y Víctor Cruz, se encuentran en unas lomas de Jagüey Grande, en los montes, cerca de donde habita el padre del segundo".

361. Manuel Ruiz a G. Tort, Madruga, 17 de junio de 1891 (AGI. Diversos 18).

362. V. "Manuel García en Matanzas", *La Discusión*, 4 de julio de 1891 (AGI. Diversos 22).

363. Lavín a García Aldave, Los Palos, 28 de julio de 1891 (AGI. Diversos 17).

364. Tort a García Aldave, San Felipe, 19 de agosto de 1891 (AGI. Diversos 19).

lido "San Marcelo", cerca de "la Mocha", hacia la casa de don Joaquín Villa [365].

En los primeros días de septiembre, según Lavín, Sosa y Plasencia, que podrían refugiarse también en el ingenio "El Tiempo", donde trabajaba de mayoral don Manuel Higinio de Armas, y en la finca "El Combate", se movían, al parecer, "de Soledad a Batabanó" [366]. Mientras que Carlos Trillo aseguraba que estaban en el cuartón del Aguila, protegidos por un tal Piloto [367], y Antonio Mesa situaba, igualmente, a Sosa Alfonso en Los Palos [368].

Unos días más tarde se ubicó a *Gallo* Sosa en torno a Boyeros, y, según un tal Escopeta, él y Manuel García Ponce fueron vistos, poco después, en la finca "El Compromiso" de Quivicán, municipio en el que también estarían Vicente García y José Plasencia [369]. Félix Vázquez, sin embargo, precisó que los cuatro bandidos se hallaban en "los términos de Quivicán y Salud por parejas, van a pie y el punto en donde más se abrigan es la finca 'La Yaya'" [370]. Y, el mismo día, Lavín informó de la estrecha vigilancia que existía en la Cañada de los Quesos, tras la pista de Sosa Alfonso y de Plasencia [371].

El 17 de septiembre, un confidente del citado Lavín pedía el amparo del Gabinete, pues Sosa, Plasencia y Víctor Cruz habían pasado unos días antes por el ingenio "La Benita" y, luego, se corrieron para los montes de Valladares, detrás de La Margarita, con la idea de "vengar la muerte de sus dos compañeros" [372], esto es, Andrés Santana y Tomás Cruz.

Otras noticias parecen confirmar la presencia de los citados bando-

---

365. Tomás Aguirre a J. Schmid, Colón, 28 de agosto de 1891 (AGI. Diversos 18).

366. Lavín a García Aldave, Nueva Paz, 5 de septiembre de 1891 (AGI. Diversos 17).

367. C. Trillo a García Aldave, San Nicolás, 6 de septiembre de 1891 (AGI. Diversos 18).

368. Mesa a Tort, Madruga, 8 de septiembre de 1891 (AGI. Diversos 17).

369. Tort a García Aldave, San Felipe, 12 de septiembre de 1891, y Quivicán-San Felipe, 14 de septiembre de 1891 (AGI. Diversos 19).

370. Comunicación de F. Vázquez, Batabanó, 16 de septiembre de 1891 (AGI. Diversos 18).

371. Lavín a García Aldave, Los Palos, 16 de septiembre de 1891 (AGI. Diversos 17).

372. Comunicación a Domingo Lavín, s.l., 17 de septiembre [de 1891], AGI. Diversos 17.

leros, a los que habría que añadir "uno que le dicen Nario [Rosales]", por distintas zonas de Nueva Paz y Unión de Reyes, durante la última decena de septiembre [373]. Y, a principios de octubre, se desplazaron también hacia Madruga [374].

Sabemos, además, que durante el mes de octubre, en el que murió Palenzuela, se intentó acabar con Sosa Alfonso y con otros bandoleros, mediante diversas gestiones que ya fueron mencionadas más arriba. Parece, asimismo, que, a mediados de este mes, se consiguió sumar a la causa del orden público a unos hermanos o parientes del propio Gallo, quienes, con *Escuela* [Pablo Gallardo], se presentaron por Batabanó, "manifestando a todo el mundo que venían en comisión del Gabinete", lo que originó las protestas de Félix Vázquez [375].

En noviembre se apuntó que Sosa y Plasencia se encontraban en los montes próximos al cafetal "El Padre", "detrás de la tienda de Viajacas, entre el término de Cabezas y Madruga" [376], y, poco después, se dijo que ambos podían estar por los montes de Grima, "término de San Francisco, barrio de Matanzas" y por la zona de Santa Ana [377].

Hacia finales de este mes y principios de diciembre, según Lavín, existía la posibilidad de que el propio Manuel García acompañara, entre

---

373. D. Lomo a Tort, Alfonso XII; Estanislao Palacios a García Aldave, Los Palos; Mesa a Tort, Madruga, 21 y 24 de septiembre y 1º de octubre de 1891, respectivamente (AGI. Diversos 17 y 18).

374. Tort a García Aldave, San Felipe, 3 de octubre de 1891 (AGI. Diversos 19).

375. Vázquez a Tort, Batabanó, 18 de octubre de 1891 (AGI. Diversos 18). Sin embargo, la familia "nuclear" de los Sosa continuaba en isla de Pinos en marzo de 1892. Estaban don Carlos Sosa, tres hijos varones, uno de ellos Abraham –que se había juramentado con José Santana para alzarse en cuanto consiguieran regresar a Cuba–, y una hermana, además, "uno de los varones vive con la viuda de Lengue Romero", mientras que la madre ya había muerto (Lago a García Aldave, Nueva Gerona, 8 de marzo de 1892. AGI. Diversos 17). Asimismo, los "cuatro hermanos" González Machado, "cuñados de Gallo Sosa", llegaron a Madruga el 7 de abril de 1892 procedentes de Pinos y fijaron su residencia en el "Barrio Concordia" del citado término (M. Ruiz a García Aldave, Madruga, 8 de abril de 1892. AGI. Diversos 18).

376. Mesa a Tort, Madruga, 11 de noviembre de 1891 (AGI. Diversos 17).

377. José del Rosal a García Aldave, Cabezas, 23 de noviembre de 1891 (AGI. Diversos 17).

la Cañada de los Quesos y el paradero de Las Vegas (Nueva Paz), a los dos anteriores. Un tal don Carlos, dueño del ingenio demolido "Filomeno", pagó quince centenes a los insumisos, tras recibir una carta suscrita por Plasencia, en la que le exigía veinte [378].

El 28 de diciembre, a su vez, el comandante Schmid en persona trató de conseguir de Bartolo Valera, un individuo del propio círculo de los bandidos, que buscara "un familiar de Gallo Sosa para ofrecerle que matara a Manuel García,... Que si quiere hacerlo, además del indulto que pida la cantidad que quiera" [379], pero esta operación –lo mismo que otras similares que luego estudiaremos–, parece que tenía bastantes visos de inocentada.

Por último, a lo largo del primer semestre de 1892, Sosa Alfonso fue detectado, en enero, en Xenes y en Mamey Duro –cuartón situado entre Caraballo, Bainoa y Jibacoa–, en una colonia del médico Javier Bolaños, donde se reunió con Manuel García [380]. Poco después, Sosa y Plasencia fueron vistos por el celador Estanislao Palacios, que no se atrevió a atacarles, en "los montes del potrero de Perico Núñez, o sea en el potrero de San José", y, también, se les vio cuando salían del Desquite en dirección a Peniche, "con el traje completamente destrozado" y caminando [381].

En febrero, el celador Núñez –el íntimo colaborador de Vasco– gestionaba, desde Ceiba Mocha, los servicios de don José Sánchez Blanco, residente en los montes del Purgatorio, contra Sosa y contra toda la partida de García que tenía en toda esta zona fronteriza, incluidas la parte de Madruga, la Vija y Cabezas, un seguro refugio, "porque el bandido Gallo Sosa es muy práctico en esos montes, y que hoy el bandido Manuel García se fía mucho de Gallo Sosa" [382].

Durante el citado mes, Sosa fue visto, solo o en compañía de otros, en la finca "La Merced" (Cabezas), según parece en Cayajabos y, después, con más seguridad, rumbo a Canímar y Andarivel, "y que también han

378. Lavín a García Aldave, Los Palos, 4 de diciembre de 1891 (AGI. Diversos 17).

379. Schmid a García Aldave, 28 de diciembre de 1891 (AGI. Diversos 18).

380. Tort a García Aldave, Madruga y Güines, 9 y 21 de enero de 1892, respectivamente (AGI. Diversos 19).

381. Palacios a García Aldave y a Tort, Palos, 31 de enero de 1892 y "Noticia de Clemente Rodríguez", 3 de febrero de 1892 (AGI. Diversos 18).

382. Informe reservado de Ricardo Núñez, Ceiba Mocha, 9 de febrero de 1892 (AGI. Diversos 19).

pasado por Camarones y Palomino, pertenecientes a Corral Nuevo, y por el punto conocido por Menocal", según manifestó Sánchez Blanco [383], quien también creía en la entelequia de que *Gallo* Sosa traicionara a García.

En marzo se afirmó que Sosa andaba entre Paula Reyes y Martiartu hasta Naranjito, y que estaba con Plasencia y, según Palacios, con Rosales [384]. Aunque, unos días después, un confidente de Pipián aseguró a Francisco Grau que "Manuel con su hermano, Gallo y Plasencia hace ya muchos días se encuentran por el Ingenio Lima (Cabezas), Ingenio Manuelita y Río de Aura, de donde salen y están fuera uno, dos y hasta tres días, pero que vuelven a ellos, especialmente al punto conocido por Ojo de Agua del primero de dichos ingenios" [385].

El 16 de abril, Abraham Morejón felicitaba a García Aldave por la muerte de Víctor Cruz –"ahora sólo queda Rosales"–, y, respecto a Sosa, indicó que era "el peor de los bandidos" y que le protegía la suerte [386]. Mientras que un guerrillero, Brizuela, se enteró, en Jagüey Grande, que Manuel y Vicente García, Sosa, Plasencia y Rosales estaban "por allí, entre Jagüey y Calimete, por donde se cree tienen arrendada una finca y que ahora andan mucho por Aguada de Pasajeros y Amarillas", y, además, añadió que "Alfonso andaba con los de Cárdenas, con el nombre de Miguel Escobedo y que Gallo se ha quitado la barba y usa sólo bigote" [387]. Asimismo, entre finales de mayo y principios de junio, se rumoreó que Sosa, Plasencia y Vicente García habían sido vistos por el paradero de Palos y, después, por el Purgatorio [388]. Pero de éstos y de otros interesantes extremos nos ocuparemos en el segundo volúmen de esta obra.

·

383. "Noticias confidenciales de José Sánchez Blanco. Reservadas", recogidas por Núñez, s.f. (AGI. Diversos 18).
384. Tort a García Aldave, Madruga, 13 de marzo de 1892 (AGI. Diversos 19).
385. Grau a Tort, Madruga, 26 de marzo de 1892 (AGI. Diversos 19). "También me ha dicho le manifieste que Rosales, Alfonso y un moreno han ido para Colón".
386. Morejón a García Aldave, Margarita, 16 de abril de 1892 (AGI. Diversos 17).
387. Tort a García Aldave, Madruga, 14 de abril de 1892 (AGI. Diversos 19).
388. Lavín a García Aldave, Los Palos, 30 de mayo, y Tort a García Aldave, Madruga, 5 de junio de 1892 (AGI. Diversos 17 y 19).

TALLER DE HISTORIA
Títulos Publicados